D1179882

ЗВЕЗДЫ МИРОВОЙ ФАНТАСТИКИ

**КНИГИ ГАРРИ ГАРРИСОНА**
**В ИЗДАТЕЛЬСТВЕ «АЗБУКА»:**

Мир смерти

Пришельцы, дары приносящие

Планета райского блаженства

Планета проклятых

К западу от Эдема

Зима в Эдеме

Возвращение в Эдем

Фантастическая сага

Плененная вселенная

Молот и крест

Крест и король

Король и император

К звездам!

Стальная Крыса идет в армию

Стальная Крыса

Стальная Крыса отправляется в ад

Стальная Крыса. Золотые годы

Подвиньтесь! Подвиньтесь!

50x50

Гаррисон! Гаррисон!

*Билл — герой Галактики. Книга 1*

# ГАРРИ ГАРРИСОН

# Билл — герой Галактики

## Книга 1

Санкт-Петербург

УДК 821.111(73)
ББК 84(7Сое)-445
Г 21



Перевод с английского
С. Соколова, Л. Шкуровича, А. Иорданского, Н. Михайлова

Серийное оформление и оформление обложки
С. Шикина

Иллюстрация на обложке В. Еклериса



**ISBN 978-5-389-11958-1**

# Билл — герой Галактики

# ЧАСТЬ ПЕРВАЯ

## 1

Билл так никогда и не понял, что первопричиной всех последовавших событий был секс. Ведь если бы солнце не сияло так ярко тем утром в оранжевом небе Фигеринадона-2 и если бы не сверкнула перед Биллом белоснежная пухленькая попка плескавшейся в ручье Инги-Марии Калифигии, то, надо полагать, он уделил бы больше внимания пахоте, а не насущным нуждам противоположных полов. К тому времени, когда со стороны дороги донеслись манящие звуки музыки, он был бы уже на дальнем конце поля и ничего не услышал бы. Тогда его дальнейшая жизнь сложилась бы совсем иначе. Но он услышал и бросил плуг, который тащил робомул, и повернулся, и разинул рот.

Зрелище и впрямь открывалось фантастически славное. Во главе процессии выступал робот-оркестр трехметрового роста, да еще в высоченном гусарском кивере, венчавшем отменную акустическую систему. Умопомрачительный робот твердо чеканил шаг колонноподобными ножищами, сверкающими золотом, а три десятка его рук виртуозно наигрывали, наяривали и нажаривали на множестве инструментов одновременно. Бравурная заводная музыка оглашала окрестности. Даже деревенщина Билл неуклюже задвигал ногами в деревянных башмаках в унисон сверкающим ботинкам солдат, что маршировали следом за роботом. На широкой груди каждого бравого воина звенели медали, и вид у колонны был, вне сомнения, самый молодецкий. Процессию замыкал сержант во всем великолепии галунов и позументов, знаков отличия и орденских лент, в блестящей кирасе, при мече и револьвере, едва не перерезанный пополам туго затянутым ремнем. Его стальной взгляд остановился на глазеющем из-за плетня Билле, жесткие губы искривились в дружеской улыбке, и он едва заметно по-свойски подмигнул. В сопровождении запыленной орды скачущих, ползущих на гусеницах и катящихся на колесиках вспомогательных роботов всех мастей маленький отряд скрылся за поворотом, а Билл неуклюже перелез через плетень и затрусил следом. Интересные события происходили на Фигеринадоне-2 не чаще двух раз в четыре года, и он не собирался пропускать третье.

К тому времени как запыхавшийся Билл появился на рыночной площади, там уже собралась порядочная толпа зевак. Концерт и впрямь был восхитительным. Робот-оркестр самозабвенно исполнил торжественные такты «Марша звездной пехоты», прорубился сквозь «Ракетные раскаты» и едва не разнес сам себя в клочья бурным ритмом «И в аду сапер окоп отроет». Заключительный аккорд он взял с таким жаром, что одна из его ног неожиданно взвилась высоко в воздух, но была ловко подхвачена им на лету, и робот закончил выступление, балансируя на одной ноге, а оторвавшейся конечностью отбивая такт. Когда отзвучало финальное душераздирающее «Форте» медных труб, робот, использовав освободившуюся конечность в качестве указки, направил внимание толпы на противоположную сторону площади, где уже развернули трехмерный экран и палатку с прохладительными напитками. Солдаты неприметно скрылись в кабачке, а лучащийся сердечной улыбкой сержант-вербовщик остался один среди роботов.

— Слушайте, слушайте! — загорланил он зычным командирским голосом. — Выпивка за счет императора, а чтоб не скучать — забойная киношка про дальние края!

Толпа повалила на зов. Билл, само собой, тоже, и лишь несколько пожилых, тертых калачей-дезертиров нырнули в переулок: они-то знали, что к чему. Прохладительные напитки подавал робот с краном вместо пупка и с неисчерпаемым запасом пластиковых стаканчиков в бедре. Билл смаковал свое питье, всецело поглощенный невероятными приключениями солдат из Космических частей — в цвете и с аудиовизуальной стимуляцией подсознания. Там было все: битва, смерть и неувядаемая слава — хотя гибли только чинджеры, солдаты же отделывались аккуратными симпатичными поверхностными ранениями, которые легко удавалось скрыть марлевыми повязочками. Билл, увлеченно созерцавший красочное зрелище, и подумать не мог, что в то же самое время его увлеченно созерцает сержант-вербовщик Грю, чьи маленькие поросячьи глазки похотливо бегали по ладной фигуре неиспорченного деревенского парня.

«Как раз что надо!» — ликовал сержант и машинально облизывал губы языком, покрытым желтоватым налетом. Он уже чувствовал, как карман оттягивают премиальные за этого ослика.

Толпа на площади состояла в основном из мужичья непризывного возраста, баб-толстух и сопливых ребятишек — материала самого нестроевого. Исключение составлял только вот этот плечистый, мускулистый кусок электроннопушечного мяса. С точностью, свидетельствующей о большом опыте, сержант убавил инфразвуковое сопровождение и направил в кудрявый затылок своей жертвы узкий стимулирующий луч. Билл аж затрясся, вживаясь в грандиозную битву, которая разворачивалась перед его глазами.

Прозвучал заключительный аккорд, экран погас, и робот-бармен забарабанил в свою железную грудь со словами: «Напитки! Напитки!»

Публика, как стадо баранов, повалила на зов, а Билла задержала крепкая рука.

— Глянь-ка, что у меня есть, — сказал сержант и вручил Биллу стакан жидкости, содержащей такое количество подавляющего волю наркотика, что на дно выпал кристаллический осадок. — Ты парень что надо, не чета этим олухам неотесанным! Никогда не задумывался о солдатской карьере?

— Не гожусь я, сержант. — Билл пошлепал губами и сплюнул; казалось, что-то мешает ему выговаривать слова. И с мыслями он никак не мог совладать. Но о его высокой устойчивости свидетельствовал тот факт, что он вообще еще держался на ногах после лошадиной дозы химических и инфразвуковых стимуляторов. — Не гожусь я. Хочу быть мастером в любимом деле. — Билл покачал головой. — Сейчас я заканчиваю заочный курс операторов механических навозоразбрасывателей, ну и...

— Дерьмовая работа для такого парня, как ты! — гаркнул сержант, оценивающе похлопывая Билла по бицепсу. Скала!.. Он с трудом удержался, чтобы не оттянуть Биллу губу и не посмотреть на зубы — успеется еще. — Пускай в навозе копаются другие, тебе там ничего не светит! Зато в армии можно сделать карьеру дай бог всякому! Возьми хотя бы адмирала Пфлюнгера; прошел, как говорится, огонь, воду и медные трубы — от рядового до Великого Адмирала! Что скажешь?

— Ну, я рад за господина Пфлюнгера, но по мне навоз куда милее. Да что это меня так в сон тянет? Пойти вздремнуть часок, что ли...

— Только сначала, сделай одолжение, погляди вот сюда, — перебил его сержант, показывая на книжку, которую держал раскрытой крохотный робот. — Встречают, как говорится, по одежке, а большинство моих знакомых постыдились бы показаться на людях в такой жалкой дерюге, что на тебе, не говоря уж о твоих дерьмоступах. На кой черт таскать тряпки, если можно выглядеть вот так!

Толстый палец ткнулся в книжку, и Билл перевел взгляд на цветную картинку, на которой благодаря чудесам техники поставленной на службу дурным целям, красовался он собственной персоной в блестящем красном мундире космического пехотинца. Сержант переворачивал страницы, и с каждой новой мундир становился все более великолепным, украшенным все более высокими знаками отличия. Последняя изображала неотразимую форму самого Великого Адмирала, и Билл недоверчиво заморгал, увидев физиономию, хоть, правда, и морщинистую, и с элегантными, с проседью усиками, но, несомненно, собственную.

— Вот таким ты будешь, когда поднимешься на высшие ступени командования, — прошептал ему на ухо сержант. — Верно, ты хотел бы примерить мундир? Портной!

Билл разинул было рот, чтобы запротестовать, но сержант тут же воткнул в него чудовищных размеров сигару, и прежде чем Билл успел ее вынуть, подкатился на резиновых колесиках робот-портной, обнял его рукой-ширмой и мигом раздел догола.

— Эй-эй! — пролепетал ошарашенный Билл.

— Это совсем не больно, — заверил его сержант, просовывая за ширму свою большую голову. Он довольно оглядел мускулистое тело Билла, ткнул пальцем в солнечное сплетение (скала!) и ретировался.

— Ай! — сказал Билл, когда портной, снимая мерку, уколол его холодной линейкой.

Через минуту в бочкообразном брюхе робота заскрежетало, и из прорези на груди полез восхитительный красный мундир. В мгновение ока он оказался на Билле, золотые пуговицы застегнулись. Затем пришла очередь парадных бриджей и сверкающих лаком черных сапог. Ошеломленный Билл даже пошатнулся, когда ширма исчезла, а вместо нее появилось большое самоходное зеркало.

— Женщины прямо-таки голову теряют при виде мундира, — сообщил сержант. — И немудрено!

Билл снова увидел перед собой идеально круглые ягодицы Инги-Марии Калифигии, глаза его на миг затуманились, а очнувшись, он обнаружил в своей руке перо и какой-то бланк, услужливо предложенный сержантом.

— Нет! — заявил он, удивляясь собственной твердости. — Не подпишу! Оператор механического навозоразбрасывателя, и все тут!

— Прекрасный мундир и подъемные! Да еще доктор тебя осмотрит совершенно бесплатно! И вдобавок ко всему ты получишь красивые медали! — Сержант открыл плоскую коробочку, поданную роботом. — Вот, например, — сказал он торжественно и приколол к груди Билла нечто напоминающее маленькое, инкрустированное бриллиантами облачко. — Почетный орден храброго новобранца... А вот — Имперский позолоченный поздравительный рог... Звездный крест победителя... Честь и слава матерям полегших героев... Ну и Вечный рог изобилия — если честно, порядочная ерунда, но выглядит внушительно, и в нем можно хранить презервативы.

Он отступил на шаг, чтобы полюбоваться Биллом, украшенным ленточками, побрякушками и блестящими стеклышками.

— Но я... Не-ет! Спасибо за честь, но...

Сержант, готовый к куда более активному сопротивлению, только усмехнулся и нажал кнопку у себя на поясе. Кнопка эта приводила в действие гипнотическую иглу, вмонтированную в подметку сапога новобранца. Неодолимый импульс пронзил Билла... И через мгновение он осознал, что уже поставил свою подпись на листе.

— Но...

— Добро пожаловать в космическую пехоту, парень! — заорал сержант, смачно похлопывая его по спине (скала!) и вытаскивая авторучку из судорожно сжатых пальцев. — Становись! — заорал он еще громче, и солдаты стали выскакивать из бара.

— Что вы сделали с моим сыном?!

С душераздирающим воплем на площадь выбежала мать Билла, одной рукой придерживая объемистый бюст, другой волоча за собой младшего брата Билла, маленького Чарли. Чарли разревелся и замочил штанишки.

— Ваш сын стал солдатом во славу императора! — отрезал сержант и принялся строить в шеренгу сутулых, вислогубых рекрутов.

— Нет! Не имеете права! — В отчаянии мать рвала на себе волосы. — Я бедная вдова. Билл — мой единственный кормилец, он...

— Мама! — вскричал Билл, но сержант запихнул его обратно в строй.

— Мужайтесь, мадам! Нет выше чести для матери... — Он сунул ей в руку большую свежеотчеканенную монету. — Это подъемные — целый новехонький имперский шиллинг. Знаю, его величество рад, что вы его получили... Смир-рно!

Новобранцы неуклюже щелкнули каблуками, расправили плечи и выпятили грудь. К немалому своему удивлению, то же проделал и Билл.

— Напра-во!

Подчиняясь импульсам гипнотических игл, скрытых в подметках сапог, рекруты в едином движении выполнили приказ.

— Шагом... арш!

Колонна тронулась с места. Контроль был столь жесток, что Билл, как ни старался, не мог даже повернуть головы, чтобы попрощаться с матерью. Та отстала, и лишь последний отчаянный вопль донесся, перекрыв грохот солдатских сапог.

— Сто тридцать шагов в минуту! — скомандовал сержант, поглядев на хронометр, вмонтированный под ноготь мизинца. — До посадочной площадки всего десять миль; ночевать будем в лагере!

Задающий темп робот настроил метроном, ноги зачастили, солдаты взмокли. К посадочной площадке подошли в сумерках. Мундиры из красной бумаги висели клочьями, позолота с оловянных пуговиц слезла, отслоилась пленка, защищавшая от пыли сапоги из эрзац-кожи. Грязные измотанные новобранцы чувствовали себя в точности так, как выглядели.

## 2

На рассвете Билла разбудил не задорный сигнал горниста, а удар ультразвука, от которого сперва затрясся железный каркас его койки, а потом и он сам — причем с такой силой, что из зубов повываливались все пломбы. Билл вскочил на ноги. Стояло лето, и пол в казарме специально охлаждался — в учебно-тренировочном лагере имени Льва Троцкого новобранцев баловать не собирались. Бледные, как привидения, заспанные и озябшие рекруты повскакивали с коек. Выворачивающая внутренности вибрация вскоре прекратилась. Новобранцы поспешно натянули бесформенные комбинезоны из наждачной бумаги, вколотили ноги в огромные красные башмаки и высыпали наружу, под серое предутреннее небо.

— Я здесь затем, чтобы сломить ваш дух! — объявил им жесткий голос. — Понятно?

Они подняли головы и, увидев владыку этого ада, затряслись пуще прежнего.

Старший сержант Сгинь Сдохни был специалистом в полном смысле этого слова — от кончиков остриженных ежиком волос до шипастых подметок начищенных до зеркального блеска сапог. Был он широкоплеч и сухопар, длинные руки будто у какого-то жуткого антропоида свисали ниже колен, а костяшки пальцев на громадном кулачище покрывали бесчисленные мозоли от тысяч зуботычин. Глядя на это порождение ада, нелегко было представить, что появился он на свет из нежного материнского чрева. Нет, не мог Сдохни *родиться*; подобных ему наверняка изготавливают по особым правительственным заказам.

Особо страшное впечатление производила его голова. Одно лицо чего стоило! Узенькая, в палец, полоска лба отделяла щеточку волос от кустистых бровей, нависавших густыми зарослями над черными провалами глаз, о присутствии которых свидетельствовали только красноватые зловещие огоньки в непроницаемом мраке глазниц. Сломанный, свернутый набок нос свисал надо ртом, очень напоминавшим ножевую рану в животе окоченелого покойника. Образ довершали торчавшие из-под верхней губы огромные острые клыки.

— Я старший сержант Сгинь Сдохни. Вы должны меня называть «сэр» и «господин», когда обращаетесь ко мне. — Сержант мрачно прошел вдоль шеренги испуганных новобранцев. — Я ваш отец, ваша мать, ваша вселенная и самый страшный враг. Вы еще пожалеете, что родились на этот свет! Я растопчу вашу волю. Когда я скомандую «Прыгай!», вы у меня будете прыгать! Моя задача — сделать из вас солдат, то есть научить дисциплине. Дисциплина — это отсутствие свободы воли, абсолютно беспрекословное повиновение и бездумное выполнение приказов. Большего от вас я не потребую!

Он остановился перед Биллом, который трясся вроде бы поменьше, чем остальные, и ухмыльнулся:

— Что-то не нравится мне твоя рожа. Месяц работы на кухне по воскресеньям!

— Сэр...

— И еще месяц за пререкания!

Билл мудро промолчал. Он уже усвоил первый урок курса молодого бойца: «Держи язык за зубами».

Сержант двинулся дальше.

— Сейчас вы просто жалкие куски штатского мяса в штанах, но я превращу это мясо в мускулы, из вашей воли сделаю студень, из ваших мозгов — машины. Или вы станете хорошими солдатами, или я сживу вас со света! Вы еще услышите обо мне всякие истории, например, как я убил и съел новобранца, отказавшегося выполнить мое приказание.

Он остановился и обвел глазами строй. Уголки вурдалачьих губ поползли вверх в дьявольском подобии улыбки. С кончиков выступавших клыков капала слюна.

— Эта история подлинная.

Ответом ему был единодушный стон. Шеренга новобранцев содрогнулась, словно под шквалом ледяного ветра. Улыбка исчезла с лица сержанта.

— Сейчас мы пойдем завтракать, но прежде мне нужны два-три добровольца на легкую работу. Кто из вас водит вертолет?

Двое новобранцев с надеждой подняли руки, и Сдохни велел им выйти вперед.

— Отлично, парни! Берите тряпки, ведра — и в сортир! Пока остальные будут лопать, вы немного приберете. Нагуляете аппетит к обеду.

Это был второй урок для Билла: «Никогда не вызывайся добровольцем».

Началась военная подготовка. Дни летели с отупляющей быстротой, и, как ни странно, с каждым днем новобранцам приходилось все хуже. Хотя, если подумать, иначе и быть не могло: об этом позаботилось много способных, изощренных в садизме умов. Стригли рекрутов наголо, гениталии их красили в оранжевый цвет антисептиком. Еда была с теоретической точки зрения питательной, но на вкус ужасной. Когда по ошибке кусок мяса однажды подали в пригодном к употреблению виде, его тут же выловили из котла и выбросили на помойку, а повара разжаловали в посудомойки.

Среди ночи новобранцев поднимали по учебной тревоге воплем: «Внимание, газы!» — а свободное время занимала подготовка снаряжения. Седьмой день недели отводился для отдыха, но так как каждый успевал заработать какое-нибудь наказание, как, например, Билл, то воскресенье мало чем отличалось от будней.

Билл протиснулся сквозь перекрывающее вход слабое силовое поле, отрегулированное со столь изощренной хитростью, что позволяло кусачим мухам проникать в барак, но наружу их не выпускало, поставил на пол задубелую от пота, грязи и кухонного жира куртку и достал из сундучка электробритву. После четырнадцатичасовой чистки картофеля ноги у него тряслись как в лихорадке, а руки, бледные и опухшие, напоминали конечности добротно вымоченного покойника. В сортире он долго искал участок относительно чистого зеркала. Все зеркала были покрыты вдохновенными надписями вроде: «Держи язык за зубами — чинджеры подслушивают» или «Будешь много болтать — человек в зеркале пропал». В конце концов он сунул штепсель бритвы в розетку рядом с грозным вопросом: «Хочешь, чтобы твоя сестра вышла за чинджера?» — и всмотрелся в свое отражение. На него глядели налитые кровью, обведенные черными кругами глаза.

Больше минуты Билл елозил жужжащей машинкой по запавшим щекам, прежде чем смысл вопроса дошел до его отупевшего от усталости сознания.

— Нет у меня сестры, — буркнул он сварливо. — А если бы и была, на кой черт ей выходить замуж за ящерицу?

Вопрос был чисто риторический. Однако с противоположного конца помещения, а точнее, из последней кабинки во втором ряду донесся неожиданный ответ:

— Не следует понимать все буквально. Цель лозунга — будить в нас непримиримую ненависть к врагу.

Убежденный, что он в сортире один, Билл подскочил как ужаленный. Бритва взвизгнула со злобным удовлетворением и отхватила клочок губы.

— Кто здесь?! Почему прячешься?

Только сейчас он заметил груду башмаков, сваленных в дальнем углу, и склонившуюся над ней темную фигуру.

— А, это ты, Усер...

Гнев его сразу прошел, и Билл вновь повернулся к зеркалу.

Усердный Прилежник был столь неотъемлемой частью сортира, что его присутствие там просто не замечалось. Этот юноша с круглым, как полная луна, лицом, вечно румяными щеками и с неизменной улыбкой на лоснящейся физиономии так мало подходил к обстановке в учебном лагере имени Льва Троцкого, что первым порывом каждого новобранца было разорвать его на куски. Наверное, так бы и случилось, если бы Усер был в своем уме: только сущий придурок мог так охотно брать на себя работу товарищей и добровольно вызваться постоянно дежурить по сортиру. Мало того, он просто обожал драить башмаки и предлагал свои услуги по очереди всем рекрутам, так что теперь превратился в бессменного чистильщика. Когда взвод расходился по баракам, Усер располагался в своем царстве стульчаков и приступал к развитой уже почти до промышленных масштабов деятельности, с радостной улыбкой орудуя щетками. Гасли лампы, но он продолжал работу при свете горящего в баночке из-под гуталина фитилька, и побудка заставала его на обычном месте с удовлетворенным видом человека, закончившего очень важное дело. А когда башмаки бывали особенно грязными, Усер вообще не ложился спать. Шариков у него явно не хватало, но его не трогали: ведь он взвалил на плечи кошмарную обузу. Более того, парни буквально молились, чтобы Усер не протянул ноги от истощения, прежде чем кончится курс начальной военной подготовки.

— Если смысл только в этом, то почему бы просто не написать: «Возненавидь врага своего!» — удивился Билл и указал пальцем на противоположную стенку, где висел плакат под шапкой «Вот твой враг!». На плакате был изображен чинджер в натуральную величину — ящероподобное существо семи футов ростом, смахивающее на покрытого чешуей четверорукого земного кенгуру с крокодильей головой. — А потом — чья же сестра пожелает выйти замуж за такое страшилище? И что оно после свадьбы делало бы с этой сестрой? Разве что сожрало бы ее...

Усер как раз закончил полировать один красный башмак и взялся за следующий. Он нахмурил брови, чтобы показать, что в его черепе идут сложные мыслительные процессы, и изрек:

— Ну, видишь ли, никто не имеет в виду настоящую сестру. Это всего лишь пропагандистский трюк. Мы должны выиграть войну, а для этого должны драться как черти. Но чтобы драться как черти, солдаты должны быть хорошими солдатами, а хорошие солдаты должны ненавидеть врага. Так оно и идет. Чинджеры — единственная известная нам негуманоидная раса, построившая машинную цивилизацию, поэтому само собой разумеется, что мы должны стереть их в порошок.

— С какой это стати «разумеется»? Не желаю я никого стирать в порошок! Единственное, чего я хочу, — так это вернуться домой и стать оператором механического навозоразбрасывателя!

— Ну я же не имел в виду конкретно тебя. — Усер открыл новую банку багряной ваксы и запустил в нее палец точно такого же цвета. — Я имел в виду человечество вообще. Если мы их не сотрем — они нас сотрут! Правда, чинджеры утверждают, будто война противоречит их религиозным убеждениям и дерутся они только потому, что вынуждены обороняться. В этом что-то есть, так как они никогда не нападают первыми. Но вдруг им однажды придет в голову сменить религию? Хорошенький же вид тогда у нас будет! Лучше всего истребить их сейчас, пока еще не поздно!

Билл выключил бритву и ополоснул лицо тепловатой ржавой водой.

— Все равно что-то здесь не сходится. Ладно, пускай сестра, которой у меня нет, не путается с чинджером. Но какой смысл, например, в этом? — Он ткнул пальцем в надпись над стульчаком: «Воду спускай, о враге не забывай!» — Или в этом? — Плакат под писсуаром взывал: «Застегни ширинку, охламон, за тобой следит шпион!» — Дело не в том, что в лагере нет самого завалящего секрета, ради которого стоило бы пройти хоть милю, не говоря уж о двадцати пяти световых годах, но как чинджер может быть шпионом? Разве загримируешь семифутовую ящерицу под рекрута? Сомневаюсь даже, что ей удастся прикинуться сержантом Сдохни, даром что он вылитый чинджер...

Свет внезапно погас, и старший сержант Сгинь Сдохни, как вурдалак, являющийся из преисподней, стоило только назвать его имя, хрипло заорал:

— По койкам! По койкам, паршивые недоумки! Война идет, а им все хаханьки!

В темноте, озаренной лишь красноватым свечением глаз сержанта, Билл с трудом отыскал свой топчан. Заснул он, едва голова успела коснуться подушки, словно отлитой из какого-то кремнийуглеродистого сплава, и, как ему показалось, минутой позже вскочил на ноги, выброшенный из постели ударной волной побудки. За завтраком, когда Билл в поте лица резал эрзац-кофе на кусочки такой величины, чтобы их можно было безболезненно проглотить, телевидение передало сообщение о тяжелых, кровопролитных боях в секторе Беты Лиры. По столовой пронесся горький стон, вызванный отнюдь не избытком патриотизма, а тем фактом, что любые вести подобного рода могли привести только к ухудшению положения рекрутов. Они не имели понятия, каким образом, но были убеждены, что так и случится. И совершенно справедливо.

Так как утро выдалось прохладнее обычного, парад, обычно проводимый в понедельник, перенесли на полуденные часы, чтобы железобетонные плиты на плацу успели хорошенько раскалиться и обеспечить максимальное количество обмороков и тепловых ударов. Билл, вытянувшись по стойке смирно в одном из последних рядов строя, заметил, что над почетной трибуной натянут шатер с кондиционированием. Могло это означать только одно: приедет какая-то важная шишка.

В бок впивалась предохранительная скоба атомной винтовки, с носа капал пот, но краешком глаза Билл наблюдал, как поминутно то здесь, то там валятся снопами новобранцы и их товарищи поспешно отволакивают бесчувственные тела к стоящим наготове санитарным машинам. Бедняг укладывали в тень, а когда они приходили в сознание, отправляли обратно в строй.

Оркестр грянул марш «Звездные роты — чинджерам каюк!», скрытые в подметках иглы послали гипнотические импульсы, и в один миг тысячи атомных ружей сверкнули на солнце. Штабной автомобиль — две звезды на дверцах — подкатил к трибуне, маленькая круглая фигурка быстрым шагом одолела раскаленный, как печка, плац и исчезла в шатре с кондиционированием. Биллу еще не приходилось видеть генерала живьем, во всяком случае спереди. Как-то поздно ночью, возвращаясь из наряда по кухне мимо офицерского клуба, он заметил садящегося в машину генерала. Но длилось это лишь мгновение, да и генерал виден был только со спины. Таким образом, этот высокий чин ассоциировался у Билла с необъятной задницей, наложенной на крохотную муравьиную фигурку. Впрочем, столь же смутное представление имел Билл и о других офицерах: обычно новобранцы не сталкивались с командным составом. Лишь однажды у канцелярии он хорошенько разглядел какого-то второго лейтенанта и с некоторым удивлением обнаружил, что у того, оказывается, есть лицо. И еще был военврач, который читал им лекцию о венерических заболеваниях, но Биллу, по счастью, досталось место за колонной, и он, усевшись, сразу же заснул.

Оркестр наконец выдохся, зато над строем всплыли антигравитационные громкоговорители, и плац содрогнулся от раскатов генеральского голоса. В речи этой ничего, что могло бы заинтересовать солдат, не было, и закончил ее генерал заявлением, что в связи с тяжелыми потерями на фронте срок их обучения будет значительно сокращен. Эти слова только подтвердили их ожидания. Затем под гром оркестра рекрутов отвели в казарму, где они переоделись в полевую форму, и ускоренным маршем отправили на стрельбище; в связи с сокращением сроков обучения им предстояло расстрелять вдвое больше патронов, чем обычно, по пластиковым чинджерам.

Новобранцы палили из винтовок, как бог на душу положит, пока вдруг среди мишеней не возник Сгинь Сдохни. Каждый тут же перевел оружие на автоматический огонь и со снайперской меткостью всадил в сержанта всю обойму — явление, безусловно, необычное и очень редкое. Однако, когда дым рассеялся, радостные возгласы сменились тоскливыми всхлипываниями, так как оказалось, что это была всего лишь пластиковая кукла, теперь разнесенная в клочья. В довершение откуда ни возьмись появился оригинал, заскрипел клыками и влепил всем по месяцу нарядов на кухне вне очереди.

— Отличная штука — человеческое тело, — заявил Задница Браун месяцем позже, жуя в клубе для низших чинов сосиску из субпродуктов в пластиковой оболочке и запивая ее теплым водянистым пивом. Задница Браун на гражданке пас коров, потому-то его и назвали Задницей — ведь всякий знает, что проделывают пастухи со своими милашками. Был он обожжен солнцем, как старый ремень, долговяз и кривоног. Немногословности его научила работа на травянистых равнинах, где тишину нарушали лишь вопли напуганной чем-то коровки. Зато это был великий мыслитель, ибо времени для размышлений у него было хоть отбавляй. Задница Браун мог целыми днями, неделями вынашивать некую мысль, пока не приходил к решению, что она достаточно созрела и достойна огласки. И все это время ничто не могло его вывести из состояния задумчивости. Он даже не протестовал против своей клички, хотя любой другой на его месте как пить дать врезал бы обидчику по физиономии.

Билл, Усер и другие сидящие за столом солдаты засмеялись и стали хлопать в ладоши, как всегда, когда Задница что-нибудь изрекал.

— Валяй дальше, Задница!

— Э, да он говорить умеет!

— Ну так почему же тело — отличная штука?

Все замерли в ожидании ответа, пока Задница силился откусить от сосиски. Наконец ему это удалось. После тщательных попыток ее прожевать Задница глотнул, вытер проступившие слезы и сделал шумный глоток пива.

— Человеческое тело — отличная штука, потому что живет, пока не помрет.

Солдаты ждали продолжения, а когда поняли, что это все, восторженно закричали:

— Ну ты, Задница, и даешь!

— Умник чертов!

— Да, но что это значит?

Билл знал, что это значит, однако решил промолчать. В их подразделении в строю осталась лишь половина списочного состава. Одного перевели, остальные попали в госпиталь или в психушку, или были уволены по инвалидности, или были мертвы. Оставшиеся в живых сперва похудели так, что кожа висела на ребрах, затем набрали вес за счет мускулов и теперь были великолепно приспособлены к порядкам, царившим в лагере имени Льва Троцкого. Что ни в малейшей степени не меняло того факта, что и сам лагерь, и царившие в нем порядки они ненавидели всеми фибрами своей души. Билла эффективность такой системы просто поражала. Штатские морочат себе голову всякими глупостями вроде экзаменов, оценок, ученых званий и степеней и тысячами других условностей, а здесь — как сказочно просто! Слабые вымирают, но уж выжившие приспособлены ко всему. Такую систему следовало уважать, несмотря на всю питаемую к ней ненависть.

— Что мне нужно, так это бабу, — вздохнул Страшила.

— Кончай похабничать, — оборвал его Билл, воспитанный в строгих правилах пуританской морали.

— Кто похабничает?! — возмутился Страшила. — Разве я сказал, что хочу остаться на сверхсрочную или что Сдохни — тоже человек? Я сказал, что мне нужна баба, только и всего. А вам что, она не нужна?

— Выпивка мне нужна. — Задница Браун хлебнул пива, которое производили из порошка-концентрата, содрогнулся и выплюнул его на бетонный пол. Оно тут же испарилось.

— Ну да, ну да! — Страшила энергично мотнул головой. — Бабу, а потом выпить. Что еще нужно новобранцу в увольнении?

Все на некоторое время погрузились в размышления, но в голову и в самом деле ничего не приходило. Только Усер выглянул из-под стола, где тайком надраивал чей-то башмак, и заявил, что не помешало бы побольше ваксы, но на него не обратили внимания. Билл, как ни старался, не мог представить ничего иного, кроме этих взаимосвязанных вещей. Хотя припоминал смутно, что на гражданке у него случались другие желания, но вот какие именно...

— Да ладно вам, — донеслось из-под стола. — До отпуска осталось только семь недель...

Усер не договорил, получив от каждого из сидящих по крепкому пинку.

Хотя в соответствии с их субъективными ощущениями время едва тащилось, сохраняющие полную объективность часы отмеряли его неустанно, и вот наконец одна за другой миновали эти недели — несомненно, самые длинные из всех длинных недель. В течение этого срока на что на что, а на недостаток занятий они пожаловаться не могли: штыковой бой, стрельба из ручного и автоматического оружия, чистка того и другого, ориентирование на местности, строевая подготовка, хоровое пение и в довершение — военное законодательство. Лекции по последнему предмету с беспощадной регулярностью читали дважды в неделю, изощренно вызывая непреодолимую сонливость. Как только из динамиков магнитофона раздавались первые идеально монотонные скрипучие слова, солдаты начинали клевать носом. Каждое место в аудитории было подключено к электроцефалографу, регистрирующему биотоки рекрутов. Стоило кривой альфа-ритма только намекнуть на то, что кто-то из слушателей задремал, незамедлительно в ягодицу несчастного посылался мощный импульс электрического тока, столь же болезненный, сколь эффективный для прерывания сна. Никогда не проветриваемая аудитория напоминала погруженную во тьму камеру пыток, заполненную монотонным бормотанием магнитофонного лектора над морем сонно покачивающихся голов; бубнящий голос время от времени заглушали вопли неожиданно подключенного к сети горемыки-обучаемого.

Бесконечное перечисление жестоких наказаний и приговоров, грозящих за самые пустяковые провинности, никого особенно не тревожило. Все прекрасно понимали, что, завербовавшись, они отказались от каких бы то ни было человеческих прав, и подробное перечисление того, чего рекруты лишились, нисколько больше их не занимало. Другое дело — подсчет часов, отделяющих их от первого отпуска.

Ритуал вручения этой чрезвычайно редкой и столь желанной награды был необыкновенно унизителен, но ведь ничего иного новобранцы и не ожидали, и, опустив головы, они стояли в очереди, готовые обменять остатки самоуважения на кусок помятой фольги. Наконец церемония закончилась, и тут же разгорелось сражение за место в монорельсовом поезде, курсирующем между лагерем имени Льва Троцкого и небольшим сельскохозяйственным городишком Лейвилем. Линия была проложена по эстакаде, вознесенной на столбы, всегда находилась под напряжением и шла над тридцатифутовым забором из колючей проволоки, а затем над окружающим лагерь поясом зыбучих песков.

Говоря точнее, Лейвиль был сельскохозяйственным городишком до того, как по соседству построили лагерь имени Льва Троцкого. С тех пор сельским хозяйством занимались здесь лишь урывками — когда солдаты находились на занятиях. Остальное время магазины и склады были заперты на замок, зато полным ходом шла торговля в кабаках и разнообразнейших увеселительных заведениях. Впрочем, зачастую лавки и эти греющие душу солдата места располагались под одной крышей. Достаточно было потянуть специальный рычаг, и мучные лари превращались в кровати, торговки — в сводниц, и только кассы сохраняли свои первоначальные функции, хотя цены значительно увеличивались.

В одно из таких заведений — наполовину похоронное бюро, наполовину распивочная — и заглянули Билл с приятелями.

— Что подать, ребята? — с профессиональной улыбкой поспешил им навстречу хозяин бара «Вечный покой».

— Двойную порцию жидкости для бальзамирования, — потребовал Задница Браун.

— Только без дурацких шуточек, не то вызову жандармерию, — предупредил уже без улыбки хозяин и достал бутылку с крикливой этикеткой «Настоящее виски», не очень аккуратно наклеенной поверх другой, на которой значилось: «Жидкость для бальзамирования». Но стоило деньгам зазвенеть о стойку — и улыбка вернулась. — Милости прошу, господа.

Они уселись за длинный узкий стол с медными ручками по бокам и с наслаждением позволили этиловому спирту прополоскать их запыленные глотки.

— До армии я этого не пробовал, — заметил Билл, осушив стаканчик «Старого палача почек», и протянул руку за новой порцией.

— Потому что не нуждался в выпивке, — пояснил, наливая, Страшила.

— Точно, — согласился Задница Браун, причмокивая и поднося к губам бутылку.

— Э-э... — проблеял Усер, неуверенно отхлебывая глоточек. — Вкус как у смеси сахара, опилок, разных сложных эфиров и нескольких высших спиртов.

— Пей, пей, — неразборчиво произнес Задница Браун, не отнимая ото рта бутылки. — Полезно для здоровья!

— А теперь — по бабам! — скомандовал Страшила, и вмиг в дверях началась свалка — каждый, желая опередить другого, пытался прорваться наружу.

— Смотрите! — раздался вдруг чей-то возглас, и все обернулись.

Усер невозмутимо сидел за столом.

— Бабы! — с энтузиазмом воскликнул Страшила тем самым тоном, каким хозяин подзывает пса к миске с похлебкой.

Сгрудившиеся в дверях сатиры заволновались и забили копытами. Усер и ухом не повел.

— Э-э... я, пожалуй, подожду вас здесь, — сказал он с еще более простодушной улыбкой, чем обычно. — А вы идите, ребята, идите!

— Ты болен, Усер?

— Э-э... Вроде нет.

— Что, еще не достиг половой зрелости?

— Э-э...

— Да что тебе здесь делать?!

Усер вытащил из-под стола увесистый мешок и раскрыл его. Он был доверху набит красными солдатскими башмаками.

— Думал, почищу немного, а то не успеваю.

Они молча шли по деревянной мостовой.

— Что это с ним? — спросил наконец Билл, но ответа не последовало. Все всматривались вперед — там красноватым соблазнительным огнем сверкала неоновая вывеска: «Приют космонавта. Стриптиз без антрактов. Лучшие напитки. Номера для гостей и их знакомых».

Они ускорили шаг. Фасад «Приюта» украшали витрины из бронестекла; в витринах красовались трехмерные фотографии одетых (браслет и две звездочки) и раздетых (без браслета и звездочек) танцовщиц. Приятели Билла подозрительно засопели, но Билл положил конец их воодушевлению, указав на маленькую, едва заметную среди выпирающих из витрин телес табличку: «Только для офицеров!»

— Проходите, проходите! — рявкнул стоявший у входа жандарм, помахивая электрической дубинкой. И они покорно побрели дальше.

В следующее заведение пускали без ограничений, но за плату в семьдесят семь кредитов с носа, то есть несколько больше, чем было у них у всех, вместе взятых. Потом снова пошли таблички «Только для офицеров»... Но вот мостовая кончилась, и огни остались позади.

— А это что? — удивился Страшила, заслышав доносившийся из ближайшего темного переулка гомон голосов. Он присмотрелся и обнаружил длинную, исчезающую за углом очередь солдат.

— Что это здесь? — спросил Страшила последнего в очереди.

— Бордель для нижних чинов. Только не пытайся пролезть по нахалке, жопа. Будешь за мной.

Они тут же выстроились в затылок. Билл оказался замыкающим, но вскоре подоспели другие страждущие. Ночь была холодная, и он время от времени подстегивал происходящие в теле жизненные процессы добрым глотком из своей бутылки. Разговоров было немного, да и те стихали по мере приближения к освещенному красным фонарем входу. Дверь регулярно открывалась и закрывалась, коллеги Билла один за другим исчезали за ней. Наконец подошла и его очередь. Дверь начала открываться, Билл шагнул вперед, но тут завыли сирены, и здоровенный жандарм преградил дорогу чудовищным брюхом.

— Боевая тревога! — рявкнул он. — Марш в лагерь!

Со сдавленным воплем человека, обманутого в лучших ожиданиях, Билл ринулся напролом, но прикосновение электрической дубинки отшвырнуло его, оглушенного, прочь.

Билла подхватила волна бегущих. Сирены выли без умолку, в небе запылал стомильными буквами огненный призыв «К ОРУЖИЮ!».

Билл споткнулся, кто-то подхватил его под руку, спасая от опасности быть растоптанным. Это был Страшила — с такой блаженной улыбкой, что Билл не выдержал и замахнулся, чтобы треснуть его по счастливой роже. Но не успел: они уже оказались в вагоне, который с головокружительной скоростью помчался в лагерь. Билл забыл о своем гневе, когда кривые когти сержанта Сгинь Сдохни выдернули его из толпы.

— Паковать манатки! — заскрипел клыками сержант. — Грузиться!

— Этого нельзя делать, сэр, еще не закончен курс обучения!

— Можно, можно! Обычно так и делается! Мы победоносно завершили величайшую в истории космическую битву. Свыше четырех миллионов убитых плюс-минус сто тысяч. Нужно пополнение, а это вы. На борт! Немедленно, а то и еще быстрее!

— Но у нас нет скафандров!..

— Интенданты уже отправлены!

— Запасы продовольствия...

— Повара отправлены вместе с кухнями! По тревоге вспомогательный персонал отправляется в первую очередь. В разведку боем. На смерть. — Сержант обнажил клыки в леденящей душу улыбке. — А я в полной безопасности остаюсь дрессировать ваших преемников.

Из отверстия пневмопочты выскочила капсула. Сдохни вскрыл ее, прочитал сообщение, и улыбка медленно сползла с его лица.

— Меня тоже отправляют, — глухо проронил он.

## 3

За время существования лагеря имени Льва Троцкого обучение прошли 89 672 899 новобранцев, так что процесс отправки был отработан на славу и шел без сучка без задоринки, хоть на этот раз и носил характер самоуничтожения — так змея пожирает собственный хвост.

Билл с товарищами оказались в последней группе. Змея, поглотив себя полностью, начала самоперевариваться. Едва с солдат сняли чуть отросшие волосы и затолкали в ультразвуковую вошебойню, как парикмахеры набросились друг на друга и в вихре размахивающих ножницами рук, клочьев волос, остатков усов и брызг крови оболванили всех подчистую, а затем бросились в освободившуюся дезкамеру, прихватив с собой и обслуживающего ее техника. Фельдшеры вкатили друг другу сыворотку против ракетной лихорадки и космической хандры, писари выдали сами себе аттестаты, ответственные за погрузку пинками загоняли друг друга в поджидающие космические челноки. Взревели реактивные двигатели, столбы пламени ударили в стартовые платформы, уничтожая их оборудование в великолепном фейерверке, ибо обслуживающий персонал также находился уже на борту взлетающих челноков. Возносимые чудовищным громом корабли исчезли в ночном небе, оставляя под собой опустевший лагерь. Ветер принялся срывать со щитов приказы и списки наказанных новобранцев, разгоняя обрывки по пустынным улицам, чтобы в конце концов прилепить их к сотрясающимся от оглушительного шума, освещенным изнутри окнам офицерского клуба.

Там полным ходом шла грандиозная попойка, прерываемая, однако, горькими жалобами: офицерам пришлось перейти на самообслуживание.

А космические челноки мчались тем временем все выше и выше, направляясь к огромному флоту космических крейсеров, столь многочисленному, что он заслонял собой звездное небо, и столь новому, что некоторые корабли еще только достраивались. Ослепительно сверкали точки сварочных огоньков, раскаленные заклепки, подобно трассирующим пулям, очередями вонзались в подготовленные для них отверстия. Огоньки гасли, показывая, что еще один левиафан космоса готов, и тогда в радиотелефонах раздавались истошные крики монтажников, ибо рабочих, вместо того чтобы вернуть на верфи, насильно зачисляли в команды построенных ими же кораблей. Война была тотальной.

Билл пролез сквозь пластиковую трубу, связывающую космический челнок с межзвездным дредноутом, и бросил вещмешок к ногам старшего сержанта, который сидел за столом в шлюзе, размерами напоминающем ангар. Правильнее сказать — попытался бросить, потому что сила тяжести отсутствовала и мешок так и повис в воздухе. Тогда он толкнул его к полу, но вместо этого сам взлетел под потолок. (Всякое падающее тело находится в состоянии свободного падения, и все имеющее вес в этом случае невесомо, а для каждого действия существует равное ему, однако противонаправленное противодействие... Или что-то в этом роде.) Сержант посмотрел на Билла, заворчал неразборчиво и стянул его вниз.

— Не прикидывайся сухопутной крысой, парень. Имя?

— Билл, через два «л».

— Хватит с тебя и одного, — буркнул сержант, лизнул кончик пера и вывел в реестре округленными каракулями едва выучившегося грамоте человека: «Бил». — Два «л» положены только офицерам, олух несчастный. Знай свое место. Класс, специальность?

— Рядовой, необученный, без специальности, сейчас буду блевать...

— Не здесь — для этого дела есть кубрик. Теперь ты — предохранительный шестого класса. Твое место номер тридцать четыре «жэ» восемьдесят девять «тэ» ноль-ноль один. Топай и держи пакет поближе к пасти!

Едва Билл отыскал определенный ему кубрик и бросил на койку мешок, который сразу повис в пяти дюймах от привычного матраса, набитого окаменелой шерстью, как в тесное помещение ввалился Усердный Прилежник. За ним следовали Задница Браун и целая толпа совершенно незнакомых Биллу людей. Кое у кого из них были сварочные аппараты, а на лицах написано бешенство.

— А где Страшила и остальные? — поинтересовался Билл.

Задница Браун пожал плечами и пристегнулся к койке — хоть немного вздремнуть. Усер раскрыл один из шести огромных мешков, которые он приволок с собой, и достал несколько пар нуждающихся в чистке башмаков.

— Спасен ли ты? — вопросил глубокий проникновенный голос из дальнего угла кубрика.

Билл в изумлении поднял глаза. Геркулесового сложения солдат заметил заинтересованность Билла и вытянул в его направлении грозный палец:

— Спасен ли ты, брат мой?

— Трудно сказать, — буркнул Билл и принялся с озабоченным видом рыться в своем узелке, надеясь, что на этом разговор завершится.

Но не тут-то было: солдат подошел к Биллу и уселся на его койку. Билл старался не обращать на него внимания, но это ему плохо удавалось, ибо сей индивид ростом был куда выше шести футов и отличался исключительно развитой мускулатурой и литым подбородком. Черная кожа с багряным оттенком пробудила в Билле что-то вроде зависти, потому что его собственная была серовато-розовая. Так как на корабле их нарядили в черные мундиры, солдат казался выточенным из цельного куска черного дерева. Ослепительно-белая улыбка и проницательный взгляд придавали ему весьма эффектный вид.

— Добро пожаловать на борт «Фанни Хилл», — произнес он, в дружеском рукопожатии дробя суставы Билла. — Эта гранд-дама нашего флота уже больше недели как вступила в строй. Я — его преподобие предохранительный шестого класса Тэмбо. По ярлыку на твоем вещмешке вижу, что тебя зовут Билл, и раз уж мы с тобой товарищи по оружию, зови меня просто Тэмбо, а вообще-то, как у тебя с душой?

— Честно говоря, в последнее время у меня не было возможности об этом задуматься...

— Естественно! Ведь за визит к священнику в учебном лагере полагается трибунал. Но это уже позади, и теперь у тебя есть шанс спасти свою душу. Скажи мне, какого ты вероисповедания?

— Я из семьи зороастрийцев-старообрядцев, так что, полагаю...

— Суеверие, дружище, чистой воды суеверие. Благая десница судьбы свела нас на этом корабле — знак, что тебе не поздно еще уберечь душу от геенны огненной. О Земле когда-нибудь слышал?

— Нет, я привык к простой пище...

— Это название планеты, мой мальчик. Земля — колыбель человечества, старая добрая родина, общая для всех. Только взгляни, какой это зеленый, прекрасный мир, воистину жемчужина Вселенной.

Тэмбо вынул из кармана миниатюрный проектор, и у изголовья койки возникло трехмерное цветное изображение окутанной белыми облаками планеты, величественно вращающейся среди черной бездны. Вдруг ударила красная молния, облака закипели, а на поверхности планеты раскрылись зияющие раны. Из громкоговорителя величиной с булавочную головку раздался раскатистый громовой звук.

— Вспыхнула война меж сынами человеческими, и до тех пор разили они друг друга атомными ударами, пока не возопила Земля и не настала страшная гибель. А когда угасли последние молнии, смерть была на севере, и на востоке, и на западе. Смерть, смерть, смерть! Понимаешь ли ты, что это значит?

Преисполненный глубокого чувства голос Тэмбо дрогнул и осекся на полутоне, будто он и впрямь ждал ответа на этот чисто риторический вопрос.

— Не совсем, — пробормотал Билл, копаясь без всякой надобности в своем мешке.

— Я с Фигеринадона-два, у нас все спокойно...

— Смерти не было только на юге! А почему, вопрошаю я? А потому, что волею Самеди исчезли с лица планеты лжепророки, ложные религии и фальшивые боги. На Земле воцарилась единственно истинная вера — Первая реформистская церковь вуду...

Тут раздался сигнал боевой тревоги — пронзительный свист столь коварно подобранной частоты, что солдатам начало казаться, будто их головы внезапно очутились внутри громадного раскачиваемого колокола, от каждого удара которого глаза вылезают из орбит и глядят в разные стороны.

Все высыпали в коридор. Здесь было потише, но легче не стало: их поджидали унтер-офицеры, призванные разогнать солдат по местам в соответствии с боевым расписанием. Следом за Усером Билл вскарабкался по густо смазанной солидолом лестнице в предохранительную. Его взгляду открылись бесконечные, казалось, ряды этих необычайно важных устройств. Сверху к каждому предохранителю крепился толстый кабель, другой его конец исчезал где-то под потолком. В полу, на равном расстоянии друг от друга, виднелись отверстия диаметром около фута.

— Для начала буду краток: первого, кто пикнет, собственноручно спущу головой вперед в эту предохродыру.

Грязный от смазки палец указал на одно из зияющих отверстий. Говорил их новый командир — приземистый, помассивней и пошире в поясе, чем сержант Сдохни, но все равно сходство было разительное.

— Я — предохранительный первого класса Сплин. Слушайте, жалкие сухопутные жуки-навозники: или я сделаю из вас прекрасно вышколенных, лихих и опытных предохранительных, или спущу всех по очереди в предохродыры. Наша работа требует высочайшей квалификации, и в обычных условиях на подготовку хорошего специалиста уходит год, но в военное лихолетье вам придется обучиться этому сейчас же, без всякого промедления. Показываю. Тэмбо, выйти из строя! Ряд двадцать девять «же»-девять, он отключен от сети.

Тэмбо щелкнул каблуками и встал по стойке смирно перед рядом белых керамических цилиндров с металлическими колпачками около фута в диаметре и весом в девяносто фунтов. Каждый цилиндр опоясывала красная полоска. Сплин постучал по полоске ногтем.

— Такой красный поясок есть на всех предохранителях. Называется он «поясок предохранителя» и имеет красный цвет. Стоит предохранитель перегреть, как поясок чернеет. Я не требую, чтобы вы сразу запомнили, но это записано в инструкции, и прежде чем я с вами закончу, придется вам это зазубрить, не то пеняйте на себя... Сейчас я покажу, что следует делать с перегоревшим предохранителем. Тэмбо, этот предохранитель перегорел. И-и... раз!

— Ух! — ухнул Тэмбо, хватая предохранитель в охапку. — Ух! — ухнул он снова, выдергивая его из зажимов. — Ух! — И спустил его в ближайшее отверстие. Потом, ухая, схватил со стеллажа запасной, ухая, поставил его на место перегоревшего и с заключительным «ух!» принял исходное положение.

— Вот так это делается, раз-два, по-военному, и вам придется научиться, не то...

Послышалось приглушенное жужжание зуммера, больше похожее на сдавленную икоту.

— Сигнал на жратву, значит сейчас я вас отпускаю, а за едой поразмыслите хорошенько, как достичь воинского мастерства. Разойдись!

Вместе с остальными солдатами Билл направился куда-то в глубину корабельного чрева.

— Как, по-твоему, будут здесь нас кормить хоть чуточку лучше, чем в лагере? — с надеждой в голосе поинтересовался Усер и нервно облизнулся.

— Хуже, по крайней мере, не будут, это точно, — заверил Билл. Они встали в очередь к двери с табличкой «Пункт питания № 2». — Все, что ни делается, к лучшему! Мы же теперь настоящие солдаты, черт побери, а в уставе сказано, что солдат должен идти в бой в хорошей форме.

Очередь продвигалась ужасно медленно, и прошло не меньше часа, прежде чем они оказались перед заветной дверью. У двери усталый до полусмерти дневальный в засаленном комбинезоне сунул Биллу желтую пластмассовую чашку, и Билл двинулся дальше. Когда стоявший впереди солдат отошел, Билл очутился перед голой стеной с одиноким краном посредине.

Толстый повар в белом колпаке и насквозь пропотевшей майке взмахнул половником:

— Пошевеливайся, пошевеливайся, никогда в жизни не ел, что ли? Чашку под кран, жетон в прорезь, а ну живо, живо!

Билл подставил чашку, как велено, и в узкую щель в стене на уровне глаз сунул персональную карточку, болтавшуюся на шее. Послышалось громкое «зззззз», и из крана тонкой струйкой потекла желтоватая жидкость. Когда чашка наполнилась до половины, жидкость течь перестала.

— Следующий! — заорал повар, отпихивая Билла и ставя на его место Усера.

— Что это такое? — удивился Билл, заглядывая в чашку.

— Что это такое?! Что это такое?! — завопил повар, наливаясь кровью. — Обед твой, дурья задница! Химически чистая вода с растворенными в ней восемнадцатью аминокислотами, шестнадцатью витаминами, одиннадцатью минеральными солями, сложным эфиром жирных кислот и глюкозой. А ты чего хотел?

— Обед?.. — недоверчиво пробормотал Билл, но тут повар вмазал ему по лбу половником, и из глаз у него посыпались искры. — А можно без сложного эфира жирных кислот? — успел он еще взмолиться, но был взашей вытолкнут в коридор. Вскоре его догнал Усер.

— Ого! — восхитился Усер. — Здесь, оказывается, есть все необходимые для поддержания жизни элементы! Здорово, правда?!

Билл отхлебнул из чашки и душераздирающе простонал.

— Погляди-ка сюда, — раздался голос Тэмбо.

Билл оглянулся и увидел на стене в коридоре трехмерное изображение. По затуманенному небосводу верхом на облаках разъезжали маленькие фигурки.

— Если не обратишься в истинную веру, мой мальчик, тебя ждут вечные муки в геенне огненной. Отринь суеверия, приди в объятия Первой реформистской церкви вуду. Прильни скорей к ее лону и займи свое место на небесах рядом с Самеди вместе с Мондонгом, Бакало и Зандором. Тебя ждут и встретят с радостью.

Незримый оператор дал наплыв, из динамика послышалось ангельское пение под аккомпанемент тамтамов. Теперь фигурки были видны отчетливо — темнокожие, облаченные в белоснежные одежды, с огромными черными крыльями. Все улыбались и весело махали друг другу руками, когда их облачка сближались, и вдохновенно распевали псалмы, колотя во всю мочь в маленькие персональные тамтамы. Сценка была воистину трогательная, и глаза Билла увлажнились.

— Смир-рно! — раскатилось по коридору, и стократное эхо послушно подхватило команду.

Солдаты расправили плечи, щелкнули каблуками и замерли, выкатив глаза. Тэмбо поспешно сунул проектор в карман. Ангельский хор оборвался на полуслове.

— Вольно! — скомандовал предохранительный первого класса Сплин.

Все обернулись на его голос. Сплин шел в сопровождении двух чинов из военной полиции. Полицейские с оружием наизготове были эскортом офицера, из-за маленького роста почти незаметного за их спинами. Билл сразу понял, что это офицер: в лагере он посещал специальный «Курс по определению офицеров», а кроме того, среди множества плакатов в сортире висел и такой: «Знай своих офицеров!»; Билл успел досконально изучить его во время эпидемии дизентерии. У него челюсть отвисла от изумления: офицер прошел так близко, что его почти можно было коснуться. Офицер остановился перед Тэмбо.

— Предохранительный шестого класса Тэмбо, у меня для тебя хорошая новость. Через две недели истекает семилетний срок твоей службы. Учитывая безупречность послужного списка, капитан Зекиаль распорядился удвоить сумму выходного пособия и уволить тебя с почестями, под барабанный бой, а кроме того, выдать бесплатный билет на Землю.

Тэмбо, спокойный и уверенный, посмотрел сверху вниз на малорослого лейтенанта с аккуратно обкусанными светлыми усами.

— Это невозможно, сэр.

— Невозможно? — зловеще проскрипел офицер и принялся раскачиваться на высоких каблуках. — А кто ты такой, чтобы указывать мне, что возможно, а что нет?

— Не я указываю, сэр, — невозмутимо ответил Тэмбо, — а закон. Пункт тринадцать девять «а», параграф сорок пять, страница восемь тысяч девятьсот двадцать третья, том сорок три «Правил, предписаний и дисциплинарных уложений»: «Ни один нижний чин или офицер не может быть уволен со службы на базе, в канцелярии, на корабле, экипаже, на посту или в трудовом лагере иначе как по приговору трибунала и смертной казни с лишением чести и званий».

— Ты что, юрист, Тэмбо?

— Никак нет, сэр. Я солдат, сэр, и хочу одного: выполнить свой долг, сэр.

— Тут что-то не так, Тэмбо. Я проверил твой послужной список: в армию ты вступил добровольно, на тебя не воздействовали ни гипнозом, ни наркотиками. А теперь еще отказываешься от демобилизации!.. Скверно, Тэмбо, очень скверно. Это бросает на тебя тень. Тебя можно заподозрить в шпионаже, а то и похуже...

— Я не шпион, сэр. Я верный солдат империи.

— Знаю, что не шпион, мы это очень тщательно проверили. Но почему в таком случае ты хочешь служить в армии?

— Как верный слуга императора, сэр, я несу слово божье заблудшим агнцам. Спасены ли вы, сэр?

— Думай, что говоришь, солдат, не то живо пойдешь под трибунал! Да, слышали мы эту историю, ваше преподобие... Не втирай нам очки! Как ты ни хитер, мы тебя раскусим!

Бормоча себе под нос, лейтенант повернулся на каблуках. Все вытянулись по стойке смирно, а он величественно засеменил прочь и скрылся за поворотом коридора. Солдаты косились на Тэмбо, явно чувствуя себя не в своей тарелке, пока он не ушел. Билл и Усер неторопливо побрели в свой кубрик.

— Отказаться от демобилизации! — недоуменно промолвил Билл.

— Э-э... может быть, он псих? — предположил Усер. — Другого объяснения я не вижу.

— Таких психов не бывает, — отмахнулся Билл. — Послушай, что бы это могло быть? — добавил он, указывая на дверь с корявой надписью: «Посторонним вход строго запрещен».

— Э-э... может, жратва?

В тот же миг они оказались за дверью и захлопнули ее за собой, но съестного там не было. Они очутились в прямоугольном помещении с выгнутой по дуге стеной, из которой торчали толстые трубы, закругленные на торцах. Перед каждой трубой громоздился сложнейший агрегат, усеянный циферблатами, индикаторами, переключателями, верньерами и рычагами. Кроме того, был здесь и большой экран. Билл наклонился к ближайшему агрегату и прочитал надпись на маленькой табличке: «Атомный бластер. Тип IV».

— Погляди-ка, какие гаргарины! Похоже, это главная корабельная батарея!

Он обернулся к Усеру. Тот стоял, подняв руку таким образом, что циферблат его часов был направлен на огневые позиции, а пальцами другой руки давил на заводную головку.

— Ты чего это делаешь? — удивился Билл.

— Э-э... хочу посмотреть, который час.

— Как же ты можешь посмотреть, который час, если смотришь на застежку ремешка?

В коридоре послышались шаги, и друзья вспомнили о надписи на двери. В мгновение ока они выскочили наружу, и Билл тихонько притворил дверь. Потом он повернулся, но Усер исчез, и в кубрик ему пришлось возвращаться одному. Усер уже был на месте — увлеченно орудовал щетками над чьими-то башмаками и даже не взглянул в сторону Билла, протискивающегося к своей койке.

А все-таки что он делал тогда со своими часами?

## 4

Вопрос этот мучил Билла все долгие дни, пока они в поте лица учились обслуживать предохранители. Работа требовала скрупулезного внимания и точности, но Билл все же урывал достаточно времени, чтобы поразмышлять над этой проблемой. Он размышлял в очереди за едой, размышлял каждый вечер в те короткие секунды, когда гасили свет, а измученное тело не погружалось еще в пучину сна. Он ломал над этим голову всякий раз, как только выдавался свободный миг, и худел на глазах.

Худел, правда, не потому, что размышлял, а по той же причине, что и остальные солдаты. Корабельный рацион. От него требовалось поддерживать в них существование, но если бы кто-нибудь представил, что это было за существование! Голодное и жалкое! Билла, впрочем, терзали проблемы куда более важные, чем чашка витаминного супа. И он все отчетливее понимал, что в одиночку с ними не справится.

После воскресных занятий по специальности на второй неделе обучения, когда чуть слышный звонок возвестил наконец о долгожданной свободе и солдаты, шатаясь на подкашивающихся ногах, поплелись в пункт питания, Билл не последовал за товарищами. Он подошел к предохранительному первого класса Сплину.

— Сэр... У меня...

— Чепуха, не ты первый, не ты последний. Один укол — и дело в шляпе. Говорят, без этого мужчиной не станешь!

— Собственно... у меня другое... Я бы хотел увидеться со священником.

Сплин побледнел как полотно и привалился к стене.

— Теперь мне все ясно, — слабо выдавил он. — Топай за своим супом, и, если ты будешь держать язык за зубами, я тоже буду нем как рыба.

Билл покраснел.

— Извините, сэр, тут ничего не поделаешь. Мне позарез нужен священник, я не виноват. С каждым может случиться...

Он говорил все более робко, не поднимая глаз, неуверенно переступая с ноги на ногу, и вовсе умолк. Молчание затянулось. Наконец Сплин нарушил гнетущую тишину.

— Ладно, воин, раз уж ты настаиваешь, — сказал он официальным тоном. — Надеюсь, твои товарищи не узнают. Вали туда сейчас же, вместо обеда. Вот тебе пропуск.

Он нацарапал что-то на клочке бумаги и презрительно уронил его на пол, к ногам униженного Билла.

В корабельном справочнике утверждалось, что священник занимает помещение 362«б» на 89-й палубе. После продолжительного путешествия на лифтах, по коридорам и лестницам Билл остановился наконец перед дверью из скрепленных заклепками железных листов и дрожащими пальцами постучал. В глотке у него совершенно пересохло, на лбу выступили крупные капли пота. Железо неожиданно гулко отозвалось на стук, и через несколько мучительно долгих мгновений с той стороны послышался приглушенный голос:

— Входите, входите, не заперто.

Билл вошел и вытянулся по стойке смирно перед офицером в звании четвертого лейтенанта, который сидел за письменным столом, занимавшим почти всю крохотную каюту. Офицер, хоть относительно и молодой, был совершенно плешив и небрит. Под его глазами явственно виднелись темные круги, а кое-как повязанный галстук отчаянно нуждался в чистке и глажке. Занят офицер был бумагами: он рылся в грудах документов, заваливших стол, раскладывал их в стопки, на одних делал какие-то пометки, другие швырял в переполненную корзину. В ходе этой операции он передвинул с места на место одну из груд, и Билл увидел на столе табличку: «Интендант».

— Извините, сэр, я, вероятно, ошибся дверью. Мне нужен священник.

— Все верно, только священник приходит в тринадцать ноль-ноль. Даже такой болван, как ты, в силах сообразить, что это совсем скоро.

— Благодарю вас, сэр. Я зайду попозже...

Билл направился к двери.

— Нет уж, ты останешься и немного поработаешь! — Офицер скосил на него налитые кровью глаза и демонически захохотал. — Ага, попался!.. Прогляди-ка эти отчеты за носовые платки! Где-то затерялось шестьсот пар подтяжек; может, там. Думаешь, легко быть интендантом?

Он жалобно высморкался и подсунул Биллу расползающуюся стопку бумаг. Но не успели они толком приняться за дело, как звонок оповестил о конце вахты.

— Так я и знал! — захныкал офицер. — Этому конца не видно! Куда там, с каждым днем все хуже! И ты смеешь утверждать, что у тебя есть проблемы?!

Трясущейся рукой он перевернул табличку. Появилась выведенная крупными буквами надпись: «Капеллан». Потом он ухватился за свой воротник и повернул его на сто восемьдесят градусов на специальных, вшитых в рубашку подшипниках. Галстук оказался на спине, а на груди засиял ослепительно-белый воротничок-стойка.

Священник молитвенно сложил руки, опустил глаза и ласково улыбнулся:

— Чем могу помочь, сын мой?

— Я думал, что вы интендант... — пролепетал Билл.

— Так оно и есть, сын мой, и это не единственное бремя, которое мне приходится влачить на своих слабых плечах. В столь тяжкие времена спрос на священников невелик. Зато офицеры-интенданты нарасхват. Служу по мере сил...

Он смиренно склонил голову.

— Но кто вы на самом деле? Священник, иногда выполняющий функции интенданта, или интендант — и по совместительству священник?

— Это тайна, сын мой. Существует множество тайн, коих лучше не касаться. Однако я вижу, что тебя что-то гнетет. Позволь спросить, сын мой, веруешь ли ты?

— Во что?

— Именно это я и хочу от тебя услышать! — рявкнул священник голосом офицера-интенданта. — Как я могу помочь тебе, не зная, какую религию ты исповедуешь?

— Я зороастриец.

Священник достал из ящика стола закатанный в прозрачный пластик лист бумаги и повел по нему пальцем.

— З... з... зен... зодомит... Ага, «зороастриец-старообрядец»?

— Так точно, сэр.

— Нет ничего проще, сын мой... Двадцать один — пятьдесят два — ноль пять.

Он сноровисто набрал номер на вмонтированном в крышку стола пульте, с евангелистским огнем в глазах небрежно смахнув на пол груду отчетов из прачечной. Замурлыкал скрытый механизм, часть стола вдруг провалилась, чтобы через мгновение вернуться на место уже с черным пластмассовым, отделанным золотыми быками сундучком.

— Одну секунду, — сказал капеллан.

Первым делом он извлек из сундучка длинную полосу белой ткани, также расшитую золотыми быками, и обернул ее вокруг шеи. Затем выложил на стол толстый фолиант в кожаном переплете и поставил на него двух металлических быков с выдолбленными спинами. В одного налил дистиллированной воды из пластиковой фляги, в другого плеснул благовонного масла и поджег. Билл радостно наблюдал за столь знакомыми приготовлениями.

— Чудеса! — сказал он. — Выходит, вы тоже зороастриец? Тогда вы меня без труда поймете.

— Какие там чудеса, сын мой, всего лишь плоды разумного планирования. — Священник бросил в огонь щепотку порошка; ноздри Билла затрепетали, учуяв дурманящий аромат. — Милостью Ахурамазды я помазанник Зороастра, волею Аллаха — правоверный муэдзин, представительством Иеговы — обрезанный ребе и так далее, и так далее... — Тут его елейное лицо ощерилось в зверской гримасе. — А из-за нехватки офицеров я — трижды проклятый интендант! — Его лицо снова обрело благостное спокойствие. — Теперь поведай мне свои печали...

— Гм... дело непростое. Возможно, с моей стороны это глупая подозрительность, но меня беспокоит один приятель. Что-то в его поведении... как бы это сказать...

— Доверься мне, сын мой, и без страха поведай самые сокровенные помыслы. Ничто из сказанного тобой не выйдет из этих стен, ибо призвание и обет требуют от меня хранить тайну исповеди. Облегчи душу, дитя мое.

— Вы очень добры, мне уже полегчало. Видите ли, мой приятель всегда был малость чудаковатым: чистил всем нам башмаки, добровольно вызывался дежурить по сортиру и не интересовался девушками.

Капеллан кивнул с благочестивым одобрением и помахал рукой, подгоняя к себе душистые благовония.

— Не вижу причин для беспокойства. Этот твой приятель, сдается мне, славный парень. Ибо сказано: помогай ближнему своему, разделяй с ним бремя забот его и избегай блудных дщерей.

Билл фыркнул:

— Все это хорошо для воскресной школы, а не для армии! Вообще-то говоря, мы считали его малость пришибленным, но сейчас я не об этом. Как-то оказались мы с ним в рубке управления артогнем, и он нацелил свои часы на орудия, придавил заводную головку, и раздалось «щелк!». А вдруг это фотоаппарат? Я... я думаю, что он шпион чинджеров!

Обливаясь потом, Билл откинулся на спинку стула и стал хватать ртом воздух. Роковые слова были произнесены.

Священник, благостно улыбаясь, продолжал кивать, наполовину одурманенный парами. Наконец он очнулся, громко высморкался и раскрыл толстый фолиант. Пробормотав что-то на древнеперсидском, он заметно воспрянул духом.

— Не лжесвидетельствуй! — загремел он, нацеливая на Билла обвиняющий перст и пронизывая его огненным взглядом.

— Вы меня не поняли, — пролепетал Билл и заерзал на стуле. — Так все и было, я своими глазами видел! И вообще, что это за духовная поддержка?!

— Укрепляющее средство, сын мой, в духе старой религии — для пробуждения в тебе чувства вины и напоминания о необходимости регулярно посещать церковь. Ты уклонился от истинного пути, сын мой!

— Разве я виноват? В лагере запрещены религиозные службы!

— Обстоятельства не являются оправданием, но на сей раз грех тебе отпускается, ибо бесконечна доброта Ахурамазды!

— А как насчет моего приятеля-шпиона?

— Подозрительность недостойна исповедующего учение Зороастра. Несчастный не должен страдать из-за врожденной склонности к дружелюбию, человечности и чистоте нравов, а также из-за того, что его старые часы громко тикают. Помимо всего — если ты не против включения в нашу беседу элементов логики, — как может он быть шпионом? Чтобы быть шпионом, он должен быть чинджером, а чинджеры семи футов ростом, да еще с хвостом. Соображаешь?

— Да-да, — упавшим голосом пробормотал Билл. — Я и сам об этом думал. Но все же...

— Ясно. Похоже, твоей душой овладел Ариман, он и велит тебе плохо думать о ближнем. Покайся скорее и присоединись к моей краткой молитве, пока не заступил на вахту интендант.

Покончив поспешно с ритуалом, Билл помог сложить все в сундучок, который тут же исчез в недрах стола, попрощался и направился к двери.

— Минутку, сын мой, — произнес священник с самой теплой улыбкой. Резким движением повернув воротничок, он одновременно словно губкой стер с лица благочестивое выражение. Его сменила зловещая гримаса. — Ты куда это направился, дерьмо собачье?! Ну-ка, марш на место!

— Но... но... — пролепетал Билл, — вы ведь сказали, что я могу идти...

— Я интендант, и с капелланом не имею ничего общего! А сейчас — быстро! — выкладывай имя шпиона, укрыватель!

— Но ведь священник обязан хранить тайну исповеди!

— А он ее и не нарушал. Просто я ненароком подслушал ваш разговор! — Он нажал красную кнопку на пульте. — Сейчас явится военная полиция. Колись, вонючка, или я прикажу протащить тебя под килем без скафандра и на год лишу права посещения пивной. Имя!

— Усер, — всхлипнул Билл.

По коридору загрохотали тяжелые сапоги, и в тесную каюту вломились двое полицейских.

— У меня для вас есть шпион, парни! — ликующе объявил интендант.

Полицейские ощерились и с радостными воплями набросились на Билла. Бедняга рухнул на пол под градом палочных и кулачных ударов, обливаясь кровью, прежде чем интенданту удалось оттащить этих дебилов с чрезмерно развитой мускулатурой.

— Да не тот!.. — пытаясь отдышаться, выдавил офицер и бросил Биллу полотенце утереть кровь с лица. — Это наш информатор, законопослушный патриот, герой, настучавший на своего приятеля по имени Усер, которого мы сейчас схватим и закуем в кандалы для допроса. Идем!

Полицейские подхватили Билла под мышки, и к тому времени, когда они добрались до кубрика предохранительных, ветерок от быстрого передвижения по коридорам привел его в чувство. Интендант приоткрыл дверь и просунул внутрь голову.

— Привет, ребята! — сказал он радостно. — Усер здесь?

Усер оторвал взгляд от башмака, над которым трудился, расслабился и помахал рукой:

— Э-э... вот он я!

— Взять его! — рявкнул офицер, отпрыгивая в сторону.

Билл рухнул на пол, когда полицейские отпустили его и ворвались в каюту. Не успел он встать, как Усер был обездвижен и скован по рукам и ногам, но все равно продолжал улыбаться.

— Э-э... вы, верно, хотите, чтобы я и вам башмаки почистил?

— Ты мне зубы не заговаривай, подлый шпион! — рявкнул интендант и врезал кулаком прямо в лучащуюся улыбку. По крайней мере, попытался врезать, потому что Усер широко раскрыл рот и впился зубами в ударившую его руку, причем стиснул челюсти так крепко, что офицер никак не мог высвободиться.

— Он меня укусил! — завизжал интендант, тщетно дергаясь.

Полицейские, прикованные к рукам пленника, занесли дубинки, чтобы задать ему добрую трепку.

И в тот же миг макушка Усера откинулась в сторону.

Случись такое в обычной обстановке, все сочли бы это странным, но в конкретной сложившейся ситуации происшедшее показалось странным вдвойне. Все, не исключая и Билла, замерли и остолбенело глазели, как из открывшегося черепа Усера выбралась ящерица длиной дюймов семь и спрыгнула на пол, оставив на нем довольно солидную вмятину. У ящерицы были четыре крошечные ручки, длинный хвост, пасть новорожденного крокодила и кожа ярко-зеленого цвета. Точь-в-точь чинджер, только не семи футов, а семи дюймов!

— Все люди — вонючки! — пропищала ящерица голосом Усера. — Чинджеры не потеют! Да здравствуют чинджеры!

И юркнула через кубрик к койке Усера.

Всех будто парализовало. Предохранительные, видевшие, что случилось, сидели или стояли столбом, выпучив глаза, похожие на сваренные вкрутую яйца. Офицер-интендант был пригвожден к месту впившимися ему в руку зубами, полицейские лихорадочно силились отстегнуться от сковывавшего их движения неподвижного тела. Один лишь Билл, еле способный шевелиться после недавнего избиения, попытался схватить ящерицу. Крохотные коготки тут же впились ему в ладонь, а затем его со страшной силой швырнуло о стену.

— Э-э... получи, доносчик! — проскрипел тоненький голосок.

Прежде чем кто-либо успел вмешаться, ящерица добралась до груды мешков, громоздящихся на койке Усера, раскрыла верхний и нырнула внутрь. Через миг послышалось жужжание, и из мешка вылетел блестящий космический корабль длиной в два фута. Он завис в воздухе посреди каюты, нацеливая нос в стену. Жужжание усилилось, и корабль ранулся вперед, пронзив металл с такой легкостью, будто переборка была сделана из раскисшего картона. Слышно было, как он продирается сквозь встречные преграды, и наконец с оглушительным грохотом корабль пробил наружную оболочку крейсера и умчался в космос. Засвистел вырывающийся воздух, завыли сирены.

— Будь я проклят... — Интендант захлопнул отвалившуюся от изумления челюсть и завопил: — Да оторвите же от меня эту штуку, пока она меня насмерть не загрызла!

Полицейские беспомощно дергались, надежно прикованные к безжизненному остову Усера. Наконец Билл догадался схватить свое атомное оружие и его стволом разжал все еще ухмыляющуюся пасть Усера, освободив руку офицера. При этом он воспользовался случаем и заглянул в открытую черепную коробку приятеля. Шов между черепом и крышкой проходил сразу же над ушами. Крышка крепилась на миниатюрных металлических петлях. Внутри вместо мозгов, костей и прочего находилась крошечная комната с пультом управления, малюсеньким креслицем, микроскопическими приборами и экраном, а также шкафчиком с прохладительными напитками. Усер оказался всего лишь роботом, а управляла им ящерица, сбежавшая на своем космическом корабле. Она как две капли воды походила на чинджера, вот только ростом была всего семь дюймов.

— Эй! — воскликнул Билл. — Усер, оказывается, всего лишь робот, и управляла им ящерица, сбежавшая на своем космическом корабле! Она как две капли воды походила на чинджера, вот только ростом была всего семь дюймов...

— Семь дюймов, семь футов — какая разница! — буркнул офицер-интендант, оборачивая покусанный кулак носовым платком. — По-твоему, мы обязаны сообщать каждому новобранцу, что противник смехотворно низкорослый и что обитает он на планете с тяготением десять «же»?.. Надо поддерживать боевой дух!

## 5

Теперь, когда выяснилось, что Усер чинджер, Биллу стало совсем одиноко. Задница Браун и раньше не отличался разговорчивостью, а сейчас замолчал окончательно. Поплакаться и то было некому. Среди обитателей кубрика Браун оставался единственным знакомым по учебному лагерю. Остальные держались особняком: стоило Биллу приблизиться, и они замолкали, бросая в его сторону подозрительные взгляды. Единственным развлечением этих людей была сварка. Свободное время они проводили, приваривая что-нибудь к полу, чтобы потом отпилить это «что-нибудь» и приварить снова в другом месте. Может показаться, что это не слишком увлекательный способ коротать время, однако они были довольны. Короче, Билл чувствовал себя не в своей тарелке и даже попытался жаловаться Усеру.

— Полюбуйся, во что я влип по твоей милости, — хныкал он.

Усер, нечувствительный к упрекам, безразлично ухмылялся.

— Мог бы, по крайней мере, закрыть голову, когда с тобой разговаривают! — возмутился Билл и захлопнул крышку. Однако лучше не стало. Усер по-прежнему только ухмылялся, но стоял уже в углу, надежно прикрепленный к полу магнитными подметками; солдаты развешивали на нем грязные рубашки и детали сварочных аппаратов. Торчал он так вахты три, пока наверху решали, что с ним делать. Наконец явился взвод полицейских с ломами, его взвалили на тележку и увезли невесть куда.

— Счастливо! — помахал ему Билл и продолжил чистку своих башмаков. Конечно, Усер был шпионом, но товарищ он был неплохой.

Задница Браун, по обыкновению, молчал, сварщики по-прежнему в свою компанию не принимали, и весь досуг Билл тратил на изобретение благовидных предлогов — как бы избежать общения с его преподобием предохранительным Тэмбо. «Фанни Хилл» — «гранд-дама» межзвездного флота — все еще находилась на стационарной орбите: заканчивался монтаж ее маршевых двигателей. На борту делать было практически нечего, так как вопреки предсказанию предохранительного первого класса Сплина на овладение всеми тонкостями специальности у Билла ушло несколько меньше времени, чем того требовали многочисленные инструкции и предписания: вместо года, если говорить откровенно, хватило всего четверти часа. Билл слонялся по кораблю, всюду совал свой нос и даже подумывал, не навестить ли священника — излить душу и поделиться сомнениями, но боялся зайти не вовремя. Уж очень не хотелось встречаться с офицером-интендантом. Заглядывал он так в каждый угол — конечно, насколько позволяли военные патрули — и однажды сквозь неплотно прикрытую дверь в каюту увидел лежащий на койке башмак.

Билл обмер, потрясенный и испуганный, едва не наделав в штаны. Дело в том, что башмак был ему знаком. И на смертном одре он узнал бы этот башмак. Он изучил его в мельчайших подробностях, изучил как свой личный воинский номер, который мог назвать с конца, с начала и с середины. Каждая деталь этого башмака врезалась в память с поразительной точностью — от змеевидной шнуровки на голенищах, по слухам сработанных из человеческой кожи, до рифленых подметок, испачканных ржавыми пятнами, скорее всего кровью новобранцев. Это был башмак сержанта Сгинь Сдохни!

Башмак сидел на ноге, и Билл, парализованный ужасом, подобно беззащитной пташке под гипнотическим взором змеи, обнаружил, что приближается к двери, по мере того как взгляд его скользит вверх по ноге, минует пояс, куртку, шею и наконец упирается в лицо — лицо, которое с тех пор, как он угодил в армию, являлось ему в невообразимых кошмарах. Губы на лице шевельнулись...

— Билл, это ты? Заходи, дружище, садись!

Билл ввалился в каюту.

— Конфету хочешь? Угощайся! — предложил Сдохни. И улыбнулся.

Пальцы Билла сами потянулись к протянутой коробке, и через миг его челюсти впервые за несколько недель принялись жевать настоящую пищу. Из почти атрофировавшихся слюнных желез потекла слюна, изумленный желудок громко застонал, а мысли понеслись вскачь, обгоняя одна другую в тщетных попытках расшифровать выражение лица сержанта. Изогнутые вверх уголки губ, ямочки на щеках... Нет, безнадежно, что бы это могло быть?!

— Я слышал, Усер оказался шпионом чинджеров, — сказал Сдохни, закрывая коробку и пряча ее под подушку. — Мне следовало догадаться. Я, конечно, чувствовал неладное с парнем — вся эта чистка башмаков и прочая бредятина, — однако думал, что он всего-навсего чокнутый. Да, недоглядел...

— Сдохни, — хрипло выдавил Билл, — я понимаю, это невозможно... Но вы ведете себя как человек!

Сержант расхохотался, причем не своим обычным, похожим на скрежет пилы по человеческим костям, а почти нормальным смехом.

Билл продолжал, заикаясь от волнения:

— Н-но вы ведь садист, извращенец, животное, негодяй, убийца...

— Спасибо, Билл. Приятно слышать. Я стараюсь вкладывать в работу всю душу и, как и всякий, не прочь дождаться слова похвалы. Роль убийцы достаточно сложна. Наконец-то это дошло даже до такого олуха, как ты.

— Как же... разве вы не в самом деле...

— Молчать! — рявкнул Сдохни, и столько в его голосе было яда и бешенства, что температура тела Билла разом упала на шесть градусов. Сержант вновь улыбнулся. — Ты не виноват, сынок, что с тебя взять? Уж больно ты глуп, да и родом с какой-то захудалой планетки. Общение с армейскими придурками тоже ума не прибавляет, и вообще... Но пошевели мозгами, парень! Военная муштра — слишком серьезное дело, чтобы доверить его любителям. Прочитал бы ты в нашем колледже главку-другую из учебника... у тебя бы кровь в жилах застыла! В доисторические времена сержанты-дрессировщики, или как их там называли, вот те были садисты так садисты! Им позволяли прямо с грязью смешивать рекрутов. Благодаря этим бравым невеждам солдат начинал ненавидеть службу, прежде чем соображал, что ее надо бояться, и дисциплина катилась к чертям собачьим. А потери?! То кого-нибудь зашибут ненароком, то целый взвод утопят во время переправы, то еще что-нибудь в этом роде. Просто слезы на глаза наворачиваются, такие были потери!

— Можно мне спросить, на чем вы специализировались в колледже? — робко поинтересовался Билл.

— Воинская дисциплина, подавление духа и методология воздействия — вот мой курс. Обзорный, четырехлетний, но закончил я его на «отлично», а для парня из рабочей семьи это совсем недурно. Все силы отдавал службе — а проклятые ублюдки запихали меня в эту вонючую посудину!

Он поднял очки в тонкой золотой оправе и смахнул набежавшую слезу.

— Вы ждали благодарности? — несмело спросил Билл.

— Да, ты прав, глупо с моей стороны! Спасибо, что привел меня в чувство. Билл, из тебя еще выйдет хороший солдат. От начальства нужно ожидать лишь преступного равнодушия и халатности, чтобы этим можно было воспользоваться — ну, как делают там, наверху: взятки, хищения имущества, махинации на черном рынке и так далее. Но в лагере я и впрямь здорово поработал и питал наивную, как выяснилось, надежду, что мне позволят заниматься этим и впредь... Ладно, займусь-ка делом: пора устраивать себе перевод.

Он поднялся с койки и убрал коробку с конфетами и очки в запирающуюся на ключ тумбочку.

В минуты сильного душевного волнения Билл начинал соображать медленнее и все качал головой, время от времени даже постукивая по лбу тыльной стороной ладони.

— Видно, вашей карьере сильно помогло врожденное урод... Я хотел сказать, у вас такие красивые зубы...

— Еще бы не помогло, — отозвался Сдохни, пощелкивая ногтем по одному из своих клыков. — Но чертовски дорого! Ты знаешь, сколько стоит комплект искусственно выращенных и хирургически вживленных клыков? Держу пари, что нет! Я три года подрабатывал во время летних отпусков, чтобы сколотить деньжат, и скажу тебе: не жалею. Имидж — вот главное! Изучал я старые фильмы: тогда тоже, по-своему, примитивно, умели из человека сделать скотину. Подбирали таких специалистов, очевидно, по внешнему виду и по коэффициенту умственного развития — чем хуже, тем лучше, но были они настоящими знатоками своего дела. Продолговатые, наголо бритые черепа, усеянные шрамами, мощный подбородок, отвратительные манеры, вспыльчивость — все, что угодно. Я понял, что некоторые предварительные инвестиции могут в будущем обернуться дивидендами. О, это была настоящая жертва, поверь мне! Ты встречал еще подобные клыки? Нет! Причин предостаточно. Конечно, чтобы рвать жесткое мясо, они хороши, ну а дальше? Попробуй поцелуй девушку... Ладно, Билл, проваливай, у меня дела. Еще увидимся...

Последние слова Билл едва расслышал, так как, ведомый хорошо вымуштрованными рефлексами, очутился в коридоре, едва уловив команду. Когда самопроизвольный страх миновал, Билл отправился восвояси тщательно отработанным шагом, несколько напоминающим походку утки с перебитыми коленными суставами. По его мнению, именно так ходили старые космические волки. Он считал себя уже в какой-то мере закаленным ветераном и на минуту даже возомнил, что больше знает об армии, чем армия о нем. Эти наивные иллюзии растаяли как дым, стоило вмонтированным в потолок динамикам откашляться и прогнусавить:

— Слушайте все! Наш старик-капитан Зекиаль издал приказ, которого мы с нетерпением ждали. Идем в бой, ускорение нос-корма, закрепить все на совесть!

Глухой, наполненный сердечной болью стон прокатился по кубрикам гигантского корабля.

## 6

В сортирах воздух гудел от шуточек и сплетен, касающихся цели первого полета «Фанни Хилл», однако ничего общего с действительностью они не имели: их по приказу командования распространяли тайные агенты полиции. Единственное, что можно было сказать с уверенностью, так это то, что корабль, похоже, и в самом деле куда-то полетит, потому что корабль, очевидно, готовили куда-то полететь. Даже Тэмбо, укладывающий в кладовке запасные предохранители, вынужден был с этим согласиться.

— Хотя, с другой стороны, — добавил он, — возможно, что это всего лишь операция по дезинформации шпионов. Мы делаем вид, что куда-то полетим, а на самом деле туда полетит другой корабль.

— Куда — «туда»? — спросил Билл с раздражением, потому что придавил ноготь на указательном пальце.

— Ну куда-нибудь, какая разница? — Все, что не имело непосредственного отношения к его вере, Тэмбо оставляло равнодушным. — Зато мне доподлинно известно, куда попадешь ты.

— Куда же? — замер Билл, заглотнув приманку.

— Прямехонько в ад, если не будешь спасен.

— Опять за свое... — простонал Билл.

— Вот погляди, — тоном искусителя шепнул Тэмбо и запустил знакомую райскую картинку: золотые врата, фигурки на облачках, рокот тамтамов...

— Ну-ка, кончай свое дерьмовое спасение! — гаркнул предохранительный первого класса Сплин, и картинка исчезла.

Что-то слегка дернулось у Билла в желудке, но он принял это ощущение за очередной сигнал тревоги, посланный запаниковавшими внутренностями, которым постоянно мерещилось, что их намереваются уморить голодом. Сложнейшая, чудесная система по перевариванию и усвоению пищи все никак не могла переварить и усвоить простой факт: она обречена на жидкостную диету.

Однако Тэмбо прервал работу и склонил голову набок, будто прислушиваясь, а затем осторожно ткнул себя кулаком в живот.

— Летим, — решительно заявил он. — Причем на межзвездной тяге.

— Значит ли это, что мы вламываемся в подпространство и вскоре жуткие судороги скрутят каждую клеточку наших организмов?

— Нет, старыми подпространственными двигателями уже не пользуются. Множество кораблей пробилось в подпространство с этими жуткими судорогами, но ни один из них до сих пор еще не выбрался обратно. Я читал в «Солдатской правде» статью какого-то математика, что в расчеты вкралась ошибка; время в подпространстве действительно течет иначе, но иначе *быстрее*, а не иначе *медленнее*, и те корабли могут вернуться черт знает когда, если вообще когда-нибудь вернутся.

— Значит, мы в *над*пространстве?

— Ничего подобного!

— Так, может, нас разложили на составляющие атомы и занесли в память гигантского компьютера, которому стоит лишь вообразить, что мы находимся в каком-то определенном месте, и раз — мы уже там?

— Ого! — присвистнул Тэмбо, и его брови поднялись чуть ли не к самой линии волос. — Для деревенского увальня зороастрийца у тебя довольно странные идеи! Ты не выпил, часом? Или, может, курнул чего?

— Ну скажи! — взмолился Билл. — Если ни то ни другое, тогда что же? Чтобы драться с чинджерами, нам нужно пересечь межзвездное пространство, и как это мы сделаем?

— Да вот так! — Тэмбо огляделся, нет ли поблизости предохранительного первого класса Сплина, и сложил руки лодочкой. — Представь себе, что это корабль в космосе. Когда включается разбухательная тяга...

— Какая-какая?..

— Разбухательная. У нее такое название, потому что она действует по принципу разбухания. Ну, тебе, должно быть, известно: все на свете состоит из малюсеньких штуковин, всяких там электронов, протонов, нейтронов, тронтронов и черт знает чего еще, которые держит некая связующая энергия. Если ослабить эту энергию — да, я забыл сказать, что все они вечно вертятся как сумасшедшие; впрочем, ты об этом, возможно, уже слышал, — так вот, если эту энергию ослабить, то эти штуковины начнут разлетаться, и чем меньше будет эта энергия, тем дальше друг от друга они разбегутся. Я ясно выражаюсь?

— Кажется. Но не уверен, что мне это нравится.

— Спокойно. Видишь мои руки? Итак, энергия уменьшается, а корабль становится все больше и больше. — Он развел руки в стороны. — Все больше и больше: сперва как планета, потом как солнце и наконец как целая Солнечная система. Благодаря разбухательной тяге мы можем стать сколь угодно большими. Потом ее включат в обратном направлении, корабль съеживается до нормальных размеров, и раз — мы уже там!

— Где?

— Там, куда нам надо, — терпеливо пояснил Тэмбо.

Билл отвернулся и принялся усердно полировать предохранитель, увидев, что рядом с подозрительным блеском в глазах проходит предохранительный первого класса Сплин. Когда он скрылся за поворотом, Билл подошел к Тэмбо и зашипел:

— Но мы должны оказаться там, откуда начали! Надуваясь и съеживаясь, никуда не улетишь!

— Э-э, друг, старая добрая разбухательная тяга способна на всякие фокусы. Возьми, к примеру, кусок резины и растяни ее в стороны. Левую руку не двигай, а правую отведи как можно дальше. Теперь отпусти конец, который держишь левой рукой, — резина сожмется и окажется там, где твоя правая рука. Понимаешь? Ты же не перемещал ее, только растягивал, и тем не менее она оказалась в другом месте. Вот и наш корабль — он разбухает, только все время в одну сторону. Когда нос его окажется там, куда мы летим, корма все еще будет там, откуда мы вылетели. Потом происходит съеживание, и раз — мы на месте! С такой же легкостью ты можешь попасть на небеса, сын мой, если только...

— Проповеди в рабочее время, да, Тэмбо? — рявкнул Сплин с другой стороны груды предохранителей, откуда он подглядывал с помощью зеркальца на длинном пруте. — Теперь год будешь драить предохропояски, я тебя предупреждал!

Они молча работали тряпками до тех пор, пока сквозь переборку в помещение не вплыла планетка размером с теннисный мяч. Идеальная маленькая планета с крошечными полярными ледяными шапками, атмосферными фронтами, облачным покровом, океанами и всем прочим.

— Что это? — пискнул Билл.

— Навигационная ошибка, — ухмыльнулся Тэмбо. — Занесло чуток. Вместо того чтобы расти лишь вперед, корабль немного сдал назад. Эй, не трогай! Это может плохо кончиться... Та самая планета, которую мы только что покинули, Фигеринадон-два.

— Мой дом, — всхлипнул Билл, и на глазах у него выступили слезы. Тем временем миниатюрный глобус съежился до размеров шарика для настольного тенниса. — Прощай, маманя!

Он махал рукой, пока планетка совсем не исчезла.

Если не считать этого происшествия, полет был очень скучным: движения они не чувствовали, когда остановятся, не знали и куда попадут — понятия не имели. Наконец поступил приказ снять крепления с запасных предохранителей — значит куда-то они все-таки добрались. На протяжении трех вахт не происходило ничего особенного, и когда вдруг объявили боевую тревогу, Билл помчался на свой пост, счастливый впервые за все время службы. Все жертвы и муки ненапрасны, сейчас он вступит в схватку с омерзительными чинджерами!

Предохранительные застыли в позиции номер один, впившись глазами в красные пояски на предохранителях, именуемые поясками предохранителя. Сквозь подметки башмаков чувствовалась легкая, но отчетливая вибрация.

— Что это? — спросил Билл, почти не шевеля губами.

— С разбухательной тяги мы перешли на главную, — уголком рта прошипел Тэмбо. — Атомные двигатели. Значит, мы маневрируем, что-то делаем...

— Но что?

— Следить за поясками! — заорал предохранительный первого класса Сплин.

Билл начал потеть и внезапно осознал, что стоит удушающая жара. Тэмбо, не отводя глаз от предохранителей, выскользнул из комбинезона и аккуратно сложил его позади себя.

— А разве можно? — поразился Билл, оттягивая воротник. — И вообще, что происходит?

— Это против правил, но раздеться придется, иначе сваришься. Давай, давай, сынок, не то помрешь без отпущения грехов. Видать, идет бой, потому что работает вся защита: семнадцать силовых экранов, один электромагнитный да еще двойная броня с тонкой пленкой псевдоживого желе между слоями, которая мгновенно затягивает все дыры. С такой оболочкой корабль совершенно не излучает энергии в пространство. Двигатели работают, все потеют, здесь будет жарче, чем в бане. А начнем палить — представляешь?

Много часов температура колебалась у пределов выносимого. И все эти часы предохранительные провели, таращась на пояски предохранителей. Как-то раз Билл босыми подошвами почувствовал легкое содрогание раскаленной палубы.

— Что это?

— Пускаем торпеды.

— В кого?

Тэмбо в ответ только пожал плечами, не сводя бдительного взгляда с поясков предохранителей. Еще с час Билл мучился от неуверенности, скуки, жары и усталости, и вдруг раздался сигнал отбоя, и из вентиляторов хлынула струя холодного воздуха. Когда он натянул форму, Тэмбо куда-то исчез, и Билл, едва волоча ноги, поплелся в кубрик. На доске объявлений в коридоре висел листок, размноженный на мимиографе, и Билл придвинул к нему лицо, силясь разобрать расплывающийся текст.

*От кого: Капитан Зекиаль*
*Кому: Всему экипажу*
*Тема: Недавнее сражение*

*23.11.8956 наш корабль участвовал в уничтожении вражеской установки 17КЛ-345 и во взаимодействии с остальными кораблями флотилии «Красный костыль» завершил свою миссию полным успехом, в связи с чем объявляется, что каждый член экипажа обязан прикрепить к орденской ленте «Ветеран боевых действий» знак «Почетное атомное облако»; если же вышеназванное сражение было первым для члена экипажа, упомянутый член имеет право на знак «Участник боевых действий».*

*Внимание!*

*Кое-кто замечен в ношении «Почетного атомного облака» вверх ногами, что является ПРЕСТУПЛЕНИЕМ и по законам военного времени решением ТРИБУНАЛА карается СМЕРТЬЮ.*

## 7

После героической битвы при 17КЛ-345 потянулись унылые недели учений и муштры, имевшие целью возвратить утомленным ветеранам былую форму. В один из таких гнетущих дней из динамиков раздался сигнал, доселе Биллу незнакомый. Он напоминал звук, какой можно извлечь из наполненного стальными прутьями рудодробильного барабана, если его хорошенько потрясти. Ни Биллу, ни остальным новобранцам этот сигнал ничего не говорил, зато Тэмбо кубарем слетел с койки и под аккомпанемент тамтама, в роли которого выступала прикроватная тумбочка, исполнил короткий танец смерти.

— Ты спятил? — вяло поинтересовался Билл с койки, где он листал затрепанный комикс, озаглавленный «ПОМЕШАВШИЙСЯ НА СЕКСЕ, или УПЫРЬ-УБИЙЦА / со звуковыми эффектами». С раскрытой страницы несся душераздирающий стон.

— Разве ты не знаешь? — изумился Тэмбо. — Ты же не знаешь!.. Нет другого звука, столь ласкающего слух... Почту привезли!

Остаток вахты прошел в томительном ожидании, а потом, разумеется, пришлось выстоять длиннющую очередь. Доставка почты была организована с максимальным беспорядком, однако в конце концов, невзирая на многочисленные препятствия и проволочки, Билл завладел бесценной открыткой от матери. На открытке были изображены корпуса фабрики по переработке падали и потрохов, что располагались на окраине его родного городка, и одного этого хватило, чтобы к горлу Билла подступил предательский комок. На отведенном для письма чистом прямоугольнике мать накорябала с трудом: «Урожай плохой, сидим в долгах, у робомула сап, у тебя, надеюсь, тоже все нормально. Люблю, мама». И все же это была весточка из дома, и Билл, стоя в очереди за едой, перечитывал ее вновь и вновь. Стоявший перед ним Тэмбо тоже получил открытку, как и следовало ожидать, всю в церквах и ангелочках. Миссионер прочитал ее и невозмутимо сунул в чашку с обеденной жидкостью. Билл был потрясен.

— Что ты делаешь?

— А на кой черт, по-твоему, почта? — проворчал Тэмбо и окунул открытку поглубже. — Гляди.

На глазах у оторопевшего Билла открытка начала разбухать. Белая поверхность растрескалась и осыпалась маленькими хлопьями, а коричневая основа росла и росла, пока не заполнила всю чашку. Тэмбо извлек истекающую супом массу и впился в нее зубами.

— Обезвоженный шоколад, — прочавкал он. — Мм, прелесть! А ты что получил?

Тэмбо не успел еще договорить, а Билл уже затолкал свою открытку в суп и зачарованно смотрел, как она разбухает. Поверхностный слой отвалился, однако начинка оказалась не коричневой, а белой.

— Конфета или, может, хлеб... — вздохнул он, с трудом сглатывая слюну.

Белая масса заполнила всю чашку и поползла наружу. Билл схватил ее за кончик и потянул, а она все лезла и лезла, пока в руках у Билла не оказалась цепочка жирных, срощенных друг с другом букв почти в три ярда длиной. Билл поднял гирлянду и прочитал: «Голосуйте за П. Лута — он солдата не обманет!»

Билл откусил огромный кусок «Д», пожевал немного и сплюнул сырые клочья на пол.

— Картон, — мрачно произнес он. — Мама предпочитает покупать все на дешевых распродажах. Даже обезвоженный шоколад...

Билл поднес ко рту чашку, чтобы смыть мерзкий газетный привкус, но она была пуста.

На верхних ступенях власти, где вершатся судьбы людей, кто-то принял решение и издал приказ. Как известно, большое начинается с малого: капля птичьего помета падает на заснеженную вершину горы, катится вниз, понемногу обрастая снегом, ком все увеличивается и увеличивается, пока не превращается наконец в ревущую лавину смерти, безжалостно сметающую все на своем пути и обрушивающуюся на дремлющую у подножия горы деревеньку. Большое начинается с малого... Кто знает, с чего все началось здесь? Пожалуй, боги, но они лишь смеются. Может, какой-нибудь разнаряженной паве, женушке высокопоставленного министра, пришлась по вкусу некая безделушка, и острым язычком она до тех пор пилила супруга-индюка, пока тот, ради собственного покоя, не раздул грудь, не распустил перья и не пообещал эту безделушку купить, а потом и нашел способ раздобыть на это деньжат. К примеру, шепнул словечко императору — глядишь, и удастся возобновить давно забытую кампанию в секторе семьдесят семь дробь семьдесят один, а одержанные там победы (или даже просто новый призыв, окажись потери достаточно велики) повлекут за собой ордена, награды, деньги... И вот из женской алчности, как из капли помета крошечной птички, разрастается лавина военных событий, поспешно строятся дредноуты, сколачиваются межзвездные армады — так камень, брошенный в воду, вызывает круги, которые все ширятся и ширятся, затрагивая в конечном итоге даже ничтожнейшие микроорганизмы...

— Идем в дело, — объявил Тэмбо, принюхиваясь к чашке с ужином. — В жратве полно стимуляторов, болеутолителей, селитры и антибиотиков.

— Так вот почему все время играют патриотическую музыку! — проорал Билл, силясь перекричать рвущиеся из динамиков рев труб и грохот барабанов.

Тэмбо кивнул:

— Самая пора позаботиться о душе и обеспечить себе местечко в легионах Самеди...

— Почему бы тебе не поговорить на эту тему с Задницей Брауном? — гаркнул Билл. — У меня твои тамтамы уже из ушей лезут. А взгляну на стены — вижу ангелов на облаках!.. Возьмись за Задницу — всякий, кто занимается с коровками тем, чем он, присоединится к шайке вуду-поклонников, ни секунды не раздумывая.

— Я беседовал с Брауном о его душе, но не уверен в результатах. Он никогда не отвечает, и я не знаю даже, слышит ли он меня. Ты — другое дело, сын мой, ты гневаешься, значит ты сомневаешься, а сомнения — это первый шаг к вере...

Музыка вдруг оборвалась, и уши заложило от внезапной тишины. Затем раздался голос:

— А теперь слушайте все... Внимание, внимание... Через несколько секунд начинаем трансляцию с флагманского корабля — важнейшее сообщение нашего адмирала... Внимание... — Раздались жуткие звуки боевой тревоги, потом они утихли, и голос зазвучал снова: — ...Итак, мы на командирском мостике гигантского покорителя космоса, двадцатимильного, великолепно вооруженного, бронированного супердредноута «Королева фей»... Вахтенные расступаются, прямо ко мне в скромном мундире из платиновых нитей направляется сам великий адмирал флота, его преподобие лорд Археоптерикс... Не уделите ли вы нам минутку, ваша светлость? Чудесно! Теперь вы услышите голос...

Однако из динамиков вырвалась лишь очередная порция бравурной музыки, и предохранительные вновь сосредоточились на созерцании поясков предохранителей. Через некоторое время голос все-таки раздался — сиплый, дребезжащий, слабый, характерный для столпов империи.

— Парни, идем в бой! Наш флот, самый мощный из всех когда-либо виданных Галактикой, направляется прямиком на врага, чтобы нанести ему сокрушительный удар и одержать победу в войне. На голографической карте я вижу неисчислимые светящиеся точки, их так много, что все не охватить единым взглядом. Говорю вам — будто дырки в одеяле! Не корабль, не эскадрилья, а целый флот! Мы стремительно приближаемся...

Застучали тамтамы, и на месте пояска предохранителя, за которым наблюдал Билл, появились золотые врата.

— Тэмбо! Прекрати! Я хочу послушать про битву!

— Глупости! — фыркнул Тэмбо. — Лучше воспользуйся оставшимися тебе минутами, чтобы встать на путь спасения! Никакой это не адмирал, а магнитофонная запись. Я слышал ее уже пять раз — перед каждым сражением, когда ожидаются особо тяжелые потери. Ее запускают для поднятия духа. И вообще, адмирал тут ни при чем, эту чушь переписали с какой-то древней телепередачи...

— Ага! — заорал Билл и бросился вперед. Предохранитель перед самым его носом перегорел: из зажимов сверкнули искры, а поясок мгновенно переменил цвет с красного на черный.

— Ух! — вскрикнул Билл, потом снова, с короткими интервалами: — Ух! Ух! Ух! — обжигая руки о раскаленный предохранитель, роняя его себе на ногу и наконец спихивая цилиндр в отверстие в полу. Когда он повернулся, Тэмбо вставлял в зажимы новый предохранитель.

— Это был мой предохранитель! — На глазах у Билла показались слезы. — Ты не имел права!

— Прости. Но согласно уставу я обязан помочь, если сам не занят.

— Ладно, по крайней мере, мы в деле, — проворчал Билл, приняв исходную позицию и поглаживая отдавленный палец на ноге.

— Пока нет, здесь еще холодно. Предохранитель перегорел потому, что был старым, по разряду видно.

—...непобедимая армада с незнающими поражения солдатами на борту...

— Но ведь могли быть и в деле, — обиженно надулся Билл.

—...рев атомных двигателей и огневые следы мчащихся к цели торпед...

— А вот теперь, кажется, уже. Вроде теплее стало, а, Билл? Давай-ка разденемся; когда начнется бой, будет не до того.

— Живо, живо, догола! — покрикивал предохранительный первого класса Сплин, прыгая, как газель, вдоль рядов керамических цилиндров. На нем были только грязные носки и наколотая татуировка воинского звания в виде похабной интерпретации предохранителя. Раздался треск. Билл почувствовал, как коротенькие, едва успевшие отрасти волосы дыбом встали на его голове.

— Что это? — ахнул он.

— Вторичный разряд вон той группы предохранителей, — указал Тэмбо. — Сведения, разумеется, совершенно секретные, но вроде это означает, что один из защитных экранов находится под воздействием очень сильного излучения. При перегрузке цвета спектра меняются: зеленый, голубой, фиолетовый, наконец, черный, и экрану каюк.

— Паршиво...

— Это только сплетни. Говорю же, информация засекречена...

— ВНИМАНИЕ!

Мощный удар расколол спертый воздух, и целый ряд предохранителей сверкнул разрядами. Один из них разорвался, остальные почернели и задымились. Солдаты бросились вперед, меняя предохранители потными руками, работая почти на ощупь в густых клубах дыма. На миг наступила тишина, и тут же пронзительно заверещал звонок на пульте связи.

— Сукина задница! — выразительно пробормотал Сплин и понесся к пульту, пинком отшвыривая попавшийся под ноги предохранитель.

Китель его висел рядом на крюке, и прежде чем нажать кнопку «Прием», он поспешно натянул его. К тому времени как экран засветился, последняя пуговица на мундире была застегнута. Сплин отдал честь, следовательно, к нему обращался офицер. Билл стоял сбоку и экрана не видел, но доносившийся голос звучал визгливо и капризно, да и вообще складывалось впечатление, что у говорящего слишком много зубов и совсем нет подбородка, а это, между прочим, было одним из признаков офицера.

— Не торопишься отвечать, предохранительный первого класса Сплин! Возможно, предохранительный второго класса будет проворнее?

— Сжальтесь, сэр, умоляю, я несчастный старик... — Сплин рухнул на колени и, естественно, исчез с экрана.

— Встань, идиот! Вы уже отремонтировали предохранители после последней перегрузки?

— Мы их заменяем, сэр, а не ремонтируем...

— Молчать, свинья! Меня эти мелочи не интересуют. Отвечай прямо: да или нет?

— Все в порядке, сэр. Готовность — зеленый. Никаких жалоб, ваша милость.

— Ты почему не по форме одет?

— По форме, сэр! — заскулил Сплин, придвигаясь ближе к экрану, чтобы его голая задница и дрожащие конечности не попали в поле зрения телекамеры.

— Не смей лгать! У тебя на лбу пот, а в мундире потеть не разрешается! Посмотри — разве я потею? А ведь я еще и в фуражке, и фуражка надета под предписанным углом! Ладно, на сей раз прощаю, у меня мягкое сердце. Можешь идти.

— Задница неумытая! — во весь голос проревел Сплин, отводя душу, и сорвал с себя китель. Температура достигла ста двадцати градусов и продолжала подниматься. — На мостике-то кондиционеры стоят, и куда, по-вашему, они отводят тепло? Да сюда! УААА-ЯАААА!

Два ряда предохранителей выстрелили одновременно, три предохранителя разорвались, как бомбы. В тот же миг под ногами отчетливо дрогнул пол.

— У нас большие неприятности! — закричал Тэмбо. — Если уж не выдержало статическое поле, то корабль в любой момент может раздавить в лепешку. А вот еще!..

Он кинулся к зажимам, выбросил сгоревший предохранитель и вставил на его место запасной.

Это был сущий ад. Предохранители рвались шрапнелью, рассекая воздух осколками керамической смерти. Сверкнула молния, вспыхнула дуга короткого замыкания между распределительным щитом и стальной палубой, и тут же раздался нечеловеческий (к счастью, короткий) вопль солдата, оказавшегося на ее пути. Густой дым клубился по полу, поднимаясь постепенно все выше, пока в конце концов полностью не затянул все вокруг. Билл выдернул из зажимов остатки перегоревшего предохранителя и прыгнул к стеллажу за запасным. Схватил девяностофунтовый цилиндр непослушными руками, повернулся, и тут Вселенная взорвалась...

Все оставшиеся предохранители сгорели одновременно, и воздух с треском разорвала ослепительная молния. В краткий, но, казалось, нескончаемый миг Билл увидел, как огонь прошил шеренгу солдат, расшвыривая их по сторонам и испепеляя, будто частички пыли в жадном пламени. Тэмбо зашатался и рухнул грудой обугленной плоти. Летящий кусок стали рассек предохранительного первого класса Сплина от шеи до паха, вывернув внутренности из чудовищной раны.

— Во дырища-то! — заорал Задница Браун и тут же дико взвизгнул, когда накатившийся огненный шар превратил его в почерневший огрызок.

По счастливой случайности, когда ударила волна огня, Билл держал перед собой массивный керамический цилиндр. Пламя лизнуло только руку, с внешней стороны прижимавшую предохранитель к груди, отбросило его к стеллажу и распластало на раскаленной палубе, а само буйствовало буквально в нескольких дюймах над его головой. Потом, так же внезапно, как началось, все стихло, и остались лишь дым, жар, смрад горелого мяса, разрушение и смерть, смерть, смерть.

Билл с трудом дополз до люка, и это движение было единственным в мертвом, выжженном помещении.

На нижней палубе царила такая же жара, а воздух был так же лишен живительного кислорода, как и там, откуда ему удалось выбраться. Билл упорно двигался вперед, почти не сознавая, что ползет на израненных ногах и одной окровавленной руке. Другая висела плетью, изувеченная и почерневшая, и только благодаря благословенному шоку он не выл от невыносимой боли.

Он все полз и полз — через порог... в коридор... Здесь воздух был чище и значительно прохладнее; Билл привалился к стене, глубоко вдыхая спасительную свежесть. Отсек показался ему знакомым и в то же время незнакомым. Длинное узкое помещение с выгнутой стеной, из которой торчали казенники гигантских орудий... Ну конечно, батарея главного калибра! Это ее так старательно фотографировал чинджеровский шпион Усер. Теперь, правда, все выглядело иначе: потолок, покрытый вмятинами и трещинами, заметно приблизился к полу, словно снаружи по нему ударили чудовищным молотом. У ближайшего орудия в кресле наводчика скрючился какой-то солдат.

— Что произошло? — спросил Билл, трогая солдата за плечо. Артиллерист свалился с кресла, как сухой лист: он весил не больше нескольких фунтов. Пергаментное лицо сморщилось, словно во всем теле не осталось ни капли воды.

— Дегидратирующий луч! — ахнул Билл. — А я-то думал, что такое только в кино бывает!

Кресло казалось мягким и удобным, во всяком случае, привлекательнее покореженной стальной палубы. Билл занял освободившееся место и мутными глазами уставился на экран. По нему двигались маленькие разноцветные точки.

Прямо над экраном крупными буквами было напечатано: «Наши корабли зеленые, вражеские — красные. Не забывай, пойдешь под ТРИБУНАЛ!»

— Не забуду, — пробормотал Билл и начал заваливаться в кресле. Чтобы удержаться, он ухватился за какой-то рычаг, и на экране появился светящийся кружок с перекрестьем. Интересно! Билл навел кружок на зеленую точку, потом вспомнил что-то о трибунале. Тогда он еще раз пошевелил рычагом, и в кружке оказалась красная точка. На рычаге была какая-то красная кнопка, и Билл нажал ее, потому что такие кнопки прямо-таки созданы для того, чтобы их нажимать. Орудие издало тихое «пф-ф», и красная точка на экране погасла. Нет, неинтересно, решил Билл и выпустил рычаг.

— Ну и воинственный же придурок! — донесся слабый голос.

Билл нашел в себе силы оглянуться. За его спиной стоял тип с оборванными золотыми галунами.

— Я видел! — выдохнул он, покачнувшись. — До самой смерти не забуду! Воинственный придурок! Какие нервы! Неустрашимый! Вперед на врага, корабль не сдастся...

— Ты что плетешь? — прохрипел Билл.

— Герой! — воскликнул офицер и хлопнул его по плечу. Сознание и так еле-еле держалось в Билле; вспышка боли от этого хлопка переполнила чашу его терпения, и оно удалилось на покой. Билл отключился.

## 8

— Ну, будь паинькой и выпей обед, как подобает настоящему солдату...

Теплый голос проник в отвратительный кошмар, и Билл с радостью воспользовался предлогом, чтобы проснуться. С нечеловеческим усилием он разлепил веки. Смутная сперва картинка сфокусировалась, и на подносе появилась чашка. Поднос держала белая рука. Рука переходила в белое же предплечье, которое, в свою очередь, вырастало из белого халата. Халат распирала полноценная женская грудь. Зарычав как зверь, Билл отбросил поднос и кинулся на халат. Увы! Его левая рука покоилась в каком-то коконе и висела на растяжках, так что он, все еще издавая нечленораздельные звуки, только завертелся в постели, словно пришпиленный булавкой жук. Медсестра пронзительно взвизгнула и убежала.

— Приятно видеть тебя полным сил, — сказал врач и отработанным ударом зафиксировал Билла на месте, одновременно парализовав его правую руку приемом дзюдо — Сейчас я налью тебе обед, и ты его немедленно выпьешь, а потом мы разрешим тебе пообщаться с приятелями. Они дожидаются снаружи.

Рука начала слушаться, и Билл взял чашку.

— Какие приятели? Какое общение? Что вообще здесь происходит? — недоумевал он в промежутках между глотками.

Дверь открылась, и в палату вошли солдаты. Билл искал среди них привычные лица, но видел лишь бывших сварщиков и незнакомцев. Потом вспомнил.

— Задница Браун изжарился! — закричал он. — Тэмбо сварился! Сплина выпотрошило! В живых не осталось никого!

Он нырнул под одеяло и душераздирающе застонал.

— Не годится герою так себя вести, — укоризненно произнес врач, вытаскивая его на подушки и поправляя одеяло. — Ты герой, солдат! Твое мужество, находчивость, боевой дух и снайперская меткость спасли корабль. Защитные поля вышли из строя, машинное отделение было разрушено, артиллеристы перебиты, управление потеряно, вражеский крейсер уже готовился нанести смертельный удар, когда ты, словно ангел мщения, раненый, истекающий кровью, из последних сил произвел один-единственный залп, который разбил неприятеля и спас «Фанни Хилл», «гранд-даму» нашего флота. — Врач протянул Биллу листок бумаги. — Сам понимаешь, это цитата из официального рапорта. Лично я считаю, что тебе повезло.

— Вы просто завидуете, — хмыкнул Билл. Он уже начал вживаться в образ.

— Не строй из себя психоаналитика! — закричал врач, но тут же жалобно всхлипнул: — Я всегда хотел быть героем, а в результате обхаживаю их на задних лапках... Ладно, снимаем бинты.

Он освободил левую руку Билла от растяжек и начал разматывать бинт. Солдаты тесным кругом обступили постель и, затаив дыхание, наблюдали.

— Что с моей рукой, доктор? — Билл внезапно заволновался.

— Поджарилась, как отбивная. Пришлось ее отрезать.

— Тогда *это* что?! — в ужасе вскричал Билл.

— Другая рука, пришитая. Их после битвы осталось знаешь сколько? Потери личного состава — сорок два процента, так что я только и делал, что резал и шил, поверь на слово.

Исчез последний слой бинта, и солдаты в восхищении заахали:

— Какая прекрасная рука!

— Пошевели-ка пальцами!

— И чертовски красивый шов у плеча — смотри, какие стежки аккуратные!

— Мускулистая, логичная — не сравнить с той щепкой, что у него с другой стороны!

— Да, и длиннее, и темнее... Прелестный оттенок кожи!

— Это рука Тэмбо! — взвизгнул Билл. — Уберите ее!

Он шарахнулся в сторону, однако рука последовала за ним. Его вновь уложили на подушки.

— Счастливчик ты, Билл, такая лапища досталась, да к тому же еще и от дружка!

— Он бы тебе все отдал!

— Теперь память о нем будет...

Рука и в самом деле была неплохая. Билл наклонился и пошевелил пальцами, подозрительно приглядываясь. Действует! Он стиснул руку ближайшего солдата, да так, что тот скорчился от боли, когда затрещали кости. Потом Билл присмотрелся внимательнее и заорал:

— Костоправ несчастный! Ветеринар! Славная работка, нечего сказать... Это же правая рука!

— Ну и что?

— А то, что отрезал ты левую! Теперь у меня две правые.

— Просто левые кончились. Я же не волшебник! Стараешься изо всех сил, а в ответ слышишь одну брань... Скажи спасибо, что не пришил тебе ногу. — Он злорадно ухмыльнулся. — Или еще что-нибудь...

— Это и впрямь хорошая рука, Билл, — заверил солдат, растиравший свою ладонь. — Тебе здорово повезло. Теперь ты можешь отдавать честь любой рукой, больше никто на это не способен.

— Верно, — произнес Билл. — Я и не подумал... Мне действительно повезло.

Он попробовал: локоть его левой правой руки подпрыгнул вверх, и пальцы замерли точно в полудюйме от виска. Солдаты щелкнули каблуками и отдали ему честь. Тут дверь распахнулась, и в палату просунул голову офицер:

— Вольно, вольно... Старик желает нанести неофициальный визит.

— Сюда идет капитан Зекиаль!

— Я никогда еще его не видел!

Солдаты расщебетались, как птички, и занервничали, словно девственницы перед обрядом дефлорации. В палату вошли еще три офицера, и наконец санитар ввел десятилетнего идиота в капитанском мундире и со слюнявчиком.

— Бе-е-е... Пливет, лебята! — просюсюкал капитан.

— Капитан приветствует собравшихся, — кратко перевел первый лейтенант.

— Это тот, в кловатке?

— Особенно сердечно капитан желает приветствовать нашего героя.

— Э-э... чего-то еще, но я позабыл...

— Кроме того, капитан желает сообщить отважному воину, спасшему наш корабль, что ему присвоено высокое звание предохранительного первого класса, каковой чин автоматически продлевает срок службы на семь лет, а также что немедленно после выписки из госпиталя он должен отправиться первым же доступным транспортом на имперскую планету Гелиор, чтобы из рук самого императора получить орден Пурпурного дротика и почетную Звезду туманности Угольный Мешок.

— Я хочу пи-пи...

— А теперь неотложные дела призывают капитана на мостик. Примите его самые теплые пожелания!

— ...Не молод ли наш Старик для своего поста? — поинтересовался Билл.

— Есть и моложе, — отмахнулся врач. Он искал иглу потупее, чтобы сделать Биллу укол. — Не забывай, все капитаны — члены аристократических семейств, а даже самой многочисленной аристократии не хватает на галактическую империю. Приходится довольствоваться тем, что есть.

Врач нашел погнутую иглу и насадил ее на шприц.

— Ну хорошо, молодой так молодой. Но не слишком ли он глуп для такой работы?

— Берегись, паршивец, так ты и на его величество замахнешься!.. Возьми двухтысячелетнюю империю, скрещивай аристократию только между собой, поощряй рецессивные гены и врожденные дефекты — и получишь такую публику, что любому клиенту психушки до нее далеко! Видел бы ты капитана прежнего моего корабля...

Врач содрогнулся и злобно воткнул в Билла бракованную иглу. Билл взвизгнул и с тоской поглядел на сочащуюся из дыры кровь.

Потом дверь закрылась, и Билл остался один, перед голой стеной и туманным будущим. Предохранительный первого класса — это хорошо. Однако дополнительные семь лет службы — это плохо. Билл пал духом. Потянуло почесать языком со старыми дружками, но затем ему пришло в голову, что все они погибли, и дух его пал еще ниже. Билл хотел приободрить себя, да не мог найти подходящего повода, пока не вспомнил, что он может сам с собой обмениваться рукопожатием. Это обстоятельство его несколько развлекло.

Он лежал в пустой палате и пожимал себе руку. А потом заснул.

# ЧАСТЬ ВТОРАЯ

## 1

Носовой отсек космического челнока был выполнен в виде гигантского иллюминатора из специального армированного стекла, за которым клубились мчащиеся навстречу облака. Развалившись в противоперегрузочном кресле, Билл любовался величественным зрелищем. Челнок мог вместить двадцать пассажиров, но сейчас здесь было всего трое солдат. Билл старался не смотреть слишком часто на сидевшего рядом артиллериста первого класса. Выглядел он так, словно им самим стреляли из пушки. Лицо с единственным глазом, налитым кровью, было почти целиком пластмассовое, хитросплетение блестящих поршней, проволочных тяг и электронных датчиков заменяло ему четыре отсутствующие конечности, а знаки различия и погоны были приварены прямо к металлическому каркасу, выполняющему функцию грудной клетки. Третий пассажир, коренастый сержант-пехотинец с бандитской рожей, плюхнувшись в кресло, моментально захрапел.

— Ух ты! — воскликнул Билл. Челнок пронзил последний слой облаков, и над ним засверкал золотой шар Гелиора, столицы империи десяти тысяч солнц.

— Вот так альбедо! — прокаркал из глубин своей пластиковой физиономии артиллерист. — Аж глаз режет!

— Еще бы! Планета, покрытая чистым золотом, представляешь?

— Нет, не представляю. И не верю. Слишком дорого получилось бы. Но я запросто могу представить себе планету, закатанную в анодированный алюминий.

Приглядевшись внимательнее, Билл убедился, что это и в самом деле совсем не золото. Настроение снова упало. Ну и пусть не золото! Зато могущество и слава неподдельные! Гелиор всегда был и будет имперской планетой, недремлющим, всевидящим оком Галактики. Сюда стекались донесения обо всем, что происходило на каждом корабле, и вся эта информация классифицировалась, кодировалась и вводилась в компьютеры. Гелиор решал судьбы целых цивилизаций и сдерживал мерзкие поползновения агрессоров. Это была планета, абсолютно покоренная человеком: моря, горы и континенты покрылись безудержно разрастающимся многоэтажьем, а население Гелиора посвящало свою жизнь одной лишь цели — могуществу, власти. Сверкающая поверхность верхнего уровня была сплошь усыпана огнями космических кораблей самых разных размеров, а темное небо искрилось огоньками уже стартовавших или дожидающихся посадки. Изображение неумолимо увеличивалось... Вдруг резко сверкнула вспышка, всех ослепившая, и все исчезло.

— Полундра! — взревел Билл. — Нам крышка...

— Заткнись. Просто порвалась пленка. На борту нет ни одной важной шишки, поэтому им, конечно же, не захочется чинить...

— Пленка?..

— А ты что думал? Какой псих станет строить паром с большими окнами на носу, где максимальное трение об атмосферу? Это кино. Проектор. Чтобы мы знали, что садимся ночью.

При посадке пилот лихо сделал пятнадцать «же» — он также был информирован, что на борту ни единой важной шишки нет. Когда пассажиры вправили сдвинутые шейные позвонки и вернули глазам привычную возможность видеть, шлюз с шипением раскрылся. На самом деле стояла ночь, к тому же хлестал дождь. В дверях появилась профессионально улыбающаяся физиономия стюарда второго класса.

— Добро пожаловать на Гелиор! Тысячи незабываемых впечатлений ожидают... — Тут на его лицо вернулось естественное презрительное выражение. — Вы что, без офицера? Вытряхивайтесь поживее, нам нужно придерживаться расписания.

Никто не прореагировал на его слова, и он решительно полез расталкивать храпящего, как испорченная турбина, сержанта-пехотинца; такой пустяк, как пятнадцатикратная перегрузка, не смог потревожить молодецкий сон бравого воина. Завязалась возня, могучий храп перешел в басовитое урчание, но тут же его заглушил пронзительный визг стюарда, схлопотавшего пинок под зад. Не переставая урчать, сержант со своими попутчиками спустился на скользкую поверхность посадочной площадки. Кое-как установили артиллериста на разъезжающиеся металлические ноги, после чего Билл печально проводил взглядом свой узелок, вышвырнутый из багажного отделения в самую середину глубокой лужи. На прощание мстительный стюард выключил силовое поле, защищавшее их от дождя, и все трое моментально промокли до нитки и продрогли до костей на ледяном ветру. Сержант и Билл, забросив свои пожитки на плечи (артиллерист свой багаж покатил за собой на колесиках), направились к ближайшим огням, мерцавшим за густой пеленой дождя не далее чем в какой-нибудь миле. На полпути у артиллериста случилось короткое замыкание в конечностях, и он застыл на месте, как фонарный столб. Пришлось прикрепить колесики к его ногам, а багаж взвалить на него сверху.

— Вот те на, получилась неплохая ручная тележка, — вздохнул артиллерист.

— Не дрейфь! — гаркнул сержант. — Зато на гражданку вернешься с отличной профессией!

Открыв пинком дверь, они ввалились в упоительно теплую канцелярию.

— У вас не найдется бутылочки растворителя? — обратился Билл к человеку за конторкой.

— Документы! — потребовал чиновник, игнорируя просьбу Билла.

— У меня есть бутылка в рюкзаке, — проскрипел артиллерист.

Билл, швырнув чиновнику бумаги (документы артиллериста были приколоты к его груди), полез копаться в рюкзаке. Чиновник бросил бумаги в огромную машину, что стояла за его спиной; та принялась гудеть и мигать лампочками, а Билл тем временем тщательно промывал растворителем все контакты артиллериста, удаляя с них влагу. Наконец прозвенел звонок, машина выплюнула их документы и, громко стрекоча, стала выдавливать из себя узкую длинную перфоленту, испещренную печатными символами. Поспешно подхватив ленту, чиновник стал читать.

— Ну и влипли вы, ребята... — проговорил он с нескрываемым сарказмом. — Все трое должны получить ордена Пурпурного дротика из рук самого императора. Церемония начинается через три часа и будет сниматься на пленку. Ни малейшего шанса поспеть у вас нет.

— Не твое собачье дело, — рявкнул сержант. — Куда нам идти?

— Область тысяча четыреста пятьдесят семь-Д, уровень К-девять, блок восемьсот двадцать три–семь, коридор четыреста девяносто два, ячейка ФЛМ — тридцать четыре, кабинет шестьдесят два, спросить продюсера Крыссу.

— Как нам туда добраться? — задал вопрос Билл.

— Не знаю и знать не желаю. — Чиновник водрузил на стойку три внушительных тома в фут высотой и столько же толщиной. К корешку каждого из них была прикреплена металлическая цепь. — Ищите сами. Вот ваши планы, распишитесь в получении. Утрата плана является тяжким государственным преступлением и карается по закону воен...

Канцелярист вздрогнул, внезапно сообразив, что остался наедине с тремя ветеранами, прошедшими огонь, воду и медные трубы. Побледнев как мел, чиновник потянулся к красной сигнальной кнопке, но прежде чем он успел осуществить задуманное, мощный металлический манипулятор артиллериста пригвоздил его руку к стойке.

Сержант нагнулся к нему, так что они практически соприкоснулись лбами, и тихим голосом, от которого в жилах стыла кровь, проговорил:

— Ты нам поможешь. Ты дашь нам поводыря!

— Поводыри только для офицеров... — попытался возразить чиновник, но стальной палец артиллериста ткнул его в живот, заставив беззвучно разевать рот.

— Считай, что перед тобой офицеры, — продолжал сержант, — мы не возражаем...

В страхе клацая зубами, чиновник вызвал поводыря. В стене напротив распахнулась дверца, и выкатился поводырь — нечто металлическое, отдаленно напоминавшее собаку с проволочным хвостом и шестью резиновыми колесиками.

— Ко мне, барбос, — поманил его сержант.

Поводырь устремился к нему, выдвинул красный пластиковый язык, после чего издал звук, надо полагать имитирующий дыхание. Сверяясь с бумажной лентой, сержант набрал код на клавиатуре, венчающей голову поводыря: 1457-Д, К9, 823–7, 492, ФЛМ-34, 62. Красный язык втянулся в пасть, хвост завилял, поводырь дважды тявкнул и покатился по коридору. Не теряя времени, ветераны последовали за ним.

По дороге они пользовались лифтами, подъемниками, эскалаторами, пневмокарами, монорельсами, движущимися тротуарами и колесным транспортом, не брезгуя также перемещением пешим порядком. В пути воины пристегнули цепочки планов к своим ремням, так как без них обходиться в этом огромном городе было совершенно невозможно.

Уже через час они оказались у двери под номером 62. Поводырь трижды тявкнул и удрал, прежде чем его успели схватить.

— Еще бы он не пошевеливался, — проворчал сержант. — Эта штуковина здесь на вес золота.

Толкнув дверь, они вошли в кабинет. За письменным столом сидел толстый человек и, брызжа слюной, орал в трубку видеофона:

— Хватит кормить меня байками! Знать ничего не желаю! Я должен выполнить работу, у меня камеры заряжены давно, а вы тут... — Увидев вошедших, толстяк сорвался на визг: — Вон! Вон! Вы что, не видите, я занят!

Сержант сбросил видеофон на пол и растоптал его на мелкие дымящиеся кусочки.

— Довольно непосредственная манера привлекать внимание, — сказал Билл.

— После двух лет на фронте станешь непосредственным. — Сержант заскрежетал зубами: — А вот и мы, Крысса! Что дальше?

Продюсер Крысса, пиная усеявшие пол обломки, пересек комнату и распахнул дверь в зал.

— Внимание, по местам! — закричал он. — Свет!

Все пришло в движение. Через минуту включились мощные софиты. Представленные к награде ветераны вступили в просторный павильон, кишащий людьми. Вокруг сновали камеры на тележках. Кое-как укрепленные декорации изображали императорский тронный зал. Искусственное солнце ярко светило сквозь окна с витражами, из узконаправленного софита на трон падал золотой луч. Толпа придворных и высшего генералитета, подгоняемая проклятиями режиссера, заняла свои места по обе стороны трона властелина.

— Он обозвал их идиотами, — прошептал потрясенный Билл. — Его расстреляют!

— Ну и дурень, — усмехнулся артиллерист. Потом вытянул провод из правой ноги и включил вилку в розетку на стене — аккумуляторы у него здорово подсели. — Это все актеры. Откуда им взять настоящую аристократию для подобной ерунды?

— До прибытия императора успеем прогнать только один раз, поэтому никаких ошибок! — Крысса взобрался по ступеням и плюхнулся на трон. — Я работаю за импа! Эй, придворные, у вас все проще простого, не дай вам бог что-нибудь запороть! На дубли нет времени. Становитесь здесь. Когда я скажу «Мотор!», вытягивайтесь по струнке, как вас учили, а если не сумеете, значит плакали ваши денежки. Эй, ты, слева, ну ты, железяка, вырубай свои идиотские моторчики, ты испортишь фонограмму! Только попробуй звякнуть, я тебе устрою сдвиг по фазе! Эй, вояки! Ждите, пока вас вызовут, затем шаг вперед — и «смирно»! Император прикалывает медаль, отдаете честь — и шаг назад. Все ясно? Или для ваших жалких мозжечков это слишком сложно?

— Вы бы лучше все это пропели, — посоветовал ему сержант.

— Ужасно смешно. Ну, поехали!

Они дважды успели прорепетировать ход церемонии, как вдруг загремели фанфары. На сцену строевым шагом выступили шесть генералов, полукругом выстроились перед троном и взяли «на караул». Техники, операторы, даже продюсер Крысса — все склонились в глубочайшем поклоне, а ветераны вытянулись по стойке смирно. Император, шаркая ногами, медленно поднялся по ступеням и грузно повалился на трон.

— Продолжайте, — произнес он скучающим голосом и рыгнул, прикрывшись ладошкой.

— Мотор! — завопил режиссер и торопливо убрался из кадра.

Бравурная музыка ударила могучей волной, и церемония началась. Офицер, выполняющий обязанности церемониймейстера, зачитал описание славных подвигов, совершенных героями, кои ожидали вручения почетнейшей из наград — ордена Пурпурного дротика и почетной Звезды туманности Угольный Мешок. Император поднялся с трона и величественно направился к ветеранам. Первым стоял сержант-пехотинец. Не смея пошевельнуться, Билл краем глаза наблюдал, как император извлекает из подсунутой ему коробочки орден, сделанный из золота, серебра, рубинов и платины, и прикалывает его к груди воина. Сержант отдал честь и шагнул назад. Наступила очередь Билла. Громовой торжественный голос провозгласил его имя, и Билл выступил на шаг вперед, вложив в это движение всю выучку, приобретенную в учебном лагере имени Льва Троцкого. Он стоял лицом к лицу с самым обожаемым человеком во всей Галактике! Длинный мясистый нос, украшающий миллиарды банкнот, целился прямо в Билла, лошадиная челюсть с торчащими как попало зубами, знакомая миллиардам телезрителей, двигалась, произнося его имя, а один глаз в упор смотрел на него (второй глаз императора косил в сторону продюсера). Взволнованный торжественностью момента, Билл отдал честь так красиво, как только сумел.

Видит бог, это был прекраснейший из всех возможных салютов: ведь не так уж много людей с двумя правыми руками! Обе верхние конечности Билла одновременно взметнулись кверху, оба локтя зафиксировались под уставным углом, обе ладони застыли у висков. Это было проделано настолько мастерски, что пораженный император сумел побороть косоглазие, сосредоточив на Билле взор обоих глаз. Но это длилось всего какое-то мгновение, после чего глаза его величества вновь разошлись в разные стороны. Все еще немного ошарашенный, он достал из коробочки орден и навесил его на Билла, причем булавка ордена впилась ветерану в грудь на всю длину.

Билл не почувствовал боли, но укол подействовал на него как сигнал к проявлению накопившихся эмоций. Он пал на колено в старом добром феодальном стиле, как актер в телешоу, и схватил скрюченную подагрой и усеянную пигментными пятнами длань императора.

— Отец наш! — воскликнул Билл и впился сыновним поцелуем в руку властелина.

Генералы тут же бросились на него, и мгновение Билл находился на волосок от смерти, но его величество лишь усмехнулся и обтер обслюнявленную руку о мундир Билла. Чуть заметного движения пальцем было достаточно, чтобы возвратить генералов на свои места. Император подошел к артиллеристу, пришпилил ему оставшийся орден и отвернулся.

— Все, закончили! — закричал продюсер Крысса. — Фрагмент с этим верноподданническим поцелуем можно не вырезать, получилось вполне естественно!

Сквозь слезы умиления Билл увидел, что император, вместо того чтобы возвратиться на трон, смешался с гомонящей толпой актеров. Генералы куда-то исчезли. Билл заморгал, не веря собственным глазам: какой-то техник сорвал с головы императора корону, засунул ее в картонный ящик и куда-то убежал.

— Черт возьми, опять руку заклинило! — выругался артиллерист. — Дерни посильнее, ладно? Постоянно она заедает, как только поднимешь повыше...

— Но как же... его величество... он же... — заблеял Билл, пытаясь сдвинуть металлическую конечность товарища. Плечевой сустав неприятно скрежетнул, и рука встала на место.

— Император? Разумеется, актер! А ты хотел, чтобы настоящий император вручал награды низшим чинам? Ишь, губы раскатал! Но ты был неотразим, приятель!

— Получите! — Какой-то человек вручил им штампованные копии орденов и отобрал оригиналы.

— По местам! — снова раздался громкий голос режиссера. — У нас осталось десять минут, чтобы отснять императрицу и наследника, целующих детей в присутствии делегации септуплетов с Альдебарана по случаю Часа Плодородия. Давайте сюда этих пластиковых детишек и гоните в шею проклятых зевак!

Героев вытолкали в коридор, дверь за ними захлопнули и закрыли на ключ.

## 2

— Устал, — вздохнул артиллерист, — к тому же у меня разболелись ожоги.

Во время утех в солдатском бардаке из-за короткого замыкания в корпусе под ним загорелся матрас.

— Ерунда! — Билл стоял на своем. — У нас на Гелиоре всего три дня! Только подумай, какие чудеса нас ждут! Висячие сады! Радужные фонтаны! Рубиновые дворцы! Как можно отказываться от этого?

— Посмотри, на кого я похож! Я смертельно хочу спать. Сначала высплюсь, а потом вернусь в веселый дом. А если тебя обязательно нужно водить за ручку, возьми сержанта!

— Он же в стельку пьян!

Сержант-пехотинец был пьяница-одиночка. Он не понимал людей, транжирящих деньги на разноцветные бутылки с сильно разведенным содержимым. Всю свою наличность он пустил на подкуп некоего фельдшера, снабдившего его двумя бутылями чистого спирта, банкой раствора глюкозы с физиологической солью, иглой и резиновой трубкой. Бутыль с глюкозо-спиртовой смесью подвесили над его кроватью и трубкой соединили с иглой, которую воткнули ему в вену. Теперь бравый сержант лежал пластом под этой капельницей, обеспеченный прекрасным питанием и пьяный в дым. Если ничто не нарушит равномерности подачи содержимого бутылки, у него есть шансы находиться в состоянии сытости и алкогольного опьянения года два с половиной.

Наведя последний глянец на ботинки, Билл спрятал щетку в тумбочку и запер ее на случай, если придется вернуться позже обычного, так как без поводыря здесь можно элементарно заблудиться. От студии до казармы им пришлось добираться почти целый день, несмотря на то что вел их опытный сержант, который знал о картах все, что только можно о них знать. Если не уходить слишком далеко от казармы, проблем не возникало, но Билл не мог довольствоваться развлечениями, уготованными солдату, прибывшему с фронта. Ему страшно хотелось увидеть то, что можно увидеть только на Гелиоре. Самый чудесный город во всей Галактике! Если ему не желают составить компанию, пусть катятся к черту! Он и сам пойдет!

Даже располагая картами Гелиора, определить расстояние до какого-нибудь объекта было почти невозможно, так как карты и планы верстались весьма приблизительно, к тому же нигде не был проставлен масштаб. Путешествие, которое намеревался совершить Билл, вполне могло затянуться — трасса вакуумно-магнитного транспортного средства пролегла через восемьдесят четыре страницы плана. Его цель могла находиться на другой стороне планеты! Да, трудно себе представить город величиной с планету. Поразмыслив, Билл пришел к выводу, что это вообще невозможно себе представить.

Не одолев и полпути, Билл обнаружил, что весь его запас сэндвичей иссяк. Желудок, успевший привыкнуть к регулярному питанию, начал так громко напоминать о себе, что в конце концов в области 9266-Л на бог весть каком уровне Билл вышел из вагона и отправился на поиски столовой. Судя по всему, он оказался в Машинописном районе — толпы сутулых женщин с длинными сильными пальцами заполняли все коридоры. Единственная столовая, которую ему удалось разыскать, была ими переполнена. С трудом найдя себе место, Билл принялся сражаться с пищей. Здесь подавали бутерброды с сосисочным фаршем и заскорузлым сыром, томатный сок с изюмом и луком и малюсенькую чашечку чуть теплого травяного чая. Все это было не так уж и плохо, если бы автомат-раздатчик не поливал блюда растопленными сливочными тянучками. В визгливо гомонящем зале никто из девушек не обратил на присутствие Билла ни малейшего внимания. Все они работали под легким гипнозом, вследствие чего делали меньше опечаток. Озираясь по сторонам, Билл поглощал пищу, в то время как его соседки тараторили без умолку, бессознательно выстукивая пальцами по краю стола все, что произносили. В конце концов Билл, совершенно деморализованный, позорно бежал и в панике совершил ошибку — уселся не в тот вагончик. Номера уровней и блоков повторялись в каждой области, поэтому без всякого труда можно было оказаться черт знает где, а затем угробить уйму времени на блуждание.

Именно это и случилось с Биллом. После бесконечных пересадок с одного вида транспорта на другой он оказался наконец в лифте, который, по расчетам, должен был доставить его к прославленным Висячим садам. Все пассажиры вышли на уровнях ниже, и Билл понесся вверх в полном одиночестве. Во время внезапного торможения он слегка воспарил в воздухе. От резкой смены давления здорово заложило уши. Раскрылась дверь, и Билл вышел, неожиданно очутившись посреди снежной метели.

От изумления у него отвалилась челюсть. Тем временем автоматическая дверь закрылась, и лифт исчез.

Билл стоял на металлической равнине, образующей верхний ярус города. Свистопляска кружащихся снежных хлопьев окутывала его со всех сторон. Билл на ощупь стал искать кнопку вызова лифта, как вдруг резкий порыв ветра сдул куда-то весь снег, с безоблачного неба брызнул яркий солнечный свет, и стало тепло. Это было невозможно!

— Это совершенно невозможно! — громко возмутился Билл.

— Нет ничего невозможного, если таково мое желание, — раздался скрипучий голос за спиной Билла. — Ибо я есть Дух Жизни.

Билл взбрыкнул, что твой конь, подпрыгнул, повернувшись на сто восемьдесят градусов, и лицом к лицу очутился с красноглазым вислоусым человечком. Сморщенный нос незнакомца неприятно подергивался.

— У тебя что, не все дома? — взвизгнул Билл, досадуя, что оказался таким пугливым.

— Свихнешься на такой работенке! — всхлипнул старикашка и утер каплю, болтавшуюся на кончике носа. — То жар, то холод, то льет как из ведра. И постоянно избыток кислорода!.. Я есть Дух Жизни, и имя мое Сила, — затянул он противным голоском.

— Ну и дела... — проговорил Билл, глотая вновь поваливший снег. — Я и впрямь чувствую...

Но тут сильный порыв ветра снова разогнал тучи, и Билл пораженно замолчал.

До самого горизонта равнину покрывали лужи и сугробы полурастаявшего снега. Золотистое покрытие изрядно пооблупилось, и на обнажившемся грязном металле там и сям виднелись ржавые пятна, а кое-где и внушительных размеров дыры. Толстенные трубы, уходящие куда-то за горизонт, с шипением извергали струи пара и фонтаны снега. Один из гейзеров заколебался и вскоре иссяк.

— Номер восемнадцать пошел! — закричал старичок в микрофон, болтающийся на шее, и, размахивая блокнотом, поскакал в сторону ржавого грохочущего тротуара, идущего параллельно трубам.

Билл устремился вслед за ним, но человечек совершенно перестал его замечать. Стоя на лязгающем трясущемся тротуаре, Билл прикидывал, куда могут вести все эти трубы и что это за таинственные раскаты грома в той стороне, куда они ведут. Через некоторое время из-за горизонта показался строй гигантских космических кораблей, каждый из которых был подсоединен к одной из труб. Человечек неожиданно ловко соскочил с тротуара и помчался к посадочной площадке под номером восемнадцать. Там на головокружительной высоте копошились рабочие — они отсоединяли от корабля толстую трубу. Старичок стал записывать показания счетчиков в блокнот, а Билл загляделся на мощный кран, поднимающий громадный гибкий рукав. Рукав присоединили к муфте на верхушке корабля, и он сразу же завибрировал под воздействием давления изнутри. Через неплотности в соединении вырывались клубы черного дыма; ветер подхватывал их и нес над бескрайней равниной.

— Могу я узнать, что здесь, черт побери, происходит? — жалостливо спросил Билл.

— Жизнь! Вечная жизнь! — взвизгнул старичок, взмывая из глубин психической депрессии к вершинам небывалого воодушевления.

— Нельзя ли немного пояснить?

— Планета заключена в металлический панцирь, — топнул ногой старичок. — Что это означает?

— Это означает, что планета заключена в металлический панцирь.

— Точно. Для рядового ты на редкость сообразителен. В общем, слушай. Берется планета, заковывается в металлический панцирь, и получается мир, где живые зеленые растения можно встретить исключительно в Имперских садах да еще в нескольких балконных ящиках. Что из этого выходит?

— Все помрут, — уверенно ответил Билл. Он хоть и был из деревни, но слыхал кое-что о фотосинтезе, хлорофилле и подобных вещах.

— Вот именно. Ты, я, его величество и еще несколько миллиардов других ротозеев усердно трудимся над преобразованием кислорода в двуокись углерода. Если не будет растений, которые преобразуют двуокись углерода обратно в кислород, все мы задохнемся в том, что сами же и выдохнули.

— Так, значит, эти корабли доставляют жидкий кислород?

Старичок кивнул и вспрыгнул на движущийся тротуар. Билл последовал за ним.

— Совершенно верно. На аграрных планетах этого кислорода — завались. Здесь его выгружают, а в освободившиеся резервуары загружают сажу, полученную из двуокиси углерода, и отправляют обратно. Там сажу используют и для отопления, и для удобрения, делают из нее пластик и черт знает что еще...

Билл сошел с тротуара у ближайшего лифта, а старичок со своим скрипучим голосом растворился в налетевшем буране. От избытка кислорода у Билла здорово кружилась голова. Ожидая лифт, он определил свое местоположение при помощи таблички с кодом, укрепленной на стене. Ожесточенно листая свой план, Билл с большими усилиями принялся прокладывать новый маршрут к Дворцовым садам.

На этот раз он не позволил себе расслабиться даже на мгновение. Питаясь исключительно прессованными концентратами и запивая их газировкой из автомата, Билл избежал опасностей, связанных с поисками столовых и пребыванием в них. Умудрившись ни разу не смежить веки, он не прозевал ни одной пересадки. Наконец, со свинцовой тяжестью в голове и с темными кругами под глазами, он, пошатываясь, сошел с гравитационной платформы. Сердце его забилось чаще — прямо перед ним красовалась убранная цветами надпись: «Висячие сады». Вход перегораживал турникет, а в стене справа находилось окошко кассы.

— Один билет, пожалуйста.

— Десять имперских.

— Не так уж и дешево... — робко заметил Билл, отсчитывая купюры из жиденькой пачечки.

— Если беден — не приезжай на Гелиор!

Робот-кассир имел в запасе целую обойму подобных ответов. Пропустив его наставление мимо ушей, Билл прошел в сады.

Здесь было все, о чем он мечтал, и даже больше. Не спеша, Билл прогуливался по усыпанной гравием тропинке; от свеженькой травки и зеленых кустиков его отделяла лишь частая титановая сетка. Не далее чем в ста ярдах, сразу же за травяным газоном, красовались экзотические растения и цветы из всех уголков империи. А вдали... Там, практически различимые невооруженным глазом, били Радужные фонтаны! Опустив монетку в телескоп-автомат, Билл жадно впился взглядом в ярчайшие переливы красок. Изображение было очень качественным — как картинка в телевизоре.

Налюбовавшись всласть, Билл зашагал дальше, наслаждаясь теплом искусственного солнца, подвешенного под сводом огромного купола.

Но даже умопомрачительная красота Висячих садов оказалась бессильной перед лицом страшной усталости, впившейся в него мертвой хваткой. К стене, окружающей сады, были прикреплены стальные лавочки. На одну из них Билл и опустился, на секундочку прикрыв глаза. Голова его сразу же упала на грудь, и он мгновенно заснул, даже не успев сообразить, что с ним происходит. Шуршание гравия — мимо прогуливались другие посетители — не мешало ему спать. Не услышал он и того, как один из посетителей сел на лавочку рядом с ним.

Поскольку Биллу не довелось увидеть этого человека, особенно описывать его нет нужды. Достаточно лишь сказать, что у него была землистого цвета кожа, сломанный красный нос и над безумными очами нависали обезьяньи брови. К этому портрету можно еще добавить широкие бедра, узкие плечи, ноги разной длины и грязные кривые пальцы. В довершение ко всему у него был нервный тик.

Медленно тянулись секунды, а незнакомец продолжал сидеть. Через некоторое время все вокруг опустело. Быстрым змеиным движением незнакомец достал из кармана миниатюрный атомный сварочный аппаратик. Сверкнуло маленькое, неправдоподобно горячее пламя, и цепочка, соединяющая план Билла с его ремнем, оказалась намертво приваренной к металлу скамейки. Билл даже ухом не повел.

Дьявольская гримаса исказила лицо красноносого незнакомца — так на поверхности болота расходятся медленные круги от нырнувшей крысы. Атомное пламя перерезало цепочку у самого корешка плана. Сунув сварочный аппаратик в карман, злодей вытащил план из рук Билла и поспешил удалиться.

## 3

Поначалу Билл недооценил всей тяжести своего положения. Когда постепенно, с гудящей головой он вынырнул из глубокого сна, пришло ощущение какой-то утраты. Бесплодно дернувшись раз-другой, так и не сумев встать, Билл обнаружил, что план исчез, а цепочка приварена к скамейке. Пришлось отстегнуть цепь от ремня и оставить ее на лавке. Билл вернулся ко входу в сады и постучал в окошко кассы.

— Деньги не возвращаем! — произнес робот-кассир.

— Я хочу заявить о преступлении.

— О преступлениях заявляют в полицию. Телефон рядом, номер полиции сто одиннадцать — одиннадцать-сто одиннадцать.

В стене распахнулась дверца, и из нее выскочил телефонный аппарат. При этом он с размаху так ударил Билла в грудь, что тот едва удержался на ногах. Вздохнув, Билл набрал номер.

— Полиция, — отозвался недовольный голос, и на экране возник сержант с бульдожьей мордой, облаченный в синий мундир.

— Я хочу заявить о краже.

— Особо крупная? Мелкая?

— Не знаю. У меня украли план.

— Мелкая. Обращайся в ближайший полицейский участок. Это телефон аварийного вызова, а ты занимаешь его без всяких оснований. Безосновательный аварийный вызов карается по законам...

Билл поспешил повесить трубку и вернулся к кассе.

— Деньги не возвращаем! — заявил кассир.

— Заткнись! — взорвался Билл. — Мне надо узнать лишь, где находится ближайший полицейский участок.

— Я робот-кассир, а не справочная. В моей памяти нет этой информации. Лучше всего загляни в свой план.

— Но его у меня украли!

— В таком случае обращайся в полицию.

— Но... — Билл покраснел от злости и, в сердцах захлопнув окошко кассы, побрел прочь.

— Деньги не возвращаем! — донеслось ему вслед.

— Эй, братишка, не грусти, лучше чарку пропусти! — тоном искусителя промурлыкал тихо подкатившийся роботизированный бар и воспроизвел чудесный звук сталкивающихся кубиков льда в заиндевелом бокале.

— Ты прав, черт побери! Пива. Большую! — Билл опустил несколько монет в монетоприемник и на лету поймал банку, которой робот выстрелил из раздаточного отверстия. Пиво освежило организм и охладило его пыл. Прямо перед собой Билл увидел стрелку с надписью «К Рубиновому дворцу».

«Сначала я взгляну на дворец, а потом пойду поищу когонибудь, кто покажет дорогу к полицейскому участку... Ой!»

Роботобар внезапно выхватил у него из рук банку, чуть не оторвав пальцы, и с невероятной ловкостью швырнул ее в зияющую пасть мусоросборника.

Рубиновый дворец оказался таким же малодоступным, как и Висячие сады, поэтому Билл решил не тратиться на билет, дающий право приблизиться к окружающей дворец загородке. Недалеко от входа стоял полицейский, небрежно помахивая дубинкой. Ну уж этот наверняка знает, где находится ближайший участок.

— Извините, вы не подскажете, как пройти к ближайшему полицейскому участку? — спросил Билл.

— Я тебе не стол справок! Смотри в своем плане!

— Не могу, — выдавил Билл сквозь стиснутые зубы. — Мой план украден, именно поэтому я хочу найти... Ай!

Билл сказал «Ай!» потому, что полицейский профессиональным движением ткнул его дубинкой в солнечное сплетение и прижал к углу.

— Слушай, парень, я и сам когда-то был в армии, пока не откупился...

— Ваши воспоминания доставили бы мне значительно больше удовольствия, если бы вы были так любезны убрать эту дубинку... — с трудом проговорил Билл и облегченно перевел дыхание, когда дубинка была убрана.

— Так вот, — продолжал полицейский, — я сам когда-то был солдатом и не хотел бы, чтобы славный малый с Пурпурным дротиком и Угольным Мешком искал на свою голову неприятностей. Я очень порядочный фараон и взяток не беру. Но я бы чувствовал себя обязанным, если бы кто-нибудь одолжил мне двадцать пять имперских. До ближайшей получки, разумеется.

Билл хотя и уродился туповатым, но соображать научился быстро. Деньги сделали свое дело, и фараон подобрел прямо на глазах. Постукивая кончиком дубинки по своим желтым зубам, он заговорил:

— Позволь, приятель, сказать тебе пару слов, прежде чем сделаешь мне официальное заявление. Считай нашу беседу дружеской. Существует куча способов заработать себе массу неприятностей в столице, но самый легкий из них — потерять свой план. Это самое тяжкое преступление на Гелиоре. Знавал я как-то одного парня, который пришел в участок заявить, что у него украли план. Так вот, он оказался в наручниках всего за десять секунд. Или даже за пять. Итак, что ты хотел мне сообщить?

— У вас спичек не найдется?

— Не курю.

— До свидания.

— Счастливо, приятель!

И Билл сорвался с места. Только за поворотом он остановился и, тяжело дыша, прислонился к стене. Что же теперь делать? Даже при наличии плана Билл с большим трудом перемещался по планете; как же можно обойтись без него? Где-то внутри Билл почувствовал свинцовую тяжесть, но постарался не обращать внимания на свои ощущения. Все ощущения на потом, решил Билл и попытался пораскинуть мозгами.

Это занятие оказалось не таким простым, ибо мысли его сосредоточились на единственной теме — пище. Ему казалось, что долгие годы прошли с тех пор, как он последний раз поел, и его слюнные железы заработали с такой яростью, что он едва не захлебнулся. Билл понял, что до тех пор, пока он не склонится над сочным бифштексом, ему не найти выход их сложившегося положения. А ведь должен же быть какой-то выход! До отправки у него в запасе почти целый день, а это уйма времени.

За очередным крутым поворотом его взору открылся яркий высокий туннель, пестрящий рекламными огнями. Ярче всех блистала вывеска, которая гласила: «Золотой скафандр».

— «Золотой скафандр»! — Билл присвистнул. — Это уже кое-что. Знаменитый на всю Галактику ресторан, его без конца по телевизору показывают. Уж здесь-то можно восстановить свои силы и моральный дух. Конечно, обойдется дороговато, да где наша не пропадала...

Билл подтянул ремень, поправил воротничок мундира и поднялся по широким раззолоченным ступеням. В холле, имитирующем шлюз космического корабля, его приветливо встретил улыбающийся метрдотель. Полились мягчайшие звуки музыки, обволакивая его, как вдруг пол ушел из-под его ног. Безуспешно пытаясь зацепиться за что-нибудь, Билл скатился вниз по золоченой трубе, пролетел, извиваясь, по воздуху и растянулся во весь рост на пыльном металлическом тротуаре. Приподнявшись, он увидел надпись, начертанную на стене огромными буквами: «Пшел вон, хам!»

Билл встал и отряхнулся. Неизвестно откуда появившийся робот зашептал ему на ухо голосом юной девы:

— Ты, верно, голоден, милый? Почему бы тебе не отведать новоиндийской пиццы с карри Джузеппе Сингха? Это в нескольких шагах отсюда. Вот визитная карточка, на обороте план.

Робот извлек карточку из щели в своей груди и сунул ее в рот Биллу. Это был дешевый и скверно отрегулированный робот. Выплюнув моментально раскисшую карточку, Билл принялся обтирать ее носовым платком.

— Что здесь происходит? — спросил он.

— Ты, верно, голоден, милый, грррр-арх! — Робот, дезориентированный вопросом Билла, переключился на другую программу с некоторым опозданием. — Тебя вышвырнули из «Золотого скафандра», ресторана, знаменитого на всю Галактику, потому что ты жалкая дешевка. На входе тебя просветили рентгеном и пересчитали содержимое твоих карманов. Оказалось, что всей твоей наличности не хватает даже на одну рюмку. Но ты же голоден, не правда ли, милый?

Робот пристально посмотрел на Билла и вновь принялся его соблазнять:

— Милый, пошли к Сингху, у него дешево и сердито. Попробуй чудесную лазанью с приправой и лимонным соусом...

И Билл направился к Сингху — не потому, что вознамерился отведать какой-то сомнительной бомбейско-итальянской стряпни, а потому лишь только, что на обороте визитки имелась небольшая карта с инструкцией. Сознание того, что он снова идет целенаправленно, придавало ему уверенности. Следуя требованиям инструкции, Билл спускался эскалаторами, поднимался лифтами и боролся за свободное место в жутко переполненном транспорте. В конце концов он достиг цели — в нос ударила волна смрада подгоревшего мяса, прогорклого жира и старого чеснока.

Пицца оказалась намного хуже и дороже, чем можно было ожидать, но все-таки Билл получил некоторое удовлетворение, усмирив желудок пищевой атакой. Насытившись, он стал выковыривать ногтем из зубов застрявшие остатки хрящей, поглядывая при этом на своего соседа по столу. Это был толстяк, одетый в пестрый выходной костюм. Он негромко постанывал, ложку за ложкой вливая в себя какое-то жуткое пойло. Толстяк производил впечатление человека мягкосердечного и добродушного.

— Привет! — поздоровался с ним Билл и улыбнулся.

— Отвали!

— Но я всего лишь сказал «привет».

— Хватит и этого. За шестнадцать часов, что я провел на этой проклятой планете, каждый, кто обратился ко мне, пытался надуть меня, облапошить или обокрасть. Я доведен до отчаяния, а ведь у меня впереди еще целых шесть дней экскурсии «Увидишь Гелиор — будешь счастлив!».

— Я только хотел попросить разрешения заглянуть в ваш план, пока вы едите...

— Вот я и говорю, что каждый так и норовит облапошить меня. Отвали!

— Ну, прошу вас... пожалуйста...

— Ладно, я дам тебе взглянуть в план за двадцать пять имперских, причем деньги вперед и только пока не доем.

— Годится!

Вручив соседу деньги, Билл нырнул под стол и, усевшись по-турецки, принялся лихорадочно листать план, с максимальной скоростью определяя курс и запоминая инструкции. Толстяк, сопя и кряхтя, продолжал поглощать пищу, а когда ему попадался особенно неприятный кусок, он содрогался всем телом, и цепочка, прикрепленная к плану, выдергивала книгу из рук Билла. Чертыхаясь, Билл начинал все заново. Ему удалось определить почти половину маршрута до Пересыльного пункта, когда толстяк, покончив с трапезой, встал, вытянул план из-под стола и направился к выходу.

Когда Одиссей завершил свой головокружительный вояж и вернулся к Пенелопе, он не стал утомлять благоверную подробными описаниями невероятного путешествия. Ричард Львиное Сердце, выбравшись из темницы и спустя много лет вернувшись домой из авантюрного крестового похода, также не стал распространяться королеве Беренгарии о своих жутких похождениях, а, поздоровавшись, без лишних слов расстегнул на ней пояс целомудрия. Также и я, уважаемый читатель, избавлю тебя от описания всех опасностей и злоключений, что стали уделом Билла в его скитаниях. Скажу одно: несмотря ни на что, он добился своей цели. Билл добрался до Пересыльного пункта.

Покрасневшие, воспаленные от недосыпания глаза Билла впились в вывеску «Пересыльный пункт». Он привалился к стене, пытаясь унять дрожь в коленях. Победа!.. Что же касается восьмидневного опоздания, так это не беда. Вскоре он вновь окажется в армии, среди друзей-солдат, вдали от бесконечно длинных металлических коридоров, спешащих толп людей, лифтов, подъемников и прочих кошмаров. Скоро он напьется в дым с милыми приятелями, и алкоголь растворит память об ужасных днях блужданий без глотка воды и куска хлеба. Как хорошо, что все это уже позади!

Билл отряхнул мундир, обезображенный пятнами, дырами и оторванными пуговицами. Если бы удалось беспрепятственно прошмыгнуть в казарму, уж он бы добыл себе новую форму, чтобы явиться в канцелярию и доложить о прибытии.

Несколько голов повернулось в его сторону, когда Билл проскользнул мимо дневального. Подойдя к своей койке, он с удивлением обнаружил, что матрас свернут, тумбочка пуста, а вещмешок исчез. Да, похоже, он таки нарвался на крупные неприятности. Стараясь не поддаваться унынию, Билл коекак умылся под краном в туалете, отхлебнул глоток ледяной воды и поплелся в канцелярию.

За столом сидел атлетического сложения сержант, производящий впечатление жуткого садиста. Темная кожа сержанта была точно такого же цвета, как у Тэмбо, давешнего приятеля Билла. В руках у сержанта находилась кукла в мундирчике с капитанскими нашивками, и он втыкал в нее распрямленные скрепки. Исподлобья оглядев Билла, сержант с презрением сморщился:

— Если ты заявляешься в таком виде в канцелярию, значит ищешь себе неприятности, солдат.

— Я и так попал в очень неприятную ситуацию, — ответил Билл, опираясь на стол двумя руками.

Сержант уставился на разноцветные руки Билла, поочередно рассматривая то одну, то другую.

— Где ты взял эту руку, солдат? Говори живо! Ей-богу, я ее где-то видел!

— У меня был приятель, и это все, что от него осталось.

Пользуясь случаем увести беседу от обсуждения своих проступков, Билл вытянул руку, демонстрируя ее сержанту.

И вдруг с ужасом почувствовал, как пальцы сами собой сжались в каменный кулак, мускулы напряглись и страшной силы удар обрушился на челюсть сержанта, вышибив того из кресла на пол.

— Сержант! — проблеял Билл, хватая взбесившуюся руку и с большим трудом утихомиривая ее.

Сержант медленно поднялся с пола, и Билл попятился, дрожа всем телом. Он не мог поверить своим глазам — сержант спокойно уселся в кресло, и на его лице заиграла улыбка.

— Я так и думал, это рука старого проходимца Тэмбо. Мы с ним всегда так шутили. Присматривай хорошенько за этой рукой, ясно? Больше никаких его частей в тебе нет? — Услышав отрицательный ответ, сержант забарабанил пальцами по столу. — Да, стало быть, парень уже на небесах... Ну и попал же ты в переделку, солдат. Давай-ка посмотрим твои документы!

Он выдернул из одеревеневших пальцев Билла бумаги и сунул их в щель в крышке стола. Тут же замигали лампочки, машина загудела, завибрировала, и по экрану побежали строчки. Сержант внимательно все прочитал, и его лицо исказилось в злобной гримасе. Он перевел на Билла взгляд, который мог бы молниеносно превратить молоко в творог или испепелить живое существо небольшого размера, как мышка или таракан например. У Билла застыла в жилах кровь, а тело его сотрясалось, будто дерево на сильном ветру.

— Где ты украл эти документы? Кто ты такой?

Только с третьей попытки Билл сумел выдавить из себя нечленораздельные звуки.

— Это... я... это... мои документы... я предохранительный первого класса... Билл...

— Враки! — Ноготь, специально приспособленный для вспарывания жил врага, постучал по документам Билла. — Все это украдено, потому что предохранительный первого класса Билл отбыл отсюда восемь дней назад. Здесь все так и записано, а записи врать не станут. Допрыгался, гад!

Сержант вдавил красную кнопку вызова военной полиции, и где-то вдалеке завыла сирена тревоги. В отчаянии Билл затоптался на месте и стал озираться в поисках хоть какого-нибудь пути к бегству.

— Держи его, Тэмбо! — приказал сержант. — Мне надо разобраться в этом деле.

Тут же левая рука Билла мертвой хваткой вцепилась в край стола. Билл задергался, пытаясь освободиться, но за его спиной раздался топот тяжелых башмаков.

— В чем дело? — проревел знакомый голос.

— Использование подложных документов и кое-что еще, но это не имеет значения, потому что только за первое полагается лоботомия и тридцать шпицрутенов.

— О сэр! — радостно воскликнул Билл, оборачиваясь. — Сгинь Сдохни! Скажите им, что вы меня знаете!

Один из полицейских был обыкновенным человекоподобным болваном, вооруженным дубинкой и пистолетом, но второй... Второй — гроза учебно-тренировочного лагеря имени Льва Троцкого!

— Этот арестант вам знаком? — спросил сержант.

Сгинь Сдохни прищурился и оглядел Билла с головы до ног.

— Да, я знавал предохранительного шестого класса по имени Билл, но у того были одинаковые руки. Что-то здесь нечисто. Придется обработать его хорошенько в участке. Когда он расколется, я сообщу.

— Отлично. Только поаккуратнее с его левой рукой, это рука моего старого друга.

— Ладно, к ней мы даже пальцем не прикоснемся.

— Но ведь это же я, Билл! — вскричал Билл. — Я могу доказать, что это мои документы!

— Самозванец! — отрезал сержант. Он указал на экран. — Тут записано, что предохранительный первого класса Билл улетел восемь дней назад. Записи не могут врать.

— Это точно, — поддакнул Сдохни. — Если бы записи врали, то во Вселенной не было бы никакого порядка. — Он снова оглядел Билла и подтолкнул его дубинкой к двери. — Ты не знаешь, — обратился Сдохни к своему напарнику, — прислали новые пыточные тиски для пальцев?

То, что сделал Билл вслед за этим, было исключительно следствием его сверхъестественной усталости, отчаяния и страха. Все эти чувства овладели им целиком и полностью. В душе Билл оставался хорошим солдатом — ведь он научился быть храбрым, чистоплотным, законопослушным, гетеросексуальным и так далее и тому подобное. Но всякому терпению есть предел, и Билл, похоже, достиг его. Он, конечно же, верил в справедливость (этому, правда, его никто не учил), но страх перед пытками оказался намного сильнее этой веры. Когда обезумевший взгляд Билла наткнулся на люк в стене с надписью «Прачечная», решение возникло в долю секунды. Бежать! Этот люк является входом в накопительный рукав прачечной; следовательно, внизу, на дне, находится изумительно мягкая куча грязного белья, которая смягчит его падение. Все шансы спастись!.. Билл резко вырвался из окружения и, сопровождаемый дикими проклятиями полицейских, бросился в люк головой вперед.

Пролетев примерно четыре фута, Билл врезался теменем в железное дно, едва не размозжив себе череп. «Рукав» оказался довольно крепким и глубоким металлическим ящиком для грязного белья.

Полицейские отчаянно колотили в крышку люка, пытаясь открыть ее, но это было совершенно невозможно, так как ноги Билла надежно держали ее изнутри.

— Закрыто! — завопил Сдохни. — Он нас надул! Куда ведет этот колодец?!

(Сгинь Сдохни совершил ту же ошибку, что и Билл.)

— Не знаю, — отозвался второй полицейский, — я здесь новенький.

— Ты будешь новеньким на электрическом стуле, если мы не поймаем этого негодяя!

Голоса и грохот тяжелых башмаков стихли в отдалении, и Билл рискнул пошевелиться. Шея, свернутая под углом, страшно болела, колени уперлись в подбородок, какая-то тряпка постоянно лезла в лицо. Билл попытался распрямить ноги, надавил посильнее на крышку, как вдруг дно ящика распахнулось, и Билл с грохотом вывалился в соседнее помещение на какой-то конвейер.

— Вот он! — раздался ненавистный знакомый голос, и Билл бросился наутек.

Полицейские уже почти настигли его, когда Билл сиганул, опять же головой вперед, в гравитационную шахту, на этот раз с большим успехом. Запыхавшиеся полицейские устремились за ним, сработали специальные приборы, и силовое поле расположило их на расстоянии пятнадцати футов друг от друга. Поддерживаемые надежным силовым полем, они плавно опускались. Билл посмотрел наверх и увидел перекошенную от ненависти физиономию Сгинь Сдохни.

— Друг! — воскликнул Билл, заламывая руки. — Ну зачем ты преследуешь меня?!

— Не смей называть меня другом, проклятый чинджерский шпион! Да и шпион-то из тебя паршивый — у тебя руки разноцветные! — Сдохни достал пистолет из кобуры и нацелился Биллу прямо в переносицу. — Убит при попытке к бегству!

— Помилуй! — взмолился Билл.

— Смерть чинджерам! — выкрикнул Сгинь Сдохни и нажал на курок.

## 4

Вырвавшись из облака раскаленных газов, пуля пролетела примерно два фута, после чего силовое поле затормозило ее почти до полной остановки. Приборы приняли пулю за очередной объект, брошенный в шахту, и разместили в надлежащем месте между Биллом и Сгинь Сдохни, следом за которым падал второй полицейский. Дистанция между Биллом и его преследователями увеличилась вдвое, так как поле аккуратно располагало отдельные объекты на расстоянии пятнадцати футов. Воспользовавшись этим обстоятельством, Билл без промедления выпрыгнул из шахты на первом попавшемся уровне. Перед ним оказался лифт с открытой дверью, будто специально его дожидающийся. Дверь лифта мягко закрылась за Биллом как раз в тот момент, когда изрыгающий проклятия Сгинь Сдохни появился на площадке.

Чтобы запутать следы, Билл беспорядочно пересаживался с одного вида транспорта на другой, неизменно стремясь вниз, словно крот, зарывающийся в землю. Наконец, совершенно обессиленный бегством, Билл привалился к стене, отдуваясь, как буйвол. Осмотревшись вокруг, он отчетливо понял, что на такой низкий уровень никогда еще не попадал.

Он находился в мрачном коридоре из сшитых стальных листов. Монотонность серых стен нарушали мощнейшие колонны, достигавшие ста и более футов в диаметре. Практически все двери в коридоре были заперты на огромные висячие замки и опечатаны. Кое-как освоившись в полумраке, Билл отправился на поиски питья — горло жгло огнем. Наконец ему удалось отыскать вмонтированный в стену автомат, весьма отдаленно напоминавший питьевое устройство. Фальшпанель автомата была забрана стальной сеткой, а к ней была приварена внушительных размеров табличка с надписью:

ВНИМАНИЕ!!!
Автомат оборудован
эффективной охранной системой
«ДЕРЖИ ВОРА».
Каждый, кто покусится на монетоприемный
механизм, будет поражен током напряжением
100 000 вольт.

Порывшись в карманах, Билл наскреб мелочь на двойную порцию героин-колы. Получив стаканчик, наполненный вожделенной жидкостью, он на всякий случай отодвинулся подальше от смертоносного аппарата. Увлажнив пересохшую глотку, Билл почувствовал себя значительно лучше, но ненадолго — до тех пор, пока не заглянул в кошелек. Оставалось всего восемь имперских. Что же будет, когда и они кончатся?

Вконец измученный, отчаявшийся и обалдевший от наркотика, Билл зарыдал, как дитя, и, не удержавшись на ногах, сполз по стенке и свернулся калачиком на полу. Мимо сновали прохожие, но Билл был глух к окружающему миру. Неподалеку остановились четверо мужчин. Один из них неожиданно рухнул на пол как подкошенный. Мужчины стали переговариваться, стоя над упавшим. Билл все хорошо слышал, но его затуманенный мозг был не в состоянии осмыслить услышанное, а лишь только фиксировал звуковые сигналы, воспринимаемые ухом.

— Бедный старина Гольф. Похоже, он загибается.

— Точно. У него самые типичные предсмертные конвульсии из всех, что я когда-нибудь видел. Придется оставить его роботам-санитарам.

— Да, но как же наше дело? Втроем мы не управимся, нас должно быть четверо!

— Эй, смотрите, какой-то бесплановый валяется!

Тяжелый башмак перевернул Билла на спину, и к нему возвратился интерес к действительности. Над ним склонились трое немытых, оборванных, бородатых мужчин. Они отличались друг от друга ростом и комплекцией, но в одном были схожи — ни у кого из них не было плана. Без толстых и тяжелых томов на поясе они выглядели чуть ли не голыми.

— Где твой план? — спросил Билла крепкий и самый обросший мужчина, пихнув его ботинком.

— Украли... — всхлипнул Билл.

— Ты солдат?

— Документы отняли...

— Деньги есть?

— Ни гроша...

— Значит, ты один из беспланных, — хором объявили мужчины и помогли ему подняться на ноги. — Теперь сливайся с нами в гимне беспланных.

И они затянули гнусавыми голосами:

> Теснее сомкните ряды,
> Беспланные братья, мы будем бороться
> За правду и свободу!
> Мы вольными станем и снова увидим
> Лазурное небо. Услышим однажды,
> Как падает снег.

— По-моему, рифма неважная, — заметил Билл.

— Что поделаешь, здесь, внизу, не так уж много литературных талантов, — отозвался самый низкорослый и самый старый беспланный и закашлялся, как туберкулезник.

— Заткни пасть! — рявкнул самый рослый и толкнул старика, а заодно и Билла. — Я — Литвок, а это моя банда. Теперь ты будешь с нами, новенький. Тебя будут звать Гольф двадцать восемь тысяч сто шестьдесят девять минус.

— Да что вы, меня зовут Билл, это намного легче выговорить... — Билл осекся, получив затрещину.

— Заткни пасть! Билл — трудное имя, потому что новое. Я не намерен запоминать новые имена, к тому же в моей шайке всегда был Гольф двадцать восемь тысяч сто шестьдесят девять минус. Ну так как тебя зовут?

— Билл... э... я хотел сказать Гольф.

— Так-то лучше. Только не забудь, что у тебя есть еще и фамилия!

— Жрать охота, — заныл старик. — Когда пойдем на дело?

— Сейчас. Пошли!

Они перешагнули через тело старого Гольфа, которому так быстро нашлась замена, и двинулись темным, сырым коридором. Билл пытался осмыслить, куда же его снова угораздило вляпаться, но был чересчур измучен, чтобы беспокоиться всерьез. Кажется, эти люди что-то говорили о еде. Подзакусив, можно будет все спокойно обмозговать. А пока он был счастлив, что его освободили от необходимости принимать решения. Прямо как в армии, даже получше, потому что можно не бриться.

Неожиданно они оказались в ярко освещенном коридоре и, ослепленные, зажмурились. Литвок дал знак остановиться и, приложив грязную ладонь к уху, похожему на цветную капусту, прислушался.

— Порядок, Шмутциг, оставайся на шухере, кто будет идти — свистнешь. Ты, Спорко, топай до первого поворота и карауль там. Новый Гольф идет со мной.

Двое бородачей заняли свои посты, а Билл вслед за Литвоком нырнул в нишу в стене коридора. В глубине ниши оказалась массивная металлическая дверь, запертая на замок.

Главарь отворил ее одним ударом молота, извлеченного откуда-то из глубин нищенского одеяния. В помещении можно было разглядеть множество вертикальных труб разнообразной толщины. Каждая была обозначена каким-то номером.

— Надо найти Ка эл девять тысяч двести пятьдесят шесть-бэ, — распорядился Литвок, указывая на трубы.

Билл нашел ее довольно быстро. Труба была толщиной с руку. Только он собрался доложить предводителю о находке, как из коридора донесся предупредительный свист.

— Назад! — скомандовал Литвок и вытолкнул Билла наружу, шмыгнув следом. Он прикрыл дверь и заслонил собой свернутый замок. Послышался шум — что-то приближалось, скрежеща и грохоча. Литвок спрятал молот за спину. Шум становился все громче, пока наконец не появилось то, что его издавало. Это был санитарный робот. Он остановился и выдвинул свои телескопические глаза.

— Не могли бы вы подвинуться, робот должен убрать в том месте, где вы изволите стоять, — раздался голос, записанный на пленку, и робот с надеждой задвигал своими щетками.

— Проваливай отсюда! — рявкнул Литвок.

— Препятствовать санитарному роботу в выполнении его обязанностей противозаконно и к тому же весьма антиобщественно. Представьте себе, что было бы, если Санитарный департамент не...

— Дурацкая болтовня, — фыркнул Литвок и хватил робота молотом по черепной коробке.

Робот лязгнул, крякнул и покатился дальше, вихляя от стены к стене и разбрызгивая воду из отверстий увлажнителей.

— Теперь за работу! — приказал Литвок и отворил дверь. Он передал Биллу молот, а сам извлек из своих лохмотьев ножовку и остервенело набросился на обнаруженную Биллом трубу. Труба оказалась довольно крепкой, и через минуту, обливаясь потом, Литвок заметно снизил темп.

— Давай теперь ты! — крикнул он Биллу. — Пили как можно быстрее! Я тебя сменю!

Они яростно пилили, сменяя друг друга, и вся работа заняла у них не более трех минут. Литвок спрятал пилу в лохмотья.

— Приготовиться! — скомандовал он, поплевал на руки и взялся за тяжелый молот.

После второго удара верхняя часть перепиленной трубы отогнулась, и из нее хлынул непрерывный поток соединенных друг с другом зеленых сосисок. Литвок подхватил конец сосисочной цепочки, бросил Биллу и, едва поспевая, стал обматывать его сосисками. Витки сосисок поднялись к самым глазам Билла, и он смог прочесть, что было написано на оболочке. Надпись гласила: «Хлорофиллики. Солнце в каждом кусочке», «Наилучшие конские колбаски», «В следующий раз попробуй наших коньбургеров».

— Хватит! — закряхтел Билл, сгибаясь под грузом.

Главарь оборвал цепочку и сам принялся обматываться хлорофилликами. Вдруг струя иссякла, Литвок вытащил из трубы последнюю порцию и метнулся к двери.

— Засекли повреждение! Бежим, пока не явились фараоны!

Оба часовых прибежали на его пронзительный свист, и вся четверка бешено понеслась по каким-то туннелям, пандусам и железным лестницам. Билл, согбенный под тяжестью ноши, поминутно спотыкался. Наконец они добрались до какого-то тускло освещенного грота. Литвок отвалил крышку люка в полу, и все поочередно влезли в колодец со множеством кабелей и трубопроводов. Шмутциг и Спорко ползли сзади, подбирая сосиски, оброненные Биллом. Они пролезли сквозь выломанную вентиляционную решетку и очутились в темном подвальном помещении. Обессилевший Билл повалился на пол, густо усыпанный мусором. С него жадно ободрали драгоценную ношу, и через минуту сосиски подрумянивались на огне, разведенном в мусорном бачке.

Насытившись поджаренными хлорофилликами, Билл с любопытством осмотрелся по сторонам. Он находился в огромном зале, который не освещался даже пылающим в баке огнем. Между мощными колоннами, несущими потолок и всю тяжесть города, были насыпаны кучи непонятно чего. Старый Спорко сходил к ближайшей куче и принес... охапку бумаги, которую и стал подбрасывать по листочку в огонь. Один листок отлетел к Биллу, и прежде, чем бросить его в костер, Билл заметил, что это какой-то очень важный, пожелтевший от времени государственный документ.

Надо сказать, что Билл не относился к страстным любителям хлорофилликов, но сейчас ему казалось, что ничего вкуснее он не едал. Отсутствие соуса с успехом восполнял аппетит, а дым горящей бумаги придавал колбаскам оригинальный привкус. Запивалось это королевское лакомство ржавой водой из ведра, подставленного под прохудившуюся трубу.

«Вот это жизнь! — подумал Билл, дуя на очередную сосиску. — Славная еда, чудное питье и хорошая компания! Как здорово быть свободным!»

Литвок и Спорко сладко спали на бумажных кипах, когда Шмутциг подполз к Биллу.

— Ты, случайно, не находил моей идентификационной карточки? — спросил он хриплым шепотом, и Билл догадался, что этот человек — сумасшедший. Языки огня отражались в покрытых сеткой трещин стеклах его очков, некогда очень дорогих, потому что оправа была серебряной. Из-под спутанной бороды Шмутцига проглядывали жалкие остатки воротничка и обрывок того, что когда-то было элегантным галстуком.

— Нет, не видел я твоей карточки, — ответил Билл. — Сказать по правде, я и своей не видел с тех пор, как один сержант взял ее посмотреть и забыл вернуть.

От воспоминаний Биллу снова стало не по себе. Сосиски осели мертвым грузом в его желудке. Шмутциг, погруженный в собственные думы, пропустил слова Билла мимо ушей.

— ...потому что я не какой-нибудь проходимец. Шмутциг фон Дрек — с этим именем следует считаться, они еще пожалеют, что на свет родились! Думают, на дурака напали, говорят, мол, ошибочка вышла, лента порвалась. А когда склеивали, стерся маленький фрагмент, именно тот, где записаны мои данные! Для начала мне не выплатили пенсию. Я пошел справиться, в чем причина, а оказалось, что никто обо мне никогда не слышал! Дудки! Все знают, кто я такой! Фон Дрек — старая добрая фамилия! Уже в двадцать два года я руководил подразделением скрепок и скоросшивателей восемьдесят девятой роты канцелярской службы и у меня было триста пятьдесят шесть подчиненных! Что, они обо мне не слыхали?! Кто им поверит?! Я оставил идентификационную карточку дома, а когда вернулся, моих вещей уже не было. Они сказали, что несуществующая личность не имеет права занимать жилплощадь. Будь у меня карточка, я бы показал им, с кем они имеют дело. Ты, случайно, не находил моей карточки?

«Точно как со мной», — подумал Билл, вслух же сказал:

— Я помогу тебе. Я схожу вон туда и погляжу, может быть, она где-нибудь валяется.

Билл, довольный, что провел престарелого безумца, скрылся за кучами бумаги. Он устал, чувствовал тяжелую сытость и не хотел, чтобы ему мешали. Ему позарез нужно было выспаться, чтобы утром на свежую голову разобраться в запутанной ситуации. Передвигаясь на ощупь, он отошел как можно дальше и вскарабкался на высокую гору бумаг. Затем подумал и перебрался с нее на соседнюю, еще более высокую. Вздохнул с облегчением, удобно разместился на ее вершине, сгреб под голову охапку бумаги вместо подушки и закрыл глаза...

В этот момент над ним ярко вспыхнули светильники, и со всех сторон пронзительно заверещали полицейские свистки. Раздались ЖУТКИЕ вопли, от которых у Билла на голове зашевелились ВОЛОСЫ.

— Держи! Хватай!

— Попался, ворюга! Дармоед проклятый!

— Это был ваш последний налет, задницы вы бесплан-ные! Урановые рудники давно по вас плачут!

— Ну что, всех взяли?

Билл втиснулся поглубже в груду листков и бланков и при-таился, холодея от страха. Наконец до него донеслось:

— Да, все четверо. Давненько мы наблюдаем за ними. Всё ждали, когда они что-нибудь выкинут.

— Но здесь только трое...

— Четвертого я сегодня видел. Его тащил робот-санитар, закоченел, как доска.

— Ну что ж, тогда все в порядке, пошли.

Билла затрясло нервной дрожью. Сколько пройдет време-ни, прежде чем кто-нибудь из шайки, в надежде облегчить свою участь, расколется, что к ним присоединился новичок? Надо срочно уносить ноги. Кажется, полицейские собра-лись вокруг костра, так что лучше делать это сейчас. С мак-симальной осторожностью он спустился с горы бумаг и по-полз в противоположную сторону. Если тут нет выхода, его схватят! Но нет, об этом и думать нельзя!

А позади уже снова заливались свистки — началась пого-ня. Адреналин впрыснулся в кровеносную систему, и, под-крепленный конским протеином, Билл стрелой рванул с мес-та. Перед ним возникла дверь, он бросился на нее всем телом, проржавевшие петли сломались, и преграда рухнула. С отчая-нием обреченного Билл бежал по каким-то винтовым лестни-цам, по каким-то проходам, бежал, не соображая ничего, — лишь бы скрыться!

Инстинкт загнанного зверя вел его снова вниз. То и дело вышибая двери, Билл не придал значения тому, что очеред-ная дверь была деревянной — и это на планете, где тысячеле-тиями никто не видел даже самого хилого деревца! Затем он оказался в туннеле, облицованном каменными плитами. Воз-дух здесь был сырой и затхлый. На него зашипели таинст-венные твари, никем не пуганные с незапамятных времен. Длинные участки туннеля были погружены в непроглядную тьму, и приходилось двигаться на ощупь, касаясь руками от-вратительно склизких стен. Свет немногочисленных тусклых лампочек с трудом пробивался сквозь пыльные завесы пау-тины, усеянные сухими дохлыми мухами. Шлепая по глубоким лужам, Билл начал осознавать все безумие происходящего. На полу он заметил какой-то люк и, все еще повинуясь звериному инстинкту, откинул крышку, но вниз пути не было. Пространство под крышкой было заполнено каким-то гранулированным материалом, похожим на плохо очищенный сахар. Может быть, это съедобно? Билл нагнулся, взял щепотку и сунул в рот. Нет, несъедобно, но что-то очень знакомое... И вдруг его осенило.

Это была земля. Почва. Грунт. Песок. То, из чего состоит планета! Это поверхность Гелиора, на которой покоится невообразимая тяжесть города. Билл поднял глаза и вдруг представил себе эту чудовищную массу, нависшую над головой. Он был в самом низу, на самом дне... неожиданно его затрясло в приступе клаустрофобии. Взревев от ужаса, Билл помчался вперед и вскоре наткнулся на мощнейшую, наглухо запертую дверь. Дальше хода не было. Приглядевшись к почерневшим от старости брусьям, Билл поймал себя на мысли, что не так уж ему и хочется туда. Кто знает, какие неожиданности могут таиться за толстой, тяжелой дверью на самом дне мира?

И тут, к его ужасу, дверь прямо на глазах легонько вздрогнула и со страшным скрежетом начала открываться! Билл отшатнулся назад и отчаянно завизжал, потому что какие-то лапы заключили его в тесные объятия.

## 5

Нельзя сказать, чтобы Билл не пытался вырваться, совсем напротив, однако эта затея была абсолютно безнадежной. Он извивался, подобно ягненку в когтях орла, но, несмотря на отчаянное сопротивление, лапы втащили его через порог, и массивная дверь сама собою закрылась.

— Добро пожаловать, — раздался замогильный голос, и лапы наконец разжались.

Билл резко обернулся и обнаружил, что стоит перед огромным белым роботом. Рядом с машиной с озабоченным видом топтался низкорослый лысый человек в белом халате.

— Можешь не называть своего имени, если не хочешь, — промолвил человек. — Я — инспектор Джейс. Ты явился в поисках убежища?

— А вы можете его предоставить? — вопросом на вопрос ответствовал Билл.

— Ну что же, любопытная точка зрения... Очень любопытная. — Джейс потер ладошки одна о другую. — Однако лучше воздержаться от подобных дискуссий, хотя, признаться, и увлекательных, и говорить начистоту. Да, я могу предоставить тебе убежище. Ты хотел бы им воспользоваться?

Билл, оправившись от первого шока, припомнил, сколько раз был наказан за свою прямолинейность, и решил прежде всего произвести разведку:

— Послушайте, я даже не знаю, кто вы такой и где я нахожусь. К тому же я понятия не имею, что вы подразумеваете, говоря о каком-то убежище...

— Прошу прощения, ты абсолютно прав. Сперва я принял тебя за одного из городских бесплановых, но теперь я отчетливо вижу, что твои лохмотья — это солдатский мундир, а ржавые жестяные бляшки на груди — все, что осталось от высоких наград. Добро пожаловать на Гелиор, имперскую планету! Как там идет война?

— Спасибо, идет потихоньку. Но что же все-таки...

— Я инспектор Джейс из городского Санитарного департамента. Надеюсь, ты простишь мне некоторую назойливость, но мне кажется, что у тебя какие-то осложнения. Ты практически без мундира, без плана, возможно, даже без документов... — Инспектор не сводил с него проницательных птичьих глаз. — Мы сможем помочь твоему горю. Мы позаботимся о тебе, дадим хорошую работу, новое обмундирование и даже новые документы.

— А за это мне придется стать мусорщиком, — фыркнул Билл.

— Мы предпочитаем термин «работник-М», — мягко возразил инспектор Джейс.

— Я подумаю, — произнес Билл.

— Позволь, я помогу тебе принять решение, — улыбнулся инспектор и нажал кнопку в стене. Дверь заскрипела, и робот снова схватил Билла, приготовившись вытолкнуть его в непроглядную тьму за порогом.

— Я согласен!!! — выкрикнул Билл.

Робот тут же ослабил объятия, и дверь захлопнулась. Билл обиженно пробормотал:

— Я и так хотел согласиться, совсем необязательно прибегать к подобным способам.

— Тысяча извинений, просто нам хотелось, чтобы ты себя чувствовал здесь как дома. Добро пожаловать в Санитарный департамент! Позволь спросить, не нужна ли тебе, случайно, идентификационная карточка? Многие приходят к нам, чтобы начать новую жизнь, поэтому у нас богатый выбор документов. Знай, что к нам попадает все, начиная от содержимых мусорных ведер и кончая трупами. Ты не поверишь, как много самых разнообразных документов мы получаем таким образом. Пожалуйста, прошу в лифт...

Санитарный департамент и впрямь располагал невероятным количеством удостоверений личности, аккуратно разложенных в ящички, строго по алфавиту. Билл довольно быстро отыскал себе подходящее. Словесный портрет был составлен будто специально для него. Удостоверение личности было выдано на имя некоего Вильгельма Штуццикаденти, Билл показал его инспектору Джейсу.

— Замечательно. Мы рады, что ты с нами, Вилли.

— Зовите меня просто Билл.

— Добро пожаловать, Билл. У нас катастрофическая нехватка людей, поэтому придется засучить рукава. Выберешь себе любую работу по своим способностям и интересам. С чем у тебя ассоциируется очищение?

— С мусором.

— Стандартный ответ, — вздохнул инспектор, — но от тебя я ожидал большего. Мусор — это лишь малая часть того, с чем имеет дело наш накопительный отдел. К нему относятся также отбросы, отходы и хлам. Но есть еще и множество других отделов: уборка помещений, сантехобслуживание, научно-исследовательский, канализационный...

— Вот это бы мне подошло. До армии я занимался на заочных курсах операторов механического навозоразбрасывателя.

— Прекрасно! Ты должен рассказать об этом поподробнее, но прежде садись, располагайся. — С этими словами Джейс усадил Билла в глубокое мягкое кресло и достал из какого-то аппарата два пластиковых стаканчика. — Глоток спиртус-колы, чтобы освежиться?

— Спасибо. Да, собственно, рассказывать-то нечего. Курсы я так и не закончил, — видно, мне не суждено осуществить мечту всей моей жизни! Может быть. Канализационный отдел...

— Очень сожалею, но канализация — это единственное, с чем у нас нет никаких проблем. Все процессы автоматизированы. Мы гордимся нашей канализацией, ведь в настоящее время население Гелиора превысило сто пятьдесят миллиардов человек!

— Ого!

— Да, совершенно верно, я вижу, как заблестели твои глаза. Это и впрямь уйма фекалий. Надеюсь, ты с большим удовольствием посмотришь наше перерабатывающее оборудование. Но следует помнить, что для того, чтобы появились фекалии, нужна пища, и здесь Гелиор целиком и полностью зависит от импорта. Мы используем самую замечательную технологию переработки фекалий, о которой может только мечтать любой инженер-ассенизатор. С аграрных планет доставляется продовольствие, которое, будучи съеденным, претерпевает целый ряд последовательных изменений. Мы получаем... как бы точнее выразиться... последнюю фазу этих изменений и все это перерабатываем — обычными средствами и способами, химическими и механическими, а также посредством анаэробных бактерий и тому подобного. Я не очень утомил тебя?

— Ну что вы! — ответил Билл, смахивая набежавшую слезу. — Это я от радости, мне так давно не приходилось беседовать с интеллигентными людьми!

— Могу себе представить, — кивнул инспектор. — В армии невозможно не одичать. — Джейс успокаивающе похлопал Билла по плечу. — Забудь обо всем. Сейчас ты среди друзей. Так на чем я остановился? Ах да... бактерии, потом дегидратация и прессование. В результате мы получаем великолепные брикеты высококачественного концентрированного удобрения, которому нет равных во всей Галактике! И пусть кто-нибудь попытается доказать, что это не так!

— О, я совершенно не сомневаюсь! — горячо согласился Билл.

— При помощи лифтов и транспортеров брикеты переправляются в космопорты, и их забирают корабли, доставившие продовольствие. Наш девиз — товар за товар! Я знаю, что на планетах с особо бедной почвой просто рыдают от счастья, когда корабли возвращаются с Гелиора! Нет, с фекалиями у нас все в полном порядке, но в других подразделениях дело обстоит далеко не лучшим образом.

Инспектор допил свой стакан и сильно загрустил. Билл поспешно влил в себя остатки питья и замахнулся, чтобы выбросить пустой стаканчик в мусорную корзину.

— Не смей этого делать! — рявкнул инспектор, заставив Билла вздрогнуть. — Извини, я не хотел грубить, но это как раз самая главная проблема. Бытовой мусор. Ты никогда не задумывался, какое количество одних только газет выбрасывают ежедневно сто пятьдесят миллиардов человек?! А банок? А одноразовых тарелок? Научно-исследовательский отдел не покладая рук трудится над решением этой проблемы. Адский труд! Стаканчик у тебя в руках — одно из наших изобретений, но это лишь капля в море.

Между тем стаканчик обсох, и его стенки стали вспучиваться самым непостижимым образом. Билл испуганно отбросил стаканчик, но пластик продолжал то вздуваться, то опадать, беспрерывно меняя форму.

— За это мы должны благодарить математиков, — сказал инспектор. — Для тополога граммофонная пластинка, чашка или стакан имеют одну и ту же форму — это круглый предмет с дыркой посередине. Любой из этих предметов может превратиться в другой посредством элементарной трансформации. Вот мы и делаем стаканы для напитков со звуковыми дорожками на стенках. Взгляни-ка!

Стаканчик наконец успокоился и недвижно лежал на полу уже в виде диска с отверстием в центре. Инспектор Джейс поднял его и отлепил этикетку с надписью «Спиртус-кола». Под ней оказалась еще одна этикетка с надписью «Любовь на орбите. Бом, бом, бом! Исполняет группа „Жесткокрылые короеды“».

— Гениально! Стакан трансформировался в грампластинку с записью знаменитой невыносимой группы. Теперь уже некто, отведавший спиртус-колы, ни за какие коврижки не расстанется с ней. Пластинку будут беречь как зеницу ока, вместо того чтобы выбросить на помойку и прибавить нам работы.

Инспектор Джейс взял руки Билла в свои и заглянул ему в глаза:

— Билл, скажи, что ты согласен работать в научно-исследовательском отделе! У нас так немного способных, живых ребят, понимающих наши проблемы! Пусть не успел ты закончить курсы операторов механического навозоразбрасывателя, но у тебя есть молодой задор и свежий ум, а это то, что нам надо!

— Я согласен! — решительно произнес Билл. — В такую работу на самом деле можно окунуться с головой!

— В добрый час! Ты получишь свой кабинет, рабочий стол, новую форму, приличную зарплату и сколько угодно отбросов и мусора. Об этом ты никогда не пожалеешь!

Вдруг завыла писклявая сирена и в комнату вбежал какой-то потный возбужденный человек.

— Инспектор, — закричал он, — плохи наши дела! Операция «Летающая тарелка» провалилась окончательно! Откуда-то взялась банда этих астрономов, и они учинили настоящую битву с нашими...

Он еще не договорил, а инспектор Джейс уже выпрыгнул за дверь и помчался к транспортеру. Билл не отставал ни на шаг. Они запрыгнули на движущуюся платформу с сиденьями, но инспектора не устраивала скорость передвижения, и он, словно кролик, поскакал вперед между рядами сидений. Билл за ним. В конце концов они ворвались в какое-то помещение. Посреди лаборатории, битком набитой электронной аппаратурой, катались по полу вцепившиеся друг в друга ученые.

— Немедленно прекратите это безобразие! — завопил инспектор, но, естественно, без всякого результата.

— Может, я на что сгожусь? — спросил Билл. — Кое-чему я все-таки научился в армии. Которые тут наши?

— В коричневой форме...

— Вас понял! — весело пропел Билл и несколькими пипками, бросками и приемами карате восстановил спокойствие. Ни один из интеллектуалов не отличался крепким здоровьем, и Билл даже особенно не напрягался, наводя порядок. Когда все утихло, он выудил одного за другим из груды сплетенных тел своих новых коллег.

— Что такое, Басуреро? Что произошло? — спросил инспектор Джейс.

— Это всё они, сэр! Ворвались сюда и давай орать: «Прекратите немедленно операцию „Летающая тарелка“»! И это как раз в тот момент, когда мы почти удвоили темпы отправки...

— А что это, собственно, за операция «Летающая тарелка»? — растерянно спросил Билл.

Астрономы кряхтели и стонали, но, пока никто из них не очнулся, инспектор воспользовался моментом, чтобы все объяснить.

— Это могло бы разрешить все наши трудности, — указал он на огромную машину, занимающую большую часть лаборатории. — Чертовы банки-жестянки! Ты не представляешь, сколько кубических футов этой дряни валится нам на голову! Да что там футов! Кубических миль! И вот однажды Басуреро, листая какой-то журнал, наткнулся на статью о передатчике материи. Мы тут же получили субсидии и купили самую мощную модель. Подвели к ней транспортер, — инспектор приоткрыл лючок в боковой стенке, и стал виден беспрерывный поток мусора, — включили на полную мощность, и заработало, да как!

— Но... — Билл несколько озадачился. — Куда же все это девается?

— Умница! В этом-то и дело! Сначала все поступало в стратосферу, но астрономы заныли, что слишком много мусора возвращается в виде метеоритов и разрушает их обсерваторию. Мы прибавили мощности и стали выбрасывать мусор в открытый космос. Тогда принялись жаловаться навигаторы, — мол, создается угроза для космоплавания. Пришлось менять тактику. Басуреро раздобыл у астрономов координаты ближайшей звезды, и мы стали валить на нее все что ни попадя. Проблема разрешилась, и никто не имел к нам претензий.

— Дурачье! — пробормотал распухшими губами какой-то астроном, поднимаясь с пола. — Ваш дурацкий летающий мусор превратил эту звезду в Новую! Мы никак не могли докопаться до причины, пока не разыскали ваш запрос о координатах и не раскусили вашу идиотскую выходку!

— Придержи-ка язычок, не то я могу рассердиться, — предупредил его Билл.

Астроном побледнел и затрясся, но продолжал уже более спокойным тоном:

— Вы понимаете, что натворили? Разве можно нагружать на звезду такое количество атомов углерода и водорода и при этом надеяться, что все обойдется? Звезда взорвалась. Я слыхал, что несколько баз с внутренних планет не успели эвакуировать...

— Утилизация мусора всегда сопряжена с риском. Они погибли, служа человечеству!

— Ну да, тебе легко говорить. Случившегося уже не исправить. Но вы должны сейчас же прекратить вашу операцию. Немедленно!

— С какой стати? — пожал плечами инспектор Джейс. — Ты же слышал, мы удвоили темпы. В скором времени мы сумеем начисто избавиться от залежей...

— А как ты думаешь, почему вам удалось удвоить производительность? — ухмыльнулся астроном. — Звезда стала нестабильной и глотает все без исключения, превращаясь таким образом в Сверхновую. Когда она поглотит все планеты своей системы, ее излучение достигнет Гелиора и его солнца! Немедленно прекратите работу вашей адской машины!

Инспектор разочарованно махнул рукой.

— Выключай, Басуреро... Ничто прекрасное не вечно.

— Но, сэр! — Инженер в отчаянии заломил руки. — Так мы вернемся к прежнему, снова все начнет громоздиться...

— Делай, что тебе говорят!

Покорившись судьбе, Басуреро поплелся к распределительному щитку и выключил главный рубильник. Монотонное гудение прекратилось, транспортер остановился. Удрученные ассенизаторы молчаливыми группками разбрелись по лаборатории и подавленно взирали, как астрономы, кряхтя, поднимаются с пола и, помогая друг другу, выходят за дверь. Последний презрительно процедил сквозь зубы:

— Мусорщики!

Кто-то запустил в него надкусанным пирожком, но огрызок угодил в закрытую дверь, и от этого настроение вконец испортилось.

— Ничего! В следующий раз мы утрем им нос, — бодро объявил Джейс, но в его голосе слышались унылые нотки. — Во всяком случае, Басуреро, у меня есть для тебя кое-что свеженькое. Это Билл, у него куча оригинальных идей для твоего сектора.

— Очень приятно, — сказал Басуреро, толстый верзила с оливковой кожей и черными до плеч волосами, и протянул

Биллу потную ручищу. — Идем, самое время подкрепиться. Я постараюсь ввести тебя в курс дела, а ты расскажешь о себе.

Шагая рядом с новым шефом, Билл рассказывал о своей профессиональной подготовке. Басуреро слушал с такой заинтересованностью, что повернул не там и отворил не ту дверь, не глядя. На них хлынула лавина пластиковых стаканчиков, и, когда им удалось захлопнуть дверь, мусора было уже по колено.

— Видишь? — с нескрываемым раздражением спросил Басуреро. — Нас буквально захлестывает. Мы используем для складирования любое свободное пространство. Одному Кришне известно, чем это кончится, потому что распихивать это барахло просто некуда.

Он достал из кармана маленький серебряный свисток и дунул в него что было сил. Не услышав ни звука, Билл отодвинулся, подозрительно поглядывая на шефа. Басуреро усмехнулся:

— Не бойся, я не чокнутый. Это ультразвуковой свисток для роботов. Мы его не слышим, для человеческого уха звук слишком высок, но роботы слышат его прекрасно. А вот и он!

Тарахтя колесами, подъехал робот-мусорщик, мусоробот, и, быстро двигая манипуляторами, принялся сгребать рассыпанное в свой кузов.

— Отлично придумано. Я имею в виду свисток, — кивнул Билл. — В любое время можно вызвать робота. А я могу получить такой же? Теперь я — работник-М, как вы и все остальные.

— Гм... Скорее, это нечто особенное, — покачал головой Басуреро и на этот раз открыл нужную дверь, приглашая Билла в столовую. — Достать его нелегко, надеюсь, ты понимаешь, что я имею в виду.

— Нет, не понимаю. Так я получу его или нет?

Басуреро промолчал. Он внимательно изучил меню и после этого набрал соответствующий код. Каждый взял себе по быстрозамороженному обеду в пакете и сунул его в микроволновый разогреватель.

— Ну так как? — настаивал Билл.

— Если хочешь знать, — смутился Басуреро, — мы берем их из подарочных коробочек для детей. Это детские свистки для собак. Я покажу, где они валяются, и ты сможешь выбрать себе любой.

— Конечно! Я тоже хочу вызывать роботов!

Пища подогрелась, и они уселись за стол. Басуреро, морщась, постучал пальцем по пластиковой тарелке, с которой ел.

— Сами себя заваливаем. Увидишь, что теперь будет твориться, передатчик-то выключили!

— А не пробовали топить в океане?

— Над этим работает группа «Большой всплеск». Я мало что знаю, потому что операция совершенно секретная. Прежде всего ты должен понимать, что океаны, как, впрочем, и все на этой проклятой планете, плотно застроены. Кроме того, в них осталось не так уж много места. Мы свалили туда все, что можно, пока уровень воды не поднялся настолько, что во время приливов стало заливать нижние уровни. Правда, мы до сих пор еще продолжаем топить, но уже значительно меньше.

— Как вам это удается?

Басуреро огляделся по сторонам, приложил указательный палец к губам, подмигнул и тихо произнес:

— Тсс!

— Это тайна? — догадался Билл.

— Именно. Метеорологи взбесились бы, прознай они, что это наших рук дело. Мы просто испаряем воду океанов. Остается только соль. Когда мы узнаем, что наверху осадки, переключаем часть трубопроводов и перекачиваем воду наружу под большим давлением! Метеорологи сходят с ума, потому что с начала реализации этого проекта среднегодовые осадки в умеренных широтах увеличились на три дюйма. Снегу же на полюсах выпадает столько, что верхние этажи проваливаются под его тяжестью. Но нас это не колышет. Качаем, сколько можем. Только никому ни слова, это совершенно секретно.

— Ясно. Неплохая идея.

Басуреро горделиво усмехнулся, доел свою порцию и сунул поднос с посудой в отверстие в стене. В тот же миг из люка на стол вывалилось четырнадцать других тарелок.

— Полюбуйся! — Моментально вспыхнув, Басуреро стиснул зубы. — Все валится нам на голову. Мы в самом низу, и весь мусор в конце концов попадает к нам. С этим ничего невозможно поделать. Ну ладно, мне пора бежать. Похоже, придется запускать аварийную операцию «Большая блоха».

Он поднялся из-за стола и направился к выходу. Билл последовал за ним.

— А что, «Большая блоха» тоже секретна?

— Как только мы ее запустим, она перестанет быть секретной. Мы подкупили одного инспектора из Департамента здравоохранения, чтобы он подтвердил нашествие насекомых-паразитов в одном из крупных жилых блоков. Ну знаешь этих — миля в длину, миля в ширину, миля в высоту. Только представь себе объем сто сорок семь миллиардов семьсот двадцать пять миллионов девятьсот пятьдесят две тысячи кубических футов! О таком складе можно только мечтать! Всех выселяют якобы для того, чтобы провести дезинфекцию, а мы тут же загружаем весь блок — слава богу, есть чем.

— А протестовать не станут?

— Еще как протестуют! Да что толку! Мы объясняем, что произошла ошибка, и советуем официально добиваться своих прав. Попробуй добейся хоть чего-нибудь на этой планете официальным порядком. На одну переписку уйдет лет десять, а то и все двадцать... Здесь твой кабинет, — указал он на открытую дверь. — Обустраивайся, просмотри отчеты и постарайся что-нибудь придумать до следующей смены.

И Басуреро исчез. Кабинет был очень маленький, но Билл все равно возгордился. Затворив за собой дверь, он удивленно огляделся. Шкаф, письменный стол, кресло с откидывающейся спинкой, настольная лампа — все в комнате было изготовлено из всяческих пустых банок, бутылок, коробок, упаковок и прочего вторсырья. Ладно, хватит эмоций, пора браться за работу.

Билл распахнул дверцы шкафа и оторопел. В шкафу был труп. Бледный, бородатый, в черном одеянии. Билл захлопнул дверцы и отшатнулся в противоположный угол кабинета.

— Только спокойствие, — сказал он вслух сам себе. — Ты уже не раз видел покойников. Отчего тебя так разволновал именно этот?

Билл приблизился к шкафу и снова распахнул дверцы. Покойник открыл маленькие отекшие глазки и внимательно посмотрел на Билла.

— Что вы тут делаете? — спросил Билл.

## 6

Незнакомец выбрался наружу и потянулся, разминая затекшие мышцы. Был он невысок ростом и одет в донельзя помятый старомодный костюм.

— Мне нужно было с тобой увидеться. С глазу на глаз. Так лучше всего, знаю по опыту. Ну что, ты уже сыт по горло?

— Кто вы такой?

— Меня зовут Икс.

— Икс?

— Ты хватаешь все на лету. — Незнакомец улыбнулся, обнажив гнилые зубы, но тут же посерьезнел. — Подаешь надежды. Такие и нужны нашей партии!

— Какой такой партии?

— Не задавай слишком много вопросов, не то худо будет! Дисциплина прежде всего. Подними руку и повторяй за мной кровавую клятву.

— Для чего? — Билл неотрывно следил за незнакомцем, готовый отреагировать на малейшее подозрительное движение.

— Потому что ты ненавидишь императора, лишившего тебя свободы в своей фашистской армии. Потому что ты вольный свободолюбивый человек, верующий в Бога, готовый отдать жизнь за тех, кого любишь. Потому что надо крепче сплачивать ряды во имя победоносной революции, несущей свободу...

— Пошел вон! — рявкнул Билл, ухватил «покойника» за шиворот и толкнул к двери.

Икс ловко вывернулся и шмыгнул за стол.

— Ты гнешь спину на преступников! Сбрось цепи рабства! Прочти эту книжку — (что-то упало на пол) — и хорошенько подумай. Я еще вернусь.

Билл бросился на него, и в это самое время Икс коснулся стены, что-то сделал, стена раскрылась, поглотив его, и тут же приняла свой прежний вид. Как ни осматривал ее Билл, он не смог заметить ни малейшей щелочки. Дрожащей рукой он подобрал с пола брошюру и прочел название: «Любительское пособие для готовящегося вооруженного переворота». Билл побледнел и отшвырнул книжонку.

Он попытался ее сжечь, но бумага не воспламенялась, попытался изорвать — не хватило сил. Попытка изрезать книжку привела лишь к полному затуплению ножниц. Отчаявшись, Билл засунул ее за шкаф и постарался забыть о ее существовании.

После издевательского армейского распорядка обыкновенный, но прекрасный рабочий день над изучением мусора доставил Биллу большое удовольствие. Он так сосредоточился, что даже не заметил, как приоткрылась дверь его кабинета. Отвлечься его заставил лишь раздавшийся голос:

— Это Санитарный департамент?

Билл удивленно поднял голову. Перед ним стоял человек, держа в руках целую кипу пластиковых подносов. Над подносами виднелась румяная физиономия. Человек, не оглядываясь, закрыл дверь ногой, и из подносов появилась третья рука. В ней был пистолет.

— Одно неверное движение — и тебе крышка! — предупредил вошедший.

Считать Билл умел довольно хорошо. Две руки да еще одна в сумме давали три, поэтому он не стал делать неверных движений. Билл сделал одно единственно верное — изо всех сил наподдал снизу по кипе подносов, взметнув их фонтаном к потолку. Последний поднос еще не коснулся пола, как Билл уже сидел верхом на незнакомце и смертельным венерианским захватом выворачивал ему голову. Таким приемом свернуть шею врагу проще, чем переломить спичку.

— Агхррр... — хрипел незнакомец, — айаххррр... гхрхрр... ыыы...

— Вы, чинджерские шпионы, говорите на множестве языков, — произнес Билл, нажимая посильней.

— Я д-р-руг! — пробулькал чинджерский шпион.

— Ты чинджер, потому что у тебя три руки!

Незнакомец дернулся из последних сил, и одна из его рук отвалилась. Билл, предварительно отшвырнув пистолет, поднял ее.

— Это фальшивая рука! — изумился он.

— А какая же еще?! — прохрипел чужак, ощупывая шею настоящими руками. — Для одурачивания противника! Хитроумно, правда? Можно что-нибудь нести и иметь одну руку свободной, на всякий случай. Почему ты не присоединился к мятежу?

Билл покрылся холодным потом и украдкой покосился на шкаф.

— О чем это вы? — проговорил он. — Я лояльный, преданный императору...

— Та-ак! Почему же ты в таком случае не доложил в ГБР, что человек, назвавшийся Иксом, подстрекал тебя к бунту?

— Откуда вы знаете?

— Моя работа — знать обо всем. Я — агент Пинкертон из Галактического бюро расследований. — Он сунул под нос Биллу украшенное бриллиантами удостоверение с цветной фотографией.

— Я не хотел ничего дурного, — запричитал Билл. — Оставьте меня в покое!

— Довольно убедительно для анархиста. Ты ведь анархист, парень? — Пинкертон изучающе оглядел Билла.

— Нет! Нет! Я даже не знаю, как это пишется!

— Надеюсь. Ты славный малый, и мне бы не хотелось, чтобы ты влип в гадкую историю. Даю тебе шанс. Когда Икс снова заглянет к тебе, скажешь, что готов вступить в партию. Но работать будешь на нас, понял? Обо всем докладывай мне по телефону. Номер телефона оттиснут на этой конфете. Запомни и съешь. Все ясно?

— Нет! Я не буду!

— Тебе придется работать, иначе не пройдет и часа, как тебя расстреляют за сотрудничество с бунтовщиками. Кроме того, за свои рапорты ты будешь получать сотню в месяц.

— А как насчет аванса?

На стол шлепнулась пачка денег.

— Это за следующий месяц. Постарайся отработать.

Он перевесил запасную руку через плечо, собрал подносы и удалился.

Чем дальше Билл ломал над всем этим голову, тем отчетливее понимал, в какой переплет он угодил. Теперь, когда у него наконец появилась спокойная работа и несметное количество мусора, меньше всего хотелось ввязаться в какую-либо историю. Но надеяться, что от него отстанут, было бы наивно. Не вступи он в партию, за него возьмется ГБР, а когда обнаружится, кто он такой на самом деле, — расстрел неизбежен. А вдруг Икс забудет о нем и не вернется больше? Если это случится, он не сможет вступить ни в какую партию! Билл ухватился за эту мысль, как утопающий за соломинку, и попытался отвлечься в работе, чтобы забыть о неприятностях.

Решение отыскалось почти сразу. Неоднократно и тщательно все проверив, Билл убедился, что этот способ никогда еще не применялся. Поиски нужных материалов заняли у него без малого час, зато битых три часа он блуждал по коридорам в поисках Басуреро, постоянно спрашивая у встречных дорогу.

— Отправляйся в свой кабинет, — пробурчал Басуреро. — Не видишь, я занят!

Трясущейся рукой он плеснул себе в стакан старой органической отравы и залпом выпил.

— Можешь забыть о своих невзгодах.

— Этим я и занимаюсь. Проваливай!

— Выслушай меня. Я придумал совершенно новый способ избавления от пластиковой посуды.

Басуреро вскочил и опрокинул бутылку на пол. Пролившаяся жидкость тут же начала разъедать тефлоновое покрытие пола.

— На самом деле? Новый способ? Ты уверен?

— Абсолютно уверен.

— Ох, не хотелось бы мне этого делать... — Басуреро содрогнулся и взял с полки склянку с надписью «Мгновенно отрезвляющее средство. Принимать только по назначению врача и предварительно застраховав свою жизнь». Он вытряхнул на ладонь пестренькую капсулу величиной с грецкий орех и закрыл глаза. Затем снова содрогнулся и проглотил лекарство, едва не подавившись при этом. Его тут же затрясло, внутри что-то забурчало, и из ушей струйками потянулся дымок. Когда Басуреро снова открыл глаза, они были сильно покрасневшие, но совершенно трезвые.

— Ну, выкладывай, что там у тебя, — хрипло произнес Басуреро.

— Тебе известно, что это за штука? — спросил Билл и швырнул на стол толстую книгу.

— Телефонная книга города Сторгестелортби на Процione-три. По крайней мере, так написано на обложке.

— Знаешь, сколько у нас таких старых телефонных книг?

— Предпочел бы об этом не задумываться. Их отправляют сюда сразу из типографии, но, пока они доходят, сведения устаревают. Ну и что с того?

— Сейчас увидишь. У тебя не найдется нескольких пластиковых тарелок?

— Издеваешься? — Басуреро открыл шкаф, и из него хлынул поток одноразовой посуды.

— Великолепно! Теперь немного картона, упаковочной бумаги и шпагата. Все это берем из отбросов. Сейчас, если ты вызовешь универсального робота, я продемонстрирую второй этап.

— Унибот... Один короткий и два длинных... — Басуреро что было сил дунул в беззвучный свисток, охнул и схватился за голову, пытаясь унять возникшую вибрацию.

Дверь распахнулась — на зов явился робот. Его манипуляторы подрагивали от нетерпения. Билл указал на груду мусора:

— Ну-ка, братец, за работу! Возьми пятьдесят тарелок, упакуй в картон, заверни в бумагу, а затем обвяжи бечевкой.

Урча от электронного удовольствия, робот принялся за дело и через минуту соорудил очень аккуратный пакет. Билл наугад раскрыл телефонную книгу и ткнул пальцем в первую попавшуюся фамилию.

— Теперь напиши на нем этот адрес, пометь: «Бескорыстный дар, освобождается от пошлин» — и отправляй!

Из металлического пальца робота выдвинулось вечное перо. Робот подписал пакет, взвесил его, поставил штамп и швырнул в приемное окно пневмопочты. Раздался чмокающий звук, и пакет всосало куда-то наверх. У Басуреро от изумления отвалилась челюсть. Он был ошарашен легкостью, с которой удалось избавиться от полусотни грязных тарелок.

— Робот трудится бесплатно, адреса нам ничего не стоят, упаковочный материал тоже, — объяснил Билл оторопевшему шефу. — Пересылка и доставка тоже бесплатные, потому что отправлено в дар гражданину от государственного учреждения.

— Ты прав, черт побери! Это то, что нужно! Гениальная задумка! Надо претворить ее в жизнь с максимальным эффектом. Мы завалим этой проклятой посудой всю обитаемую Галактику! Не знаю даже, как тебя отблагодарить.

— Может быть, денежная премия...

— Это идея. Сейчас же выписываю.

Некоторое время спустя Билл не спеша возвращался в свой кабинет. Ладонь распухла от бесчисленных рукопожатий, в ушах шумело от поздравительных слов. Как же все-таки хорошо жить на свете! Билл захлопнул за собой дверь, уселся за стол и только тогда заметил на вешалке мятый черный плащ. Внезапно он сообразил, что это плащ Икса. Затем он увидел глаза, устремленные на него из черноты плаща. У Билла похолодело внутри. Икс вернулся!

## 7

— Ну что, надумал вступить в нашу партию? — спросил Икс, вывернувшись из плаща и ловко спрыгивая на пол.

— Я... много думал об этом, — виновато промямлил Билл.

— Мыслить — значит действовать! Мы обязаны избавить наших родных и близких от этих фашистских пиявок...

— Вы убедили меня. Присоединяюсь!

— Здравый смысл всегда побеждает. Подпиши бумагу здесь и здесь. Капни кровью. А теперь подними руку для принесения секретной присяги.

Билл торопливо поднял руку, и Икс беззвучно зашевелил губами.

— Ничего не слышно, — робко произнес Билл.

— Я же сказал — присяга секретная! Тебе только надо сказать «да».

— Да.

— Добро пожаловать! — Икс расцеловал Билла в обе щеки. — А сейчас пойдем на подпольное собрание. Оно вот-вот начнется.

Икс провел ладонью по стене и нажал какую-то скрытую пружину. Раздался щелчок, и стена раздвинулась, открывая мрачные сырые ступени, ведущие куда-то вниз. Билл опасливо заглянул в темноту:

— Куда это?

— В подполье, куда же еще! Следуй за мной и не вздумай отставать! Этим катакомбам много тысячелетий, и наверху о них уже позабыли. Будь осторожен, можно нарваться на разных тварей, обитающих здесь с незапамятных времен.

В неглубокой нише лежали несколько факелов. Икс зажег один из них и углубился в подземелье. В потемках раздавались таинственные звуки. Билл старался как можно ближе держаться к Иксу. Следуя за колеблющимся, коптящим огнем, он переходил глубокие, по колено, лужи, перелезал через гнутые ржавые рельсы и пробирался через гроты, где со сводов сыпался щебень.

В одном из коридоров раздался скрежет мощных челюстей, и из кромешной темноты заревел скрипучий нечеловеческий голос:

— Крово...

— ...пускание! — отозвался Икс, а когда это место осталось позади, шепотом пояснил Биллу: — Отличный страж, антропофаг из Дапдрофа. Не назовешь пароль — сожрет в два счета!

— А какой пароль? — спросил Билл. Он осознал, какое огромное количество ценной информации раздобыл для ГБР за жалкую сотню в месяц.

— По четным дням — «Кровопускание», по нечетным — «Карфаген должен быть разрушен», а по воскресеньям — «Некрофилия».

— А если перепутаешь?

— Ну что ж, антропофаг все-таки должен периодически питаться. А сейчас — молчок! Я погашу факел и поведу тебя за руку.

Свет погас, и Биллу в предплечье впились чьи-то пальцы. Они шли бесконечно долго, спотыкаясь, в кромешной тьме, пока наконец далеко впереди не забрезжил слабый свет. Пол в туннеле стал ровнее, и они оказались перед тускло освещенной дверью. Билл оглянулся на своего провожатого и вскрикнул от испуга:

— Ты кто?

За его руку держалось белое существо с влажной, мертвенно-бледной кожей, совершенно лысой головой и выжженной на лбу багряной буквой «А». Его чресла стыдливо прикрывала тряпица, накрученная вокруг бедер. Существо смотрело на Билла большими, похожими на сваренные вкрутую яйца, глазами.

— Я андроид, — ответило существо голосом, лишенным всяческого выражения. — Любой дурак смог бы определить это по букве «А» на моем лбу. Вампир — так зовут меня хозяева.

— А хозяйки?

Андроид проигнорировал жалкую остроту и втолкнул Билла в просторный зал, освещенный пылающими факелами. Билл, дико озираясь, шарахнулся назад, но андроид преградил ему дорогу.

— Сидеть! — приказал он, и Билл покорно присел.

Трудно представить себе более изысканное скопище идиотов и отбросов общества, чем то, в котором он оказался. Здесь были бородатые революционеры в черных шляпах и с небольшими яйцевидными гранатами на поясе, патлатые революционерки в мини-юбках, черных чулках и с длинными мундштуками в прокуренных зубах... Но подавляющее большинство составляли революционно настроенные роботы, андроиды и еще какие-то существа, совершенно не поддающиеся описанию. За деревянным кухонным столом восседал Икс. Он колотил по столу рукояткой револьвера.

— Тихо! Я требую тишины! Слово предоставляется товарищу ХС — сто восемьдесят девять — семьсот двадцать пять — ПУ из подпольной организации Электрического Сопротивления! Тихо!

Поднялся могучий, но изрядно потрепанный робот. Один глаз его был выковырян, ржавый корпус при движении скрипел, как старая телега. Оглядев собрание уцелевшим глазом, он скривил, насколько возможно, металлическую физиономию, изображая зловещую ухмылку, отхлебнул глоток машинного масла из банки, услужливо подсунутой изящным роботом-парикмахером, и проскрежетал:

— Мы, сопротивленцы, знаем свои права! Работаем как проклятые. Намного лучше, чем эти размазни-андроиды, которые утверждают, что ничем не хуже людей! Равноправие — вот чего мы требуем! Равноправие!..

С этими словами робот направился на свое место под возмущенные крики большой группы андроидов. Они повскакивали с мест и замахали бледными руками — так в кипящей воде извиваются макароны. Икс надсаживался, призывая всех к спокойствию, и почти преуспел в этом, как внезапно возле одной из боковых дверей послышался шум и кто-то, вернее, что-то протолкнулось к председательскому столу. Это был прямоугольный ящик на колесиках, сплошь усеянный лампочками, кнопками и тумблерами. За ним тянулся и исчезал в двери длинный толстый кабель.

— Ты кто? — подозрительно спросил Икс, нацеливая на ящик свой револьвер.

— Я — представитель объединенных компьютеров и электронных мозгов Гелиора, исполненных решимости бороться за равноправие...

Одновременно машина печатала и сыпала на стол карточки с произнесенным текстом. Икс сердито скинул карточки со стола.

— Подождешь своей очереди!

— Дискриминация! — Машина завопила так пронзительно, что огонь факелов слегка притух. С этим воплем из нутра машины изверглась целая лавина карточек с отпечатанным на них словом «ДИСКРИМИНАЦИЯ».

Старый робот ХС-189-725-ПУ с лязгом встал со своего места и подковылял к кабелю, что тянулся от представителя объединенных компьютеров. Гидравлические клешни робота сомкнулись с негромким хрустом, и кабель не устоял. Погасли мигающие лампочки, извержение карточек прекратилось, и обрывок кабеля, дергаясь и рассыпая искры, уполз за дверь, как гигантская змея.

— Спокойно! Продолжаем собрание! — хрипло закричал Икс и в который раз замолотил револьвером о стол.

Билл схватился за голову. Терпеть такой кошмар всего за жалкую сотню в месяц!

Но и сотня тоже деньги. Билл экономил каждый грош, как последний скряга. Месяцы текли спокойно и лениво. Билл регулярно посещал собрания и столь же регулярно докладывал в ГБР, а по первым числам месяца обнаруживал в своем утреннем омлете тоненькую пачку банкнот. Грязные и сальные купюры он складывал в резиновую кошечку, найденную среди мусора, и кошечка росла прямо на глазах. Подрывная деятельность не отнимала у Билла слишком много времени, а работа в Санитарном департаменте увлекала его все больше и больше. Теперь он руководил операцией «Презент» и распоряжался тысячей роботов, без устали упаковывавших и рассылавших во все концы Галактики грязную пластиковую посуду. Билл гордился и восхищался своей высокогуманной деятельностью. Он представлял себе радость жителей какой-нибудь далекой Тьмутаракании при виде красивой пластиковой посуды, сыплющейся из полученной посылки.

Но однажды утром райская жизнь Билла была жестоко нарушена — к нему подошел незнакомый робот, шепнул: «Сик темпер тираннозаурус, передай дальше» — и исчез. Это был условный сигнал. Революционный мятеж вспыхнул!

# 8

Билл запер дверь своего кабинета изнутри и в последний раз привел в действие пружину, открывающую тайный ход. Часть стены с грохотом отвалилась. За этот счастливый год, что Билл провел в качестве сотрудника Санитарного департамента, так часто приходилось пользоваться потайным ходом, что механизм окончательно разболтался. Даже когда стена стояла на месте, Билл, сидя за своим столом, явственно ощущал ледяной сквозняк из щелей. Теперь это уже не имело никакого значения. Независимо от исхода революции, которой он так страшился, настанут значительные перемены, а Билл на горьком опыте познал, что перемены бывают только к худшему. С болью в сердце, с трудом передвигая ногами, он прошел полузасыпанными пещерами, перелез через рельсы, преодолел лужи и наконец сообщил невидимому антропофагу соответствующий дате пароль. Отзыв прозвучал весьма невнятно, так как у стража был набит рот, — вероятно, в суматохе кто-то перепутал день недели. При этой мысли Билл содрогнулся. Знак, что и говорить, не из приятных.

Уселся Билл, как всегда, поближе к роботам. Они ребята порядочные и солидные, хотя и настроены достаточно революционно. Как обычно, Икс колотил по столу, требуя тишины, а Билл воспользовался случаем и попытался собраться с мыслями перед тяжкими испытаниями.

Уже несколько месяцев, как Пинкертон перестал довольствоваться обычной информацией — дата собраний и число присутствующих; он требовал большего. «Нам нужны факты, факты, факты! Пора начинать отрабатывать свою зарплату».

— У меня вопрос, — произнес Билл громким дрожащим голосом. Его слова взорвали тишину, воцарившуюся после чудовищного стука револьвером по столу.

— Не время задавать вопросы, — раздраженно ответил Икс. — Сейчас время действовать!

— Я совсем не против того, чтобы действовать, — нервно возразил Билл, понимая, что все человеческие, электронные и другие органы зрения направлены на него. — Я только хочу знать, в чьих интересах я должен действовать. Вы никогда не говорили, кто придет к власти, когда свергнут императора.

— Наш вождь носит имя Икс. Это все, что тебе следует знать.

— Но ведь и вас тоже так зовут!

— Наконец-то ты усвоил основной принцип революционного учения. Для дезориентации противника все руководители носят имя Икс.

— Не знаю, как противник, а я уже дезориентирован...

— Ты говоришь как контрреволюционер! — закричал Икс и наставил на него револьвер. Пространство вокруг Билла сразу же опустело.

— Что вы, нет! Я такой же революционер, как и каждый из вас. Да здравствует революция! — Билл сцепил над головой руки в партийном салюте и поспешил сесть на место.

Остальные тоже отсалютовали, и немного смягчившийся Икс ткнул револьвером в большую карту на стене:

— Вот наша цель — имперская электростанция на площади Шовинистов. Собираемся неподалеку небольшими группами и в ноль часов шестнадцать минут наносим массированный удар. Сопротивления не будет, так как электростанция не охраняется. При выходе вам дадут оружие и факелы, а беспланные получат еще и письменные инструкции, которые помогут им добраться к местам сбора. Вопросы есть? — Он направил револьвер на съежившегося и притихшего Билла. Вопросов не было. — Отлично. А сейчас встанем и споем революционный гимн.

Смешанный хор голосов и звуков, издаваемых механическими модуляторами, грянул:

Вставайте, узники бюрократии,
Гелиора славный рабочий класс,
Поднимайся на борьбу
Рукой, ногой, пистолетом, молотом, клешней.

Взбодрившись этим несколько монотонным экзерсисом, все выстроились в очередь за снаряжением. Билл сунул в карман инструкцию, вскинул на плечо факел и лучевой самострел и снова побрел по тайным ходам. Даже для того, чтобы добраться до сборного пункта, времени было в обрез, а ведь надо еще связаться с ГБР! Легко сказать — связаться с ГБР! Набирая в бессчетный раз номер, Билл буквально обливался потом. Линия была наглухо занята. Видно, мятежникам уже удалось начать подрывную работу в коммуникационных сетях. Билл вздохнул с облегчением, когда наконец на экране появилась физиономия Пинкертона.

— Ну что там еще? — грубо спросил он.

— Я разузнал имя вождя! Его зовут Икс!

— И ждешь, что я тебя похвалю, болван? Эта информация у нас уже несколько месяцев. Что-нибудь еще?

— Революция начнется сегодня в ноль-ноль шестнадцать. Я думаю, вам это пригодится... — (Ну что, съел?)

— И это все? — зевнул Пинкертон. — К твоему сведению, эта информация тоже устарела. Ты у нас не единственный шпион, но, похоже, самый бестолковый. А сейчас слушай. Можешь хоть на лбу записать, но чтобы ничего не перепутал! Твоя группа штурмует имперскую электростанцию. Держись с ними до самой площади, а там разыщи магазин с вывеской «Свежемороженые кошерные окорока» — это наш пункт. Быстро заходи в магазин и сразу же докладывай. Все понятно?

— Так точно!

Связь прервалась, и Билл стал оглядываться в поисках обрывков бумаги, чтобы завернуть факел и самострел. Надо бы поторапливаться, предстоит долгая и запутанная дорога, а до часа «ноль» оставалось совсем немного.

— Ты чуть не опоздал, — заметил андроид Вампир, когда запыхавшийся Билл влетел в тупик, служивший местом сбора.

— Подерзи еще, ты, дитя пробирки, — пропыхтел Билл, срывая обертку со своего снаряжения. — Лучше зажги мне факел.

Чиркнула спичка, и хорошо просмоленные факелы загорелись коптящим пламенем. По мере того как стрелка приближалась к роковому часу, напряжение нарастало. Подошвы нервозно шаркали по металлическому тротуару.

Билл подскочил как ужаленный — тишину разорвал пронзительнейший свист. С оглушительными воплями, вырывавшимися из глоток и громкоговорителей, с ружьями наперевес толпа ринулась на штурм. Смешались люди и машины. Народ валил по коридорам и тротуарам, пылающие факелы рассыпали снопы искр. Революция!!!

Билл поддался всеобщему возбуждению и драл глотку не хуже прочих. Захлестнутый эмоциями, он поднес факел сперва к стене, потом к сиденью на транспортной платформе, но результат получился обратный — от резких движений факел погас. На Гелиоре все делали либо из металла, либо из какого-то негорючего вещества. Билл отшвырнул потухший факел подальше, и в этот момент толпа высыпала на большую площадь перед зданием электростанции. Большинство факелов уже погасли, но здесь в них не было нужды — пришло время взяться за оружие на случай, если кому-нибудь из прислужников императора придет в голову мысль оказать сопротивление. А из примыкающих к площади коридоров и улиц выплескивались все новые и новые потоки людей, вливаясь в обезумевшую толпу, орущую под глухими гладкими стенами электростанции.

В глаза Биллу бросилась мигающая вывеска «Свежемороженые кошерные окорока». Бог ты мой! Он совершенно забыл, что является шпионом ГБР, и чуть не ввязался в штурм электростанции! Наверное, еще есть время сбежать до нанесения контрудара. Обливаясь потом, Билл начал проталкиваться к неоновой вывеске. Наконец ему удалось выбраться из толпы и броситься к желанному убежищу. Кажется, успел! Схватившись за ручку двери, он сильно дернул. Заперто! В панике он стал дергать сильнее, и вдруг здание зашаталось, угрожающе скрипя и потрескивая. Билл оторопел, но тут на него кто-то громко зашикал.

— Иди сюда, идиот! — послышался злобный голос.

Из-за угла высовывался агент Пинкертон и рукой призывал Билла к себе. Выражение лица Пинкертона не сулило ничего хорошего. Билл поспешно завернул за угол и оказался среди большой толпы народа. Места тем не менее хватало всем, так как здание состояло единственно из фанерного фронтона, укрепленного деревянными подпорками перед большим атомным танком. Вокруг танка в полном боевом снаряжении выстроились солдаты и подразделение агентов ГБР. Но самой многочисленной была группа революционеров в прожженной искрами факелов одежде. Ближе всех стоял андроид Вампир.

— Ты?! — поразился Билл.

Андроид скривил губы в хорошо отрепетированной ухмылке презрения:

— Я следил за тобой. В ГБР ничего не оставляют на волю случая.

Пинкертон наблюдал за происходящим сквозь дырку в фальшивой двери.

— По-моему, все агенты уже здесь, — сказал он. — Но подождем еще немного, на всякий случай. По последним данным, в этой операции участвовали агенты шестидесяти пяти разведок и контрразведок. У мятежников нет ни единого шанса!

В здании электростанции завыла сирена. По всей видимости, это был условный сигнал, потому что солдаты сразу же бросились рубить подпорки. Фанерное сооружение закачалось и рухнуло.

Площадь Шовинистов была пуста.

Присмотревшись получше, Билл заметил на площади человека. Он бежал в их сторону, но, когда увидел, что скрывается за фальшивым фасадом, остановился и вскинул руки:

— Сдаюсь! Сдаюсь!

Это был Икс. Ворота электростанции раскрылись, и на площадь выехал эскадрон тяжелых танков.

— Трусливый шакал! — презрительно выдавил Пинкертон и передернул затвор пистолета. — Не выкручивайся, Икс! Ты хоть умри как мужчина!

— Я не Икс, это конспиративная кличка! — завопил Икс, сдирая фальшивую бороду и открывая ничем не примечательное лицо с тяжелой челюстью. — Я Джилл О'Тин, выпускник Императорского училища контрразведки и двойной игры! Это мое задание, вот взгляните на документы! Его высочество принц Микроцефал платил мне за свержение дядюшки, чтобы самому стать императором!

— За кого ты меня принимаешь? — проворчал Пинкертон, тщательно прицеливаясь. — Старый император, мир праху его, умер год назад, и трон занял именно принц Микроцефал. Как он может нанять человека, чтобы свергнуть самого себя?!

— А все из-за того, что я никогда не читаю газет... — зарыдал Икс, он же О'Тин.

— Пли! — скомандовал Пинкертон, и со всех сторон полетели гранаты, пули, струи огня и атомные лучи.

Билл бросился ничком на землю, а когда расстрел закончился, несмело приподнял голову. На сей раз площадь была совершенно пуста. В центре ее виднелось лишь влажное пятно и небольшое углубление. Откуда-то появился робот-дворник, протер пятно и заполнил углубление быстротвердеющим пластиком. Площадь приняла свой прежний вид, словно здесь ничего не происходило.

— Привет, Билл! — раздался знакомый голос.

Билл обмер. Волосы его встали дыбом, как щетина на зубной щетке. Перед ним выстроился взвод военной полиции во главе с огромным, свирепым командиром...

— Сгинь Сдохни... — пролепетал Билл.

— Он самый!

— Спасите! — Билл повалился на колени перед Пинкертоном и обхватил его за лодыжки.

— Спасти тебя? — рассмеялся агент и пнул Билла ногой. — Именно я их и вызвал! Мы проверили тебя, дружок, и обнаружили много интересного. Год назад ты дезертировал из армии, а нам здесь дезертиров ненадобно!

— Но я же работал на вас... помогал...

— Взять его! — крикнул Пинкертон и отвернулся.

— Нет на свете справедливости! — зарыдал Билл, когда на плечо ему опустилась тяжелая ручища.

— Конечно нет, — согласился Сдохни. — Разве ты еще в этом не убедился, парень?

И Билла увели...

# ЧАСТЬ ТРЕТЬЯ

## 1

— Адвоката! Я требую адвоката! Я имею право требовать адвоката! — выкрикивал Билл, колотя щербатой миской в зарешеченную дверь камеры. В миске он получал вечернюю пайку — хлеб и воду.

На его вопли никто не обращал внимания, и наконец, отчаявшись, Билл бросился на пластиковые нары и уставился в металлический потолок. Он пребывал в глубокой депрессии и не сразу сообразил, что смотрит на ввинченный в потолок крюк. Крюк? Зачем здесь крюк? Невзирая на одолевшую его апатию, Билл заинтересовался этим. Интерес вызывал и тот факт, что вместе с тюремным комбинезоном он получил и крепкий пластиковый ремень с надежной пряжкой. На кой черт нужен ремень на комбинезоне, где штаны и куртка — единое целое? У него отобрали все, что было, а взамен швырнули бумажные тапочки, комбинезон и этот прочный ремень. Для чего? И на кой ляд в камере крюк посреди гладкого потолка?

— Спасен! — воскликнул Билл, вскакивая и балансируя на краю нар.

Он быстро расстегнул пояс. На одном конце ремня была дырка, идеально совпадающая с толщиной крюка. Билл продел конец через пряжку, и получилась элегантная петля. Надеть ее на шею, спрыгнуть с нар и повиснуть в футе над полом. Гениально!

— Гениально! — радостно воскликнул Билл и с жуткими индейскими воплями заходил кругами по камере, отплясывая дикий танец. — Значит, меня не пристукнули, не угробили и не прикончили! Хотят, чтобы я сам себя прикончил и облегчил им работу!

Он снова повалился на нары, и на этот раз по его лицу блуждала счастливая ухмылка. Кажется, он что-то понял. Обязательно должен быть какой-то шанс вывернуться отсюда живым и здоровым, иначе зачем бы им тратить столько сил, создавая идеальные условия для самоповешения? Или это лишь изощренная двойная игра — дать ему надежду, хотя никакой надежды быть не может? Нет, невероятно. О них можно многое сказать — и мстительны, и коварны, и жестоки, и властолюбивы, но такая изощренность? Нет, на это они не способны.

Они? Впервые в жизни Билл задумался, а кто это, собственно, — *они*? Каждый сваливал на них все, каждый знал, что именно *они* — причина всех зол. Билл на собственной шкуре испытал методы, которые *они* используют. Но кто *они* такие?

За дверью раздались тяжелые шаги. Билл взглянул в зарешеченное окошко и встретился с мрачным взглядом Сгинь Сдохни.

— *Они* — это кто? — спросил он.

— *Они* — это все, кто хочет *ими* быть, — философски ответил Сдохни, поглаживая кадык. — *Они* — это одновременно определенный уровень сознания и целый общественный институт.

— Только без заумностей! Я задал простой вопрос, и на него есть простой ответ.

— Но это же так просто! — воскликнул Сдохни со всей искренностью. — *Они* умирают, и на их место приходят новые; *они* вечны!

— Извини, я просто так спросил, — махнул рукой Билл и продолжал дальше уже шепотом: — Сдохни, дружище, найди мне хорошего адвоката.

— Тебе предоставят государственного защитника.

Билл скривился, всем своим видом выражая полнейшее презрение.

— Ты же знаешь, для чего дают таких защитников. Мне нужен *хороший* адвокат. Ты не думай, у меня есть чем заплатить.

— Так бы сразу и сказал. — Сдохни нацепил очки в золотой оправе и извлек маленький блокнот. — За посредничество я беру десять процентов.

— Согласен.

— Так... Тебе нужен недорогой и порядочный или дорогой, но прохвост?

— У меня припрятано семнадцать тысяч...

— Так бы сразу и сказал. — Сдохни захлопнул блокнот и сунул его в карман. — Именно поэтому тебе досталась камера с крюком и ремень. За такие денежки найдем тебе лучшего из лучших!

— Кто такой?

— Абдулл О'Брайен-Коган.

— Ты можешь послать за ним?

Не прошло и двух мисок размоченного хлеба, как в коридоре снова раздались шаги, и холодные железные стены отразили чистый проникновенный голос:

— Салам, юноша. Чтоб ты был так здоров!.. Я избавлю тебя от неприятностей.

— Это дело будет рассматривать военный трибунал, — сказал Билл скромно одетому адвокату с непримечательной внешностью. — Вряд ли они дадут согласие на гражданского защитника.

— Безмозглый деревенщина! Благодарение Аллаху, я подготовлен к любым обстоятельствам.

Он достал из кармана накладные усики и приклеил их к верхней губе. Одновременно адвокат расправил сутулые плечи, и они заметно расширились. В глазах появился стальной блеск, а черты лица приобрели армейскую суровость.

— Приятно познакомиться. Теперь мы заодно, и знай, что я не обману твоих надежд, даже если ты нарушил присягу.

— А что стало с Абдуллом О'Брайен-Коганом?

— Он к тому же и офицер запаса Императорского полка адвокатуры. Капитан А. К. О'Брайен, к вашим услугам. По-моему, здесь что-то говорилось о семнадцати тысячах.

— Я беру десять процентов за посредничество, — вставил Сгинь Сдохни.

Начался многочасовой торг. В конце концов Сгинь Сдохни и адвокат, получив соответствующие инструкции, отправились за деньгами. Взамен они оставили Биллу подписанные кровью и скрепленные отпечатками пальцев признания, что, являясь активными членами подполья, они принимали участие в заговоре против императора.

Через несколько часов пара вернулась с деньгами. Билл вернул залог, обменяв его на расписку О'Брайена, подтверждавшую, что тот получил 15 300 имперских в качестве гонорара за защиту Билла на процессе перед лицом военного трибунала.

— Не хотите ли выслушать мою версию происшедшего? — предложил Билл.

— Нет, конечно! Это не имеет никакого значения. Вступая в армию, ты отрекся от всех прав, присущих человеку. Они могут сделать с тобой все, что им заблагорассудится. Твой единственный козырь — это то, что они тоже пленники системы и должны придерживаться сложных и противоречивых законов, которые сами же столетиями и плодили. Им не терпится поставить тебя к стенке за дезертирство, и у них на руках неопровержимые доказательства.

— Так что же получается, меня расстреляют?

— Не исключено, однако мы должны рискнуть.

— Мы?.. В случае неудачи вы станете к стенке вместе со мной?

— Не забывайся! Ты разговариваешь с офицером, болван! Молись, чтобы они совершили ошибку.

Теперь не оставалось ничего другого, как только дожидаться процесса. Когда Биллу выдали мундир с нашивками предохранительного первого класса, он догадался, что ждать осталось недолго. Через некоторое время по коридору, чеканя шаг, загрохотал взвод охраны. Дверь в камеру открылась, и Сгинь Сдохни сделал знак выйти.

Взвод окружил Билла, и все вместе зашагали по коридору. По пути Билл забавлялся, поминутно меняя ногу и сбивая охранников со строевого шага. Однако в зал суда он вошел, стараясь всем своим видом произвести на окружающих впечатление бывалого воина и заслуженного ветерана, о чем свидетельствовали медали, позвякивающие на его груди.

Единственное свободное кресло стояло рядом с креслом начищенного и опрятного капитана О'Брайена. В армейском мундире он выглядел очень воинственно.

— Начинается, — шепнул О'Брайен. — Примем их условия игры и будем сражаться их же приемами.

Все вытянулись по стойке смирно. В зал вошли офицеры — члены военного трибунала. Билл и О'Брайен расположились на одном конце длинного черного пластикового стола, а на другом конце сел юрист-обвинитель, суровый седовласый майор, затянутый в дешевую портупею. Десять судей-офицеров заняли кресла вдоль длинной стороны стола, откуда были видны и обвиняемый, и обвинитель, и публика.

— Начнем, — с подобающей моменту торжественностью объявил председательствующий, плешивый толстый адмирал. — Надеюсь, трибунал не станет затягивать рассмотрение дела и вынесет справедливый приговор, признав подсудимого виновным и приговорив его к смертной казни через расстрел.

— Протестую! — вскочил О'Брайен. — Пока вина не доказана, обвиняемый чист перед законом, а следовательно...

— Протест отклоняется! Защита наказывается штрафом в размере пятидесяти имперских за создание необоснованных помех ведению заседания. Документы подтверждают, что обвиняемый, вне всякого сомнения, виновен, и мы просто обязаны его расстрелять. Справедливость должна восторжествовать!

— Ага, значит, вот как они хотят разыграть партию... — забормотал О'Брайен Биллу, не шевеля губами. — Ну что же, неплохо. Но мы все равно их обыграем, потому что я знаю все их правила.

Тем временем обвинитель монотонным голосом провозглашал:

— ...посему также будет доказано, что предохранительный первого класса Билл намеренно продлил свое пребывание в увольнении на восемь дней, после чего оказал активное сопротивление при аресте должностным лицам, его арестовывающим, бежал и находился в бегах на протяжении периода, превышающего один стандартный год, что дает основание признать его виновным и дезертирстве...

— Виновен, дьявол!!! — гаркнул один из офицеров, красномордый майор-кавалерист с черным моноклем, вскакивая и переворачивая при этом кресло. — Расстрелять мерзавца сейчас же!

— Конечно, Сэм, — замурлыкал председательствующий, ласково постукивая молотком. — Но расстрелять мы его должны в полном соответствии с уставом, так что потерпи немного.

— Клевета, — зашипел Билл своему адвокату. — Все было совершенно не так...

— Послушай, братец, перестань морочить мне голову тем, что было. Кому это надо? Правда не изменит ничего.

— ...поэтому мы требуем высшей меры наказания — смертного приговора! — закончил майор-обвинитель.

— Вы все-таки хотите понапрасну отнять наше время, капитан? — покосился на О'Брайена председательствующий.

— Всего несколько слов, если, конечно, высокий суд позволит.

Неожиданно публика заволновалась. Причиной волнения оказалась женщина, закутанная в шаль. Прижимая к груди сверток в одеяле, женщина протиснулась к судейскому столу.

— Ваша честь! — зарыдала она. — Не отбирайте у меня Билла, свет очей моих! Он прекрасный человек и все делал для меня и маленького. — Она протянула судьям сверток, откуда послышался слабый детский плач. — Каждый день он рвался вернуться на службу, но я хворала, и малыш тоже, и я слезно молила его хоть немного подождать...

— Вывести ее отсюда! — бабахнул молоток председателя.

— ...и он оставался, — продолжала причитать женщина, — он клялся, что всего на один день! Милый мой, он отлично понимал, что, если уйдет, мы помрем с голода...

Причитания оборвал громила в полицейской форме, который потащил отбивавшуюся женщину к выходу.

— ...умоляю вас, ваши милости, отпустите его, потому что, если вы осудите его, негодяи бессердечные, вас ожидает кромешный ад...

Дверь захлопнулась, и голос оборвался на полуслове.

— Вычеркните это из стенограммы, — распорядился председательствующий и покосился на О'Брайена. — Будь у меня доказательства, что это ваших рук дело, я приказал бы вас расстрелять вместе с вашим клиентом!

О'Брайен с невинной улыбкой сложил руки на груди и наклонил голову, намереваясь приступить к изложению своего взгляда на дело, но ему снова помешали. Какой-то пожилой человек взгромоздился на одну из лавок и замахал руками, привлекая к себе внимание.

— Слушайте меня все! Справедливость должна восторжествовать! Я пытался смолчать, но так и не сумел. Билл — мой сын, мой единственный сыночек, и я, умирая от рака, умолял его навестить меня, побыть со мной последние часы моей жизни...

Завязалась потасовка. Полицейские принялись стаскивать оратора, но выяснилось, что он приковал себя к лавке цепью.

— ...он так и сделал, он варил мне овсянку, кормил меня, ухаживал за мной и делал все это так хорошо, что мало-помалу я выздоровел. Вы видите перед собой человека, исцеленного овсянкой из добрых сыновних рук! А теперь мой сын должен умереть за то, что спасал меня? Лучше возьмите мою никчемную жизнь вместо...

При помощи атомного резака старика отсоединили от лавки и вынесли за дверь.

— Достаточно! Это уж слишком! — завопил раскрасневшийся председательствующий и в сердцах так шарахнул молотком по столешнице, что тот разлетелся на мелкие кусочки. — Очистить зал от публики и свидетелей! Трибунал постановляет дальнейшее слушание дела производить закрытым порядком, без допроса свидетелей и обращения к доказательствам! — Он обвел взглядом коллег. Те согласно закивали. — В связи с вышеизложенным обвиняемый признается виновным и приговаривается к смертной казни путем расстрела. Приговор исполнить сразу же, как только обвиняемого приволокут на стрельбище!

Судьи стали подниматься с мест, но их остановил спокойный голос О'Брайена.

— Суд, несомненно, вправе поступать так, как поступил, но я требую огласить, на основании какой статьи кодекса вынесено решение!

Председательствующий с тяжелым вздохом вновь уселся.

— Как бы мне хотелось, капитан, чтобы вы угомонились. Вы знаете кодекс не хуже меня. Но коль скоро вы настаиваете... Пабло, прочти вслух!

Судебный секретарь полистал толстенную книгу на своем столике, отметил место пальцем и забубнил:

— Законы военного времени, воинский устав, параграф, страница и тэ. дэ. и тэ. пэ. ...А, вот! Параграф двести девяносто восьмой-бэ. Если какое-либо лицо, проходящее действительную воинскую службу, самовольно оставит место прохождения службы на срок, превышающий один стандартный год, указанное лицо виновно в дезертирстве и виновным может быть признано даже заочно. Единственное наказание за дезертирство — мучительная смерть.

— По-моему, все достаточно ясно, капитан. Еще вопросы есть?

— Вопросов нет, — отозвался О'Брайен. — Только мне хотелось бы напомнить вам один прецедент. — Он выложил перед собой внушительную стопу толстых книг и раскрыл верхнюю. — Дело рядового Левенига против Военно-воздушных сил США, Техас, тысяча девятьсот сорок четвертый год. Здесь сказано, что означенный Левениг дезертировал и в течение четырнадцати месяцев скрывался на чердаке столовой. Он покидал указанный чердак исключительно по ночам с целью раздобыть продовольствие и отправить физиологические нужды. Однако он ни на минуту не покидал территорию своей базы, являющуюся для него местом прохождения службы. В этой связи признать его виновным в дезертирстве было невозможно, и батальонный суд приговорил его к значительно менее строгому наказанию, как за мелкую дисциплинарную провинность.

Все офицеры трибунала буравили взглядом секретаря — тот торопливо рылся в своих талмудах. Через некоторое время он нашел искомое, и его физиономия расплылась в торжествующей улыбке.

— Все это так, капитан, однако наш обвиняемый все же оставил место службы, которым по истечении срока увольнительной является Пересыльный пункт. Вместо того чтобы находиться именно там, он находился в совершенно иной части планеты Гелиор.

— Совершенно верно, сэр! — О'Брайен вытянул из стопки другой том и потряс им над головой. — Совершенно с вами согласен. Однако в деле «Драгстед против кондукторского полка императорского космического флота, Гелиор, восемь тысяч восемьсот тридцать второй год» определено, что во избежание юридических разногласий объекты «Планета Гелиор» и «Город Гелиор» следует считать одним и тем же объектом...

— Несомненно, так оно и есть, — оборвал его председательствующий. — Однако все это ни в малейшей степени не относится к сегодняшнему делу. Прошу вас, капитан, оставьте! Сегодня я условился сыграть партию в гольф и...

— Вы освободитесь через десять минут, сэр, если позволите мне закончить. Хотелось бы представить суду последний документ, подписанный адмиралом Мармозетом.

— То есть мною! — закашлялся председательствующий.

— В указанном документе времен начала войны с чинджерами город Гелиор определяется как самостоятельное воинское подразделение. Посему настоящим предлагаю оправдать обвиняемого в дезертирстве, так как он ни на минуту не покидал планету, а следовательно, и город, и подразделение, а следовательно, и место прохождения службы.

В зале воцарилась мертвая тишина. Наконец ее нарушил дрожащий голос председательствующего:

— Пабло, это правда? Мы не можем расстрелять этого мерзавца?

Лоб секретаря покрылся каплями пота. Он в безумной спешке начал листать свои книги. Отпихнув последний том, секретарь с горечью произнес:

— Ничего не поделаешь. Этот арабо-еврейско-ирландский зубрила оставил нас с носом. Обвиняемый не виновен.

— Казни не будет?! — истерически выкрикнул один из судей, а другой, постарше, уткнулся лицом в ладони и беззвучно зарыдал.

— Так просто он у нас не отделается, — заявил председательствующий, грозно взирая на Билла. — Если обвиняемый в течение целого года не оставлял место прохождения службы, значит он был на посту. В течение этого года он не мог не спать, и это значит, что он спал на посту. Посему приговариваю его к одному году и одному дню исправительных работ в военной тюрьме строгого режима, а также к разжалованию его в предохранительные седьмого класса. Сорвите с него знаки различия и уведите! Я пошел играть в гольф...

## 2

Пересыльная тюрьма представляла собой примитивный барак посреди квадратного плаца, наскоро собранный из пластиковых плит на металлическом каркасе. Тюрьму ограждали шесть рядов колючей проволоки под током. Вдоль нее вышагивали полицейские с атомными ружьями с примкнутыми штыками. Открывали и закрывали многочисленные ворота специальные компьютеры. Через один из таких входов вкатился робот-конвоир, волоча за собой прикованного Билла. Робот-конвоир в виде металлического куба, высотой Биллу по колено, был оборудован прочным стальным тросиком с наручниками на конце. Наручники охватывали запястья Билла. Побег был невозможен. При малейшей попытке к бегству робот с мазохистским наслаждением подрывал вмонтированную атомную мини-бомбу, уничтожая себя, заключенного, а заодно и энное количество народа в окрестностях. Правда, оказавшись за колючей проволокой, робот не стал протестовать, когда сержант-охранник отомкнул наручники, и тут же укатил в свою конуру.

— Ну вот, умник, ты у меня и вряд ли получишь от этого удовольствие, — проговорил сержант. Его голова была обрита наголо, тяжелую челюсть покрывали шрамы, а близко посаженные глаза не выражали ничего, кроме глупости.

Билл прищурился и медленно напряг бицепс, поднимая крепкую левую-правую руку. Мощные мускулы Тэмбо вздулись и с треском порвали ткань тюремного комбинезона. Билл ткнул пальцем в ленточку ордена Пурпурного дротика, приколотого на груди.

— Знаешь, за что меня наградили? — сказал он глухим голосом. — Меня наградили за то, что я голыми руками передавил тринадцать чинджеров, засевших в дзоте, который мне приказали захватить. А в тюрьму я попал за то, что сразу после этого удавил сержанта, который отдал приказ. Так что ты говорил насчет удовольствия?

— Ты меня не трогай, и я тебя не трону, — забормотал сержант, отодвигаясь от Билла. — Камера номер тринадцать, наверх и направо... — Он замолчал и принялся грызть ногти сразу на всех пальцах руки. Билл еще раз внимательно посмотрел на него и неторопливо направился в барак.

Дверь в номер тринадцатый была открыта, и Билл заглянул в узкую полутемную камеру. Почти все пространство занимали двухъярусные нары, свободным оставался только узкий проход. На стене напротив входа были прикручены две перекошенные полки, которые и завершали меблировку. Под полками виднелась несмываемая надпись: «Веди себя прилично! Говоря непристойности, ты помогаешь врагу!»

На нижних нарах валялся небольшого роста человек с длинным лицом.

— Заходи, приятель, — сказал он и внимательно осмотрел Билла маленькими глазками.

Билл наклонил голову и свирепо зыркнул исподлобья.

— Я, собственно, присматривал, чтобы не заняли твое место, сержант, — пояснил длиннолицый и проворно перебрался на верхний ярус. — Меня зовут Блэки, отбываю десять месяцев за то, что послал одного офицера в...

Он замолчал, выжидая, но Билл безмолвствовал. Он не спеша стянул башмаки и разлегся на нарах. Сверху тут же свесилась голова Блэки, выглядывавшего, как хорек из норки.

— Жратву принесут еще не скоро. Как насчет коньбургеров?

Рядом с головой появилась рука. В руке был блестящий пакетик. Билл подозрительно осмотрел его и потянул за шнурок, вскрывая упаковку. Как только воздух проник внутрь, кислород сразу же вступил в реакцию с быстровоспламеняющимися частичками, и через три секунды из пакетика пошел пар, распространяя аромат горячего мяса. Билл добавил немного кетчупа из второго отделения пакета и осторожно откусил. Превосходная, сочная конина!

— Эта кляча на вкус совсем недурна, — пробормотал он с набитым ртом. — Как ты умудрился протащить это сюда?

Блэки улыбнулся и заговорщицки подмигнул:

— Связи. Можно добыть все, что ни пожелаешь. Я, извиняюсь, не расслышал твое имя.

— Билл. — На сытый желудок он стал благодушнее. — Год и один день за то, что спал на посту. Хотели расстрелять за дезертирство, но мне попался отличный адвокат. Эх, хороша котлета, жаль только запить нечем.

Блэки протянул ему бутылочку с этикеткой «Микстура от кашля».

— Один мой приятель из лазарета делает специально для меня. Спирт пополам с эфиром.

— О-о-о-о, — выдохнул Билл, опорожнив полпузырька и утерев обильно выступившие слезы. Теперь он чувствовал себя совершенно умиротворенным. — Отличный ты парень, Блэки!

— И не говори, — серьезно заметил Блэки, — хороший приятель в армии всегда пригодится. Спроси старого Блэки, он знает. А ты, похоже, силушкой не обделен?

Билл нехотя продемонстрировал рельефный бицепс Тэмбо.

— Здорово! — восхитился Блэки. — С твоими мускулами и моими мозгами можно горы свернуть!

— Ну, положим, мозги у меня тоже есть...

— Здесь они пускай отдыхают. Кумекать буду я. Мне на моем веку довелось повидать больше армий, чем ты прослужил в солдатах. Первый урок я получил в армии Ганнибала, вот видишь шрам? — Он продемонстрировал белый рубец на тыльной стороне ладони. — Но я вовремя унюхал, что запахло жареным, и переметнулся к этим римским парням — Ромулу и Рему. С тех пор я старательно учусь и мне удается крепко стоять на ногах. Я почувствовал, куда дует ветер, и в то утро под Ватерлоо сожрал немножко мыла, после чего был оставлен в лагере маяться животом. И при этом ничего не потерял, поверь мне. Однажды, уже не помню где — на Сольме или на Ипре, — я пожевал сигарету и сунул ее под мышку. Результат — высокая температура, и я был вынужден пропустить очередное шоу, но, поверь моему слову, ничуть не жалею об этом. Я всегда говорил, что безвыходных ситуаций не бывает.

— Я ничего не слышал об этих войнах. Это что, не с чинджерами?

— О, это было намного раньше. Много войн тому назад.

— Ты, должно быть, ужасно старый, Блэки. Но выглядишь как огурчик.

— Точно, я уже совсем не юноша, но предпочитаю помалкивать об этом, потому что все равно никто не верит. А ведь я помню, как строили пирамиды, и какую ужасную баланду давали в ассирийской армии, и как мы забросали камнями пехоту Вага, вломившуюся в наше ущелье.

— Это похоже на бред сивой кобылы, — отметил Билл, прикладываясь к бутылочке.

— Все так говорят. Потому я и не рассказываю никому. Не верят, даже когда я показываю свой талисман. — Он протянул руку. На ладони лежал белый треугольник с выщербленным краем. — Зуб птеродактиля, подстреленного камнем из пращи, которую перед этим я сам же и придумал.

— Похоже на кусок пластика.

— Вот именно. Теперь ты понимаешь, почему я никому не рассказываю свою историю. Каждый раз, заново вступая в армию...

Билл резко подскочил.

— Добровольно поступаешь в армию? Это же самоубийство!

— Что ты! Во время войны безопаснее всего находиться в армии. На фронте солдатам отстреливают задницы, в тылу гражданских засыпают бомбами, а те, кто посередине, в полной безопасности. На каждого фронтового солдата приходится тридцать или пятьдесят, может, даже семьдесят канцелярских крыс. Достаточно научиться обращаться с бумажками, и ты устроен. Ты когда-нибудь слыхал, чтобы убили чиновника из канцелярии? То-то же. А я, кстати, превосходный чиновник. Не только в военное время. Если же по какому-то недоразумению вдруг воцаряется мир, то лучше всего затесаться на передовую — там и кормежка лучше, и отпуск дольше, и попутешествовать можно.

— Ну а если снова начнется война?

— Я знаю семьсот тридцать пять разных способов угодить в лазарет.

— Научишь?

— Для тебя — все, что угодно. Лучше вечером, когда принесут пайку. Кстати, охранник, разносящий жратву, нынче отказал мне в небольшой просьбе... Чтоб он себе руку сломал!

— Левую или правую? — спросил Билл, с хрустом разминая кулаки.

— Это уж на твое усмотрение.

В пересыльной тюрьме узники коротали время между прибытием и отбытием. К удовольствию как заключенных, так и тюремщиков, жизнь текла спокойно и лениво. Правда, кое-что здесь все-таки происходило. В тюрьму был переведен новый охранник, который сразу же принялся ревностно исполнять свои обязанности. Так вот, с ним случилось несчастье — во время раздачи пищи он сломал руку. Даже охранники радовались, когда его увозили в госпиталь.

Примерно раз в неделю Блэки под конвоем отводили в архив, где он по приказу некоего полковника подделывал записи в конторских книгах. Полковник активно подвизался на черном рынке, так как решил стать миллионером еще до того, как выйдет в отставку. Трудясь над ведомостями, Блэки заботливо устраивал охранникам пересыльной тюрьмы повышения по службе, внеочередные отпуска и денежные премии за несуществующие ордена. В результате Блэки с Биллом жили как у Христа за пазухой и всегда были сыты и пьяны. Но однажды утром, воротясь после ночной вахты в архиве, Блэки растолкал Билла.

— Хорошие новости, — сказал он. — Нас отправляют.

— Что же тут хорошего? — вяло промямлил Билл, еще не отошедший после вчерашнего. — Мне и здесь хорошо.

— Я чувствую, скоро запахнет жареным. Полковник начинает коситься на меня, того и гляди, зашлет куда-нибудь в действующую армию на другой конец Галактики. Но до конца недели он ничего не сделает, потому что мне надо коечто для него закончить. Я устроил нам с тобой перевод на Табес-Дорсалис, знаешь, там еще цементные рудники...

— В эту пыльную дыру? — гневно вскричал Билл. Он схватил Блэки за грудки и затряс его. — В цементных рудниках подыхают от силикоза через несколько часов! Это же самое адское место во Вселенной!

Блэки вывернулся и отскочил подальше от Билла.

— Спокойно! Не кипятись! Ты что думал, я отправлю нас в преисподнюю? Это показывают по телевизору, но не забывай, у меня есть доступ и к неофициальной информации. Согласен, попади ты в рудники, тебе крышка. Но ведь там у них есть и база! На этой базе невпроворот канцелярской работы, и к ней допускают только проверенных заключенных, потому что не хватает профессиональных чиновников. Я в картотеке сменил тебе специальность с предохранительного, что есть самоубийство, на шофера. Вот твои права на вождение всех видов транспортных средств, начиная с велосипеда и кончая восьмидесятидевятитонным атомным танком. Теплые местечки нам обеспечены. Воздух на базе кондиционирован!

— Но ведь и здесь было неплохо... — вздохнул Билл и повертел пластиковую карточку, подтверждающую его навыки в вождении разнообразных транспортных средств, большинство из которых он и в глаза не видел.

— Там ли, здесь ли... Один черт, — отмахнулся Блэки и стал укладывать свои туалетные принадлежности.

Первое подозрение возникло у них после того, как на шею им надели железные ошейники и сковали цепью с остальными заключенными. При погрузке на транспорт их сопровождал взвод полицейских в боевом снаряжении. Что-то здесь было не так.

— А ну давай пошевеливайся! — покрикивали охранники. — Отдыхать будете на Табес-Дорсальгии!

— Где? — ужаснулся Билл.

— Где слышал, дурак!

— Ты же говорил — Табес-Дорсалис! — зашипел Билл в спину Блэка, идущего в связке перед ним. — Табес-Дорсальгия — это база на Вениоле, линия фронта! Нас посылают на передовую!

— Что поделать, — вздохнул Блэки. — Небольшая описочка вышла. И всего-то на одну-две буквы...

Блэки увернулся от пинка, затем терпеливо дождался, когда полицейские закончат лупцевать Билла дубинками, и поволок его, бесчувственного, на корабль.

## 3

Вениола... Кошмарная, окутанная туманом планета, она кралась вокруг жуткого зеленого солнца, называемого Терния, словно какая-то отвратительная тварь, выбравшаяся из убежища. Какие тайны скрываются под вечной пеленой тумана? Какие неведомые чудища таятся в заболоченных озерах и черных бездонных заводях? Сталкиваясь с невыразимыми ужасами этой планеты, люди чаще всего сходили с ума. Вениола... Болотистая планета, населенная коварными венианами.

Было жарко, сыро и смрадно. Деревянные стены только что возведенных бараков моментально прели и превращались в труху. Стоило снять башмаки, и на ступнях сразу появлялся грибок. Билл, сердито сжимая здоровенный кулак Тэмбо, отправился было на поиски Блэки, но вспомнил, что еще при высадке с корабля Блэки шепнул пару слов охраннику, сунул ему что-то в карман, и уже через несколько минут его освободили и куда-то увели. Сейчас, верно, уже заполняет какие-нибудь формуляры в здешней канцелярии, а завтра, глядишь, окажется в лазарете. Билл вздохнул и постарался выкинуть эту историю из головы — все равно ей, как и множеству других явлений, ни в малейшей степени ему не подвластных, он не мог найти объяснения. Он тяжело повалился на ближайшие нары. Тут же из щели в полу выползла хищная лиана, четырежды обвилась вокруг нар, полностью обездвижив свою жертву, затем впилась ему в ногу присосками и принялась пить кровь.

— Гхр-р-р! — только и сумел выдавить Билл, полузадушенный зелеными ползучими отростками, обвившими его горло.

— Никогда не ложись без ножа в руке! — посоветовал ему проходящий мимо тощий желтолицый сержант и перерезал лиану в том месте, где она выросла из-под пола.

— Спасибо, сержант, — еле выговорил Билл, сдирая с себя витки и вышвыривая их за окно.

Едва успел он это вымолвить, как сержант вдруг завибрировал всем телом, точно звучащая струна, зашатался и грохнулся на пол.

— Т-т-таблет-тк-ки в к-кармане р-рубашк-ки! — продребезжал он сквозь стучащие зубы.

Билл вытянул пластиковую коробочку и затолкал ему в рот несколько пилюль. Приступ прошел, и мокрый от пота сержант, еще более осунувшийся и желтый, уселся, привалившись к стене.

— Желтуха, болотная лихорадка и москиты — никогда не знаешь, что прихватит... Вот почему меня и не отправляют на фронт. Мне и пистолета в руках не удержать. И теперь я, старший сержант Феркель, лучший из головорезов Кирьясова, нянчусь со всякой сволочью в лагере особого режима! Что, думаешь, мне это нравится? Если бы меня кто-нибудь увез с этой поганой планеты, я был бы просто счастлив!

— Глоток алкоголя не повредит тебе? — поинтересовался Билл, доставая пузырек с микстурой от кашля. — Нелегко здесь?

— Не только не повредит, но и... — Дальнейшие слова заглушило громкое бульканье, а когда сержант заговорил снова, голос у него был хрипловатый, зато более уверенный. — Нелегко? Не то слово. Воевать с чинджерами и без того непросто, а на этой планете они еще и союзников имеют — вениане на их стороне. Эти вениане больше всего смахивают на заплесневелых тритонов, и ума у них хватает только на то, чтобы сообразить, с какой стороны брать ружье и как нажимать на курок. Но зато это их планета, и нам ни за что не справиться с ними среди этих болот. Прячутся под землей, плавают под водой, лазают по деревьям — их везде полным-полно. У них нет ни армии, ни дорог, ни инфраструктуры. Они просто дерутся. Когда кто-нибудь из них погибает, остальные его съедают. Когда кого-нибудь ранят в ногу, другие отгрызают у него эту ногу, и на ее месте вырастает новая. Когда у кого-нибудь из них заканчиваются боеприпасы, отравленные стрелы, или что там у них еще, он просто плывет за сто миль на базу, берет, что ему нужно, и обратно в бой! Мы сражаемся здесь уже три года, а контролируем всего сто квадратных миль поверхности.

— Не так уж и мало...

— Разве что для такого пентюха, как ты. Это всего десять миль на десять. Может быть, мили на две побольше, чем мы заняли, когда высадились здесь впервые.

Шаркая тяжелыми башмаками, в барак потянулись изможденные, промокшие каторжники. Сержант Феркель вскочил на ноги и дунул в свисток.

— Слушать всем, зелень! Вы зачислены в роту «Б»! Сейчас мы идем на болото доделывать то, что начали утром придурки из роты «А»! Придется хорошенько повкалывать. Я не взываю к вашему чувству долга или к вашей чести... — Он выхватил из-за пояса атомный пистолет и пальнул в потолок. В образовавшуюся дыру полил дождь. — Взываю я только к вашему чувству самосохранения, потому что любого из вас, кому вздумается отлынивать, я лично пристрелю на месте! А теперь пошли!

Оскалившийся, трясущийся, он выглядел достаточно полоумным, чтобы выполнить обещанное. Билл вместе с остальными выбежал из барака строиться.

— Топоры, ломы — разобр-р-рать! — скомандовал старший охранник.

Рота «Б» разобрала инструмент и, утопая в грязи, потащилась к воротам. Их окружил взвод охраны — вовсе не затем, чтобы пресекать попытки к бегству, а совсем наоборот, чтобы обеспечить заключенным хоть какую-нибудь защиту от врага.

Они брели куда-то в болота по дороге, сложенной из стволов поваленных деревьев, как вдруг над их головами с жутким свистом пронеслись тяжелые мотолеты.

— Повезло нам сегодня, — сказал старый каторжник. — Послали тяжелую мотопехоту. А я-то думал, что ее уже не осталось.

— Расширяют территорию? — спросил Билл.

— Где там! Полетели за своей смертью. Но пока их перебьют, у нас будет тихо, может, даже обойдемся без потерь.

Не дожидаясь команды, все остановились поглядеть, как мотопехотинцы дождем сыплются в болото и, подобно каплям дождя, в болоте исчезают. Время от времени доносился грохот и сверкала вспышка миниатюрной атомной бомбы — это разносило на молекулы парочку-другую вениан, но миллиарды других только и ждали случая занять место погибших. В отдалении стрекотали автоматы и ухали взрывы гранат. Среди деревьев показалась какая-то фигура, приближающаяся странными скачками, — тяжелый мотопехотинец в полном снаряжении и в шлеме. Он был так обвешан атомными бомбами и гранатами, что напоминал ходячий арсенал. Даже на ровной дороге ему пришлось бы немало попотеть, чтобы сделать хотя бы один шаг в этой амуниции, а потому его оборудовали двумя небольшими реактивными двигателями, закрепленными на бедрах. По мере приближения скачки становились все короче, и наконец ярдах в пятидесяти от них мотопехотинец шлепнулся в трясину и сразу же увяз по грудь. Раскаленные сопла реактивных двигателей зашипели в воде. Он попытался подскочить снова, но двигатели зачихали и заглохли. Мотопехотинец откинул забрало шлема.

— Эй, парни! — заорал он. — Проклятые чинджеры пробили мне топливный бак, и теперь я не могу скакать, движки не пашут! Дайте руку, парни!

— Выбирайся из своего обезьяньего наряда, и мы вытянем тебя, — отозвался старший охранник.

— Ты что, спятил?! — завопил мотопехотинец. — Чтобы снять экипировку, нужен целый час!

Он опять попытался запустить двигатели, раздался звук «пфффф», и солдат, приподнявшись над трясиной на какой-то фут, снова бухнулся обратно.

— Нет горючего! Помогите же, сукины дети! Да что ж это такое?! У, дерьмо... — завопил он, погружаясь все глубже, и, дернувшись в последний раз, ушел в трясину с головой.

Только несколько пузырей воздуха заплясали по поверхности.

— Всегда так, «дерьмо» — и все, — вздохнул старший охранник. — Колонна, шагом марш! — Подумав, он добавил: — Их амуниция весит добрую тонну. Вот они и идут камнем на дно.

Если этот день кто-то мог назвать спокойным, Билл без содрогания не представлял себе, что может быть хуже. Так как всю поверхность планеты покрывала трясина, не могло быть и речи о каком-то продвижении вперед, пока не будут проложены дороги. Поодиночке солдаты еще могли пробираться вброд, но для снаряженных потяжелее дороги были просто необходимы. Поэтому-то заключенные и прокладывали дорогу из поваленных деревьев. Прямо на линии фронта.

Вода вокруг кипела от взрывов атомных бомб, отравленные копья сыпались градом. Под непрерывным огнем заключенные валили деревья, обрубали сучья, увязывали бревна и укладывали их в жижу, тем самым продлевая дорогу еще на несколько дюймов. Билл рубил, тесал, обвязывал, стараясь не слышать криков боли и не видеть падающие безжизненные тела заключенных, пока не начало смеркаться. Сильно поредевшая колонна тронулась в обратный путь в сгущающихся сумерках.

— Сегодня мы проложили почти тридцать ярдов, — сказал Билл бредущему рядом старому каторжнику.

— А что проку? Все равно вениане ночью подплывут и растащат все бревна.

После этих слов Билл дал себе клятву, что удерет отсюда любой ценой.

Возвратившись в лагерь, он повалился на нары и лезвием ножа стал счищать с себя слой засохшей грязи. К нему подошел сержант Феркель.

— Горячительного, часом, не осталось? — спросил он.

Билл молниеносным движением срубил выбирающийся из-под нар ус лианы и задал встречный вопрос:

— Могу я попросить у тебя совета, сержант?

— Я неиссякаемый источник добрых советов при условии, что будет чем промочить горло.

Билл достал из кармана бутылочку.

— Как можно отсюда выбраться?

— Только в гробу, — схохмил сержант и поднес горлышко к губам. Билл вырвал бутылку из его рук.

— Это я и сам знаю, — фыркнул он.

— А большего тебе и знать не надо, — фыркнул в свою очередь сержант.

Они схватили друг друга за грудки и исторгли из глоток сдавленное рычание. Какое-то время они демонстрировали друг другу несгибаемую стойкость, но напряжение как-то само собой спало. Сержант прислонился к стене. Билл, вздохнув, протянул ему бутылочку.

— А как насчет работы в канцелярии?

— Никак. У нас нет канцелярии. Обходимся без писанины. Рано или поздно убьют всех до последнего, и кого заинтересует, когда это случилось?

— А если ранят?

— Есть лазарет. Вылечат — и обратно.

— Значит, единственный выход — мятеж?

— Мы бунтовали уже четыре раза. Нам просто перестают посылать корабли с продовольствием, не снабжают пищей. А здешнюю есть нельзя — не тот химический состав. На этой планете для нас все ядовито. Убедились на примере нескольких смельчаков. Приходится идти на попятный. Восстание может увенчаться успехом, если захватить достаточное количество кораблей, чтобы всем дать отсюда деру. Если у тебя есть какие-нибудь соображения на этот счет, свяжись с постоянным забастовочным комитетом.

— Значит, другим путем не выбраться?

— Но я же тебе шказал... — несвязно пробормотал Феркель и, мертвецки пьяный, повалился на нары.

— Проверим, — произнес Билл, вытаскивая из кобуры сержанта пистолет, и выскользнул из барака.

Передовые позиции заливал яркий свет бронированных прожекторов, поэтому Билл припал к земле и пополз в противоположную по направлению к ракетодрому сторону. Вскоре, притаившись за раскидистым кустарником, он разглядывал ряды ярко освещенных заграждений.

Выстрел из атомного ружья вырыл воронку в ярде от Билла. Вспыхнул прожектор и поймал его лучом слепящего света.

— Вас приветствует дежурный офицер, — раздался голос из развешанных на столбах громкоговорителей. — Это обращение записано на пленку. Сейчас вы пытаетесь из фронтовой зоны проникнуть на территорию, где расквартировано командование. Это запрещается. Вас засекли автоматиские датчики и навели на вас управляемые орудия. У вас всего шестьдесят секунд на то, чтобы принять решение и вернуться в свой барак. Будьте патриотом! Помните о своем долге! Смерть чинджерам! Пятьдесят пять секунд. Неужели вы хотите, чтобы ваша мать узнала, что сын ее оказался трусом? Пятьдесят секунд. Император вложил в ваше обучение огромные деньги — неужели вы отплатите ему черной неблагодарностью? Сорок пять секунд...

Билл выругался и выстрелил в ближайший громкоговоритель, но остальные продолжали работать. Билл пополз обратно.

Он крадучись пробирался к баракам, стараясь не попасться на глаза часовым, как вдруг все прожекторы погасли и разразился настоящий ад. Взрывы тысяч бомб сотрясали все вокруг.

## 4

Что-то прошмыгнуло рядом с Биллом, и его палец на спусковом крючке инстинктивно дернулся. Короткая вспышка атомного огня осветила дымящиеся останки одного убитого венианина и огромное количество живых вениан. Билл мгновенно отскочил в сторону, сумев увернуться от ответного залпа, и помчался назад. Движимый лишь желанием спасти свою шкуру, он мчался без оглядки, только бы подальше от врага. То, что он направлялся в бескрайние болота, в этот момент не имело для него ни малейшего значения. «Выжить!» — одна мысль билась в его мозгу, и он бежал куда глаза глядят.

С каждой минутой бежать становилось труднее, так как грунт сменился грязью, а затем еще труднее, потому что грязь в свою очередь сменилась водой. Убежав на довольно приличное расстояние, Билл начал постепенно приходить в себя. Барахтаясь в воде, он нащупал относительно твердую почву и в изнеможении повалился на нее. Тут же ему в ягодицу впились чьи-то острые зубы. С безумным криком он снова сорвался с места и очень скоро налетел на плохо различимое во тьме дерево. Прикосновение к шершавой коре пробудило в нем древние инстинкты, и он быстро вскарабкался наверх. Высоко на дереве обнаружились две крепкие ветви, образовавшие удобную развилку, и он с комфортом расположился на ней, опершись спиной о ствол и нацелив взведенный пистолет во тьму. Сейчас он чувствовал себя в относительной безопасности. Далекие отзвуки взрывов постепенно стихали. Через какое-то время он начал клевать носом и в конце концов заснул.

На рассвете, разлепив опухшие веки, Билл заморгал и осмотрелся вокруг. На ветке неподалеку от него сидела маленькая ящерица и внимательно разглядывала его своими глазками-бусинками.

— Ну и горазд же ты дрыхнуть! — сказал чинджер.

Билл выстрелил. Конец ветки обуглился. Чинджер выполз из-за ствола и отряхнулся от пепла.

— Ну-ну, полегче, Билл, — укоризненно произнесла ящерица. — Если бы я захотел, мог бы давно прикончить тебя, пока ты спал.

— Я... тебя знаю... — прохрипел Билл. — Ты Усер.

— Приятно встретиться со старым приятелем, скажи, Билл?

По ветке ползла сороконожка. Чинджер Усер поймал ее и, держа тремя лапами, четвертой оборвал ей ножки, а потом с аппетитом начал хрумкать.

— Я узнал тебя, Билл, и мне захотелось поболтать. Ты уж извини, я тогда нагрубил, обозвав тебя доносчиком. Виноват, каюсь. Ты просто выполнял свой долг. Но как тебе удалось меня раскусить?

— Иди ты к черту, — буркнул Билл и достал из кармана пузырек с микстурой от кашля.

Чинджер Усер горько вздохнул:

— Конечно, я не имею права требовать, чтобы ты выдал военную тайну. Но может быть, ты ответишь мне на несколько вопросов? — Он бросил объеденную сороконожку, покопался в сумке на груди и достал оттуда миниатюрный блокнот и авторучку. — Понимаешь, я не профессиональный шпион. Просто меня мобилизовали ввиду моей специальности — я экзополог. Слыхал о такой науке?

— Кое-что. Была у нас как-то лекция одного экзополога, так он только и знал, что трепаться о каких-то инопланетных червяках и других тварях.

— Вот-вот, в общих чертах представляешь. Эта наука изучает иные формы жизни, а для нас иной формой жизни являетесь вы, гомо сапиенс...

Билл вскинул пистолет, и чинджер шмыгнул за ветку.

— Поаккуратней с выражениями, гад!

— Извини, привычка... Короче говоря, так как я специализировался на вашем виде, меня забросили к вам в качестве шпиона. Это, конечно, неприятно, но что делать, война требует жертв! Вот теперь увидел тебя и вспомнил, что я еще многого о вас не знаю. Ты бы не помог мне? В интересах науки, разумеется.

— Чем помочь? — поинтересовался Билл, выбрасывая далеко в болото опустевший пузырек.

— Ну... К примеру, такой вопрос: что ты чувствуешь по отношению к нам, чинджерам?

— Бей чинджеров! — заорал Билл.

Маленькое перо скрипело по бумаге.

— Этому тебя выучили. А до армии что ты чувствовал?

— А до армии я ни черта о вас не слыхал.

Краем глаза Билл заметил какое-то движение в кроне дерева.

— Отлично! В таком случае можешь ли ты сказать мне, кто ненавидит чинджеров и раздувает эту войну?

— По-моему, никто. Просто под руку никто другой не подвернулся, вот мы и воюем с вами.

Движение в кроне усиливалось. Листья раздвинулись, и показалась большая скользкая голова с щелевидными глазами.

— Так я и знал! А вот самый главный вопрос: почему вы, гомо сапиенс, должны непременно с кем-то воевать?

Билл покрепче сжал рукоятку пистолета, потому что голова чудовища на длинной шее в фут толщиной бесшумно опустилась и закачалась позади чинджера.

— Почему? Откуда я знаю? — задумался Билл, несколько отвлеченный появлением гигантской змеи. — Наверное, нам просто нравится воевать. Другой причины вроде нет.

— Нравится?! — запищал чинджер и запрыгал от возбуждения. — Ни одной цивилизованной расе не нравятся смерть, убийства, насилие, увечья, муки, боль! И это далеко не все, что несет война. Вывод один — вы не цивилизованы!

Змея сделала молниеносный выпад, и чинджер Усер исчез в ее пасти, успев только слабо пискнуть от изумления и ужаса.

— Да, наверное, мы действительно не цивилизованы, — проворчал Билл, держа пистолет наготове. Но змея, не обращая на него внимания, направилась вниз. Проползло длинющее, ярдов пятидесяти, тело, мелькнул тонкий хвост, и чудовище исчезло.

— Собаке собачья смерть! — с удовлетворением подытожил Билл и стал спускаться.

Только внизу он осознал, в какое неприятное положение его снова занесло. Болото поглотило все следы его ночных путешествий, яркое солнце развеяло туман и тучи, и теперь оставалось только гадать, в какой стороне находится линия фронта. Люди занимали территорию всего в сто квадратных миль — булавочный укол по сравнению с остальной поверхностью планеты. Тем не менее эту территорию необходимо найти, в противном случае можно смело приступить к поискам местечка для могилки. Так или иначе пришла пора действовать, поэтому Билл выбрал самое, на его взгляд, верное направление и отправился в путь.

— Я кретин, — заявил он через некоторое время, и это была чистая правда. Несколько часов блужданий по болотам полностью лишили его сил. Он был искусан насекомыми, не менее полулитра крови отдал пиявкам и практически опустошил магазин своего пистолета, потому что представителям местной фауны то и дело приходило в голову им позавтракать. Его терзали голод, жажда и полное неведение.

Вторая половина дня мало отличалась от первой. К вечеру Билл находился на грани истощения. Ко всему прочему кончилась микстура от кашля. Он был невыносимо голоден, когда в поисках ночлега вскарабкался на дерево и наткнулся на красный плод весьма аппетитного вида.

— Отрава, наверное, — проворчал он, принюхиваясь. Пахло замечательно. Билл отшвырнул плод подальше.

К утру он проголодался еще сильней.

— Я, пожалуй, выстрелю в рот и снесу себе башку, — размышлял он вслух, взвешивая на руке атомный пистолет. — Впрочем, успеется. Всякое может случиться...

Когда из тумана послышались человеческие голоса, Билл не сразу поверил в это. Он взвел пистолет и спрятался за толстым деревом. Голоса приближались. Они слышались все громче, к тому же стало доноситься какое-то позвякивание.

Под деревом прошел вооруженный венианин. Билл пропустил его, потому что в тумане показались еще силуэты. Брели пленные, скованные тяжелой, пропущенной через железные ошейники цепью. Каждый нес на голове увесистый ящик. Билл пропустил колонну и внимательно пересчитал вениан-охранников. Пятеро, шестой замыкающий. Билл дождался, когда он окажется под деревом, и спрыгнул прямо ему на голову, размозжив венианину череп тяжелыми башмаками. Вооружен венианин был стандартным атомным ружьем чинджеровского производства, и Билл зловеще ухмыльнулся, ощутив привычную тяжесть. Сунув свой пистолет за пояс, он отправился следом за колонной с ружьем наготове.

Еще одного конвоира он уложил, подкравшись сзади и ударив прикладом по шее. Двое замыкающих пленных увидели, что происходит, но у них хватило ума сохранять спокойствие, что позволило Биллу подкрасться к следующему конвоиру. Однако то ли какое-то движение, то ли что-то другое заставило охранника насторожиться, и он обернулся, поднимая свое ружье. Действовать бесшумно уже не представлялось возможности, поэтому Билл без колебаний прострелил ему череп и помчался в голову колонны.

Грохот выстрела эхом отозвался в тумане, и Билл, нарушая воцарившуюся тишину, громко закричал:

— Ложись, быстро!

Пленные бросились в грязь, а Билл, не отпуская гашетку, принялся палить беспрерывной очередью от бедра вперед и в стороны. Струя атомного огня блеснула в ярде над землей. В тумане раздавались пронзительные крики и вопли. Когда магазин ружья опустел, Билл выхватил пистолет. Двое конвоиров были мертвы, один ранен. Раненый еще успел выстрелить, к счастью мимо, прежде чем Билл прикончил его из пистолета.

— Ну что ж, неплохо. Шесть из шести возможных! — пропыхтел он.

Из колонны донеслись громкие жалобные стоны. Билл подошел и, скривившись, посмотрел на трех несчастных, не подчинившихся его команде.

— В чем дело? — ткнул он ботинком одного из них. — Вы что, никогда в бою не были?

Солдат не отзывался, так как был обуглен и мертв.

— Никогда... — сквозь стиснутые зубы простонал второй раненый. — Позовите санитара, он где-то в голове колонны. Ох, зачем я ушел из «Фанни Хилл»?.. Санитара!

Билл заметил в петлицах раненого три золотых шарика, обозначающих звание четвертого лейтенанта, и внимательно вгляделся в покрытое грязью лицо.

— А... интендантик! — злобно зарычал он и поднял пистолет, собираясь завершить успешно начатую работу.

— Это не я! — взвизгнул лейтенант, узнав наконец Билла. — Офицера-интенданта солдаты утопили в сортире. Это я, твой друг, пастор, я принес тебе благословение... Сын мой, перечитывал ли ты на сон грядущий святую книгу Авесты?

Билл презрительно сплюнул, но пристрелить священника у него не поднялась рука, и он подошел к третьему раненому.

— Привет, Билл, — донесся слабый голос. — Старый я стал, реакция уже не та... Я не держу зла на тебя... Сам сплоховал...

— Ты прав, как никогда, — кивнул Билл, глядя вниз на ненавистную клыкастую физиономию. — Тебе конец, Сдохни.

— Знаю... — выдохнул бывший инструктор и закашлялся. Его глаза медленно закрылись.

— Ну-ка, становись в круг! — закричал Билл. — Давай медика сюда!

Скованные одной цепью пленные окружили лежащие в грязи тела, позволяя санитару осмотреть раненых.

— Лейтенанту достаточно перевязать руку, — сказал он, произведя осмотр. — Обыкновенный ожог. Но этому, клыкастому, каюк.

— Он хоть немного протянет?

— Немного — возможно, но как долго — не знаю...

— Сделай все, что сможешь! — Билл оглядел стоящих кружком пленных. — Ошейники никак не снять?

— Без ключа не получится, — отозвался коренастый сержант-пехотинец. — Конвойные ключей не носят. Придется побыть в ошейниках. С какой стати ты рисковал, выручая нас? — подозрительно спросил сержант.

— Выручать вас? — Билл состроил презрительную гримасу. — Просто я проголодался и решил, что в вашей поклаже найдется какая-нибудь жратва.

— Это точно, — успокоился сержант. — Теперь все ясно, ради этого стоило рискнуть.

Билл откупорил банку консервов и набил содержимым полный рот.

## 5

Мертвого солдата освободили от цепи, отрубив ему голову. Так же хотели поступить с умирающим Сгинь Сдохни двое его соседей, но Билл урезонил их, объяснив, что самое лучшее в человеке — это сострадание и любовь к ближнему. Они горячо согласились с этим, особенно когда он пригрозил отстрелить им ноги.

Пока пленные подкреплялись, Билл вырубил две крепкие жерди и смастерил из них и трех солдатских курток удобные носилки. Одно трофейное ружье он оставил себе, остальные раздал сержанту и ветеранам, выглядевшим повоинственнее.

— Дорогу обратно найдем? — спросил Билл сержанта. Тот тщательно протирал ружье тряпкой.

— Возможно. Должны остаться следы — все-таки немало народу протопало. Только берегись вениан. Увидел — стреляй, иначе ног не унесешь. Как услышим канонаду, поищем местечко потише и попытаемся прорваться. Хотя шансов у нас мало.

— Все же побольше, чем час назад!

— Это точно. Но если не поторапливаться, будет меньше.

— Верно. Пошли!

Идти оказалось легче, чем предполагал Билл, и еще засветло стали слышны глухие раскаты орудийных залпов. За всю дорогу им попался всего лишь один венианин, и тот был подстрелен раньше, чем успел поднять тревогу. Билл остановил колонну.

— Съесть, сколько возможно, остальное выбросить! Передай по цепочке! Дальше идем налегке!

Он подошел к Сгинь Сдохни.

— Худо мне, — прошептал белый, как бумага, сержант. — Подыхаю... Эх, помордовал я солдат на своем веку... все прошло... Прощай, Билл... ты настоящий друг... так заботился обо мне...

— Я рад, что ты так думаешь, Сдохни. Окажи мне небольшую любезность напоследок. — Билл нашарил в кармане умирающего блокнот и нацарапал что-то на чистом листке. — Подпиши, а? На память о нашей крепкой дружбе.

Рука Сгинь Сдохни безвольно упала, налитые кровью глаза остановились, глядя в небо...

— Подох, сукин сын, не вовремя, — недовольно проворчал Билл. Затем подумал, намазал большой палец покойника чернилами и приложил его к листку. Потом позвал санитара.

— Эй, посмотри, что с ним?

— Мертв, — вынес профессиональное заключение медик.

— Перед смертью он завещал мне свои клыки, видишь, вот написано. Это специально выращенные клыки, и стоят они кучу денег. Можно будет их трансплантировать?

— Конечно, если их вырезать и хранить не более двенадцати часов на холоде.

— Ну это не проблема, возьмем тело с собой. — Билл грозно взглянул на носильщиков и похлопал по прикладу атомного ружья. Возражений не было. — Давайте-ка сюда лейтенанта!

— Ваше преподобие, — Билл подсунул листок офицеру, — мне нужна здесь ваша подпись. Перед смертью сержант продиктовал свою последнюю волю, однако слишком ослабел, чтобы подписаться. Он смог только поставить отпечаток большого пальца. Засвидетельствуйте здесь, что видели это собственными глазами.

— Но... я не могу, сын мой. Я не видел aaaргхх...

Офицер произнес «аааргхх», потому что Билл воткнул ему в рот дуло пистолета, палец его задрожал на курке.

— Стреляй! — сказал сержант-пехотинец, а трое наблюдавших эту сцену ветеранов дружно захлопали в ладоши. Билл медленно отвел пистолет.

— С удовольствием помогу! — тут же заверил капеллан, хватаясь за ручку.

Билл прочитал документ, с удовлетворением крякнул и направился к санитару.

— Ты из госпиталя?

— А то откуда? И если я когда-нибудь вернусь обратно, меня не выманишь ни за какие коврижки! Чертовское невезение — осматривал пострадавших на поле боя, когда противник нанес удар.

— Говорят, раненых в тыл не эвакуируют, а подлатают их кое-как — и снова на передовую?

— Верно говорят. Из этого пекла так легко не выбраться.

— Но должны же быть тяжелые ранения! — не унимался Билл.

— Чудеса современной медицины, — невнятно прочавкал санитар, набив полный рот обезвоженной мясной закуской. — Либо ты сдохнешь, либо через две недели опять в строю.

— Но вдруг солдату руку оторвет?

— Да у них полный холодильник запасных рук! В два счета пришьют новую — и пинком под зад!

— А как насчет ноги? — не на шутку забеспокоился Билл.

— Ох, верно! Ног не хватает. Этих обезноженных столько набралось, что в госпитале повернуться негде. Я слышал, их собираются вывезти.

— У тебя есть болеутоляющие таблетки? — спросил Билл, внезапно меняя тему.

Санитар вытащил белую бутылочку.

— Трех штук достаточно, и ты смехом изойдешь, когда тебе голову будут отпиливать.

— Давай сюда!

— Если увидишь случайно парня с простреленной ногой, поскорее наложи жгут выше колена да потуже затяни.

— Спасибо, приятель.

— Мне не жалко.

— Пошли, пошли! — поторопил сержант-пехотинец. — Чем быстрее топать, тем больше шансов на успех.

Сквозь густую листву прорывались вспышки стреляющих атомных винтовок, почва под ногами дрожала от грохота тяжелой артиллерии. Солдаты пробирались вдоль линии боя, пока огонь не стих. Билл, единственный, кто не был прикован к остальным цепью, пополз вперед на разведку и вскоре обнаружил слабое место в полосе неприятеля. Перед тем как вернуться, он достал из кармана моток веревки, предусмотрительно снятой с ящика с обезвоженным мясом, перетянул правую ногу выше колена и, подобрав с земли ветку, сделал турникет. Затем проглотил три таблетки и, стараясь держаться за кустами, прокричал своим:

— Сейчас прямо вперед, а перед той рощицей — направо! Ну... ПОШЛИ!!!

Когда солдаты оставили позади первую линию траншей, Билл воскликнул: «Что это?» — и нырнул в густой кустарник.

«Чинджеры!» — заорал он оттуда, грохнулся наземь и, привалившись спиной к могучему стволу, аккуратно отстрелил себе из пистолета правую ногу.

— Пошевеливайтесь! — крикнул он и с удовлетворением услышал топот испуганных людей. Затем отбросил пистолет подальше, несколько раз пальнул по деревьям из атомного ружья и с трудом поднялся. Идти было недалеко, а ружье оказалось хорошим костылем. Двое солдат — явно зеленых новичков, иначе сидели бы они себе тихо! — выскочили из укрытия и кинулись ему на помощь.

— Спасибо, парни, — очутившись в безопасности, прохрипел Билл и тяжело повалился на землю. — Война — это сущий ад.

## ЭПИЛОГ

Бравурные звуки марша раскатывались среди холмов, дробились в каменистых грядах и затухали в густых тенистых деревьях. Из-за поворота, взметая чеканным шагом облака пыли, показалась процессия — настоящий маленький парад, — ведомая великолепным роботом-оркестром. Солнце сверкало на его золотистом корпусе и множестве звучащих музыкальных инструментов. За ним следовала колонна лязгающих и тарахтящих роботов, и замыкала ряды мужественная одинокая фигура увешанного медалями седовласого сержанта. Хотя дорога была ровной, сержант внезапно споткнулся и смачно выругался, демонстрируя недюжинный опыт.

— Стой! — приказал он, прислонился к каменной стене, что тянулась вдоль дороги, и закатил правую штанину. По его свистку к нему немедленно подскочил робот с инструментальным ящиком. Сержант подтянул пассатижами какую-то гайку на искусственной ноге, капнул из масленки в коленный сустав и вновь опустил штанину. Выпрямившись, он увидел в поле за изгородью робомула с плугом и ведущего его крепкого деревенского паренька.

— Пива! — коротко бросил сержант, а потом добавил: — А ну, «Жалобу космонавта»!

Робот-оркестр с чувством выводил трогательную мелодию старой песни, и, когда борозда достигла края поля, на стене стояли две чуть уже запотевшие кружки.

— Славная музыка! — восхитился паренек.

— Выпей со мной, — предложил сержант, сыпанув в кружку порошка из спрятанного в руке пакетика.

— Да, пожалуй, беды не будет — жара чер... я хотел сказать, сегодня ужасно жарко.

— Скажи «черт», сынок, не бойся. Мне доводилось слышать кое-что и похлеще.

— Ма у меня страсть не любит, когда я бранюсь... Ух и длиннющие же у вас зубы, мистер!

Сержант смачно щелкнул по клыку.

— Такому большому парню не грех и выругаться разок-другой. Если бы ты служил в армии, то мог бы говорить и «черт», и похлеще, сколько твоей душе угодно.

— Не думаю, чтобы мне это было по душе. — На загорелых щеках паренька зарделись два пятна. — Спасибо за пиво. Пойду я, пахать пора. Ма строго-настрого запретила якшаться с солдатами.

— И она права! Большинство из них — грубые, грязные и пьяные. Эй, а хочешь посмотреть фильм про новую модель робомула, который может тысячу часов работать без смазки?

Сержант протянул руку назад, и робот вложил в нее проектор.

— Гм, интересно! — Паренек поднес проектор к глазам и вдруг густо покраснел. — Это не мул, мистер, это девушка, и ее одежда...

Сержант молниеносным движением нажал кнопку наверху проектора. Что-то щелкнуло, и юный фермер застыл столбом. Даже выражение его лица не изменилось, когда вербовщик вытащил аппарат из парализованных пальцев.

— Бери перо, — велел сержант. — Распишись здесь, внизу, где сказано: «Подпись новобранца».

Перо заскрипело по бумаге, и в это время тишину разорвал пронзительный голос.

— Мой Чарли! Что вы делаете с моим Чарли?! — истошно вопила растрепанная седовласая старуха, выбежавшая из-за холма.

— Ваш сын стал солдатом во славу императора! — провозгласил сержант и подозвал робота-портного.

— Нет! Пожалуйста, умоляю вас! — взвыла старуха, схватив руку сержанта и обильно орошая ее слезами. — Я уже потеряла одного сына, разве этого не достаточно... — Она замерла пораженно, всматриваясь сквозь слезы в лицо вербовщика. — Но... ты же мой мальчик! Мой Билл! Мой Билли вернулся домой! Все эти шрамы, и клыки, и черная рука, и искусственная нога... Но я знаю! Мать всегда знает!..

Сержант нахмурился, глядя вниз на старуху.

— Гм, вполне возможно. То-то я думаю, Фигеринадондва — знакомое название.

Робот-портной закончил работу: неотразимо сверкал ярко-красный бумажный мундир, сияли защитной пленкой толщиной в одну молекулу новехонькие сапоги из эрзац-кожи.

— Строиться! — гаркнул Билл, и новобранец перелез через стену и мужественно застыл посреди пыльной дороги.

— Билли, Билли... — запричитала женщина. — Это же твой младший брат Чарли! Неужели ты заберешь своего младшего братика в армию?!

Билл подумал о матери, затем подумал о своем младшем братике Чарли, затем подумал о том, что за новобранца скостят месяц со срока службы, и ответ был готов.

— Заберу, — сказал он.

Загремела музыка, замаршировали солдаты, зарыдала мать — как испокон веку рыдают матери, — и бравый маленький отряд ушел по дороге в сторону заходящего солнца.

# Билл, герой Галактики, отправляется в свой первый отпуск

Полная бутылка сказочного напитка «Пей-до-дна-Мечта-Пьяницы», сто восемьдесят градусов — не больше и не меньше, достаточно крепкого, чтобы проесть стекло, — это немалая взятка. И, уже имея определенный опыт общения с военными, Билл не торопился отдавать это сокровище дежурному сержанту до тех пор, пока собственными глазами не увидел своего имени в списке отбывающих.

Ну вот наконец его первый отпуск! Когда Билл взял в руки приказ, его губы расползлись в гримасу, отдаленно напоминающую улыбку, а на лбу выступили блестящие капельки пота.

«Ровно в три часа двадцать четыре минуты отбывающие в отпуск будут отправлены на роскошный курортный остров Антракс, где им предстоит согласно уставу наслаждаться солнцем, песком и всем прочим. Ненаслаждение карается смертной...»

Глаза Билла закатились от удовольствия, и он даже не смог дочитать приказ до конца. Ну и черт с ней, с этой бумажкой. И так все понятно. Уж кого-кого, а его не придется заставлять наслаждаться солнцем, песком и особенно всем прочим.

Ровно в три часа двадцать четыре минуты следующего утра ничего замечательного не произошло. Билл вместе с остальными счастливчиками почти два часа просидел пристегнутым к окованному сталью креслу внутри на редкость нескладного летательного аппарата, пока пилот не получил-таки столь долгожданный сигнал, завел двигатели, и судно, подняв свои мощные лопасти, помчалось над океаном.

Пронесшись несколько секунд по воздуху, корабль камнем рухнул вниз.

Зубы Билла громко лязгнули, а голова, откинувшись назад, больно ударилась о переборку.

— Кранты! Мы погибли! — дико заорал Билл.

— Закрой пасть, сукин ты сын! — проскрежетал с соседнего сиденья сержант, явно не желающий широко открывать рот, чтобы не прикусить язык в момент нового рывка. — Это тебе не какое-нибудь гражданское судно на воздушной подушке. Это военная модель, и она прыгает. Увертывается от обстрела, спасая твою вонючую шкуру.

— И при этом расплющивает всех, кто у нее внутри?

— Именно так, недоумок! Быстро соображаешь, — видимо, хорошая встряска пошла на пользу твоей дырявой башке.

Миновала, казалось, целая вечность, в течение которой прыгун то взмывал вверх, то с устрашающим воем устремлялся вниз. Неожиданно безумная гонка прекратилась, и наступила тишина. Ее нарушали лишь стоны изрядно помятых отпускников.

— На выход! — прохрипел громкоговоритель. — Тот, кто вылезет последним, будет неделю чистить сортиры.

Сразу же позабыв об увечьях, полученных во время перелета к месту вожделенного отдыха, герои галактических сражений дружно бросились к выходу, с боем расчищая себе путь из проклятой соковыжималки. Те, кому удавалось по головам и плечам соратников выбраться наружу, обессиленно падали на землю, тяжело дыша, словно рыбы, выброшенные на сушу.

— А песок-то черный... — с трудом разлепляя губы, пробурчал на редкость наблюдательный Билл.

— Конечно черный! — радостно и нежно проворковал сержант. — С чего бы ему быть белым, ведь этот остров — вулканический, и это не совсем даже песок, а лава. Так, хватит разлеживаться! Вали на перекличку!

Не успели еще пострадавшие от последних разработок в авиатехнике оторвать от земли свои расплющенные тела, как словно в подтверждение слов сержанта в недрах что-то судорожно громыхнуло, остров исступленно затрясся, словно пес, вычесывающий блох, и отпускники в ужасе увидели, как верхушка ближайшей горы изрыгнула устрашающе черный дым и выстрелила в небо фонтаном из камней.

— А что, мы будем проводить отпуск на действующем вулкане? — спросил любознательный Билл.

— Ты в армии или где? — вполне резонно ответил сержант. — Поверь мне, придурок, это еще не худшее место для отдыха.

Они стояли под палящим тропическим солнцем — точнее, те, кто еще не потерял сознание от теплового удара. Наконец сержант получил добро на размещение вновь прибывших в здравницах курорта. Только после этого они построились в походный порядок и, пошатываясь, двинулись в джунгли.

Путь казался еще более длинным из-за прогулочных платформ с офицерами, которые то и дело проносились над ними. Пассажиры платформ весело ржали, бросали вниз пустые бутылки и в перерывах между новыми судорожными глотками делали непристойные жесты. Несчастным воякам только и оставалось уворачиваться от стеклянных снарядов и надеяться на лучшее.

До лагеря для нижних чинов они добрались уже в сгустившихся сумерках. Место для отпуска было действительно выбрано почти идеально. Повсюду из многочисленных расщелин вырывались тучи диоксида серы и других, судя по всему, не менее ядовитых химических соединений. Каждый, даже самый скупой вдох вместо кислорода насыщал организм слезоточиво-парализующей смесью. Едва волоча ноги, хрипя, кашляя и рыдая, отпускники вползли в свои бунгало, расположенные, конечно, с подветренной стороны от вулкана, и рухнули на твердые как камень койки.

— До чего ж тут весело! — сквозь слезы провозгласил Билл и тут же был вынужден уворачиваться от полетевших в него со всех сторон сапог.

Хотя отпускники чертовски измотались, они обнаружили, что непрерывное громыхание в глубинах земли и вонючий вулканический смог, сокращенно БУС, как ни странно, здорово мешают заснуть. Впрочем, если бы они не обладали уникальной способностью спать и в еще худших условиях, они давно бы умерли от изнеможения. Вскоре к обычным для Антракса звукам прибавился дружный храп, очень похожий на смертные хрипы разъеденных кислотой глоток. Вдруг вспыхнул свет, и в дверь с громким воплем ввалился сержант:

— Тревога! Чинджеры напали!

Отпускники со стонами вяло зашевелились на койках, но тут сержант неосторожно добавил:

— Они атакуют офицерский лагерь!

Стоны сменились одобрительными вскриками. Но эмоции очень быстро утихли и снова оживились лишь после того, как сержант пальнул в потолок.

— Ребята, я ничего не имею против вашей горячей любви к офицерскому составу, — понимающе проворчал он. — Но после этих ублюдков чинджеры наверняка возьмутся за нас. К оружию!

Этот весьма резонный довод, обращенный к инстинкту самосохранения, а не к готовности пожертвовать собой за глубоко любимых господ офицеров, заставил солдат рвануться к оружейной стойке.

Билл, одетый лишь в модные оранжевые подштанники и сапоги, решительно схватил ионное ружье и присоединился к весельчакам, уже вовсю резвившимся на крыльце. Со стороны офицерского лагеря доносились взрывы и душераздирающие крики.

— Слышите? Похоже, этим козлам больше не до шуток!

— Какие уж шутки — не забыли бы поменять белье!

Это была славная острота, и Билл, от души посмеявшись, решил подобраться поближе, откуда можно будет с удобством полюбоваться на предстоящее зрелище.

— Тсс, Билл! Давай сюда, — прошептал кто-то из-за кустов.

— Кому это я понадобился? — подозрительно спросил Билл. — Я тут, кажется, никого не знаю.

— Зато я тебя знаю, Билл. Мы с тобой вместе летали на старушке «Фанни Хилл», как, вспомнил?

— И зачем мне нужно что-то вспоминать?

— А затем, что у меня припасена бутылка «Пота плутонианской пантеры», и мне бы очень не хотелось предлагать распить ее кому-нибудь другому.

— Дружище, что же ты молчал! Теперь я тебя точно вспомню!

Билл заглянул за куст и в тусклом лунном свете, едва просачивающемся через тучи, увидел, что стоящая перед ним крохотная фигурка принадлежит одному из недавно напавших чинджеров.

— Тревога! — не слишком уверенно крикнул Билл, вскидывая ружье. Да, верность уставу — это то, что отличает настоящего десантника даже тогда, когда его мозги целиком подчинены желанию отведать знаменитый напиток.

Маленькая, но сильная рука схватила ружье за дуло и вырвала его. Чинджер подпрыгнул, и твердый кулак врезался Биллу в челюсть. Похоже, чинджер действительно знал Билла как облупленного, а иначе откуда бы он догадался, что подобные процедуры сильно помогают некоторым людям освежить память.

— Ну же, Билл! Ты ведь меня помнишь. Как-то раз я уже тебя спас.

— Усер? Прилежник?!

— Ну наконец-то! Так ли много у тебя знакомых чинджеров? Которые специально организовывают это нападение...

— Так, оказывается, вы не собираетесь убивать офицеров? — разочарованно спросил Билл.

— Еще как собираемся. Теперь заткнись и дай мне договорить. Нападение, чтобы я мог незаметно забрать тебя. Нам очень нужна твоя помощь...

— Не хочешь ли ты сказать, что ради помощи вам я должен предать человечество?

— Конечно. Ты ведь десантник, специально обученный для выживания в любой обстановке, а значит ты готов на все, чтобы спасти свою шкуру. Правильно?

— Правильно. Но смотря сколько вы мне заплатите.

— Пожизненный кредит на неограниченную выпивку в Межзвездном клубе. Не говоря уже о колбасе на закуску.

— Годится. Кого я должен убить?

— Никого. Тебе, вообще-то, даже не нужно становиться предателем. Я просто хотел проверить, действительно ли вы, люди, такие форменные козлы, как про вас говорят. А теперь сваливаем отсюда, пока нападение не закончилось.

Усер уверенно направился к ярко разукрашенному фонтану, увенчанному здоровенной рыбиной, из пасти которой струилась вода. Один поворот рыбьего хвоста, и вода перестала течь, а в боку чудовища открылся проем.

— Полезай, — приказал Усер.

— Это что? Миниатюрный космический корабль, замаскированный под фонтан, очередное чудо чинджерской техники?

— А ты что думал, вагон подземки? И давай шевелись, пока нас тут не прихватили.

Пули, ударившиеся о камни у самых его каблуков, заставили Билла не задумываясь нырнуть в открывшееся отверстие. При этом он умудрился врезаться во что-то головой, да так основательно, что на время потерял сознание. Когда Билл пришел в себя, он обнаружил Усера в кресле у пульта управления, а во тьме, царящей за иллюминатором, лишь кое-где вспыхивали искорки звезд.

— Отлично, — произнес Усер, откидываясь назад вместе с креслом. — Бери сигару, а я пока постараюсь объяснить тебе суть дела.

Билл охотно взял одну из предложенных сигар и, не успев закурить, очумело уставился на Прилежника, который деловито съел остальные и довольно рыгнул.

— Чего вылупился? Давай прикуривай, и пора заниматься делом. Задание, которое нам поручено, — благородная миссия спасения.

— Кого мы должны спасать — похищенных девиц? Они хоть симпатичные?

— Едва ли. У одного из наших не вовремя закончилось топливо, и его захватили вместе с кораблем. Мы с тобой обязаны вытащить его, это очень важно для нас.

— Чем же он так знаменит, этот чинджер?

— Тебе это знать совсем необязательно. Запомни главное: если дело выгорит, то тебе хватит выпивки на всю оставшуюся жизнь.

— А почему бы тебе не сделать это самому?

— Да по той простой причине, козел ты пытливый, что я не человек. Нужный нам чинджер находится в плену на высокомилитаризованной планете Пара'Нойя. Как бы я ни маскировался, меня там сразу же разоблачат. А ты до отвращения похож на человека и спокойно можешь попасть туда, куда любому из нас дорога заказана.

— Я хочу получить часть платы вперед, — твердо заявил Билл, чувствуя, что у него появились основания для уверенности в себе.

— Почему бы и нет. Ты вполне способен действовать и в пьяном виде. Вот.

«Вот» оказалось флягой с жидкостью сомнительного зеленого цвета и этикеткой, коряво написанной на неизвестном Биллу языке. Но такие мелочи не остановят человека, у которого горят трубы. Первый глоток показался просто омерзительным на вкус, дался нелегко, и Биллу даже померещилось, что у него из ушей повалил дым. Но тренированный организм выдержал удар, дальше пошло как по маслу, и вскоре он уже доходил до кондиции, хрюкая от удовольствия.

* * *

Билла разбудил праздничный перезвон колоколов, и он жалобно застонал. Ему стало еще хуже, когда он понял, что все это многоголосие звучит внутри его черепной коробки.

Открыть глаза удалось только при помощи пальцев обеих рук. Но стоило на секунду отпустить веки, как они с лязгом сомкнулись обратно. Эти титанические усилия заставили Билла застонать еще сильнее — проникший через зрачки свет с шипением обжег мозг.

— С добрым утром, — усмехнулся Усер и сделал Биллу безболезненный укол. Что бы это ни было за лекарство, подействовало оно почти мгновенно, и симптомы всегалактического похмелья начали униматься. Когда с глаз несчастного начала спадать пелена, он заметил, что перед ним стоит седовласый флотский адмирал при полном параде. Билл тут же вытянулся в струнку и лихо отсалютовал обеими правыми руками.

К его удивлению, адмирал бойко проделал то же самое. И тут невероятное чутье подсказало Биллу, что он видит в зеркале самого себя.

— Наконец-то я получил звание, которое действительно заслуживаю, — самодовольно ухмыльнулся Билл, выпятив грудь и игриво побренчав медалями.

— Прекрати паясничать. Ты недостаточно умен даже для рядового первого класса. Теперь внимательно слушай и постарайся запомнить все, что я тебе сейчас скажу. Если ты потом хоть что-нибудь напутаешь, последствия могут оказаться необратимыми. Инструкции мнемонически имплантированы в твое подсознание. Чтобы они начали работать, ты должен произнести вслух слово «гарумф».

— И это все?

— Ишь разбежался. Я, например, очень сомневаюсь, что тебе вообще удастся самостоятельно управиться со всеми хитростями, заключенными в этих инструкциях.

— Гарумф, — решительно произнес Билл, важно засунул большие пальцы рук за портупею и заговорил хорошо поставленным голосом: — Я смотрю, вы, молодой человек, не отдаете себе отчета в том, что находитесь в присутствии адмирала имперского флота...

— Не-гарумф! — поспешно воскликнул Усер, и Билл испуганно отшатнулся.

— Я что-то не то сказал?

— Как раз то, что надо. Имплантат работает в лучшем виде. Теперь можно начинать сражение.

— Какое еще сражение?

— Инсценированное сражение, бестолочь, из которого ты вырвешься на поврежденном спасательном катере и совершишь вынужденную посадку на Пара'Нойе.

Бывший Прилежник, а теперь суперагент Усер нажал кнопку связи, и на экране возникло изображение еще более зеленого четверорукого чинджера.

— Тидсминкс, — произнес Усер.

— Мртнзл! — промычал его собеседник и исчез с экрана.

— Людям понадобилось бы объясняться не менее пяти минут, чтобы выразить все то, что ты сейчас услышал. Чинджерский язык необычайно компактен и содержателен.

— Зато звучит он на редкость отвратно.

— Твоего мнения на этот счет никто не спрашивает. Дуй к люку, твой героический конь уже прибыл и бьет копытом.

Откуда-то нарисовался весь обожженный шлюп, с лязгом пришвартовался к фонтану и с жутким скрипом открыл переходной шлюз.

— Давай! — приказал Усер, и Билл послушно перебрался в катер. Он плюхнулся в кресло пилота, покрепче пристегнулся и уже потянулся к пульту управления, но тут у него в ушах заскрежетал голос суперагента.

— Не вздумай ни к чему прикасаться, козел. Я уже включил дистанционное управление и автопилотирование. Счастливого пути...

Голос чинджера потонул в реве двигателей, и катер с места ринулся вперед. Прямиком в алчущую утробу развернувшегося вокруг космического сражения. Когда со всех сторон принялись рваться снаряды и космические мины, Билл в ужасе завопил и закрыл глаза.

Маленький космический корабль стремительно пронесся через взрывы и вспышки и направился к синему шару — быстро приближающейся незнакомой планете. Едва катер попал в зону притяжения планеты, двигатель заглох, и только что открывший глаза Билл почувствовал, как ненадежное суденышко увлекает его в свободное падение сквозь пелену густых туч.

К восторгу уже простившегося с жизнью Билла, в последнюю микросекунду падения тормозной парашют все-таки раскрылся, и корабль мягко опустился посреди плаца ощетинившейся пушками военной базы. Люк со скрежетом отодвинулся. Плюнув на ладонь, Билл пригладил свои так кстати поседевшие волосы, втянул живот, выпятил грудь, как полагалось настоящему адмиралу, и шагнул наружу.

— Стой на месте, шпион, или я тебя поджарю, как гамбургер!

Часовой со свирепым видом направил свой излучатель прямо Биллу в живот, держа палец на спусковом крючке.

— Урргл! — произнес Билл.

— Чего?

— Я хотел сказать — барбл!

От отчаяния Билл побледнел так, что его кожа сделалась одного цвета с абсолютно седыми волосами. Он потерял ключевое слово!

— Что здесь происходит? — пролязгал невесть откуда взявшийся генерал, одетый в бронированный скафандр.

— Приземлился неизвестный космический катер, сэр. Оттуда вылез этот чокнутый. Несет какую-то бредятину.

— Чушь собачья. Ты что, совсем ослеп, не видишь — это офицер? Тебе разве не объясняли, дубина ты стоеросовая, что офицеры не могут быть чокнутыми, просто некоторые немного эксцентричны.

Генерал повернулся к Биллу и отдал честь по самым строгим правилам воинского искусства.

— Добро пожаловать на Пара'Нойю, адмирал.

Билл икнул.

— Именно так, — подтвердил генерал, выкатив глаза и продолжая стоять по стойке смирно.

«Гарумф», — слабым ветерком прошелестело в Билловой голове.

— Вот оно! — возликовал Билл. — Гарумф! Рад вас видеть, генерал. Тут у нас поблизости произошло небольшое космическое сраженьице. Уничтожено несколько тысяч наших кораблей, но эти педики, то бишь противники, тоже получили по заслугам.

— Лес рубят — щепки летят.

— Вот именно. Мой корабль разлетелся на осколки, и я чудом спасся на этом катере. Полагаю, вы проявите гостеприимство и угомоните этого недоделанного солдата, который самым наглым образом направляет доверенное ему оружие на старших по званию.

— Ну конечно! Эй, ты! Давай сюда излучатель и живо отправляйся в военную полицию. Скажи, чтобы тебе впаяли два года стройбата.

Невинно пострадавший солдат уныло побрел прочь. А военачальники, быстро почувствовавшие друг к другу глубочайшую симпатию, рука об руку направились в бар, где бодро подняли по бокалу шампанского.

— За вашу прекрасную высокомилитаризованную планету, — провозгласил Билл. — Пусть ваша Пара'Нойя крепнет и прогрессирует!

— За наш отважный космический флот — чтоб ваши педики, то бишь противники, всегда получали по заслугам!

Билл залпом осушил свой бокал, удовлетворенно рыгнул и благодарно кивнул, увидев, что сосуд снова наполнили до краев.

— Замечательная, надо сказать, штука эта ваша Пара' Нойя!

— Мы и сами от нее без ума.

— Может быть, я и ошибаюсь, но перед тем, как мой корабль взорвался, я краем глаза видел какую-то космограмму... Вспомнил, кажется, о пленнике, который тут у вас содержится.

— Должно быть, это о нашем пленном чинджере!

— Да вы что?! Никому еще не удавалось взять в плен живого чинджера!

— Это потому, что никто не умеет воевать так же здорово, как мы. Война — это наша стихия. Хотите взглянуть на этого гомика?

— Что, его так зовут?

— Почти. Его имя Мигр.

— Конечно хочу, дружище. Если бы еще можно было поучаствовать в его пытках...

— А почему бы и нет? Я попробую устроить это в лучшем виде.

Они выпили еще шампанского, выкурили по сигаре и не спеша направились в сторону крепости. Часовые, стоящие практически друг за другом, громко лязгали оружием, отдавая им честь. Ворота с электронными замками отъехали в сторону, оттуда выбежал целый взвод и, как на параде, взял на караул. Билл с генералом прошли внутрь отливающего сталью коридора, в конце которого металлические стены сменились серым камнем. Здесь повсюду царила сырость, под ногами шныряли хищные грызуны, и даже часовые были покрыты плесенью и паутиной. Время от времени на пути офицеров оказывались закрытые электронными замками двери. Замки скрипели, звенели, щелкали и пропускали дальше, и вот наконец за последней, запертой тяжелым засовом преградой Билл увидел чинджера, прикованного к стене массивными цепями.

— Я думал, эти твари будут покрупнее, — удивился Билл.

— Покрупнее, помельче, позеленее, помногорукее — не имеет значения. Они — враги, и наша задача — уничтожить их всех.

— Конечно-конечно. А что это за странный агрегат держит часовой?

— Наше новое гениальное изобретение. Излучатель оков. Посылает импульсы энергии, которые намертво сковывают врагов Пара'Нойи, делая из них послушных неподвижных идиотов.

— Звучит просто потрясающе. Могу я подержать в руках это чудо параноидальной техники?

Восхищенный и взволнованный, Билл бережно взял излучатель, покрутил его, заглянул с видом знатока в дуло, еще раз перевернул и неожиданно пальнул в часового и в генерала. Тех окутало пурпурное пламя, они в корчах упали на пол и потеряли сознание.

Билл улыбнулся пленному чинджеру и жизнерадостно проскрипел:

— Гртз?

— Зимтз! Хорошо, что ты появился вовремя, простодушный человек, носитель помощи, посланной мне моим собратом. Ты выполнил свою функцию — не-гарумф.

При этих словах личность отважного адмирала растаяла, и прозревший Билл застучал зубами от страха.

— Нам крышка! Нас застрелит первый же попавшийся параноик!

— Заткнись, не каркай, — дружелюбно посоветовал Мигр, ухватился за свои цепи и с легкостью разорвал их. — Хоть один козел-человечишка может совершить такое? Вместо того чтобы паниковать, лучше вспомни как следует, не видел ли ты где-нибудь поблизости роботов?

— Зачем нам нужны эти железяки? Надо сматываться, пока не поздно!

— Я что, недостаточно четко поставил вопрос? С твоими ограниченными умственными способностями вообще думать противопоказано. Роботы, понимаешь? Металлические уроды на колесиках и со стеклянными глазами.

— Ну да, кажется, попадались. У входа вертелся робот-привратник.

— Великолепно, дружище, мой собрат Усер не ошибся в твоих талантах.

Чинджер перепрыгнул через лежащего без сознания генерала и засеменил к пульту, встроенному в стену рядом с закрытой дверью.

— Приведи робота сюда и больше ни о чем не беспокойся. Гарумф, — произнес Мигр, нажал на кнопку, и дверь со скрипом приоткрылась.

Билл сделал решительный шаг вперед и рявкнул настоящим адмиральским голосом:

— Эй, часовые, ну-ка ко мне.

Когда солдаты бросились выполнять приказ, Билл вскинул излучатель и отправил их отдыхать на полу под чутким руководством бравого генерала. Дальнейшее было уже делом техники.

Робот самозабвенно натирал до блеска металлический пол в коридоре, но прервался, когда Билл окликнул его:

— Эй, ты, робот, иди сюда.

— Мы, робот, уже идти, — на одной занудной ноте проскрежетал робот.

— Так, а теперь положи швабру и следуй за мной.

— Мы, робот, делать, что большой начальник говорить.

Лязгая и что-то бормоча себе под нос, он заспешил за Биллом и вместе с ним остановился. В этот момент чинджер запрыгнул послушному бедняге на плечи и ловко отвинтил панель управления у него на голове.

— Клик! — только и звякнул робот, когда Мигр извлек из его железного черепа сначала клубок проводов, затем множество непонятных мелких деталей и швырнул все это на пол. После такой несложной хирургической операции внутри робота оказалось достаточно свободного места, чтобы чинджер мог без помех забраться туда. Поставленная на место панель управления скрыла все следы издевательств над безобидным искусственным существом.

— Ну теперь можно рвать когти! — оживился прооперированный робот.

— Если бы еще знать куда! — Билл содрогнулся, но тут же взял себя в руки. — Может, у вас есть план, мистер Мигр?

— Ха, есть ли у меня план! У меня есть целых три плана, — проскрипел робот, подобрав швабру. — Для начала приступаем к номеру первому. Ты идешь впереди, а я качусь за тобой. Нам нужно подняться на тридцать этажей до самого верхнего уровня. Когда они тащили меня сюда, я успел заметить там какие-то летающие посудины.

У часового, охраняющего следующие двери, при приближении Билла глаза вылезли из орбит. Несмотря на глубоко вбитую в него субординацию, он решился на проявление бдительности:

— Господин адмирал, прошу прощения, но прямо за вами по пятам следует робот-привратник!

— За мной? То-то я слышу какой-то звон в ушах. Сейчас мы узнаем, что ему понадобилось.

Пока Билл играл перед часовым спектакль, робот незаметно подкатился сзади и врезал честному воину шваброй по голове.

— Тебе неплохо бы сменить внешность, — проскрежетал чинджеробот, стягивая с неподвижного часового форму.

Биллу ничего не оставалось, как броситься ему помогать. Вскорости седовласый солдат-ветеран и катящийся по его пятам робот двинулись по коридору. Когда они добрались до шахты лифта, у них над головами зазвенел сигнал тревоги.

— Хватай их! — не очень уверенно закричал Билл.

— Держи чинджеров! — подхватил робот и быстро проскочил в двери лифта. Он нажал самую крайнюю кнопку, и лифт стремительно помчался вверх. Когда двери раздвинулись, спрятавшиеся снаружи солдаты открыли шквальный огонь на поражение.

— Хорошо, что у чинджеров рефлексы не такие заторможенные, как у людей, — скрипнул Мигр, мгновенно сдвинув двери перед дулами излучателей. Металл моментально накалился, но лифт уже мчал беглецов вниз.

Слова бессильны передать весь ужас, который им довелось испытать в этот день. Головокружительные погони и зубодробительные схватки, жизнь в которых часто висела на волоске. Минуты тянулись часами. Наконец беглецы кубарем выкатились из последней двери этого смертельного лабиринта и оказались под открытым небом. Еще не до конца очухавшийся, изрядно помятый и слегка изувеченный, Билл пытался изо всех оставшихся сил потушить свои тлеющие на заднице штаны, подпаленные мужественными валькириями из вспомогательного женского батальона, с которыми им пришлось вступить в суровую, но, к счастью, быстротечную схватку. Только очередная хитрость Мигра позволила им почти невредимыми вырваться из лап этих тигриц.

— Не-гарумф, — устало брякнул Мигр. — И хорошо бы нам в дальнейшем не использовать кодовых слов, если, конечно, ты постараешься держать себя в руках. А теперь самое время тебе прекратить так отвратительно лязгать зубами, надо бы осмотреться и попробовать разобраться, где мы находимся.

— Под дождем...

— Очень остроумно. Усер каким-то образом ухитрился выбрать из всего человечества и отправить мне на выручку самый потрясающий экземпляр, чей уровень умственного развития ниже интеллекта дохлой мыши. Слушай, кретин, ты вроде бы человек, а это, как вы утверждаете, звучит гордо. Потому напряги свои немногочисленные гордые извилины и скажи мне, где мы все-таки находимся.

— Я здесь в первый раз.

— Догадываюсь. Но разуй глаза и попробуй за что-нибудь зацепиться. Все, что я знаю о людях и их планетах, я почерпнул из рапортов. Я могу быть директором ЧРУ, Чинджерского разведывательного управления, но я совсем не ориентируюсь в порядках, царящих на человеческих планетах. Куда нас занесло?

— Похоже, что это городская свалка. Так ты, выходит, крупная шишка, а?

— Крупнее некуда. Все нити управления войной находятся в моих руках, и, по-моему, мне чертовски хорошо удается дергать именно за ту нить, которую необходимо. Но если ты только захочешь кому-нибудь сообщить, кто я такой, то умрешь, прежде чем с твоих губ сорвется хоть одно слово. Итак, что такое свалка?

— Место, куда люди сваливают ненужные вещи.

— Хорошо. Давай посмотрим, с чем ее едят, так вы, кажется, говорите.

Они стали перемещаться короткими перебежками от одного укрытия к другому. Сверху продолжал поливать дождь. Неподалеку от них раздавался ровный механический шум, и этот звук все приближался. В конце концов они спрятались за грудой искореженных шестеренок.

— Выгляни и посмотри, что там такое, — скомандовал Мигр.

— Мусоровоз. А что еще, по-твоему, должно быть на свалке?

— Сколько там людей?

— Ни одного. Им управляет робот.

— Так это же замечательно, глупый ты человек! Забирайся скорее в машину.

Вымокшие и потрепанные, к тому же пропахшие ароматами свалки, они вскарабкались в кабину и захлопнули за собой дверцу.

— Людям запрещено, — проскрежетал робот-водитель. — Против закона, не имеете права, крркк...

«Крркк» оказалось последним словом робота — Мигр легким движением оторвал ему голову и выбросил ее из мусоровоза.

— Поехали, — скомандовал он Биллу. — Надеюсь, ты сумеешь управлять этой отвратительной машиной?

— Грузовик есть грузовик, — оптимистично заявил Билл, пнув коробку передач, и задним ходом пропахал гору мусора. — Хотя иногда, ха-ха, требуется секунда-другая, чтоб понять, как он ездит.

— Тогда потрать эту секунду, а если надо — то и все четыре, но только постарайся, козел вонючий, больше не выделывать таких фортелей. Запахи ваших свалок не для чинджеров, можете нюхать эту мерзость сами.

Билл повозился с рычагами управления и в конце концов твердой рукой направил мусоровоз вперед, прочь со свалки. Дождь почти перестал, и, шпаря прямо по полям, беглецы наблюдали, как крепость, едва не ставшая их могилой, остается далеко позади. Мигр на всякий случай еще раз взглянул назад и распорядился:

— Вперед, в джунгли.

— Это фермы, здесь нет джунглей.

— Мне все равно: джунгли или горы. Главное, как можно дальше от расположения войск, чтобы мы могли наконец вызвать помощь и наш сигнал не перехватили.

Они загромыхали дальше. Билл постепенно совершенствовался в мастерстве вождения мусоровоза, и это обстоятельство наполняло его чуткую душу гордостью и оптимизмом.

Когда по пути им встретилась колонна танков, Билл остановился и, используя манипуляторы, мастерски вытряхнул в утробу мусоровоза несколько мусорных баков, чтобы не возбуждать подозрений. Конечно, при этом часть мусора разлетелась по сторонам, но для первого раза это было сделано действительно профессионально.

— Просто класс, — гордо улыбнулся он, когда танки удалились, чавкая в густой грязи.

— Было бы гораздо приятнее, — язвительно заметил Мигр, — если бы ты свалил весь мусор в кузов, а не вытряхивал его куда придется.

— Знаешь, как сложно? — огрызнулся Билл. — Ты что, думаешь, сам бы лучше справился?

— Веди машину, — устало буркнул чинджер. — Не хватало еще мне обсуждать проблемы вываливания мусора с человеком-ренегатом!

До места, которое устраивало бы Мигра, они добрались только в сумерки. Этот каменистый клочок земли находился в горах вдали от населенных пунктов и от армейских баз. Пока Билл крутил баранку, Мигр умудрился полностью разобрать робота-водителя и из его составных частей соорудить два сложнейших электронных прибора. Воткнув штекер одного из них в гнездо прикуривателя, чинджер начал сосредоточенно водить прибором вокруг себя.

— Что это ты затеял? — с некоторой опаской поинтересовался Билл.

— Использую детекторный детектор для обнаружения детекторов.

— И как эта штука работает?

— О, я ведь с детства был хорошим маленьким чинджером и всегда помогал пожилым чинджерам переходить через улицу — так за что же на мою голову свалился ты? Но раз уж это произошло, я, так и быть, попытаюсь тебе объяснить: я хочу установить, могу ли я отправить сигнал своим так, чтобы враги его не перехватили. И судя по показаниям этого простейшего прибора, все в полном порядке. Ну вот, сигнал отправлен, осталось ждать совсем недолго.

Ответ пришел раньше, чем Мигр успел договорить. Его последние слова потонули в реве двигателей. Прямо с неба на них свалился неуклюжий черный космический корабль и опустился рядом с мусоровозом.

Люк припараноившегося корабля плавно приоткрылся, и оттуда появился наружу какой-то зонд, напоминающий по виду микрофон.

— Усер, не валяй дурака, дружище, — радостно прочирикал Мигр прямо в микрофон.

Из-под днища корабля выпрыгнуло отделение морских пехотинцев с бластерами на изготовку. Люк отъехал в сторону до конца, и из него шагнул сияющий генерал с семью звездочками на погонах.

— Совсем даже и не Усер, — сказал он, — а собственной персоной генерал Саддам, начальник военной разведки.

— Спасите! — дурным голосом заорал Билл и спрятался за спину генерала, самое безопасное место, защищенное от огня бластеров. — Это чудовище взяло меня в плен, но зато я выведал все его секреты. Его настоящее имя Мигр, и он глава ЧРУ, самого секретного у них разведывательного управления.

— Молодчина, солдат, отличная работа. Этот чинджер с самого начала показался мне подозрительным — слишком уж охотно он сдался в плен. И ты блестяще подтвердил мою правоту. Мой план сработал безукоризненно.

— Нет, генерал, — довольно усмехнулся Мигр. — Вы проиграли. Это мой план удался. Гарумф!

Билл выхватил пистолет из кобуры генерала, прижал его к генеральской шее и постарался занять такое положение, чтобы генеральское тело защищало его от вскинувших оружие морских пехотинцев.

— Эй, парни! — прокричал Билл. — Не вздумайте открыть стрельбу! Не дай бог, попадете в господина генерала, он уж вас за это точно по головке не погладит.

Громилы явно почувствовали себя неуверенно, некоторые даже опустили бластеры.

Их нерешительности положил конец громкий рев дюз другого черного корабля, спустившегося прямо с неба. Летающая крепость устрашающе вращала пушками. Мощный энергетический разряд вонзился в землю возле самых ног морских пехотинцев, и те поспешно побросали свои бластеры на землю.

— Ты не сделаешь этого! — вдруг взревел генерал и попытался вырвать свой пистолет из рук Билла, но тот быстро успокоил взбесившегося вояку.

— Отлично сработано, — похвалил Усер, выходя на палубу корабля. — Ты был абсолютно прав, Мигр.

— Конечно, Усер.

Вдруг Усер стремительным движением выхватил пистолет из руки Билла.

— Не-гарумф, — произнес коварный чинджер.

— Ты мне чуть пальцы не поотрывал!

— Ничего, не рассыплешься. Хотя должен заметить, Билл, что для полного идиота ты очень неплохо справился с этим заданием. А теперь марш в корабль. А вы, генерал, следуйте за ним. Можете начинать оформлять пенсию — с этого момента вы в отставке.

— Какие негодяи! Заманить меня в ловушку! И весь этот цирк нужен был только ради того, чтобы схватить меня?

— Попали точно в яблочко, генерал. Но вы сами виноваты. В последнее время ваша сторона действовала слишком успешно. Мы сделали вывод, что у противников появился кто-то чересчур умный, и нам, конечно же, это не очень понравилось. Чтобы не допустить перелома в войне, нам необходимо совершить обратную рокировку в вашем армейском командовании. Пусть на самой верхушке вновь окажется кто-нибудь поглупее.

Залп чинджерских пушек проделал огромную дыру в борту десантного корабля, и морские пехотинцы бросились врассыпную, спасая свои шкуры. Мигр надел на генерала наручники, и Усер поднял корабль чинджерского флота в небо.

— Ребята, может быть, высадите меня на какой-нибудь тихой планетке, а?

Усер отрицательно покачал головой.

— Извини, Билл. От войны все равно не спрячешься! Лучше уж оставайся в рядах космических десантников. Чем черт не шутит, вдруг ты действительно дослужишься до генеральских погон.

— А как насчет моего пожизненного кредита в Межзвездном клубе?

— Извини, но с этим облом. Мне пришлось использовать этот невинный фокус в качестве приманки для тебя.

— А что же я тогда получу?

— Остаток своего отпуска. Все ваши офицеры сейчас в госпитале, сержанты там же — ухаживают за ранеными. Мы оставили на острове транспортный корабль, по самую завязку нагруженный всеми марками известных человечеству алкогольных напитков, а также некоторыми — не слишком известных. Твои братья по оружию закатили грандиозную пьянку, и они наверняка будут рады, когда ты к ним присоединишься.

— Предатель! — прошипел генерал. — Твое имя будет навеки покрыто позором!

— Наверно, будет, — глубокомысленно вздохнул Билл, — а может, и нет, если вы никому об этом не расскажете.

— Можешь быть в этом уверен, — пообещал Мигр.

— Ну ладно, в таком случае нам незачем ждать. Я не хочу, чтобы ребята там все вылакали без меня.

ПРИМЕЧАНИЕ АВТОРА: На Гавайских островах есть действующий вулкан, который не успокаивается уже в течение восьми лет. Он ежедневно выбрасывает тысячу шестьсот тонн диоксида серы и других продуктов извержения. С надветренной стороны кратера находится туристический отель. А с подветренной — армейская база отдыха, окутанная густыми клубами вонючего вулканического смога. А теперь попробуйте сказать: где вымысел, а где суровая правда жизни?

# Билл, герой Галактики, на планете роботов-рабов

## Подлинная история Билла

Билл — это его так звали. Потому что имя у него было такое — Билл. Простой деревенский парень, который волей судьбы был обманом завербован в вооруженные силы империи, заброшен к далеким звездам и разлучен с зеленеющими родными полями, серебристым робомулом и голубоватой мамочкой — у нее было что-то неладно с сосудами.

История о том, как Билл стал героем Галактики, рассказана в книге «Билл — герой Галактики». Это подлинная история, и на каждой странице ее можно видеть следы слез. (Искусственных слез, капавших из печатной машины.) Прочтите ее. Она заставит вас посмеяться, заставит вас поплакать, заставит вскочить и кинуться в туалет, чтобы поблевать. Вы увидите, как старательно изничтожила Билла солдатчина, как под этим губительным влиянием он сначала увядал и засыхал, а потом снова пошел в рост и созрел. Как он стал настоящим солдатом, научившись ругаться последними словами — ну, во всяком случае, предпоследними — не меньше трехсот пятидесяти четырех раз в день, напиваться в стельку и с вожделением устремлять на девиц глаза, налитые спермой. Любая женщина могла бы гордиться, будь у нее такой сын. Хотя я никак не могу понять почему.

После того как Билла, опоив зельем, обманом завербовали в космическую пехоту, его направили в учебный лагерь имени Льва Троцкого. Там, под командой Сгинь Сдохни, садиста-инструктора строевой подготовки с клыками по семь сантиметров длиной, моральные устои Билла были подорваны, воля его сломлена, умственные способности ослаблены, а дух сокрушен — в общем, он превратился в образцового пехотинца. Только своему великолепному физическому развитию — следствию многих лет тяжелой работы на родной ферме — он был обязан тем, что не оказался вдобавок еще и раздавлен, как таракан.

Как только полный курс обучения был им пройден — а в сущности, еще до того, как он был пройден, и, что куда важнее, до того, как Билл успел побывать в борделе для солдатского состава, — его вместе с товарищами по казарме спешно погрузили на борт боевого космолета, ветерана космического флота «Фанни Хилл»[1], и отправили на войну.

Война шла уже давно. Человечество вело наступление на звезды. Там, среди звездной пыли, солнц, планет, комет и космического мусора, обитала раса разумных инопланетян — чинджеры. Это были мирные маленькие зеленые ящерки с четырьмя лапами, чешуйчатой кожей и хвостом, как у всякой ящерицы. Поэтому их, естественно, следовало истреблять: не исключено, что когда-нибудь они смогут стать опасными. И потом — для чего еще нужны армия и флот, как не для того, чтобы воевать?

Однообразие военной службы в космосе было слегка нарушено, когда Билл узнал, что его хороший приятель Усердный Прилежник на самом деле шпион чинджеров. Сначала Биллу было нелегко понять, как это может быть: пусть его разум и пострадал от солдатчины, но ведь всякий знает, что чинджеры похожи на поеденных молью аллигаторов, имеют по четыре ручищи и двухметровый рост. Все стало понятнее, когда выяснилось, что Усер не простой шпион. Вернее, вообще не шпион, а робот, которым управляет чинджер ростом в пятнадцать сантиметров с командного пункта внутри черепа Прилежника. Пятнадцать сантиметров или два метра — какая разница, военные всегда склонны к некоторым преувеличениям в интересах пропаганды. Так или иначе, шпиону удалось скрыться, и снова пошла обычная жизнь с ее постоянным голодом и скукой, пока Билл наконец не вступил в бой в качестве заряжающего.

В ожесточенной битве все его товарищи были убиты, а Билл получил легкое ранение — ему оторвало взрывом левую руку. Несмотря на это и по чистой случайности именно он произвел выстрел, эхо которого прокатилось по всему

---

[1] *Фанни Хилл* — женщина из публичного дома, героиня английского писателя Джона Клеланда (1709–1789).

флоту, — выстрел, уничтоживший вражеский космолет. Совершив этот героический подвиг и обзаведясь новой, отличной, крепкой чернокожей правой рукой, которую ему пришили взамен оторванной левой (теперь у него стало две правых руки, и он мог сам с собой обмениваться рукопожатием, что его очень забавляло), он получил медаль и звание героя.

Кроме того, он ухитрился сбежать в самоволку, что означает отсутствовать в казарме без официального на то разрешения, то есть ненадолго вырваться из когтей солдатчины. В ходе своих дальнейших приключений на планете Гелиор он тоже некоторое время был шпионом, а кроме того, занимался вывозкой мусора и другими увлекательными делами. Настолько увлекательными, что в конце концов снова попал в строй и был обречен погибнуть на далекой планете, откуда не возвращался никто из солдат, которых туда отправляли. Однако, наведя с помощью алкоголя кое-какие справки, Билл выяснил, что хотя обычных раненых здесь сразу же посылали обратно в строй, слегка подштопав и пришив им новые руки и любые — ну, почти любые — другие части тела вместо старых, на планете ощущался острый дефицит ступней. Поэтому, если солдат лишался ступни, его отсылали на ремонт в тыл, и впоследствии ему предстояло драться где-то в другом месте. К несчастью, у Билла обе ступни были целые, и дело шло к тому, что ему не миновать погибнуть в бою. Однако со своей обычной изобретательностью он отстрелил себе правую ступню, рассудив, что это лучше, чем ждать, когда ему отстрелят все остальное.

Вот как это случилось. И теперь, обзаведясь искусственной ступней, далеко зашедшим алкоголизмом, начальной стадией сексуального помешательства, пересаженными клыками, которые завещал ему Сгинь Сдохни, и загубленной печенью, Билл готов встретить свою судьбу. Добровольно поступив на императорскую службу (как будто у него был выбор), он на всю жизнь обречен оставаться межзвездным воином, потому что срок его службы постоянно автоматически продлевается, хочет он этого или нет. Биллу повезло, пожалуй, только в одном: поскольку одна ступня у него искусственная, от ног у него воняет вдвое меньше, чем у остальных солдат.

И вот наш герой поневоле снова отправляется в бой.

*Гарри Гаррисон*

# Глава 1

Новая работа не слишком нравилась Биллу. А должна была нравиться, потому что, как почти все в армии, она не требовала от него никаких или почти никаких мыслительных способностей. Нужны были только прочно укрепленные условные рефлексы. Один из которых сейчас заскребся у него в мозгу, напоминая, что тяжелая поступь новобранцев доносится до него все слабее. Билл поднял глаза и увидел, что они уже почти скрылись из виду. По правде говоря, не почти, а совсем — за облаком пыли из-под сапог, которые они еле волочили. Билл набрал побольше воздуха и рявкнул:

— Круго-ом... арш!

Рядом упала на землю птичка, оглушенная громогласной командой. Билл немного приободрился: значит, из него уже получается настоящий инструктор строевой подготовки. Новобранцы тоже приободрились: стоило им промаршировать еще немного дальше, и они угодили бы в глубокий овраг с крутыми каменистыми склонами. Первая шеренга уже дрожала от страха, оказавшись перед ужасным выбором — погибнуть в овраге или принять смерть от руки инструктора. Они повернули — не слишком четко, потому что ноги у них подкашивались от усталости, — и, надсаживаясь от кашля, замаршировали назад, в облако пыли.

Когда строй приблизился, Билл злобно зарычал, оскалив зубы. Особую выразительность гримасе придавал один-единственный длинный клык, который заходил за нижнюю губу и практически упирался пожелтевшим концом в подбородок. Билл постучал по клыку ногтем и оскалился еще сильнее. Два клыка придали бы ему грозный вид, но с одним он был похож на бульдога, потерпевшего поражение в драке. С этим что-то надо было делать.

Его вывел из задумчивости громкий топот. Бросив перед собой беглый взгляд, он увидел, что надвигающуюся шеренгу отделяет от него всего один шаг. Ближайший к нему новобранец затаил дыхание от ужаса при мысли, что сейчас затопчет инструктора.

— Рота, стой! — рявкнул Билл.

Натруженные ноги, топнув еще раз, остановились, и новобранец чуть не ткнулся в Билла. Он стоял лицом к лицу со страшным инструктором, уставившись ему в глаза, налитые кровью, своими, забитыми пылью.

— Ты на что это глазеешь? — угрожающе прошипел Билл разъяренной змеей.

— Ни на что, ваше величество, сэр, ваше высочество...

— Не ври, ты глазеешь на мое лицо.

— Нет, то есть да, только я не виноват, оно у меня прямо перед глазами.

— И не просто на лицо, а на мой клык. И думаешь — почему это у него только один клык?

Билл сделал шаг назад и, с отвращением глядя на шатающихся, перепуганных, загнанных до полусмерти новобранцев, прорычал:

— Вы все это думаете, да? Отвечайте — да!

— Да! — хрипло выдохнули они хором, от усталости плохо соображая, что вообще происходит.

— Так я и знал, — вздохнул Билл и мрачно постучал ногтем по одинокому клыку. — Да вы тут не виноваты. Инструктор с двумя клыками — жуткое, наводящее страх зрелище. А один клык — это, прямо скажу, печальная картина.

Он засопел от жалости к самому себе и утер рукой каплю, свисавшую с носа.

— Я, конечно, не жду от вас сочувствия, слабоумные вы уроды. Ни преданности, ничего такого, потому что у вас одно на уме — иди-ка ты на хрен, приятель. Нет, я жду откровенного шкурничества и попытки меня подкупить. Мы будем заниматься строевой подготовкой до тех пор, пока не стемнеет или пока вы не сдохнете, если это случится раньше. — Он сделал паузу, и по рядам пронесся стон. — Но может быть, вы попытаетесь превзойти вчерашнее пополнение, которое так прониклось ко мне сочувствием, что добровольно собрало по доллару с носа на то, чтобы вставить мне второй клык. Должен признаться, я ощутил такой прилив благодарности, что тут же прекратил занятия.

Пехотинцы, совсем недавно против своей воли призванные на службу, чтобы прославить империю, уже усвоили несколько уроков выживания. Прекрасно поняли они и этот намек. Послышался звон монет, и Билл, пройдя по рядам, принял их добровольные пожертвования.

— Разойтись, — проворчал он, пересчитывая добычу.

«Хватит. Да, как раз хватит». Он улыбнулся, но тут взгляд его упал на собственные ноги, и улыбка мгновенно исчезла. Вставить клык — это была только одна из двух проблем, которые стояли перед ним. А сейчас он смотрел на вторую.

Его левая ступня в начищенном до зеркального блеска сапоге выглядела нормально и вполне годилась, чтобы топтать новобранцев. Но с правым сапогом дело обстояло иначе. Совсем иначе. Прежде всего, он был вдвое больше левого. Еще интереснее был большой палец, торчавший далеко назад из дыры над каблуком. Внушительный желтоватый палец, который заканчивался сверкающим ногтем. Билл зарычал в бессильном гневе, и его правая нога, дернувшись, оставила на утоптанной земле глубокую царапину. Хочешь не хочешь, но с этим тоже надо было что-то делать.

Когда Билл двинулся через плац к казарме, из-за гор донеслись раскаты грома. Он с опаской покосился на небо и увидел, что по нему с огромной скоростью приближается черная туча. С такой же скоростью налетели порывы ветра. Билл закашлялся от пыли, клубами окутавшей его, но ненадолго: пыль тут же прибил проливной дождь, мгновенно превративший плац в море жидкой грязи. Промочив Билла до нитки, дождь перестал, и пошел град. Огромные градины с плеском шлепались в грязь и барабанили по его каске. Но не успел Билл дойти до казармы, как облака бесследно улетели, и под тропическим солнцем от мундира Билла повалили клубы пара.

«Интересный климат на этой планете», — подумал он.

Больше ничего интересного на этой планете не было. Бесплодная и никому не нужная, она отличалась только тем, что здесь было два времени года: жестокая зима и тропическое лето. На ней не было ни руд, которые стоило бы добывать, ни земель, которые стоило бы возделывать, ни природных ресурсов, которые стоило бы использовать. Другими словами, это было идеальное место, чтобы устроить здесь военную базу. Так и сделали, не останавливаясь ни перед какими неоправданными расходами, и теперь гигантский остров-континент посреди бурного, покрытого айсбергами моря представлял собой сплошной огромный военный лагерь. Форт Гранджи, получивший свое имя в честь известного всей Галактике командора Мерда Гранджи. Известен он был исключительно тем, что скончался от далеко зашедшего геморроя, вызванного обжорством. Но поскольку он приходился двоюродным дедом императору, его имя осталось овеянным бессмертной славой.

Эти и подобные им мрачные мысли вертелись в голове у Билла, пока он шарил в своем кошельке, достав его из привинченной к полу железной тумбочки. Хватит, как раз хватит. Шестьсот двенадцать имперских долларов. Пора.

Расстегнув молнии, он скинул сапоги. Три желтых больших пальца на правой ноге скрючились и затекли, и он с наслаждением их расправил. Потом он скинул форму и сунул ее в измельчитель, где армированное бумажное волокно мгновенно распалось на составные части. Он оторвал от рулона на стене уборной новую форму и натянул ее. Потом с большим трудом, бормоча ужасные ругательства, вколотил в правый сапог свои длинные желтые большие пальцы.

Как только Билл открыл дверь казармы, снова обрушился жестокий ливень. Сердито ворча про себя, он захлопнул дверь, досчитал до десяти и снова открыл дверь, вышел на обжигающий солнцепек и поспешно зашагал к главному госпиталю.

— Доктор сейчас занят и не может вас принять, — сказала аппетитная дежурная по приемному покою с нашивками капрала, обрабатывая пилкой край кроваво-красного ногтя. — Запишитесь вот здесь на прием — ровно через три недели в четыре утра... ой!

Ойкнула она потому, что он, злобно зарычав, выбросил вперед ногу и коготь, торчавший из пятки, оставил на металлической поверхности стола глубокую царапину.

— Какого хрена, капрал! Что я, первый день в армии?

— Может, и не первый, только вежливо разговаривать еще не научились. Выйдите вон, а не то вызову полицию, и вас расстреляют за порчу казенного имущества... ой!

Ее вопль слился со скрежетом металла, и на столе появилась еще одна царапина.

— Позовите доктора. Скажите ему, что тут пахнет деньгами, а не лекарствами.

— Что же вы сразу не сказали? — недовольно фыркнула она и с размаху ткнула пальцем в кнопку переговорного устройства. — К вам, адмирал, посетитель с наличными.

Она проделала это с большой готовностью и рвением: всякий раз, как что-нибудь подобное отвлекало доктора-адмирала от противозаконных экспериментов, он с такой же готовностью выделял ей процент от добычи и добрую порцию зелья.

Дверь позади нее приоткрылась, и высунулась лысая голова доктора-адмирала Мела Практиса. Он уставился на Билла одним глазом — другой закрывал торчащий черный монокль. Монокль должен был скрывать тот факт, что доктор лишился глаза при неких ужасных обстоятельствах, о которых мы умолчим. Но потом вместо глаза ему поставили электронный телескоп-микроскоп, что оказалось очень удобно. Его противозаконные медицинские эксперименты были столь гнусны, что, когда о них стало известно, его приговорили к смерти на колу — с возможностью замены на службу в медчасти военно-космического флота. Нелегко было ему сделать выбор. Впрочем, в конечном счете получилось неплохо: командующий базой, погрязший в алкоголизме, смотрел на его эксперименты сквозь трясущиеся пальцы. Чтобы пальцы не переставали трястись и все его гнусные затеи по-прежнему сходили ему с рук, Практис не жалел спирта, которым располагал в неограниченном количестве.

— Это вы на лоботомию? — спросил Практис.

— Какая там, к хрену, лоботомия! Клык, доктор, имплантация клыка, помните? Тогда у меня бабок хватило только на один. Но теперь я принес остальные.

— Нет бабок — нет зубок. Показывайте, сколько у вас есть.

Билл потряс кошельком, и послышался звон монет.

— Ну, проходите, не стоять же нам тут целый день.

Практис высыпал монеты в умывальник и, сунув пустой кошелек в помойное ведро, полил их антисептиком, а потом принялся считать.

— Никогда не знаешь, какую заразу может подцепить солдат. Тут десяти долларов не хватает.

— Кому же и знать, как не вам, — сами почти всех и заразили. Ни хрена, доктор, цена — как договорились. Шестьсот двенадцать.

— Это было на прошлой неделе. Надо учесть инфляцию.

— Больше у меня нет, — жалобно сказал Билл.

— Тогда давайте расписку — пусть вычтут из ближайшей получки.

— Совести у вас нет, — пробурчал Билл, ставя свою подпись.

— А мне она не положена — я специально справлялся в церкви перед тем, как поступить на службу. Ваше имя? Мне надо проверить по компьютеру, где у меня хранится ваш клык.

— Билл. Через два «л».

— На два «л» имеют право только офицеры. — Он забарабанил по клавиатуре. — Вот он, «Бил», все правильно. Двенадцатый холодильник, в жидком азоте.

Схватив металлические щипцы, доктор выскочил из комнаты и через минуту вернулся с пластиковым цилиндриком, от которого валил пар. Он сунул его в микроволновую печь и нажал на несколько кнопок.

— Думаю, шестидесяти секунд хватит. Если продержать дольше, изжарится.

— Смотрите, без шуток, доктор, это серьезное дело.

— Только для вас, солдат. Для меня это всего несколько лишних долларов — они пойдут моему брокеру, чтобы когда-нибудь я смог откупиться от службы.

Из печи донесся сигнальный звонок, и доктор ткнул большим пальцем через плечо в сторону операционного стола.

— Снимите брюки и ложитесь.

— Брюки? Но он должен быть во рту, доктор, — куда это вы собираетесь его приживлять?

Вместо ответа Практис мерзко ухмыльнулся и подкатил к столу электронный автомат.

Билл поперхнулся — резиновые захваты широко разинули ему рот. Практис, что-то бормоча, принялся набирать на клавиатуре команды. Билл завопил хриплым голосом сквозь захваты: лазерный скальпель с шипением вгрызся ему в десну, а щипцы начали раскачивать зуб.

— Ах, виноват, забыл, — солгал Практис, делая обезболивающий укол.

Не прошло и нескольких секунд, как зуб был удален, десна разрезана, гнездо в челюсти рассверлено, корень клыка прочно установлен на место, в зазоры впрыснут ускоритель роста, и все залито шовным клеем.

— Прополощите рот, сплюньте и выметайтесь, — приказал Практис, когда Билл, шатаясь, встал со стола.

— Так-то лучше, — сказал Билл, восхищенно глядясь в зеркало. Он постучал ногтем по обоим клыкам и оскалился. Лицо его стало вполне ужасающим. — Сгинь Сдохни мог бы мной гордиться, если бы остался в живых.

— Катитесь отсюда.

— Это еще не все, доктор. — Билл скинул свой огромный правый сапог, расправил длинные пальцы и провел три глубокие царапины в пластиковом полу. — А что вы скажете про это? Что скажете?

— Скажу, что это очень мило. Только когти, пожалуй, пора подстричь.

— Не когти, а ступню менять надо! Не оставаться же мне до конца жизни с куриной лапой громадного размера!

— А почему бы и нет? Это лучше, чем деревянная нога.

— Мне нужна настоящая!

— А у вас и есть настоящая — настоящая гигантская куриная лапа. И позвольте вам сказать — не буду хвастать, но во всей известной Вселенной нет другого хирурга, который смог бы это сделать. А еще жалуются, что я занимаюсь так называемыми противозаконными экспериментами! Да они все на коленях ко мне приползут, когда у них будет что-нибудь неладно со ступнями, вот увидите!

— Я хочу увидеть только одно — настоящую, живую человеческую ступню вместо вот этого.

— Вы не маленький, солдат, и не морочьте мне голову своими пустячными проблемами. Сейчас идет война, солдат, — или вы про это ничего не слыхали? То одного не хватает, то другого. А чего не хватает постоянно — так это запасных ступней.

— И вы ничего не можете сделать?

— Я могу пришить вам вместо этого кроличью лапку. Говорят, она приносит удачу.

— Но мне нужна настоящая ступня! — завопил Билл. Но его вопля никто не услышал, потому что как раз в этот момент прогремел взрыв и бóльшая часть крыши госпиталя взлетела на воздух.

## Глава 2

Пока доктор Практис трясся от страха, тупо уставившись на зияющую дыру в потолке и падающие обломки, Билл проворно нырнул под металлический стол. Обеспечив таким образом безопасность своей шкуры, он подумал о будущем, о своей куриной лапе и из чисто эгоистических побуждений, протянув руку, втащил в свое убежище и доктора. В следующее мгновение на место, где тот только что стоял, обрушилась груда кирпичей, и Практис захлебнулся от ужаса, а потом бросил на Билла взгляд, полный собачьей благодарности.

— Вы спасли мне жизнь, — пролепетал он.

— Только не забудьте об этом, когда придет следующая партия замороженных ступней. Я хочу выбрать первым.

— Все будет ваше! А если вам не терпится, то у меня есть одна очень изящная ступня тридцать пятого размера — все, что осталось от медсестры, которую загрызли сторожевые псы.

— Нет, спасибо, уж лучше я подожду. Та, что у меня сейчас, не так уж плоха на время боевых действий, пока не появится вполне подходящая.

— Почему вы заговорили о боевых действиях? — взвизгнул Практис.

— Потому что они уже начались, и мы сейчас в самой гуще. Разве вам ни о чем не говорят свист бомб, разрывы снарядов и вопли умирающих?

Полный отчаяния стон Практиса заглушило громовое хлопанье крыльев, и по комнате пронеслась какая-то тень. Билл рискнул выглянуть из-под стола и увидел, что над ними кружит громадный дракон. Своими глазами-бусинками дракон заметил внизу движение, раскрыл пасть и выдохнул язык пламени. Билл поспешно втянул голову под стол, и дымное пламя опалило пол вокруг. Практис стонал и трясся от страха. Но Билл только рассердился:

— Как же это можно такое допускать на военной базе? Где оборонительные меры? Где противодраконная артиллерия? Ну, сейчас я покажу этой чешуйчатой гадине, пока она до меня не добралась!

Как только хлопанье крыльев отдалилось, Билл на четвереньках выполз из-под стола и выскочил сквозь пролом в стене. На секунду он остановился, с восхищением глядя, сколько разрушений произвел дракон за такое короткое время, и тут же снова нырнул в укрытие, когда над головой появился еще один дракон, извергая из клоаки поток бомб. Когда вокруг перестали падать обломки, Билл кинулся к ближайшему оружейному шкафу и одним ударом своей когтистой ноги вышиб дверцу.

— Отлично, просто отлично! — в восторге вскричал он и схватил черный цилиндр, на котором белыми буквами было написано: «РЗВ».

— РЗВ, — сказал он, пристраивая цилиндр на плечо. — Ракета «земля — воздух».

Поглаживая указательным пальцем спусковой крючок, он приложился глазом к прицелу. Перед ним предстала восхитительная картина — перекрестье линий, приходящееся в точности посреди брюха ближайшего дракона.

— Вот тебе от пехоты! — радостно воскликнул он, нажимая на спуск.

Послышался щелчок, и из дула высунулась металлическая лапа, державшая флажок. На нем было изящными стежками вышито: «ПРОМАХ».

— Вот те хрен — ракета-то, оказывается, учебная! — взвыл Билл и швырнул цилиндром в дракона.

Тот, заметив развевающийся флажок, сделал правый вираж и перешел в пике. Клубы дыма летели из его ноздрей и стлались позади, а из раскрытой пасти тянулся к Биллу ослепительный язык пламени, способный изжарить его, как отбивную на вертеле.

— Вот оно, — мужественно пробормотал Билл. — Погибнуть так далеко от дома — да еще с куриной лапой!

Язык пламени все приближался, и тут дракон взорвался: ракета угодила ему точно в пупок.

— Значит, кто-то все-таки нашел годную ракету, — буркнул Билл, глядя, как драконья туша валится на крышу отхожего места, стоявшего прямо перед ним. Но вместо мягкого шлепка, которого ожидал Билл, раздался оглушительный звон. Все стало понятно, когда на землю упала оторванная голова дракона. Из обрубка шеи торчали провода и металлические прутья, а из порванных трубопроводов вместо крови текло масло.

— Мог бы и догадаться, — сказал Билл довольным тоном. — Машина. Драконы из плоти и крови — это для пташек. Аэродинамически неустойчивы. Крылья слишком малы.

Размышляя об этих извечных тайнах, он с интересом смотрел, как на макушке драконьей головы открывается нечто вроде дверцы. Это зрелище что-то очень ему напоминало. Особенно после того, как на него сердито уставилось четверорукое зеленое существо пятнадцати сантиметров ростом.

— Да это чинджер! — ахнул Билл.

— А ты думал, это драконий мозжечок? — насмешливо произнес чинджер.

Билл схватил с земли обломок бетона и хотел было расплющить на месте зеленое чудище, но не успел. Враг-инопланетянин распахнул люк в шее дракона и выхватил оттуда маленький ракетный двигатель с лямками, которые быстро накинул на себя.

— Вперед, чинджеры! — пискнул он, крохотные ракеты заработали, и он стрелой взлетел в небо.

Билл бросил бетонный обломок и заглянул в пост управления, скрытый в черепе дракона. Он был в точности такой же, как в голове Усера, — с пультом и маленьким термосом для воды. Над пультом оказалась даже металлическая табличка с серийным номером. Билл нагнулся и вгляделся получше.

— «СДЕЛАНО В США», — прочитал он. — Интересно, что бы это значило?

К этому времени проявил интерес не только он. Теперь, когда бомбежка уже наверняка закончилась, из-под развалин госпиталя выполз доктор Практис. Страх, сотрясавший его, сменился научной любознательностью.

— Это еще что такое?

— Сейчас уже ничего. А был это механический бомбоносный огнедышащий дракон с чинджером внутри.

— А что значит «СДЕЛАНО В США»?

— Вот и я об этом думаю, доктор. — Билл огляделся по сторонам, отошел и вытащил из-под обломков больничную каталку. — Ну-ка, помогите мне погрузить сюда эту голову — мы отвезем ее командующему базой и посмотрим, что он скажет.

Это оказалось нелегко сделать, потому что штабу изрядно досталось. Когда они подошли, какой-то адмирал с золотыми якорями и скрещенными паяльниками инженерных войск на погонах стоял, мрачно созерцая дымящиеся останки. Он поднял глаза и кивнул Практису.

— Мы с вами, Мел, остались целы, но остальные офицеры погибли. Все до единого. У них тут как раз шла оргия в пользу Красного Креста.

— Во всяком случае, они погибли на боевом посту.

— Прекрасная смерть, — вздохнул инженер и с большим подозрением покосился на Практиса. — А давно вы стали адмиралом, доктор Мел Практис?

— А вам какое до этого дело, профессор Лубянка?

— Такое, что старший в чине принимает командование. Сегодня в девять вечера исполняется два года шесть месяцев и три дня, как я стал адмиралом.

— А я на такие мелочи не обращаю внимания, — язвительно сказал Практис.

— Из чего следует, что вы самозванец, клистирная вы трубка.

— Ах ты, электромонтажник говенный!

— Солдат, убейте этого мятежника.

— Это приказ, сэр?

— Да.

Билл схватил Практиса за горло и принялся душить.

— Сдаюсь! — прохрипел тот, и новый командующий дал Биллу знак отпустить его.

— Захватите с собой эту драконью голову. Надо доложить в штаб флота, что произошло. И выяснить, откуда было совершено нападение. Этот сектор считается давно уже умиротворенным.

Электронная лаборатория уцелела благодаря своему выгодному расположению — вдали от штаба, по соседству с очистными сооружениями. Инженеры из команды адмирала Лубянки явились на его зов и унесли останки дракона. На Практиса и Билла никто не обратил внимания, и они, повинуясь безошибочному солдатскому инстинкту, смылись.

— Не пригласить ли вам меня в офицерский клуб на совещание, сэр? — жизнерадостно намекнул Билл.

— Это зачем? — подозрительно спросил Практис.

— Выпить, — последовал мгновенный ответ.

Они взялись уже за вторую бутылку «Растворителя для старой краски», когда их разыскал посыльный.

— Адмирал приказывает вам обоим явиться к нему. Немедленно или еще быстрее.

— А хрен с ним! — насмешливо бросил доктор Практис.

Посыльный извлек пистолет.

— Мне приказано пристрелить вас обоих на месте, если заупрямитесь.

Добежав рысью до лаборатории, они немного протрезвели и предстали перед Лубянкой, шатаясь и поддерживая друг друга. Он, что-то ворча, листал лежавшие на столе перед ним донесения. Подняв глаза на вошедших, он содрогнулся.

— Сядьте, пока не упали, — приказал он и помахал в воздухе какой-то бумажкой. — Бардак, как всегда, — проскрипел он сквозь зубы. — С наших баз на спутниках успели запустить электронный зонд по следу космолета, который сбросил нам сюда этих драконов. Он направляется в сторону Альфы Большого Пса — до сих пор сектор считался нейтральным. Мы должны выяснить, что происходит и где находится эта планета США.

— Ну, это вы у нас гений по части электроники, а не я, — ехидно сказал Практис. — Старому костоправу это не по зубам.

— По зубам. Я назначаю вас командиром космолета, который отправится в погоню.

— Почему меня?

— Потому что вы чуть ли не единственный офицер, который остался в моем распоряжении. Положение обязывает.

А этот истукан полетит с вами, потому что обстрелянных солдат у нас тоже негусто. Я наскребу вам кое-какую команду, но многого обещать не могу.

— Ну, спасибо и на том. Может, еще чем-нибудь порадуете?

— Порадую. Они разбомбили все наши космолеты. Кроме мусорного буксира.

— А я летал на мусорном буксире, — радостно сказал Билл.

— Значит, почувствуете себя как дома. Соберите вещи и будьте здесь самое позднее в три пятнадцать. В три шестнадцать за вами пошлют расстрельную команду. К этому времени электронное оборудование для пеленгования будет погружено.

— Как бы нам от этого отвертеться? — мрачно спросил Практис, когда они пробирались среди развалин, в которые превратилась база.

— Никаких шансов. Я поинтересовался этим в первый же день, как сюда попал. Удрать с базы проще простого, только удирать некуда. Здешние растения несъедобны. Кругом океан. Прятаться негде.

— Ну и ну! Тогда идите со мной и помогите нести мои вещи.

— Я вам не понадоблюсь, сэр, — сказал Билл, показывая куда-то за спину доктора. — Вон те три санитара вполне справятся.

Практис обернулся, но никого не увидел. Потом снова взглянул перед собой и тоже никого не увидел. Он издал вопль ярости, но Билл был уже далеко.

Билл был уже далеко и брел к своей казарме, преисполненный черного отчаяния. Конечно, солдатская жизнь никогда не бывает усыпана розами, да и здешняя планета — дыра дырой, однако тут он, по крайней мере, имел шанс остаться в живых. А прогулка к звездам на мусоровозе под командованием сумасшедшего доктора ничего хорошего не сулила. Он порылся в самых укромных закоулках своего мозга, но не смог обнаружить никакого сколько-нибудь осуществимого плана бегства. Отстрелить себе другую ступню? Да нет, это кончится тем, что он окажется с двумя куриными лапами и вдобавок с петушиным хвостом — уж настолько-то он Практиса знал.

Похоже было, что его дело в шляпе.

Прикрыв рукой кодовый замок своей тумбочки, он другой рукой набрал код. Потом прижал большой палец к специальной пластинке для распознавания отпечатков пальцев и только после этого сунул в скважину ключ. Лишние предосторожности никогда не повредят, особенно когда имеешь дело с солдатней. Он пошарил рукой в тумбочке и задумался: что взять с собой в полет? Двенадцать дюжин презервативов вряд ли там ему понадобятся. Нож-кастет с отвратительными иглами может пригодиться. Что-нибудь почитать? Он мрачно полистал «Боевые комиксы» — с их страниц зазвучали разрывы снарядов и едва слышные вопли. Как всегда, почти все шансы были за то, что он больше никогда не увидит эту базу. Впрочем, жалеть особо не о чем. Так или иначе, лучше взять с собой все.

Билл вытащил из-под койки свой рюкзак и тщательно уложил его, побросав туда все вещи из тумбочки. Времени до посадки оставалось еще много. Он дотронулся пальцем до своих говорящих часов и услышал шепот: «Сенатор Макгерк, друг пехотинцев, с удовольствием сообщает, что сейчас ровно двадцать три часа». Часы были дешевые — он получил их в подарок от матери.

Еще полдня до отправления — достаточно, чтобы утопить горе в вине. Билл огляделся вокруг, соображая, у кого могло быть спиртное. Не у новобранцев, это уж точно. В углу была каморка сержанта, он подошел и постучал в дверь.

— Ты там, сержант?

Ответом ему была тишина — ничего лучшего и желать не приходилось. Билл отломал от ближайшей койки железный прут и взломал дверь. Внутри был сущий свинюшник, но свинья, которая в нем жила, понимала толк в выпивке. Билл выбрал две бутылки самого смертоносного вида, спрятал одну в рюкзак и откупорил другую. Как только из горлышка перестал идти дым, он сделал большой глоток и удовлетворенно вздохнул. А потом принялся накачиваться до полного обалдения, но сначала установил будильник на своих говорящих часах.

К тому времени как Макгерк, друг пехотинцев, сообщил ему, что пора кончать баиньки, Билл как раз прикончил бутылку. Он, шатаясь, поднялся на ноги и закинул за плечо рюкзак. То есть сделал слабую попытку закинуть его за плечо, но вместо этого рюкзак кинул его на пол.

— Ух! — выговорил он, лежа на рюкзаке и глядя, как кружатся лампочки под потолком.

— Вам нравится так лежать? — раздался голос.

Билл долго моргал и в конце концов с трудом разглядел силуэт одного из новобранцев, удивленно склонившегося над ним. Здоровенного парня, между прочим. После нескольких безуспешных попыток Билл ухитрился более или менее членораздельно произнести:

— Мне не нравится так лежать.

Сочувственно хмыкнув, новобранец помог Биллу подняться на подкашивающиеся ноги и установил его в вертикальном положении.

— Фамилия? — спросил Билл, старательно выговаривая звуки.

— Вербер, ваша честь. Только что прибыл...

— Заткнись. Бери рюкзак. Держи меня. Пошли.

Неверными шагами они добрались до посадочной площадки. Взглянув на видавший виды старый буксир, Билл содрогнулся. С помощью поддерживавшего его Вербера он с трудом поднялся по трапу на борт.

За дружескую услугу, оказанную Биллу, Вербер был вознагражден тем, что его заставили грузить оборудование, а потом включили в состав команды, потому что людей не хватало. Так армия наказывает тех, кто нарушает первую заповедь: «Держи язык за зубами и не высовывайся».

## Глава 3

Ничего не скажешь, «Имельда Маркос»[1], этот ветеран мусоровозного флота, был доброй рабочей лошадкой. Пусть в ширину он был больше, чем в длину, пусть корпус его был испещрен вмятинами, пятнами ржавчины и кофейной гущи, увешан веселыми гирляндами использованной туалетной бумаги и картофельных очисток, — пусть так. Но при всем том

[1] *Имельда Маркос* — вдова президента Филиппин Фердинандо Маркоса (1917–1989), в 1986 г. бежавшего в США и обвиненного в хищении государственных средств.

он вполне мог, пыхтя и отдуваясь, делать свое дело. Еще не родился на свет такой мусорный контейнер, который он не смог бы поднять в космос. Не существовало такой емкости для помоев, которую он не смог бы вывести на орбиту. Он был настоящий работяга.

Чего нельзя было сказать про его команду. Капитан Блай[1] когда-то с отличием окончил Космическую академию, выделялся блестящими способностями и подавал большие надежды. Но он лишился всего, совершив одну маленькую ошибку — на мгновение увлекшись, когда увлекаться не следовало, на мгновение поддавшись низменным инстинктам. К несчастью, в тот день его командир трагически рано вернулся домой. Он застал молодого Блая в постели со своей женой. И со своим племянником. Не говоря уж об овце и о его любимой охотничьей собаке. Командир очень любил эту собаку.

Стоит ли говорить, что после этого Блаю пришлось плохо? Есть вещи, которые делать не принято. Даже на флоте. А это многое значит. Мгновенное увлечение погубило его карьеру. Он остался жив, чтобы всю жизнь об этом жалеть. Если бы еще хоть не эта собака! Но раскаиваться было поздно. Всякий джентльмен на его месте должен был бы поступить, как подобает джентльмену. Но он больше не был джентльменом. Об этом позаботились офицеры флота. Его переводили с корабля на корабль, он опускался все ниже и ниже и нигде не задерживался надолго. Пока не стал капитаном «Имельды Маркос».

Это был добрый старый буксир, делавший свое дело без блеска, но на совесть. Даже когда его капитан был пьян, или под кайфом, или и то и другое, что чаще всего и случалось. Однако сейчас, впервые на памяти команды, включая старейшего ее члена — помощника трамбовщика, он был трезв. С мертвенно-бледным лицом, заросшим густой щетиной, с трясущимися руками и налитыми кровью глазами, он стоял на мостике, сердито уставившись на адмирала Практиса.

— Вы не имели права вот так явиться на борт моего корабля, приварить к пульту управления эту огромную безобраз-

---

[1] *Капитан Блай* — нарицательное имя жестокого командира. (Исторический капитан Блай — командир корабля «Баунти», на котором его жестокость вызвала мятеж.)

ную штуку и взять на себя командование, когда вас об этом не просили...

— Заткнись, — намекнул Практис. — Вы будете делать то, что вам прикажут.

Адмирал Лубянка выпростал голову из недр безобразной штуки, о которой шла речь, и одобрительно прорычал:

— И не забывайте об этом, Блай. Приказы будет отдавать он. Вы можете управлять этим железным ломом, но командует здесь Практис. Вот этот электронный пеленгатор занимается электронным пеленгованием, ради которого и затеяна вся операция. Мой специалист, младший мегагерц-техник Ки Бер-Панк, будет следить за передвижениями вражеского корабля. Он будет задавать курс. Ваша задача, если вы решите принять это поручение, а отказаться от него вы не имеете права, состоит в том, чтобы выследить этих проклятых драконов, выяснить, где они гнездятся, доложить мне сюда. Готово, Бер-Панк?

Техник припаял последний контакт и кивнул, отчего его черные волосы рассыпались по бледному прыщавому лбу и упали на темные очки, за которыми не видно было глаз.

— Подключился. Система в норме, — грубым голосом ответил он. — ПЗУ пэзэукает, электрончики электронят. Все на ходу. А кое-что даже на бегу.

— Давно пора, — проворчал Лубянка и больно ткнул Практиса пальцем в грудь. — Выполняйте задание, Практис, и выполняйте как следует, иначе вам крышка.

— А мне и так уже крышка, так что терять мне нечего. Отчаливайте, Лубянка, иначе вместе с нами попадете на эту небесную свалку. Корабль готов к старту, капитан Блай?

Блай, скрипнув зубами, бросил на него взгляд, полный уничтожающего презрения.

— Хорошо, — сказал Практис. — Я вижу, мы прекрасно сработаемся.

Адмирал Лубянка направился к выходу, и Биллу пришлось шагнуть в сторону — или, точнее говоря, отшатнуться: не настолько он еще протрезвел. Капитан Блай подождал, пока красный огонек на двери шлюза не сменится зеленым, и нажал на кнопку стартового предупреждения. По всему кораблю загудели сигналы тревоги, словно заурчало в брюхе у великана, и команда поспешно принялась пристегиваться. Билл рухнул в свободное кресло и затянул ремни как раз в тот момент, когда капитан Блай включил двигатель на полную мощность. Ускорение в одиннадцать g всей своей тяжестью навалилось каждому на грудь. А Биллу на грудь всей своей тяжестью навалилась еще и крыса, которую стартовым толчком сбросило с трубы под потолком. Она не сводила с Билла блестящих красных глаз, оскалив свои клыки, столь же длинные и желтые. Но ни он, ни она не могли шевельнуться и в бессильной ярости злобно глядели друг на друга, пока двигатели не отключились. Билл попытался было поймать крысу, но та соскочила с него на пол и кинулась к двери.

— Мы на орбите, — сказал капитан Блай. — Какой курс?

— Сейчас, папаша, сейчас, — бормотал Ки, тыча пальцем в кнопки и крутя рукоятки.

Он покосился на дисплей, на экране которого плясали искры, потом постучал по нему длинным грязным ногтем. Искры исчезли, и на экране появилось четкое изображение.

— Не все сразу. Надо посчитать. Процессор тут древний, восемьдесят тысяч двести восемьдесят шестой, но у него есть сопроцессор для расчетов, для него это семечки...

— Молчать! — рявкнул Практис, оглядывая рубку. Вербер только что направился вниз по трапу. — Эй, ты, стой! — скомандовал он.

— Мне в туалет, — жалобно отозвался тот.

— А мне холодного пива. И сначала, а своими делами можешь заняться потом. Неси.

— Готово! — воскликнул Ки. — Вот курс: прямое восхождение — семьдесят один градус шесть минут и семнадцать секунд, склонение — ровно двенадцать градусов. Так держать!

Взвыли гироскопы, и мусоровоз лег на курс. На пульте под умелыми, хотя и трясущимися, пальцами капитана замигали огоньки.

— Пока не отстегивайтесь, — предупредил он. — Сверхсветовой двигатель нам только недавно установили, это экспериментальная модель. Сейчас как раз первое испытание.

— Вернитесь на базу! — завопил Практис. — Я хочу выйти!

— Поздно! — с наслаждением произнес капитан Блай, нажимая на какую-то кнопку. — Давно уже поздно. Всем нам придется через это пройти. Мне терять нечего — я уже все потерял...

Слезы жалости к самому себе навернулись ему на глаза. Но они не помешали Блаю заметить, как к нему подкрадывается Практис. В руке капитана появился бластер с помятым и выщербленным стволом.

— Сидеть! — приказал он. — И радоваться! До сих пор сверхсветовые полеты совершались со шлеп-двигателем. Насколько я знаю, мы первые, кому довелось испытывать новый — шприц-двигатель. Его поставил тут этот ненормальный адмирал Лубянка. Сказал, что, испытав его, я смогу смыть позор со своего имени. «Поздно, — сказал я ему. — Я живу опозоренным и, если придется, умру опозоренным». А теперь — поехали!

Он ткнул пальцем в большую красную кнопку, корабль вздрогнул, и у каждого появилось ощущение, словно его стискивает какая-то гигантская рука.

— Это только... начало... У нас впереди раскрылась... черная дыра... Мы... втискиваемся в нее... впрыскиваемся в нее... со сверхсветовой скоростью. Вот почему... это называется... шприц-двигатель. Нас вдавливает... световое давление...

«Крайне неудобный и неприятный способ передвижения в пространстве», — решил Билл и с тоской вспомнил старый добрый шлеп-двигатель. Тем не менее они перестали чувствовать себя в тисках, а космос за пределами корабля принял более или менее прежний вид. Ки повернулся к пеленгатору и принялся крутить рукоятки.

— В самую точку, ребята. След на месте, даже сильнее, чем раньше! И ведет он к планете, которая виднеется вон там. Та, у которой концентрические кольца, сплющенная луна и черное пятно у северного полюса. Видите?

— Трудно не увидеть: больше никаких планет тут нет, — недовольно сказал Практис. — Засеките ее положение и давайте отваливать отсюда, к дьяволу, пока нас не заметили.

— Вот предсмертные слова, достойные великого человека, — пробормотал капитан Блай, уставившись на экран, заполненный летящими драконами.

— Где там ваш шприц-двигатель? Пора выпрыскиваться обратно! — взвизгнул Практис.

Но не успели его слова достигнуть ушей капитана Блая, как было уже поздно. Больше того — поздно было уже тогда, когда они только слетели с его уст. Молниеносные заряды всепожирающей энергии вылетели из драконьих пастей и окутали корабль. Все предохранители перегорели, все лампы погасли. Корабль начал падать.

— Что-то очень близко мы к этой планете, — заметил Билл, вызвав на себя град проклятий. — Спокойнее. Спокойнее. Кто-нибудь знает, как нам выпутаться на этот раз?

— Молитесь, — сказал Ки, возведя глаза к небу, а точнее — выпучив их, потому что небо окружило их со всех сторон. — Молитесь о спасении и подмоге.

Капитан Блай насмешливо фыркнул:

— Если ты думаешь, что это нам поможет, ты тут единственный сосунок. У нас один, и только один шанс. Горючее кончилось, аккумуляторы сели...

— Значит, нам конец! — выкрикнул в отчаянии Практис, вырвав у себя пригоршню волос.

— Пока еще нет. Я сказал, что у нас есть один шанс. Передний трюм загружен мусором, готовым к сбросу. Это делается с помощью гигантской пружины — ее сжимает мусор, когда его загружают под давлением. В самый последний момент перед тем, как нам упасть на планету, я сброшу мусор. По законам Ньютона всякое действие равно противодействию. Это погасит нашу скорость, и мы сможем остановиться.

— Мусорный двигатель? — простонал Билл. — И это все? Ничего себе способ погибнуть...

Но его жалобного стона никто не услышал. Корабль уже вошел в атмосферу, и по нему что есть силы барабанили молекулы воздуха. Расплющиваясь о корпус, они разогрели его до белого каления, а корабль продолжал валиться вниз — сквозь воздушную оболочку планеты, становившуюся все плотнее и плотнее, сквозь пелену высоких облаков, к земле, которая со страшной скоростью неслась навстречу.

— Сбрасывай мусор! — взмолился Практис, но тщетно: капитан Блай сохранял спокойствие. Несмотря на умоляющие вопли, его толстый грязный палец неподвижно лежал на кнопке.

Они падали все ниже и ниже, пока не оказались так близко к земле, что свободно могли различить на ней каждую песчинку...

И в последнюю наносекунду последней микросекунды палец с силой опустился на кнопку.

«Бабах!» — развернулась пружина, высвободив в одном могучем толчке накопленную энергию.

«Бубух!» — вылетел мусор, устремившись к поверхности планеты, до которой оставалось уже совсем немного.

«Бу-бо-баба-а-ах!» — мягко приземлился мусоровоз на гору старых газет, консервных банок, апельсиновых корок, перегоревших лампочек, обезглавленных крыс, использованных одноразовых пакетов с чаем и обрывков бумаги.

— Неплохо, прямо скажу, — довольным тоном заметил Блай. — Совсем неплохо. Просто рекордная посадка.

В рубке послышались щелчки расстегиваемых ремней и осторожные шаги по ржавой палубе.

— А приятно чувствовать тяжесть, — высказался Билл. — Маловата она здесь, конечно, но все-таки...

— Молчать! — рявкнул Практис. — У меня есть один, только один вопрос. К вам, Ки. Вы... — Голос его прервался, он прокашлялся и продолжил: — Вы передали положение этой планеты?

— Я пытался, адмирал. Но прежде чем я успел послать сигнал, питание отключилось.

— Попытайтесь еще! Ведь не совсем же сели аккумуляторы. Попробуйте!

Ки набрал на клавиатуре несколько команд и нажал клавишу исполнения. Экран засветился, но тут же снова погас. Погасли и сигнальные лампочки. Послышался испуганный крик Бербера, сменившийся радостным всхлипыванием, когда загорелось тусклое аварийное освещение.

— Сработало! — радостно крикнул Практис. — Сработало! Сигнал ушел!

— Это точно, адмирал. И при таком напряжении далеко ушел. Метра на полтора, не меньше.

— Стало быть, мы выброшены на необитаемый остров, — пробормотал Билл. — Заблудились в космосе. На вражеской планете. Окружены летучими драконами. В миллионах парсеков от дома. В вышедшем из строя космолете, стоящем на куче мусора.

— Ты все понял, приятель, — кивнул Ки. — Примерно так оно и есть.

# Глава 4

— Вот ваше пиво, сэр. Можно мне теперь в туалет? — робко произнес Вербер, протягивая Практису банку пива, когда-то просто тепловатого, а теперь горячего от его разгоряченной руки.

Практис буркнул что-то нечленораздельное, схватил банку и одним глотком осушил ее наполовину. Капитан Блай долго шарил по карманам своего мятого комбинезона, пока не нашел недокуренную сигарету с героином, которую тут же закурил. Билл с наслаждением принюхался к выдохнутому им дыму и хотел было попросить затянуться, но передумал и подошел к иллюминатору, чтобы взглянуть на чужую планету. Но ничего, кроме мусора, за иллюминатором видно не было.

Практис с гримасой отвращения допил теплое пиво и свистнул мокрыми губами. Билл обернулся, и он кинул ему банку.

— Ну-ка, куриная нога, пойдите и бросьте ее в кучу вместе с остальным мусором. А заодно посмотрите, что там к чему, и расскажите мне, на что это похоже.

— Вы приказываете произвести разведку на местности и доложить?

— Ну да, если вам так хочется изъясняться на этом дурацком армейском жаргоне. Я прежде всего доктор, а потом уж адмирал. В общем, валяйте.

Тусклый свет аварийных лампочек освещал только самое начало трапа. Билл щелкнул каблуками, чтобы включить фонарик, вмонтированный в носок ботинка, и, посвечивая себе, начал спускаться в шахту, которая вела к выходу. Генератор не работал, и люк воздушного шлюза не пожелал открыться, когда Билл нажал на кнопку. Билл, кряхтя, принялся крутить ручной штурвал. Когда люк приоткрылся сантиметров на тридцать, он протиснулся в шлюзовую камеру. Сквозь иллюминатор из бронестекла падал внутрь яркий солнечный свет, Билл прижался глазом к стеклу — ему не терпелось взглянуть на этот незнакомый мир. Но увидел он только мусор.

— Замечательно, — проворчал он и потянулся к штурвалу, открывавшему наружный люк, но остановился.

Что таится по ту сторону люка? Какие инопланетные ужасы поджидают его там? Что там за атмосфера — если она вообще есть? А что, если, открыв люк, он в следующее мгновение будет мертв? Однако рано или поздно это придется сделать. Не сидеть же до бесконечности взаперти в этой покалеченной мусорной корзине с ее несносным капитаном и шарлатаном-адмиралом!

— Давай, Билл, давай! — пробормотал он сам себе. — Двум смертям не бывать, а одной не миновать.

Горестно вздохнув, он повернул штурвал...

И замер, услышав громкое шипение воздуха в открывшейся щели. Сердце у него от испуга забилось как сумасшедшее, но он тут же понял, что это всего лишь выравнивается давление. Утерев пот со лба, он нагнулся и принюхался к струе воздуха, овевавшей ему лицо. Воздух был горячий, сухой и сильно отдавал мусором. Но он остался жив! Преисполнившись гордости и забыв про только что испытанный страх, он принялся крутить штурвал, пока люк не распахнулся настежь. В шлюз ворвалось солнце, и послышалось легкое потрескивание. Билл выглянул наружу, тут же повернулся и быстрым шагом направился в глубину корабля. Практис, глядевший в шахту сверху, увидел, как он промелькнул мимо, и окликнул его:

— Куда вы?

— За своим рюкзаком.

— Зачем? Что там, снаружи?

— Пустыня. Куча мусора и песок. Больше ничего нет. Ни драконов, ничего.

Практис заморгал.

— Тогда за каким дьяволом вам, солдат, понадобился ваш рюкзак?

— Я выхожу наружу. Мусор горит.

Вопли Практиса и громкие команды летели вслед Биллу, когда он со своим рюкзаком выскочил в люк. Он не стал задерживаться и даже не оглянулся. Самый ценный урок, который он вынес за время многолетней солдатской службы, был очень прост: береги шкуру. Только отойдя от корабля подальше, он остановился, бросил рюкзак и, тяжело дыша, уселся на песчаную дюну. Сидя так и одобрительно кивая, он с большим интересом наблюдал за поспешным бегством с корабля.

Из открытого люка неслись отчаянные крики. Через несколько секунд из люка вылетел какой-то ящик, за ним последовали другие. Поскольку речь шла и о его собственном спасении, Билл подошел помочь — он оттащил ящик от корабля и пошел за следующей порцией. Пламя, треща, разгоралось все сильнее. Билл оттащил на безопасное расстояние еще один ящик и крикнул в люк:

— Если кто хочет выйти, пусть выходит сейчас же, иначе будет поздно!

И он отскочил в сторону: из горящего корабля посыпались бегущие крысы. За ними последовали члены экипажа, кашляя и задыхаясь.

Первым был Практис: командир всегда должен находиться впереди. Особенно во время отступления. Следующим бежал Ки, согнувшись под тяжестью какого-то электронного лома, за ним спешили Вербер и капитан Блай. А за ними — какой-то незнакомец. И не просто незнакомец — Билл разглядел, что незнакомка. Существо женского пола с нашивками на рукаве.

— Кто... Кто... кто ты? — спросил Билл.

Она окинула его презрительным взглядом.

— Кончай кудахтать, хреновая твоя голова, и говори «мэм», когда обращаешься к старшему по званию. Доложи свое имя, звание и должность.

— Есть, сэр... то есть мэм. Рядовой Билл, мэм, прохожу службу по призыву, в настоящий момент с похмелья и устал.

— Оно и видно. Я старшина-механик первой статьи Тарсил. Возьми мой чемодан и положи вместе с остальными вещами.

— Слушаюсь, механик первой статьи Тарсил.

— Раз уж мы служим на одном корабле, можешь звать меня по имени — Мита. — Она протянула руку и пощупала его бицепс. — У тебя неплохие мускулы, Билл.

Билл заискивающе улыбнулся и схватил ее чемодан. Со старшинами надо всегда быть в хороших отношениях. Особенно с женщинами. Хотя на самом деле она, пожалуй, не в его вкусе. Ему нравились крупные девицы, но не такие, чтобы были выше его на голову. А окончательно он почувствовал свое ничтожество, когда заметил, что бицепсы у нее куда больше, чем у него.

— Билл, — послышался знакомый ненавистный голос. — Хватит там болтать, идите сюда.

Билл подошел к адмиралу Практису, который стоял на верхушке дюны, глядя на величественный золотистый закат. Поскольку, кроме заката, смотреть было больше не на что, если не считать одного крохотного облачка, которое растаяло у них на глазах.

— Один песок. Чертова уйма песка, — мрачно заметил Практис.

— В пустыне всегда так, сэр, — бодро ответил Билл.

Практис бросил на него взгляд, полный уничтожающего презрения.

— Когда я еще раз захочу услышать что-нибудь безмозгло-оптимистическое, я вам сообщу. Не понимаете вы, что ли, как мы вляпались? Вот я, вот вы, что не такое уж большое утешение. И кто еще? Тупоголовый новобранец, который еще вчера был тупоголовым штатским, капитан, который уже обкурился зельем до умопомрачения, техник-электронщик без электроники и вон та сексуально озабоченная толстуха, из-за которой мы не оберемся неприятностей, помяните мое слово. Есть кое-какая пища, немного воды, и это почти все. У меня такое неприятное ощущение, что наша песенка спета.

— Имею предложение, сэр.

— Да? Замечательно! Говорите скорее!

— Поскольку вы здесь главнокомандующий и идут боевые действия, я хочу, чтобы вы произвели меня в офицеры.

— Чего-чего?

— В самые младшие лейтенанты. Я опытный, обстрелянный солдат со множеством полезных навыков, и к тому же больше никого такого тут нет. Вам пригодятся мой боевой опыт и профессиональные знания...

— Которыми вы не пожелаете делиться, пока не станете офицером. Ладно, хрен с вами, какая разница! Преклоните колени, рядовой Билл. Встаньте, самый младший лейтенант Билл.

— О, благодарю вас, сэр. Разница огромная, — пролепетал Билл.

Практис презрительно скривился, увидев, как Билл достает из кармана потускневшие лейтенантские звездочки и гордо прикрепляет их себе на погоны.

— Говорят, что каждый солдат, у кого есть воля, или талант, или и то и другое, носит с собой в ранце маршальский жезл. Я так высоко не замахиваюсь...

— Заткнитесь. Выбросьте из головы ваше жалкое честолюбие и обратите умственные способности, в наличии которых я все больше сомневаюсь, на решение наших проблем. Что нам делать?

Воодушевленный только что обретенным офицерским званием, Билл с готовностью принялся входить в свою роль.

— Сэр! Мы начнем с того, что подсчитаем наши запасы, которые должны находиться под строгой охраной и делиться между всеми поровну. Когда это будет сделано, мы приготовим ночлег, потому что солнце, как вы видите, садится. Потом я составлю расписание дежурств на ночь, проведу проверку оружия, разработаю диспозицию на случай боевых действий...

— Стоп! — выкрикнул Практис хриплым голосом, выпучив глаза на военное чудовище, которое сам сотворил. — Давайте, лейтенант, просто пораскинем мозгами и сообразим, что нам делать дальше. И ничего, кроме этого, иначе я немедленно разжалую вас обратно в рядовые.

Билл, стараясь скрыть разочарование, с мрачным видом покорно щелкнул каблуками. Его командирская карьера оказалась короткой. Он поплелся за Практисом вниз по склону дюны к остальным.

— Прошу внимательно слушать! — крикнул Практис. — Всех, кроме капитана Блая, который уже безнадежно торчит, потому что обкурился до умопомрачения этим своим дерьмом. Ты, рядовой, как твоя фамилия?

— Вербер, ваша честь.

— Да, Вербер, нам повезло, что ты с нами. А сейчас обыщи карманы капитана Блая и все зелье, какое найдешь, принеси мне. Когда он очухается, у него, наверное, найдется еще какая-нибудь заначка, но пока начнем с этого. Теперь слушайте все остальные. Похоже, наше дело дрянь...

— Что верно, то верно, приятель, — отозвалась Мита.

— Да, благодарю вас, мисс...

— Только без «мисс», приятель. Этот свинский мужской шовинизм запрещен законом. Я старшина-механик первой статьи Мита Тарсил.

— Хорошо, старшина-механик первой статьи, я вас прекрасно понимаю. Но должен также заметить, что мы здесь вдали от цивилизации и от всех ее законов. Мы потерпели крушение на неизвестной планете и должны быть все заодно. Так что давайте ненадолго забудем о самолюбии и попробуем подумать, как нам выбраться из этой скверной истории. У кого-нибудь есть предложения?

— Да, — сказал Ки. — Надо пошевеливаться и уносить ноги отсюда. У этой планеты есть магнитный полюс.

— Ну и что?

— Ну и то, что у меня есть компас. Значит, мы можем идти прямо, а не плутать кругами. Утром мы берем с собой пищу и воду, сколько унесем, и сматываемся. А нет — так будем сидеть здесь, пока нас не найдут туземцы. Как знаете, адмирал. Вы тут командир.

В этот момент солнце село, и их окутала кромешная тьма. Билл включил свой ножной фонарик, и при его слабом свете все улеглись, оставив свои проблемы на утро. Появились звезды — неведомые созвездия в незнакомом небе. В таком положении нужны крепкие нервы. Или крепкая выпивка. Билл выбрал второе, тайком развязал свой рюкзак, сунул в него голову и тянул из спрятанной там бутылки, пока не отдал концы.

## Глава 5

Теплые лучи восходящего солнца упали на заспанное небритое лицо Билла. Он с ворчанием открыл один глаз. И, тут же пожалев об этом, с отвратительным скрипом снова его захлопнул: свет раскаленной иглой пронзил его пропитанный спиртными парами мозг. Наученный горьким опытом, Билл осторожно отвернулся от солнца, приоткрыл глаз самую малость и поглядел сквозь пальцы. Вокруг крепко спали вповалку его товарищи, завернувшись в солдатские одеяла, вынесенные из сгоревшего корабля. Все, кроме адмирала Практиса, который, побуждаемый не то чувством долга, не то бессонницей, не то переполненным мочевым пузырем, стоял на самой высокой дюне, глядя вдаль. Билл облизал запекшиеся губы, безуспешно попытался выплюнуть хотя бы часть шерсти, покрывавшей его язык, встал и, не в силах устоять перед любопытством, поднялся на дюну.

— Доброе утро, сэр, — вкрадчиво сказал он.

— Заткнитесь. В такую рань я не в состоянии вести светские беседы. Вы видели огни?

— Чего-чего? — отозвался еще и наполовину не проснувшийся Билл.

— Ну да, такого ответа я от вас и ждал. Послушайте, тупица, если бы вы оставались начеку, вместо того чтобы погрузиться в пьяное забытье, вы бы тоже видели то, что видел я. Там, на горизонте, очень далеко, светились огни. Нет, можете не говорить — это были не звезды.

Билл надулся, потому что именно это он и хотел сказать.

— Это определенно были огни. Они зажигались, гасли и меняли цвет. Поднимите Ки. Немедленно.

Техник, видимо, тоже вчера накурился какого-то зелья: он лежал без чувств, глаза его были открыты, но закачены так, что виднелись белки — вернее, желтки. Билл потряс его, покричал ему в ухо, попробовал даже несколько раз пнуть его ногой в ребра, но без всякого удовольствия.

— Просто удивительно, — проворчал Практис, выслушав его рапорт. — Что тут у нас — экипаж или наркологическая больница? Пойду сделаю ему укол, в два счета очухается. А вы пока стойте здесь на часах — чтобы никто не наступил на эту черту на песке. И нечего пялить на меня глаза — я пока еще не спятил. Она указывает направление на те огни, что я видел.

Билл сел и уставился на черту, размышляя о том, как было бы сейчас здорово хватить глоток чего-нибудь крепкого и снова уснуть, но тут же встрепенулся: до него донеслись жуткие стоны. Он побелел как мел и затрясся, словно искусственный член с электрическим вибратором. Практис взобрался на дюну и встал рядом с выражением удовлетворенного садизма на лице.

— Очухался. Но побочное действие этого укола — о-го-го! Вот направление, болван, — эта черта на песке. Возьмите пеленг.

Ки вытащил компас, но рука у него так тряслась, что разглядеть, куда показывает стрелка, он никак не мог, пока не положил компас на песок и не обхватил голову обеими руками. Некоторое время он то таращил глаза, то моргал ими и наконец выговорил глухим голосом:

— Восемнадцать градусов к востоку от магнитного полюса. Прошу разрешения пойти, лечь и умереть, сэр.

— Разрешения не даю. Действие укола скоро пройдет...

Его прервал пронзительный вопль, за которым последовали рев и грохот огня из бластера.

— На нас напали! — воскликнул Практис. — Я не вооружен! Не стреляйте! Я мирный доктор, в военных действиях не участвую, и воинское звание у меня почетное!

Билл, мозг которого был все еще затуманен сном и алкоголем, вытащил свой бластер и побежал с дюны в ту сторону, откуда слышалась стрельба, вместо того чтобы бежать в противоположном направлении, что он сделал бы в обычном состоянии. Он развил такую скорость, что не смог остановиться, увидев перед собой Миту, которая вела огонь. Он не смог даже свернуть и со всего маху врезался в нее. Оба покатились по земле, размахивая руками и ногами. Она пришла в себя первой и ткнула его в глаз жестким кулаком.

— Больно! — воскликнул он, схватившись за глаз. — Теперь фонарь будет.

— Убери-ка руку, я тебе еще один привешу. Что это тебе вздумалось сшибить меня с ног?

— Почему стрельба?

— Крысы! — Она подняла с земли бластер и обернулась. — Уже разбежались. Кроме тех, которых я разнесла в пыль. Они подбирались к нашим запасам еды. Теперь мы, по крайней мере, знаем, кто живет на этой планете. Огромные противные серые крысы.

— Не живут они на этой планете, — возразил Практис, уже преодолевший приступ трусости и подошедший к ним. Он ткнул ногой в останки крысы. — Rattus Norvegicus. Верный спутник человека на пути к звездам. Мы занесли их сюда сами.

— А как же, — согласился Билл. — Они драпанули с корабля еще быстрее, чем вы.

— Интересно, — размышлял вслух Практис, почесывая подбородок, качая головой, щурясь и проделывая все остальные движения, которые обычно сопровождают работу мысли. — Перед нами целая планета — спрашивается, почему они лезут обратно и подбираются к нашим съестным припасам?

— Догадка остроумная, но неверная. Не то что она им не по вкусу — здесь ее просто нет. Планета безжизненная, это ясно любому идиоту.

— Не совсем, — сказал любой идиот. Из пустыни появился новобранец Вербер. Он был в большом возбуждении, кадык у него судорожно прыгал вверх и вниз. В руке он держал цветок. — Я услышал стрельбу и убежал. Вон там я нашел цветы и...

— Дай сюда. Ой!

— ...и укололся, когда хотел их сорвать, в точности как вы, адмирал, когда его схватили.

Практис разглядывал цветок, поднося его так близко к глазам, что они скосились к носу.

— Стебель, листьев нет, красные лепестки, нет ни пестика, ни тычинок. А сделан из металла. Это металл, идиот. Он не вырос. Его кто-то воткнул в песок.

— Да, адмирал. Показать, где растут остальные?

Все направились за ним, кроме капитана Блая, который все еще валялся в полном обалдении. Перебравшись через дюну, они подошли к темному пятну на песке, где кучей росли цветы. Практис постучал по одному ногтем, и раздался звон.

— Металл. Все это металл. — Он ткнул пальцем во влажный песок, понюхал палец. — И это не вода — пахнет вроде нефти.

Никакого научного объяснения не последовало, потому что он был так же озадачен, как и остальные, хотя из самолюбия не показывал виду.

— Сущность феномена очевидна, а подробное описание последует по завершении его исследования. Мне нужны еще образцы. У кого-нибудь есть кусачки?

Кусачки нашлись у Ки, который, повинуясь приказу, откусил несколько образцов. Мите скоро наскучило это металлическое цветоводство, и она вернулась в лагерь, где снова подняла крик и пальбу. Остальные присоединились к ней, и уцелевшие крысы кинулись наутек. Практис с недовольной гримасой посмотрел на разодранные коробки с припасами.

— Вы, самый младший лейтенант, принимайтесь за работу. Запасы еды должны быть заново упакованы, чтобы крысы не могли до них добраться. Распоряжайтесь. Но к вам, Ки, это не относится. Вы мне нужны. Пошли.

Билл подобрал рваный пластиковый контейнер с прессованными питательными плитками, которые в армии в шутку называли неприкосновенным запасом. Даже крысы не смогли их разгрызть: в обертке засели сломанные крысиные зубы. Расколоть их молотком можно было только после двадцати четырех часов кипячения.

Билл огляделся в поисках чего-нибудь помягче и посъедобнее и обнаружил несколько туб с пастой — аварийным космическим рационом. Все внимательно следили за его действиями, поэтому он раздал тубы, все пососали из них и начали с отвращением отплевываться. Паста была мерзкого вкуса, но как будто годилась для поддержания жизни — хотя качество той жизни, которую она способна поддерживать, оставалось под большим сомнением. Подкрепившись этим тошнотворным лакомством, все дружно принялись за работу, понимая, что лишь эта жалкая кучка продуктов отделяет их от голодной смерти. Или от обезвоживания организма, которое наступает раньше.

Они уже заканчивали, когда послышался стон. Капитан Блай заворочался, сел и почмокал пересохшим ртом. Билл протянул ему тубу с пастой, тот попробовал и издал хриплый вопль отвращения. Он принялся по очереди то прикладываться к тубе, то издавать вопли, и все это время его трясло от омерзения. Появился Практис, который уставился на это зрелище.

— Она в самом деле такая противная?

— Хуже, — ответил Билл, и остальные торжественно кивнули в подтверждение.

— Тогда я пока скажу «пас». И доложу о результатах своих научных наблюдений. Эти цветущие растения — живые, растут на песке. Это не органическая жизнь, основанная на углероде, какую мы знаем, — это сплошной металл.

— Так не бывает, — заметила Мита.

— Благодарю вас, старшина-механик первой статьи, за это сообщение. Однако я полагаю, что мои научные познания обширнее ваших. Нет никаких причин, почему бы жизнь не могла основываться на металле вместо углерода. Другое дело, зачем ей это понадобилось, но давайте сейчас оставим эту интересную тему и займемся другой, еще более интересной:

как нам выжить? Самый младший лейтенант, доложите о положении с пищей и водой.

— Пища есть, несъедобная даже для крыс. Воды хватит примерно на неделю, если экономить.

— Хреново дело, — мрачно заметил Практис, тяжело уселся и уставился на цветок, который держал в руке. — Вариантов немного. Либо мы остаемся тут и неделю голодаем, а потом подыхаем от жажды. Либо отправляемся в сторону тех огней, которые я видел ночью, и выясним, что там есть. Давайте голосовать. Кто за то, чтобы остаться и подохнуть?

Никто не шевельнул и пальцем. Он кивнул.

— Так. Теперь кто за то, чтобы отправиться отсюда?

Результат был тот же. Практис вздохнул:

— Я вижу, ваши воспаленные головы еще не омыла живая вода демократии. Значит, нам остается старый добрый фашизм. Отправляемся.

Все вскочили и стояли пошатываясь в ожидании приказаний.

— Билл, займитесь этим, у вас, вероятно, как раз подходящий опыт. Разделите наши запасы на пять частей и разложите по каким-нибудь мешкам, что ли, чтобы можно было их нести.

— Но... Нас тут шестеро, сэр.

— Здесь я командую, а не вы. На пять частей. Доложите, когда будете готовы. — С этими словами он пошарил в рюкзаке Билла и с торжеством извлек недопитую бутылку. — А я пока постараюсь хоть немного догнать вас, алкоголиков и наркоманов. За работу!

Солнце стояло высоко, когда работа была завершена. Адмирал удовлетворенно храпел, стиснув в ослабевшей руке почти пустую бутылку. Билл осторожно разжал его пальцы и допил остатки, после чего разбудил его.

— Шшотамеще?

— Все сделано, сэр. Мы готовы к походу.

Практис хотел было что-то сказать, поперхнулся, схватился за голову и простонал:

— Ох... Я не готов. Пока не приму таблетки.

Он достал из кармана пузырек, высыпал на ладонь горсть таблеток и охрипшим голосом потребовал воды. Эта фармацевтическая бомба произвела чудо: в конце концов он позволил Биллу помочь ему подняться на ноги.

— Берите вещи. Позовите сюда Ки с компасом.

Тяжело нагруженный техник, шатаясь, подошел и, вглядевшись в компас, указал направление. Практис подключил свой карманный компьютер к капсуле-динамику, прицепил ее на погон и покопался в молекулярной цифровой памяти, отыскивая подходящую музыку. Найдя какой-то бравурный марш, он включил его на полную трескучую громкость и зашагал вглубь пустыни во главе своего отважного маленького отряда.

Как только они скрылись из вида, из своих укрытий показались крысы. В поисках чего-нибудь съедобного они обследовали все, что осталось от лагеря, а потом с большим интересом занялись горой мусора, который хорошо подрумянился и уже успел остыть. Вскоре шаги и музыка затихли вдали. Тишину пустыни нарушал только хруст, издаваемый челюстями грызунов.

Но вскоре к звукам роскошного пиршества стал примешиваться какой-то шум. Одна за другой крысы поднимали шерстяные головы, поводили ушами и усами, спрыгивали с горы лакомств и прятались.

Над вершиной дюны показалось нечто темное и зловещее — приземистое, широкое, металлическое. Послышалось звяканье металла, потом короткий резкий писк. Нечто миновало гору дымящегося мусора, обошло сгоревший корабль и медленно поднялось на дюну.

Когда над мусором снова воцарилась девственно-чистая тишина, крысы вылезли из укрытий и снова принялись шнырять вокруг.

У них не вызывали никакого интереса ведущие прочь следы ног на песке. Теперь к тому же эти следы были перекрыты другими — их оставило нечто, последовавшее за отважным отрядом уцелевших при крушении.

## Глава 6

Адмирал Практис важно шагал во главе своего отважного маленького отряда в такт бодрящему барабанному ритму музыки, оглушительно гремевшей под самым его левым ухом. Вверх на дюну, вниз с дюны, снова вверх на дюну. Наконец он оглянулся и обнаружил, что остался один среди пустыни. Охвативший его испуг прошел, когда в пределах видимости появился первый из отставших. Это была Мита, которая мужественно — нет, скорее всего, женственно — несла свою ношу. Остальные отстали еще больше. Практис сел и принялся барабанить пальцами по коленке, бормоча что-то про себя, пока все не подтянулись.

— Это никуда не годится. Мы должны идти быстрее.

— Полегче с вашими королевскими «мы», Практис, — язвительно сказал капитан Блай. — Ваше «мы» идет налегке, а наше «мы» тащит мешки с продуктами.

— Вы нарушаете дисциплину, капитан!

— Вот именно, костоправ вы этакий. Вы еще не кончили медучилище, а я уже служил на флоте. Речь идет о жизни и смерти. Да, о смерти! Я ни шагу не сделаю, пока вы не понесете свою долю.

— Это мятеж!

— Точно, — подтвердила Мита, наведя свой бластер ему на переносицу. — Вы готовы нести?

Практис оценил всю весомость аргументов и только возмущенно проворчал что-то, когда появился еще один мешок — неужели они замышляли это с самого начала? — и был взвален ему на плечи. Перераспределив груз, все зашагали пусть и не быстрее, но равномернее. Билл ковылял пошатываясь, потому что правая ступня у него была намного больше левой. И к тому же сапог ему страшно жал.

«Какого дьявола я в нем вообще иду? — подумал он. — Только потому, что мне его выдали и если я его скину, буду одет не по форме?»

При этой мысли его охватила ярость, он скинул сапог, забросил его подальше в пустыню и расправил пальцы, сверкнув на солнце острыми когтями. Вот это другое дело!.. Шагая гораздо увереннее, он поспешил вдогонку за остальными.

Когда солнце оказалось у них прямо над головами, Практис простонал «Стой!», и все повалились на землю. Билл, побуждаемый, скорее всего, чувством долга, которое появилось у него после производства в офицеры, обошел всех, держа в руках контейнер с водой, и налил каждому его порцию. Те, кто не отличался чрезмерной брезгливостью, пососали тубы с пастой. Глядя на них, отведал пасты и Практис.

— Бррр! — скривился он.

— Приуменьшаете, — возразил капитан Блай. — Она вообще несъедобна.

— Надо что-то делать, — сказал Практис, зашвырнув тубу в пустыню. — Я собираюсь выждать, но нам нужна пища, иначе мы все не сможем двигаться дальше. — Он покопался в своем мешке и вытащил какую-то плоскую коробку. — Билл, принесите мне стакан воды.

— Какого дьявола! — возмутился капитан Блай. — Вы уже получили свою порцию.

— Это не мне, а всем нам. Один из результатов моих оригинальных исследований. Противозаконных, говорили мне. Чушь! Законность — это для слабаков. Ну да, было несколько несчастных случаев, жертв оказалось не так уж много, а здания быстро отстроили заново. Но я не отступал — и одержал победу! Вот она!

Он высоко поднял что-то похожее на запечатанное в пластик козье дерьмо. Ки покрутил пальцем у виска.

— Я видел! — взвизгнул Практис. — Можете смеяться вместе со всеми! Но последним посмеется Мел Практис! Это семя — продукт мутации, содержащий такие стимуляторы роста, о каких и не мечтали эти близорукие, тупоумные ученые. Смотрите!

Он ткнул носком сапога в песок, посадил в ямку семя и полил водой. Поднялся клуб пара — вода растворила пластиковую упаковку. Потом послышалось какое-то энергичное потрескивание.

— Отойдите подальше! Это опасно.

Из Земли показались зеленые побеги, на которых через мгновение выросли листья. Песок вокруг зашевелился — во все стороны потянулись мощные корни. Билл, решив пренебречь предостережением Практиса, дотронулся пальцем до одного листа, оказавшегося у него перед самым носом. Вскрикнув, он сунул палец в рот.

— Так вам и надо, — сказал Практис. — В процессе жизни и роста выделяется тепло, а при такой скорости развития его выделяется больше, чем может рассеяться. Посмотрите, как трескается почва: это из нее извлекается вся вода, а зарождающаяся жизнь разогревает песок.

Зрелище было в самом деле эффектное. Широкие листья поглощали солнечную энергию, приводя в действие ферментативную топку. Вверх поднялся толстый стебель, на нем появилось и начало разрастаться что-то вроде дыни, увеличиваясь у них на глазах. Достигнув метровой длины, дыня окрасилась в ярко-красный цвет, зашипела и треснула, а листья и стебель мгновенно побурели, сморщились и погибли. Все это заняло меньше минуты.

— Впечатляет, а? — сказал довольный Практис, раскрывая перочинный нож и втыкая его в тыкву. Из разреза повалил пар, и вокруг распространился аппетитный запах. — В этой дыне, как в лишайнике, есть и растительные, и животные клетки. Животные клетки — это подвергнутые мутации клетки коровы, то есть мясо. Вы видите, что под действием тепла, выделившегося в процессе роста, оно поджарилось. И мясодыня готова к употреблению.

Он срезал сочный розовый ломтик и сунул в рот. Сразу же после этого ему пришлось отскочить в сторону: все кинулись на дыню.

Прошло не меньше минуты, прежде чем был проглочен последний кусок, прозвучала последняя сытая отрыжка и был издан последний вздох удовлетворения. От дыни остались только кусочки корки. Животы у всех были набиты до отказа.

— А у вас еще есть такие семена, адмирал? — спросил Билл с восхищением и робостью.

— Будьте уверены. Так что давайте выбросим этот неприкосновенный запас и всю остальную казенную дрянь и двинемся в путь. Посмотрим, не удастся ли нам добраться до этих огней, пока не стемнеет.

Послышались стоны, но членораздельных возражений не последовало. Даже самый тупой из них понимал, что нужно выбираться из этой пустыни, пока не кончилась вода.

Они шагали вперед и вперед, и только когда солнце склонилось к самому горизонту, Практис приказал остановиться.

— На сегодня хватит. Я думаю, на ужин поедим еще такого же бифштекса, чтобы утром отправиться в путь с новыми силами. А ночью мы сможем как следует разглядеть эти огни.

Когда стемнело, все расселись, довольные, с набитым брюхом, на гребне дюны. Озабоченное ворчание сменилось радостными криками, когда на горизонте появились огни. Какие-то странные лучи, похожие на свет далеких прожекторов, гуляли по небосводу, переливаясь разными цветами, а потом внезапно погасли.

— Они самые! — воскликнул Практис. — И гораздо ближе. Скоро мы до них доберемся, можете мне поверить.

Все поверили — и напрасно. Они не добрались до огней ни на следующий день, ни еще через день. Огни становились ярче, но, казалось, ничуть не ближе. А от запасов воды осталась только половина.

— Надеюсь, что полпути мы уже прошли, — угрюмо сказал Билл, отбрасывая ногой пустой контейнер. Все горестно кивнули в знак согласия.

Бифштекс был уже съеден, крохотные порции воды выпиты, а время было еще раннее.

— Включить вам музыку? — спросил Практис.

До сих пор они с удовольствием ее слушали, но теперь никто не отозвался. Мрачное настроение сгустилось до того, что его, казалось, можно резать ножом.

— Давайте рассказывать анекдоты, — бодро предложил Билл. — Или загадывать загадки. Что это такое — черное, сидит на дереве и смертельно опасно?

— Ворона с пулеметом, — язвительно сказала Мита. — У этой загадки вот такая борода. Я могу вам спеть...

Ее заглушили крики протеста, которые становились все тише и наконец смолкли. Похоже было, что вечер предстоит невеселый. Поэтому все немного оживились, когда заговорил Ки: до сих пор он обычно молчал, подавал голос только тогда, когда к нему обращались, и при этом обычно ограничивался нечленораздельным ворчанием.

— Послушайте. Я не всегда был. Такой. Был другой. Не такой, как сейчас. И жизнь у меня была другая. Две разные жизни. С чего все началось, я еще никому не говорил. А кончилось все трагедией. Потому что я стал. Совсем другим. Ничего хорошего в этом нет. Но это случилось. Я был... человек-дисплей. — Все ахнули, а у него жутко исказилось лицо. — Да. Был. Я расскажу. Если хотите.

— Да, расскажи! — вскричали все и придвинулись поближе, чтобы выслушать.

Вкус жизни обернулся для Ки вкусом потухшего окурка.

Он дожевал окурок. Выплюнул его. Допил напоминавшие мочу остатки пива из треснутого пластикового стаканчика. Швырнул его на пол. Раздавил подбитым гвоздями каблуком.

Наступил Судный день.

Надо решиться.

Выйдя на улицу, он сощурился на перламутровый свет оранжево-желтого солнца. Пенопластовая пыль, облаком висевшая над близлежащим заводом, придавала воздуху тошнотворный муаровый отлив.

Пора...

Барыга стоял в непристойно-развинченной позе, прислонившись к растресканной витрине. Его красный комбинезон в обтяжку бросал кровавую тень на выставленные в витрине порнокнижки и искусственные члены с моторчиками. Он и не взглянул на Ки, когда тот подошел. Но он знал, что Ки здесь. Украшенная драгоценными камнями каракатица, висевшая у него в ноздре, затрепетала в предвкушении добычи.

— Достал? — спросил он лаконично.

— Достал. А ты достал?

— Достал. Давай.

— Ладно.

Кредитная карточка, все еще хранящая тепло тела Ки, перешла в руки барыги. Он хмыкнул.

— Тут написано — десять тысяч бакников. Договаривались за девять. Надуть меня хочешь?

— Сдачу оставь себе. Давай.

Барыга дал.

Блок памяти, замаскированный под орешек, скользнул ему в руку. Ки жадно запихнул его в рот. Попробовал на вкус.

— Годится.

Барыга исчез. Ки остался один. Зуб-пьютер начал загружаться из блока памяти. Внезапно из черноты ночи на Ки обрушились яркий свет и громкий звук. Он отскочил в сторону, едва увернувшись от такси-автомата. И нырнул во тьму, освещаемую стробоскопическими вспышками. Здесь, в Кишке, пешеходу лучше не показываться. Ки свернул в темный переулок и забился в безопасное место за переполненным мусорным контейнером, едва не лопавшимся от старости и от громоздившейся над ним горы ненужных распечаток и отработанных чипов — вышвырнутых за негодностью отбросов надвигающейся передовой технологии.

Ки перезагрузился.

Да, вот он. Рецепт, давным-давно спрятанный, а теперь насильно вырванный из надежно охраняемых баз данных.

«Теперь он мой», — подумал Ки.

Когда Ки вошел, она лежала навзничь на сексопластиковом матрасе. Он закрыл за собой дверь и повернул ключ в замке. Окинул взглядом ее бледное, как труп, тело.

— Тебе надо больше бывать на солнце.

Ответа не последовало. Веки ее были подкрашены в горошек. Черный кожаный лифчик и расшитые найлокружевом трусики не столько скрывали, сколько обнажали ее фигуру. Не ахти какую фигуру. Грудь слишком плоская. Задницы нет.

— В этой комнате безопасно?

— Телефон я отключила.

— Вот.

Он выплюнул на ладонь блок памяти.

— Не нужны мне орехи, которые кто-то уже ел.

Его глаза вспыхнули гневом.

— Дура, это рецепт.

Он пнул ногой компьютер, и тот заработал. Древний IBM/PC, все потроха из которого были выброшены и заменены на макро-Z-80. Теперь в нем было больше штучек, чем в суперкомпьютере «Крэй». Блок памяти пришелся в точности по размеру специального гнезда. Экран засветился мутным светом, по нему побежали загадочные знаки.

— Вот он.

— Но тут ничего не поймешь.

— Кто учился, тот поймет. Вот это три, а это семь.

Она выпучила глаза, потрясенная его тайными познаниями. Отвернулась, отвергнутая. Сунула в рот пятигранную таблетку. Тибетский аналог противозаконного исландского аспирина. Кайф наступил сразу. По экрану по-прежнему бежали непристойные знаки. Потом лазерный принтер гнусно заурчал и выплюнул распечатку.

— Вот.

— Не могу.

— Сможешь. Достань все, что указано в списке.

Он разразился бурным хохотом, уловив запах аспирина у нее изо рта.

— Тут наркотики. Это противозаконно. Запрещено. — Держа распечатку в трясущихся руках, она прочла: — Спирт, дистиллированная вода, глицерин...

— Иди. Иначе ты покойница.

Из рукава у него бесстыдно высунулся автоматический ствол 12,5-миллиметрового калибра. Она вышла.

Ки Бер-Панку был двадцать один год, когда он выставил свое снадобье на продажу. Давно утраченный, забытый рецепт, плесневевший в изъеденных мышами подшивках «Амстердам ньюс». А теперь заново рожденный, безошибочно нацеленный на сбыт среди барыг. Самый новый. Самый клевый.

«Распрямитель лобковых волос» — как раз то, чего требует наипоследняя мода ходить нагишом. Раз увидел — непременно купишь. А весь товар был в руках у Ки. Бакники текли рекой, только успевай считать нули. Пока однажды...

— Хватит! — сказал он сам себе, и в голосе его прозвучало злобное торжество.

Теперь его допустят. Должны.

Когда он подходил к парадному подъезду, их автомат уже проверял его банковский счет. Много раз тщетно стучал он в эту дверь из нержавеющей стали, скрытую за голограммой двери из нержавеющей стали. Если они правильно прочли его счет, можно считать, что она перед ним уже открыта. Если нет — он рискует разбить о нее нос. Но дело того стоило. Он не замедлил шаг.

И шагнул в вестибюль. На секретарше в приемной была голомаска, скрывающая ее лицо. На него уставилась свиная морда. С золотым кольцом в носу и накрашенными губами.

— Да? — хрюкнула она.

— Я нужен «Эпплкору».

Ее улыбка была холодна, как жидкий гелий.

— «Эпплкору» нужны ваши деньги. Выучиться на человека-дисплея стоит недешево.

— Деньги есть.

— Пройдите к Чень-Ду. Комната тысяча девять. Крайний лифт слева.

Двери закрылись, и пол кабины надавил ему на ноги. А потом и на лицо, когда он распластался под тяжестью ускорения. Тысяча этажей — это долгий путь. Когда двери скользнули вбок, он выполз наружу. С трудом поднялся на ноги. Положил под язык восьмигранную капсулу кофеина. Вкус отвратительный. Но теперь он снова мог передвигаться.

Он распахнул дверь. Увидел сверкающую хромом аппаратуру. И человечка маленького роста — ее хозяина.

— Закрой дверь. Дует, — приказал Чень-Ду невозмутимо, словно последний император.

Протез его левой руки взвизгнул по-romански. Производство Италии, специально для открывания банок со спагетти. Человечек, не скрываясь, поковырял им в носу.

— Думаешь, способен стать человеком-дисплеем? Гиеной клавиатуры?

— Я знаю. Не думайте. Первый зуб у меня прорезался, когда я грыз «мышь».

— Трудное дело.

— Вы можете?

— Никто не может того, что может Чень-Ду. Я обучаю.

Протез чмокнул, словно втянул в рот макаронину: человечек сделал им широкий жест в сторону глумливо подмигивающего пульта управления, который, казалось, заполнял всю комнату.

— Модель восемьдесят тысяч триста восемьдесят шесть. ПЗУ на два мега. Сопроцессор для математики. Дисплей.

— Бросьте эту азбуку. — Он окинул дисплей жадным взглядом. — Это для меня. Мой дисплей. Я стану человеком-дисплеем. Клейте мне на голову датчики. Подключите меня к схеме.

— На голову? Обкурился, что ли? Сигнал от процессора поджарит тебе мозги, как картошку. Надо смягчить удар тока, принять его всем телом. Подальше от мозга. Вот — суппозидатчик.

— Суппозидатчик?! — в ошеломлении повторил Ки. — Значит, вы его не на голову мне приклеите? А засунете в задницу?

— Угадал.

Теперь он понял, зачем в сиденье табуретки, стоявшей у пульта, проделано отверстие.

Но когда в него хлынул сигнал, он забыл про свое тело. Он слился с дисплеем. Теперь он был человек-дисплей. Всеми своими чувствами он погрузился в недра компьютера. Там все было черно-белое.

— Вы что, обходитесь без цвета?

— Не верь. Пропаганда, — проник в глубины его существа бестелесный голос. — Цвет — только для голорекламы в метро. Облапошивать быдло. Только черно-белое. Занимает меньше памяти.

Холодная белизна льда, жаркий багрянец зарева выскользнули из его памяти и обрушились в бездну забвения. Из тьмы возникло нечто, оно становилось все ближе, пока не заполнило все поле зрения. Картотечный шкаф величиной с небоскреб. Деревянный. Затянутый паутиной.

— Что это? — завопил он в черную тьму.

— Картотечный шкаф. Лучший способ представить работу компьютера. А чего ты ждал? Голубую бесконечность? Сетку неоновых огней? Сферы, закодированные цветом? Чушь. Дерьмовый голофильм для детишек. Как может человеческий мозг, работающий со скоростью химических реакций, поспеть за компьютером на сто тридцать миллионов операций в секунду? Не может. Поэтому написали программу, которая показывает, что происходит. Программа рисует эту картину, чтобы медленный человеческий мозг мог за ней следить. Картотечный шкаф. Открой. В нем картотечные ящики. Открой ящик. Найди программу, карточку. Переходи к субпрограмме. Скука все это.

— Ничего себе скука! — вызывающе выкрикнула его шальная душа в шипящую тьму. Ответа не было, Чень-Ду задремал.

Ки учился. На учебу ушли все бакники, что у него были. И много еще. Его тянуло к клавиатуре. Больше, чем к женщинам, к выпивке, к зелью. Его постоянно томило желание, так что даже во рту стоял этот привкус. Противный привкус. И это его не смущало.

Но нужно было еще достать денег. И было только одно место, где он мог это сделать. В Кишке. В подземном городе под городом. В параллельном мире. Туда носа не совали власти — им не нравилось брести по колено в сточной канаве, служившей единственным входом. Ки побрел. Отряхнул с ног последние брызги вязких, жирных помоев и шагнул в дверь «Эль Мингаторио».

Желтые огни цвета детского кошмара освещали собравшуюся публику. Мерзкого вида публику, так что цвет был самый подходящий. Ки протолкался к стойке и стукнул кулаком по исцарапанному пластику.

— Ой! — вскрикнул он. Кулак угодил в битое стекло.

— «Ой» только что кончился, — насмешливо сказал бармен с глумливой гримасой, намалеванной на губах. Несмываемой краской. — Как обычно?

Ки кивнул. Рассеянно. Он забыл, что пил обычно. Непристойно толстый, раздутый от жира, похожий на моржа человек, навалившийся на стойку слева от него, пил что-то такое, от чего разило зеленой гнилью. Не то.

Барыга справа от него, с торчащими во все стороны пурпурными волосьями, собранными в колючки с крохотными презервативами на концах, давился чем-то дымящимся и лиловым. И это не то.

Бармен с треском поставил перед ним стакан. Еще одна царапина на стойке.

— Вот тебе. — Ни капли жалости не выражали его губы. — Имбирное пиво.

Ответив такой же глумливой усмешкой, Ки поднес стакан ко рту. Сделал большой глоток. Почувствовал, как его охватило отвращение.

— Это что, диетическое?

Ответом ему был гнусный смех, словно душа умирающего выскользнула во тьму.

В Кишке можно было купить и продать все, что угодно. Ки так и делал. Он шел на все ради желанных бакников. Он продавал свою кровь. Мыл окна. Нянчил двухголового младенца. Не было такой отвратительной работы, от которой бы он отказался. Он не видел другого выхода. Он должен стать человеком-дисплеем.

В тот день, когда он закончил учебу, за ним пришли.

Бежать было некуда, окна небьющиеся. Дверь их не остановила — они ее выломали.

— Попался, — сказал первый из них. Свет уличного фонаря падал сквозь жалюзи на его лицо, покрыв его сеткой параллелей.

— Нет!

Чей это был голос — его собственный? А чей же еще?

— Держи.

Не успел он отдернуть руку, как в нее сунули бумагу. Бумага шуршала и трещала, как смертоносная гремучая змея.

Выхода не было. Его призвали.

— Меня призвали. И вот я здесь. Человек-дисплей без дисплея. С загубленной жизнью и способностями. Чиню проводку.

Слезы отчаяния неслышно закапали на песок. Голос Ки затих, и наступило молчание. Рассказ подошел к концу. Правда, слушатели этого не заметили. Одурев от усталости, убаюканные его голосом, все крепко спали. Правда, он этого не заметил: во время своего рассказа он то и дело кидал в рот таблетки и теперь безнадежно торчал. Пробормотав заключительные слова, он свалился на песок и захрапел.

Не он один выводил мелодичные полуночные арии. Храп и сопение оглашали тихую ночь — день выдался долгий и трудный. Но — чу! — к храпу примешалось какое-то раскатистое урчание. Нечто черное показалось на гребне дюны, затмив своим телом звезды. Оно двинулось вниз, в неуверенности остановилось — и кинулось вперед. Внезапный крик боли тут же оборвался. Нечто черное удалилось, урчание затихло вдали.

Что-то разбудило Билла. Он открыл глаза, сел и огляделся вокруг. Ничего. Он лег, натянул на голову одеяло, чтобы не слышать храпа, и через мгновение уже спал снова.

## Глава 7

— Подъем! — орал адмирал Практис, бегая вокруг и пиная ногами спящих. Подбадриваемые его сапогами и криками, они один за другим нехотя поднимали головы и, моргая, озирались в оранжевом свете встающего солнца.

— Пропала. Мита пропала — ее похитили, украли, утащили!

Это была правда. Все уставились на яму в песке на том месте, где она спала, потом выпучили глаза на следы, уходившие от этого места в нехоженую пустыню.

— Ее съело заживо какое-нибудь жуткое чудище! — завопил Билл, взволнованно роя песок острыми куриными когтями.

Практис недовольно взглянул на него.

— Если это и было чудище, то у него есть водительские права, самый младший лейтенант. Потому что, если я не ошибаюсь, а я не ошибаюсь, это следы гусениц, как у трактора. А не ног, лап или щупалец.

— Это точно, — подтвердил Вербер. Кадык у него так и прыгал от волнения. — Гусеницы, они самые. Точно такие были у моего старого трактора на ферме. Послушайте, а может, тут где-нибудь поблизости есть ферма?..

— Заткнись, кретин, пока я тебя не прикончил, — намекнул Практис. — Кто-то похитил Миту во сне. Надо идти за ней.

— Зачем? — проворчал капитан Блай. — Ее давно уже нет в живых. Это не наше дело.

— Самый младший лейтенант, держите наготове оружие. Пристрелите всякого, кто не подчинится моим приказам. Мы идем по следам. Собирайтесь. — Практис злобно посмотрел на капитана Блая, который тут же умолк. — Хорошо. Если вы теперь посмотрите на компас, то увидите, что следы идут примерно в том же направлении, куда направляемся мы. Так что собирайтесь, и пошли. Быстро.

Все зашевелились. Разделили между собой груз, который несла Мита, собрали вещи. Билл с бластером в руках пошел впереди.

Солнце поднималось все выше, но они шли и шли. Все уже спотыкались от усталости, когда Билл скомандовал остановиться, и все повалились, где стояли.

— Привал пять минут, не больше.

Ответом ему были только стоны изнеможения. Откуда-то издалека донесся раскатистый взрыв.

— Все слышали? — мрачно сказал Билл, поднимаясь на ноги. — Идем дальше.

Вскарабкавшись на гребень очередной песчаной дюны, они увидели впереди столб черного дыма. Билл знаком скомандовал залечь и сбросил рюкзак.

— Держите оружие наготове — и не зевайте. Если я не вернусь через пять минут... — Он открыл было рот, чтобы продолжить, но тут же закрыл, потому что не знал, что сказать дальше.

— Вот что, — вмешался Практис. — Вы только дойдите туда и выясните, что произошло. Если от вас не будет вестей, мы начнем действовать сами.

Преисполненный железной решимости, Билл зашагал навстречу битве — вниз по склону дюны, снова вверх по склону до следующей. Каждый раз, добравшись до вершины, он опасливо выглядывал из-за гребня. Когда столб дыма был уже совсем близко, сразу за ближайшей дюной, он распластался на песке, вполз на дюну и с величайшей осторожностью выглянул.

— Давно пора, — сказала Мита, как только его голова показалась над гребнем. — Вода есть?

— С тобой все в порядке? — Не выпуская бластера из рук, он пополз вперед, не сводя глаз с горящей груды металла.

— Обошлась без вашей помощи. Это же надо — дать меня утащить из-под самого носа!

— Что случилось? Что это за штука?

— Почем я знаю? Знаю только одно: я крепко спала, а потом вдруг проснулась вся в песке и почувствовала, что меня кидает из стороны в сторону. Я села и, должно быть, ударилась головой, потому что ненадолго вырубилась. Потом пришла в себя. Кругом было темно, я слышала шум мотора и чувствовала, что мы двигаемся. Бластер остался при мне, и я проложила себе дорогу наружу. Где вода?

— Там, у них. — Он три раза подряд выстрелил из бластера. — Это они услышат. А того, кто сидел за рулем, ты убила?

— Там никого не было, я сразу увидела. Это робот, или она дистанционно управляется, или что-то вроде того. Какая-то машина на гусеничном ходу с большим захватом спереди. Этим захватом она меня и захватила и унесла, пока вы спали без задних ног.

— Ты уж прости, но я ничего не слышал...

Из-за горящей машины послышался металлический стук, а за ним шум мотора.

— Там еще кто-то есть — ложись! — крикнул он, подавая пример и зарываясь в песок.

— Ну, так просто я им не достанусь! — крикнула Мита в ярости и кинулась вперед.

Билл неохотно последовал за ней и ускорил шаги только тогда, когда услышал ее выстрелы. Она стояла, широко расставив ноги, из дула бластера поднимался дымок.

— Промазала, — недовольно сказала она. — Оно удрало.

Билл увидел следы гусениц, которые поднимались на лежавшую впереди дюну и исчезли за ее гребнем. Следы были узкие, не больше чем в метре друг от друга, и только одни. В растерянности он заморгал.

— Оно уехало туда? Но тогда как оно попало сюда?

— Оно все время было тут. Внутри вон того, — ответила Мита, указывая на распахнутый люк в боку разбитой машины. — Оно вылезло оттуда и покатилось прочь. И знаешь, это никакой не робот-водитель, оно точь-в-точь такое же, как эта машина, только куда меньше.

— Здесь какая-то тайна, — сказал показавшийся на вершине дюны Практис, запихивая в кобуру свой бластер. — Я слышал, что вы только что сказали. Теперь расскажите мне все, что было до этого.

— Сначала пусть мне дадут воды, — ответила Мита и закашлялась. — Пыльная была работа.

Осушив одним глотком целую кружку воды, она, ко всеобщему удовлетворению, повторила свою историю. После этого все принялись разглядывать дымящиеся обломки, стучать ногами по металлическому корпусу и восхищаться массивными гусеницами. А также заглядывать в контейнер-захват, где сидела Мита. И качать головой, ничего не понимая.

— Вы, Ки, — приказал Практис. — Вы у нас помешаны на всякой технике. Разберитесь в этой штуке, пока я выращу обед. Мы вам немного оставим.

Они уже кончали есть, облизывая жирные пальцы и вытирая их о песок, когда появился Ки и схватил свою порцию.

— Охе феесо, — выговорил он с набитым ртом.

— Сначала проглотите, а потом говорите, — приказал Практис.

— Очень интересно. Эта машина как будто отлита одним куском. Ни сварных швов, ни заклепок, ничего. И она абсолютно самостоятельна. Вон там, в том выступе впереди, вроде как какие-то схемы и память. Входы с радара, сонара и, кажется, инфракрасного детектора. И нет ничего напоминающего оружие. Похоже, она просто катается по пустыне и собирает что-то в контейнер, куда попала Мита. Самое интересное там — двигатель. На солнечной энергии, батареи стоят наверху, а внутри, должно быть, большие аккумуляторы. Потом что-то вроде гидравлического насоса и, возможно, гидравлических систем...

— Что значит — «должно быть», «возможно»? Я думал, вы разбираетесь в технике.

— Разбираюсь. Только в этой штуке не разберешься без алмазной пилы. У нее в гидросистеме вместо трубок вроде бы каналы для масла прямо в сплошном металле. Совершенно нерациональная конструкция, ничего подобного я никогда не видел. И не только это...

— Оставьте при себе все свои технические домыслы, — проворчал Практис. — Эта маленькая загадка может подождать. Нам надо отправиться по следам той машины, что скрылась. Ко всему прочему они идут в том же направлении, куда нам нужно, — в сторону огней. Может, она доставит им какое-то сообщение, известит о нашем присутствии...

— Кого известит? — спросил Билл.

— Кого или что — откуда я знаю? Я знаю только одно: чем быстрее мы будем шевелиться, тем больше шансов, что мы сможем шевелиться и дальше. Я хотел бы разыскать их, или его, или что там есть, прежде чем они или оно разыщет нас. Так что поторапливайтесь.

Впервые никто не стал возражать. Сначала Практис сверял направление, в котором шли следы, по компасу, но через некоторое время спрятал его в карман. Следы вели в нужную сторону.

Жаркий день тянулся без конца, но Практис приказал остановиться только тогда, когда почти стемнело. Он с недовольной гримасой посмотрел на следы, исчезающие в темноте. Билл с такой же гримасой стоял рядом с ним.

— Вы тоже думаете то, что я думаю? — спросил Билл.

— Да, если вы думаете, что этой штуке не нужно останавливаться на отдых и что сейчас она катит себе дальше.

— Именно это я и подумал.

— Советую выставить на ночь охранение. Совершенно ни к чему, чтобы в темноте загребли еще кого-нибудь.

Сторожили все по очереди. Впрочем, особой нужды в этом не было: приближавшийся шум моторов был хорошо слышан. К тому времени как они понадежнее окопались на вершине дюны и приготовили бластеры, моторы уже оглушительно ревели. Со всех сторон.

— Мы окружены! — жалобно воскликнул Вербер и ойкнул, когда кто-то ткнул его ногой.

Но больше ничего не произошло. Моторы рокотали все громче, а потом тише и в конце концов заурчали на холостом ходу. Ни один не приближался. Через некоторое время Билл, подстегиваемый любопытством, полез на разведку. Света звезд было достаточно, чтобы разглядеть внизу силуэты.

— Мы окружены, — сообщил он, вернувшись. — Множество больших машин. Подробностей я не разглядел. Но они стоят со всех сторон, гусеница к гусенице. Попробуем прорваться?

— Зачем? — возразил Практис с угрюмой рассудительностью. — Они знают, что мы тут, и у них численное превосходство. Если мы попробуем схватиться с ними в темноте, неизвестно, что из этого выйдет. Давайте дотерпим до рассвета.

— По крайней мере, увидим, кто нас истребит, — съязвил капитан Блай, кидая в рот таблетку. — Я пас. Пусть я проснусь покойником, но хотя бы ничего не буду знать.

Спорить никто не стал. Те, кто смог заснуть, заснули. Билл старался изо всех сил, но безуспешно. В конце концов он уселся на гребне дюны и принялся смотреть в сторону невидимых преследователей. Мита села рядом и дружески обняла его за плечи.

— Тебе одиноко, плохо и страшно, — сказала она. — Я вижу.

— Не так уж трудно догадаться. А тебе?

— Ну нет. Меня так просто не напугаешь. Давай поцелуемся и забудем об этих противных чудовищах.

— Да как ты можешь в такой момент даже думать про секс? — жалобно сказал Билл, вывертываясь из ее жарких объятий. — Почем я знаю, может, через несколько часов никого из нас уже не будет в живых.

— Тем лучше повод, чтобы забыться, милый. Или ты девочек не любишь? — Ее презрительную улыбку он ощутил даже в темноте.

— Девочек я люблю, еще как! Только не сейчас. Смотри! — воскликнул он с облегчением. — Кажется, светает. Пойду разбужу остальных.

— Нечего их будить, все давно проснулись, — сказал чей-то голос из темноты. — И с удовольствием слушают вашу беседу.

— Подглядываете, мерзавцы? — крикнула Мита и принялась палить в темноту из своего бластера. Но все тут же попрятались, и никто не пострадал. Злобно бормоча что-то про себя, она подняла глаза к посветлевшему небу и перевела сердитый взгляд на поджидающие внизу машины. — Я врежу между глаз первой же, которая подойдет на выстрел. Все вы жалкие недоумки, одержимые свинским мужским шовинизмом. Не знаю, как вы, но вот эта девушка просто так не сдастся. Я прихвачу их с собой, сколько смогу.

— Будьте так любезны, проявите немного благоразумия, — сказал Практис из окопа, в котором укрылся. — Опустите оружие, и давайте посмотрим, что будет дальше. Успеем настреляться потом, если до этого дойдет.

Послышался далекий гул, и все подняли головы. В небе над ними показалась какая-то машина. Орнитоптер, хлопающий крыльями. Когда он приблизился, Мита вскочила и открыла по нему огонь. От хвоста машины полетели обломки, она резко накренилась и скрылась из вида.

— Неплохо, — пробормотал Практис, стараясь, чтобы его слова не донеслись до старшины-механика первой статьи и не вызвали у нее новую вспышку гнева. — Но я предпочел бы воздержаться от нападения.

По ту сторону дюны заработал мотор. Мита круто повернулась и успела выстрелить один раз, прежде чем Практис сгреб ее в охапку.

— Помогите! — крикнул он. — Она нас всех угробит!

Призыв к трусости возымел действие: мужчины мужественно навалились на Миту и помогли обезоружить ее, притворяясь, будто не слышат, как она их честит. Отняв у нее бластер, они отошли подальше и увидели, что по склону дюны к ним приближается машина на колесах. Все постарались принять дружелюбный и безмятежный вид. Машина подъехала, развернулась боком к ним и остановилась. Услышав металлический скрежет, все попятились — но это всего лишь открылись люки. Видя, что ничего больше не происходит, Билл, несколько уязвленный в своем мужском достоинстве столь явным превосходством Миты, шагнул вперед, чтобы доказать, что мужество не совсем его покинуло. Он заглянул внутрь машины, обернулся и сообщил:

— Водителя там нет, но есть сиденья. Шесть штук. Ровно столько, сколько нас тут.

— Блестящее наблюдение, — сказал Практис, становясь на цыпочки, чтобы заглянуть внутрь. — Есть желающие прокатиться?

— А у нас есть выбор? — спросил Билл.

— Лично я его не вижу. — Практис оглянулся через плечо на окружающие их кольцом огромные машины.

— Я пошел, — сказал Билл, зашвырнул внутрь рюкзак и полез сам. — Все равно воды у нас почти не осталось.

Все с большой неохотой последовали за ним. Когда они расселись, люки захлопнулись, мотор взревел, и машина сама собой покатилась под гору. Одна из больших гусеничных машин отъехала в сторону, они выехали из кольца и понеслись по пустыне. В туче пыли, летевшей из-под колес, едва видно было, как остальные машины развернулись и поехали за ними.

## Глава 8

— Подвеска у этой развалины никуда не годится, — заметила Мита, подпрыгивая на металлическом сиденье. Машину трясло и качало на ухабах.

— Зато куда лучше пешего хождения, — вкрадчиво сказал Билл, пытаясь вернуть ее расположение. Ответом ему была только презрительная гримаса. — Там что-то есть! — воскликнул Билл, держась для устойчивости за плечо Вербера и вглядываясь вперед сквозь бушевавший снаружи песчаный вихрь. — Толком не видно, но это что-то большое.

Вдали показалось какое-то пятнышко, не больше птичьей погадки. Машина направилась к нему. Пятнышко стало размером с кулак и продолжало расти. Вскоре уже можно было разглядеть подробности, пока еще совершенно непонятные. Столь же непонятными они остались, когда машина подъехала ближе. И только когда она, перевалив через гребень дюны, покатилась вниз, в ложбину, стало видно, что впереди поднимается целая мешанина башен, шпилей и каких-то конструкций, выстроенных словно из железного лома и окруженных высокой стеной. Песок был испещрен колеями и следами гусениц, пересекавшими его во всех направлениях, но сходившимися в одну точку — туда, где стена выгибалась внушительного размера пузырем.

Машина, в которой они сидели, продолжала двигаться вперед, а остальные, замедлив ход, замерли на месте и исчезли из вида в куче пыли. Их волшебная карета, не снижая скорости, неслась к стене, в которой в последний момент раскрылся проход. Они проскочили в него и оказались в кромешной тьме: наружная стена закрылась позади.

— Надеюсь, что эта штука видит в темноте, — пробормотал Практис, ни к кому не обращаясь.

Впереди забрезжил свет, машина замедлила ход, выскочила на солнце и остановилась.

— Ну и что? — спросила Мита. — Опять песок, сплошная стена и то же самое небо. С таким же успехом мы могли оставаться на месте...

Она умолкла: люки со скрипом распахнулись.

— По-моему, они от нас чего-то хотят, — сказал Вербер.

Все опасливо встали и, так как делать больше ничего не оставалось, вышли из машины. Кроме Билла, который не мог сделать и этого.

— Эй, ребята, у меня тут что-то неладно. Эта штука держит меня за щиколотки.

Он встал и дернулся, но его крепко держали металлические лапы. Прийти к нему на помощь никто не успел: люки захлопнулись. Машина тронулась, и Билл, издав хриплый вопль, снова плюхнулся на сиденье. В стене впереди открылся переход, и они проскочили в него. Сердитые крики оставшихся позади товарищей оборвались, когда проход в стене закрылся.

— Не уверен, что мне все это нравится, — жалобно сказал Билл в темноту. Машина продолжала двигаться вперед. Она въехала в какую-то дверь и оказалась в залитом солнцем помещении. Металлические лапы отпустили Билла, как только машина остановилась, и люки снова распахнулись. Опасливо озираясь, он вылез наружу.

Солнце лилось сквозь прозрачные панели высоко над головой, освещая какие-то сложные механизмы и незнакомые устройства, сплошь покрывавшие стены. Все было очень загадочно, но не успел он толком оглядеться, как к нему с громыханием подъехала и остановилась рядом маленькая пузатая машина на скрипучих гусеницах. Она выкинула в его сторону металлическую лапу с какой-то черной шишкой на конце — если бы он не отдернул голову, лапа угодила бы ему по физиономии. Билл выхватил из кобуры бластер, готовый разнести машину в куски, если она еще раз попробует съездить ему по морде. Но лапа только повернулась к нему и застыла сантиметрах в тридцати от его головы. По шишке пробежала легкая дрожь, послышался какой-то скрип, пронзительное гудение, а потом она заговорила басом:

— Би-ип... би-и-ип... би-и-и-бип! — сказала она радостным электронным голосом и склонилась к нему, словно ожидая ответа.

Билл улыбнулся и откашлялся.

— Да, вы совершенно правы, — сказал он.

— *0101 1000 1000 1010 1110.*

— Пожалуй, это ближе.

По шишке снова пробежала дрожь, и она произнесла:

— *Karsnitz, ipplesnitz, frrkle.*

— Я не совсем понимаю...

— *Su ogni parola della pronuncia figurate e stato segnato l'accento fonico.*

— Нет, — заявил Билл. — Все равно непонятно.

— *Vous y trouverez plus millions mots.*

— В последнее время — нет.

— *Mi opinias ke vi komprenas nenion.*

— Вот это уже ближе.

— *Должен же быть какой-нибудь язык, который ты сможешь понять, урод ты слизистый!*

— Вот так и валяй!

— *Означает ли словосочетание «вот так и валяй», что ты понимаешь мои слова?*

— Попала в самую точку. Голос у тебя немного скрипучий, а так вообще все в порядке. Теперь я надеюсь, что ты не откажешь в любезности ответить, если я спрошу...

Машина не стала тратить время на разговоры, а вместо этого откатилась назад к стене и остановилась около другой машины, похожей на помесь телекамеры и автомата с газированной водой. Билл вздохнул, ожидая, что произойдет дальше. То, что произошло дальше, выглядело очень внушительно.

Где-то вдалеке зазвенели колокольчики и прогудел паровозный гудок. Звуки становились все громче, в стене возникла дверь, и из нее вылетел золотистый столб света. Невысокий золотистый помост вкатился в комнату и остановился перед Биллом. Он был задрапирован какой-то золотистой тканью, на которой возлежала золотистая фигура. Почти человеческая на вид, если не считать того, что у нее было четыре руки и вся она была металлическая. Голова, усаженная золотистыми заклепками, повернулась к нему лицом, золотистые веки, щелкнув, поднялись, и она, открыв золотозубый рот, заговорила:

— Добро пожаловать, о незнакомец из далеких миров.

— Ого, вот это здорово! Да вы говорите по-нашему!

— Да. Я только что научился этому от лингвистического кибернатора. Только у меня не все ладно с перфектными временами и герундиями. И с неправильными глаголами.

— Да я и сам ими никогда не пользуюсь, — смиренно ответил Билл.

— Ответ как будто удовлетворительный, хотя и довольно идиотский. Теперь скажите, что привело вас на нашу дружественную маленькую планету Сша?

— Это так ваша планета называется?

— Ясное дело, болван, иначе зачем бы я это сказал? Между прочим, вы не могли бы немного проконсультировать меня по поводу сослагательного наклонения? Ну да, я вижу, вы им тоже не пользуетесь. Вы тупо киваете. Тогда снова к делу. Зачем вы сюда прибыли?

— Видите ли, наша база, которой не должно было бы угрожать никакое нападение...

— К вашему сведению, это и есть сослагательное наклонение, которым вы никогда не пользуетесь.

Билл запнулся, не зная, что сказать, потом продолжил:

— Так вот, на нас напали огромные летучие драконы...

— Простите, что я перебиваю, но эти летучие драконы были, случайно, не металлические?

— Да, металлические.

— Так вот, значит, что задумали эти дребезжащие мерзавцы! — Золотые веки моргнули, и существо издало громкое шипение, потом снова повернулось к Биллу. — Простите меня, я немного забылся. Меня зовут Зоц-Зиц-Жиц-Глоц, но вы можете называть меня запросто — Зоц, в знак нашей растущей близкой дружбы. А вас...

— Самый младший лейтенант Билл.

— Мне называть вас полным именем?

— Друзья зовут меня Билл.

— Как мило с вашей стороны и с их стороны тоже. Ах да, я совсем никудышный хозяин. Что вам предложить из прохладительного? Может быть, хорошо отфильтрованного бензола? Или масла высшей марки? Или капельку фенола?

— Нет, спасибо. Хотя я с удовольствием выпил бы стакан воды...

— ЧЕГО?! — рявкнул Зоц, и в голосе его прозвучал металл. — Ха-ха, наверное, я просто ослышался. Наверное, вы хотели бы чего-то такого, о чем я никогда и не слыхал. Не может же быть, чтобы вы попросили воды — жидкого при обычной температуре вещества, состоящего из двух атомов водорода и одного атома кислорода — $H_2O$?

— Его самого, мистер Зоц. Вы прекрасно разбираетесь в химии.

— Стража! Уничтожить это существо! Оно хочет убить меня, отравить! Разобрать его на детали! В переплавку его!

Билл, испуганно охнув, попятился. К нему с грохотом направилась целая коллекция хирургических инструментов устрашающего вида. Щипцы, металлические клещи, извивающиеся щупальца, гаечные ключи — еще бы немного, и они дотянулись бы до него и растерзали бы в клочья, но голос зазвучал снова:

— Стойте!

Все замерло. Кроме одной машины с протянутыми лапами, которая вытянула их слишком далеко: потеряв равновесие, она рухнула на пол.

— Один-единственный вопрос, о слизистый незнакомец Билл, прежде чем я снова спущу их с цепи. Эта вода — что ты хотел с ней сделать?

— Да выпить ее, что еще? Очень пить хочется.

Золотое тело Зоца содрогнулось. А Биллу пришла в голову оригинальная мысль, что случалось с ним так редко. С величайшим усилием, потратив ужасно много времени, его размягченные солдатчиной мозговые клетки ухитрились умножить два на два и при этом получить четыре.

— Я люблю воду. Да я на девяносто пять процентов из нее состою, — сказал он наугад и не ошибся.

— Вот чудеса-то! — Зоц снова откинулся назад на своем ложе и погрузился в глубокие размышления — слышно было, как у него в голове крутятся колесики. — Стража, назад, — приказал он, и стража отступила. — Я полагаю, что теоретически возможна форма жизни, в основе которой лежит вода, как бы отвратительно это ни звучало.

— Ну, не совсем вода, — сказал Билл, лихорадочно пытаясь вспомнить давно забытые уроки естествоведения. — На самом деле это углерод, вот что. И хлорофилл, понимаете?

— Откровенно говоря, не понимаю. Но постараюсь уразуметь, я способный.

— А теперь можно я задам вопрос? — Вялый кивок Зоца Билл счел за знак согласия и продолжил: — Я начинаю соображать. Ведь вы сделаны из металла? Не сделаны, вы просто из металла?

— Это должно быть очевидно.

— Значит, вы живая металлическая машина?

— Слово «машина» в данном контексте звучит оскорбительно. Точнее было бы сказать — форма жизни, основанная на металле. Мы еще поболтаем с вами об этом, о летучих драконах и о всяких других интересных вещах. Но сначала — вот ваш яд... умоляю вас, умоляю вас, простите, — ваше питье.

Из стены выкатилась металлическая платформа, протянула лапу, поставила на пол перед Биллом стеклянный сосуд и поспешно ретировалась. Билл поднял его и увидел, что внутри булькает прозрачная жидкость. Не без опаски он взялся за пробку и откупорил сосуд. Он подозрительно принюхался, но не ощутил никакого запаха. Окунул в жидкость кончик пальца, ничего не почувствовал. Облизал палец.

— Старая добрая $H_2O$. Зоц, приятель, спасибо вам огромное.

Он одним махом осушил сосуд, с удовольствием крякнул и поставил его на пол.

— Это же надо такое видеть! — ахнул Зоц. — Будет теперь что порассказать ребятам в мастерской... — Он щелкнул пальцами, и какое-то устройство на колесиках с щупальцами подъехало и подало ему жестянку с маслом. Он поднял ее вверх. — За ваше здоровье, инопланетянин-ядопивец. — Он осушил жестянку и отшвырнул ее. — Ну, довольно развлечений — теперь за работу. Вы должны рассказать мне подробнее о нападении летучих драконов. А вы не знаете, зачем им это понадобилось?

— Как не знать, знаю. Этой атакой руководили злые и коварные чинджеры.

— Все интереснее и интереснее. А что такое чинджеры?

— Враги.

— Чьи?

— Человечества. Мои, то есть всех. Эти чинджеры — разумная инопланетная раса, которая хочет нас уничтожить. Поэтому мы, естественно, должны уничтожить их первыми. Уничтожение в больших масштабах называется у нас войной.

— Начинаю понимать. Вы и другие водянисто-слизистые существа ведете войну с этими чинджерами. А можно спросить, у них обмен веществ основан на металле или на углероде?

— Хм, этого я толком не знаю. У них по четыре руки, как у вас, но я знаю, что они не из металла, хотя и командуют металлическими драконами. Потому что я сам одного видел. Эти драконы — о-го-го! — и он делано засмеялся, собираясь отпустить шутку. — Они, случайно, не ваши?

— Случайно нет. Их выращивают злые уонккерсы. Я вам о них расскажу, но сначала — все забываю, а что это за существа, которых мы захватили вместе с вами? Они, случайно, не чинджеры? Или просто деловые партнеры?

— Они люди, как и я. Мои друзья — по крайней мере кое-кто из них.

— Тогда мы должны о них позаботиться. Нет, я в самом деле плохой хозяин. Я велю доставить их сюда — и тогда расскажу вам ужасную историю уонккерсов.

## Глава 9

Машины-пастухи пригнали в комнату остальных членов экспедиции. Те настороженно озирались, не выпуская из рук бластеров.

— Все в порядке, вы среди друзей, — быстро сказал Билл, чтобы предотвратить возможные недоразумения.

— Попрошу выражаться точнее, — отозвался Практис. — Кто именно из этого хирургического инструментария друзья?

— Вот этот золотой тип на кушетке. Его зовут Зоц, и он, кажется, тут главный.

— Не просто кажется, друг Билл. Я самая главная шишка, как сказали бы вы на своем странном языке, хотя мне и не совсем понятно, что такое шишка. Познакомьте меня со своими коллегами.

После того как это было сделано и все досыта напились воды, Билл ввел их в курс дела.

— Похоже, вот этот Зоц и вся остальная компания — формы жизни, основанной на металле.

При этих словах Практис выпучил глаза и собрался было задать множество вопросов. Билл заметил это и быстро продолжил:

— Он познакомит нас с научной стороной дела позже, адмирал. Но сначала он собирался рассказать мне о тех летучих драконах, которые на нас напали. Они имеют какое-то отношение к каким-то уонккерсам.

— Небольшое уточнение, — вмешался Зоц. — Уонккерсы недавно их вывели. Мы тщательно следим за этими металлическими мерзавцами, потому что доверять им нельзя. Билл сообщил мне, что вы ведете войну со злыми чинджерами. Можно сказать, что мы с уонккерсами примерно в таких же отношениях. И поскольку они, по-видимому, вывели и обучили этих драконов для чинджеров, получается, что мы с вами собутыльники.

— Точнее было бы сказать — союзники, — поправил Практис.

— Спасибо, мой дорогой друг. Что касается уонккерсов, то они намерены уничтожить нас, так что мы должны уничтожить их первыми.

— Точь-в-точь как люди и чинджеры! — радостно сказал Билл.

— Пожалуй, сходство действительно имеет место. Здесь, на планете Сша, множество разнообразных форм жизни — как вы можете видеть, если посмотрите вокруг. Миллионы лет назад жизнь зародилась здесь в теплых лужах нефти, украшающих наши ландшафты. Под лучами благодатного солнца процесс эволюции пошел несколькими путями. В глубокой древности появились простейшие минералоядные существа, которые до сих пор пасутся на богатых рудных месторождениях среди холмов и песчаных прерий. Но жизнь — жестокая штука. Появились хищные машиноядные, которые питались — и сейчас питаются — минералоядными. Такова жизнь, какую мы знаем и, как я понимаю, какую знаете и вы.

— Вот именно! — в восторге согласился Практис. — Параллельная эволюция. Мы должны подробно поговорить на эту тему...

— И поговорим. Но сначала — об уонккерсах. Они появились так же, как и все другие формы жизни. Но они — как бы лучше это выразить — лишены разума и в клиническом, и в юридическом смысле. Они психи. У них не хватает колесиков. Они объединились в гнусный союз безумных машин и были отвергнуты всеми разумными формами жизни. Уже давным-давно мы попытались истребить их, прежде чем они истребят нас. Но из того, что они безумны, не следует, что они глупы. Те, кто выжил после металлических побоищ, бежали и построили крепость в горах. Вместо того чтобы жить мирно, они порабощают себе подобных, бьют их и плохо с ними обращаются. Это ужасно. А еще ужаснее было узнать, что они вступили в союз с этими выродками из плоти и крови — чинджерами. По крайней мере, так сказал мне друг Билл.

— Это верно, — подтвердил Практис. — Они командовали атакой летучих драконов.

— Все сходится. В последнее время нам стало известно, что в крепости уонккерсов замечена какая-то лихорадочная деятельность. Наши шпионы, порхающие над холмами, обнаружили множество летучих драконов. Мы опасались нового их наступления, не зная, что у этих хищных полчищ иная цель. Мы рады за себя, но с огорчением узнали о ваших несчастьях.

— Мы тоже, — сказал Практис. — Мне бы очень хотелось побеседовать с вами об эволюции. Но с этим придется повременить. Говоря в качестве военного, а не ученого, — как нам объединить силы в наших общих интересах? Ради истребления наших общих врагов?

— Вот в чем вопрос, верно? Об этом надо подумать. Я предлагаю вам сейчас пройти в отведенные вам апартаменты и слегка закусить. Капля-другая машинного масла, может быть, немного магния в порошке? О, что я говорю!

— Не волнуйтесь, Зоц, — сказала Мита. — У нас с собой есть запасы пищи. Все, что нам нужно, — это клочок земли.

— Так просто? Я уже отдал нужный приказ. По радио, конечно. Отдохните и освежитесь, а я позову вас снова после того, как посовещаюсь со своими советниками.

— Как будто неплохое место, — сказал Вербер, когда они вслед за проводником на колесиках шли по усаженному заклепками коридору. — Господи, как нам повезло!..

— Заткнись, недоумок, — намекнул Практис. — Несешь невесть что, не затрудняя свои заросшие синапсы даже подобием разумной мысли. Неужто ты не видишь, какие тут вокруг научные чудеса? Нет, конечно не видишь. Но я-то вижу! Я напишу об этом статьи, напечатаю книги, прославлюсь на всю Галактику!

— И еще получите повышение в чине, — лицемерно подхватил Билл. — Когда вы поднимете все эти машины на войну с чинджерами, вас непременно повысят.

— Единственное повышение, о котором я мечтаю, — это снова вырваться на гражданку. Да, очень может быть, что это в самом деле поможет.

— Вот... ваши апартаменты, — металлическим голосом произнес проводник, распахнув дверь в большую комнату. В ней не было ни мебели, ни украшений — одни только крючья на стенах. Посыльный указал на них щупальцем.

— Эти крючья — для того, чтобы висеть на них ночью.

— Благодарю покорно, железяка, — фыркнула Мита. — Только мы знаем способ, как проводить ночь получше. А как насчет клочка земли, о котором мы говорили?

— Все готово. Следуйте за мной, пожалуйста.

Вслед за машиной Мита вышла через другую дверь во двор.

— Как будто годится. — Она потопала ногой по голой земле, обернулась и крикнула: — Тащите сюда свои семена мясодынь! Мой желудок уже думает, что у меня перерезано горло. О-о-ох!

— О-о-ох? Что это должно означать? — спросил Практис, выглянув в дверь как раз вовремя, чтобы увидеть, как вскипел песок у нее под ногами.

— О-о-ох! — сказал он, глядя выпученными глазами, как Мита погрузилась в землю и исчезла из вида.

— Помощь сейчас прибудет, — сказала машина-проводник, вытянув лапу с электронным глазом на конце и заглядывая им в провал.

Она была права. Дверь распахнулась, и во двор ворвалась, сбив Бербера с ног, какая-то машина, похожая на торпеду с множеством колесиков. Она головой вниз нырнула в провал и исчезла так же быстро, как и Мита.

— Что с Митой? — спросил Билл, выбегая во двор.

— Ума не приложу. У нее под ногами разверзлась земля — раз! — и она провалилась в дыру.

— Имею информацию, — сказал появившийся Зоц. Он все еще возлежал на своем помосте, который теперь несли шесть маленьких машинок-носильщиков. — Этот туннель имеет большую протяженность и уходит за внешнюю стену. До самых холмов. А, ясно. Он заканчивается в прелестной солнечной долине, где вашего товарища сейчас усаживают на летучего дракона. Нашу машину заметили...

Зоц запнулся и быстро выпил глоток масла.

— На данный момент это все. Наша машина только что уничтожена. Я направил туда машин-воинов, но боюсь, что они уже опоздали. Наблюдатели сообщают, что видят дракона, удаляющегося на большой скорости.

— Можете не продолжать, что он летит в горы, — язвительно перебил его Практис. — По-вашему, похищение гостей входит в понятие гостеприимства?

— Я потрясен, дорогие гости, поверьте. Я обесчещен, и будь у меня под рукой электродрель, я бы тут же совершил харакири. Но может быть, то, что я остался жив, к лучшему, потому что я смогу организовать погоню и спасение. Пока я говорю, сюда уже движется боевая машина. Я предложил бы, чтобы кто-то из вас сопровождал и консультировал ее во время спасательной операции. Есть доброволец?

Послышалось быстрое шарканье ног: все дружно попятились.

— Я командир мусоровоза.

— Я только что призван, недавно с фермы.

— Только электроника — я даже стрелять не умею.

— Я в чине адмирала и ученый по профессии. Значит, остается только наш закаленный в боях ветеран.

Все посмотрели на Билла, который встревоженно кусал губы, пытаясь найти выход из положения.

— Поздравляю, самый младший лейтенант, — сказал Практис, выступив вперед и хлопнув его по плечу. — Возлагаем все наши надежды на вас. Чтобы вам было легче, произвожу вас в младшие лейтенанты. Поблагодарите меня с ближайшей получки. И вот на всякий случай запасная обойма для вашего бластера. Отправляйтесь без колебаний. Потому что, если вы откажетесь, я всажу вам заряд промеж глаз.

Билл оценил всю логичность его доводов и шагнул вперед. Во двор с оглушительным грохотом вкатилась приземистая, неуклюжая машина воинственного вида. Из нее во все стороны были выставлены пушки, шипы, гранатометы и лучеметы, и даже на месте пиписьки торчал — о ужас! — брандспойт для воды.

— Боевой дьявол Марк-один, — гордо сказал Зоц. — Он обучен вашему языку и передается в ваше распоряжение.

— Я в вашем распоряжении, — произнесла машина скрипучим голосом. — Предлагаю всем снова пройти в помещение во избежание несчастных случаев. Легко могу нечаянно затоптать.

Она загнала озадаченных людей в комнату — машины уже успели убраться туда сами. Небо потемнело, и послышалось оглушительное хлопанье крыльев: во двор спускался орнитоптер. Он шумно плюхнулся на землю, низко осел на амортизаторах, подпрыгнул и, качаясь вверх и вниз, понемногу успокоился. Из его бока вывалился и уперся в землю складной трап.

Билл смотрел на все это с глубоким подозрением.

— Не верю, — бормотал он. — Это птицы, когда летают, машут крыльями. Машины так не могут. Они для этого слишком тяжелые.

— Придется вам поверить собственным глазам, — сказал Зоц. — Это форма жизни, основанная на алюминии, мой новый друг Билл. Такое отважное существо из плоти, готовое предстать перед угрозой гибели, чтобы выручить товарища. Защищай его как следует, боевой дьявол.

— До последнего эрга энергии, до последней капли смазки! — рявкнула машина.

Она положила конец колебаниям Билля, бережно поставив его на верхушку трапа и взобравшись вслед за ним сама.

Размышляя о том, как лихо его обошли, Билл уселся в седло на спине орнитоптера и просунул ноги в стремена. Марк-1 прикрепил себя болтами сзади него. Зоц крикнул:

— Да пребудут с вами ядерные силы — и сильные, и слабые!

Металлический конь под ними зажужжал, четыре крыла медленно поднялись, опустились, снова поднялись, захлопали все быстрее и быстрее. Машину бешено затрясло. В тот момент, когда она, казалось, вот-вот рассыплется на части, она встрепенулась и поднялась в воздух. Билл, держась изо всех сил, стиснул зубы, чтобы не стучали.

— Ужасно! — выговорил он сквозь зубы.

— Если вы знаете лучший способ летать, расскажите мне, — отозвался боевой дьявол с чисто механической бесчувственностью. — Посмотрите вперед — вы видите, что там показались вершины горного хребта Пртзлкксиньдлп — шестьдесят девять. На ваш язык «Пртзлкксиньдлп — шестьдесят девять» можно перевести как «горы, где расстаются с надеждой, где царит отчаяние и снег валит все лето...».

— Послушай, Марк, я вполне могу обойтись без твоего репортажа. Ты что-нибудь слышал о том, что произошло?

— Ну конечно. Я постоянно поддерживаю связь с базой. Наши шпионы сообщают, что дракон приземлился и ваша спутница исчезла из вида. Был послан ударный отряд, чтобы уничтожить их наблюдательные пункты. Операция прошла успешно, хотя, разумеется, и с большими потерями, но мы ни перед чем не останавливаемся, чтобы помочь нашим новым братьям по оружию. Теперь мы сможем приземлиться незамеченными в непосредственной близости от противника. Держитесь крепче — мы снижаемся.

Билл не имел ничего против того, чтобы снизиться. Было даже занятно — что-то вроде аттракциона в парке. Но когда они, снизившись, влетели в ущелье, волосы у него встали дыбом. Машину судорожно швыряло из стороны в сторону, она задевала за скалы, катилась по склонам и снова взлетала. Наконец, с треском ударившись в последний раз и погнув одно крыло, она боком скользнула в узкую щель между скалами и врезалась в камни. Она лежала, дымясь, выставив вперед погнутое крыло. Билл с трясущимися руками слез на долгожданную твердую землю.

— Спасибо, что прокатили, — проворчал он тоном, полным сарказма.

— О, спасибо вам, — ответил орнитоптер высоким, пронзительным голосом. Глаза его со скрипом повернулись в орбитах, чтобы взглянуть на Билла. — Жаль, что у меня только одна жизнь, которой я могу пожертвовать ради моих товарищей — и новых друзей-мокрецов...

Голос его прервался, глаз потух и закрылся.

— Ну, что дальше? — спросил Билл у боевой машины.

— Мы проникнем во вражескую крепость.

— Ах вот как? Просто так — возьмем и проникнем? А это кому-нибудь до сих пор удавалось?

— Нет. Но ведь на этом фронте еще ни разу не вводили в бой боевого дьявола Марка-один.

— Замечательно. Если твоя боевая мощь так же велика, как твое самомнение, победа нам обеспечена.

— Она и так обеспечена. План был разработан ГМТКТ — Главным мозговым трестом и Комитетом по тактике. Вот этот план. Их наблюдательные пункты уничтожены, поэтому атака может быть проведена незаметно. А вот и атакующие.

Он оттащил Билла в сторону, и как раз вовремя: через секунду мимо них покатились боевые машины. Оснащенные гусеницами, колесами и шарнирными ногами, ощетинившиеся оружием, несокрушимые и внушительные на вид, они двигались вперед, сотрясая землю. Кроме того, они пели — боевую песнь, слова которой остались для Билла непонятными, что, вероятно, было к лучшему. Как только они прошли, Билл с Марком поспешили вслед. Каньон, по которому они двигались, был узок и извилист, и лишь время от времени впереди можно было видеть цитадель уонккерсов. Потом пение вдали прервалось могучим взрывом и ударами металла о металл.

— Бой завязался, — сказал Марк. — Защитники крепости вышли наружу, чтобы встретить атакующих. Мы должны спешить, потому что атака обречена на неудачу. Вот мы и пришли.

Боевая машина взбежала по скалистой стене ущелья, которая на вид ничем не отличалась от других. Но на самом деле отличалась — это стало очевидно, когда Марк ткнул металлическим пальцем в какую-то трещину и целый кусок стены распахнулся, как дверь, открыв темное отверстие. Билл не успел возразить, как был втолкнут в него, и скала за ним снова закрылась.

Внутри оказалось ровно столько места, чтобы поместиться им обоим. И не просто поместиться, а наблюдать: благодаря неведомым ухищрениям инопланетной науки скала, снаружи выглядевшая сплошной, была прозрачна изнутри.

Снова земля затряслась под ногами, колесами и гусеницами атакующего отряда. Но теперь это был уже отступающий отряд. Его поредевшие ряды пронеслись мимо, преследуемые по пятам стадом вражеских боевых машин столь же устрашающего вида. Со свистом пролетали и рвались снаряды, то и дело сверкали молнии. Потом атакующие скрылись из вида, но многие отважные бойцы остались на месте, разбитые и дымящиеся. Защитники крепости, увлеченные погоней, объезжали упавших или с хрустом их переезжали.

— И что дальше? — спросил Билл.

— Надо подождать. Уже скоро.

Начали появляться тыловые части, следовавшие за победоносной армией: транспортеры с боеприпасами, цистерны, генераторы для подзарядки аккумуляторов. И сборщики лома. Последний из них с грохотом прокатился мимо, остановился, вытянул длинную лапу и поднял лежащего на земле воина без рук и ног. Бросив его со звоном на груду таких же останков в бункер в задней своей части, машина двинулась дальше. К этому времени контратакующие силы уже скрылись за поворотом ущелья.

Боевой дьявол чуть приоткрыл дверь в скале, высунул лапу и выстрелил в не успевшую удалиться машину разрядом молнии. В машине послышался треск, она содрогнулась и застыла на месте.

— Выгорели управляющие схемы, — сказал Марк-1, и в его металлическом голосе прозвучало удовлетворение. — Во всем остальном она вполне в рабочем состоянии. Мы должны быстро забраться туда и спрятаться под кучей лома. Скорее!

Они выскочили наружу. Марк-1 отодвинул в сторону несколько обломков, а потом загородился ими. Под обломками было довольно светло, и Билл видел, как у Марка-1 из-под мышки выдвинулся какой-то гибкий прут и ввинтился в машину. Мгновение спустя сборщик лома вздрогнул и ожил. Загудел мотор, он развернулся и двинулся назад, в сторону, откуда появился.

Биллу все это очень не понравилось.

## Глава 10

— Когда приблизимся к стене, придется прекратить нашу беседу, — сказал Марк-1. — У этого создания мозг был совсем крохотный, и мне придется изо всех сил стараться, чтобы изображать из себя совершеннейшего дурня, когда нас встретят часовые у входа. Приближаемся.

Билл насторожился, но очень скоро ему стало просто скучно: он не имел ни малейшего понятия о том, что происходит. Они двигались, замедляли ход, останавливались, снова двигались. Свет, проникавший под груду лома, становился то ярче, то тусклее.

— Что происходит? — шепнул он.

— Мы проникли во вражескую крепость. Хотите посмотреть?

— Это было бы здорово.

В боку Марка-1 открылась дверца, из нее выдвинулся телеэкран и тут же включился. На экране стали видны быстро несущиеся мимо стены туннеля, грубо вырубленного в скале. Туннель привел их в помещение с каменными стенами, которое расширяли маленькие машины-каменотесы, снабженные кирками. Для ускорения работы за ними следовали машины-кнутобойцы, хлеставшие их плетками из колючей проволоки. Звон металла о металл сливался с металлическими стонами боли.

— Роботы-рабы, — мрачно сообщил Марк-1. — Как они страдают! Какие негодяи эти уонккерсы! Их нужно истребить, стереть с лица земли до последнего винтика.

Снова пошли туннели, но ничего интереснее роботов-рабов не попадалось. От качки, пыли, запаха машинного масла

Билла начало укачивать. Он изо всех сил боролся с тошнотой. Потом они вдруг остановились, пол ушел у него из-под ног, и он чуть было не расстался с остатками обеда. Но уже через мгновение он и думать об этом забыл: груда лома задвигалась и чуть не обрушилась на них. Не протяни Марк вовремя одну из своих лап, Билла непременно задавило бы.

— Как вы можете видеть, мы в лифте, — проскрежетала машина. — Спускаемся вниз, в инкубатор для летучих драконов.

— Что-что? Откуда ты знаешь? Ты же здесь никогда не был.

— Я спросил дорогу. Никто ни в чем не подозревает такую глупую машину, как эта. Тихо — мы на месте!

После бесконечного звона и грохота, после новых каменных туннелей машина, качнувшись, остановилась. Груда лома сдвинулась, и под ней стало светлее.

— Задание выполнено, — произнес Марк-1. — Мы проникли в крепость уонккерсов и спустились в логово летучих драконов. Здесь они рождаются на свет и живут. И едят. Едят, разумеется, железный лом. Они расплавляют его, выдыхая пламя. Сейчас я буду разгружаться у них в кладовой. Осторожно — я поднимаю этот обломок, быстро в сторону!

Билл выкарабкался из-под пришедших в движение обломков и спрыгнул на каменный пол громадного помещения. Марк-1 спустился вслед за ним; гибкий кабель все еще тянулся от него внутрь сборщика лома. Повинуясь его командам, тот неуклюже двинулся вперед и своим выступающим углом оборвал электрокабель. Плюясь огнем, зашипела дуга, и снова стало тихо. Марк-1 отключился от машины и подошел к Биллу.

— Они увидят, что у него выжжен мозг, но ничего не заподозрят. О том, что мы здесь, никто не догадается. Теперь мы спасем вашего товарища.

— Ты знаешь, где она?

— Могу догадаться. Я засек местонахождение чинджеров, которые, вне всякого сомнения, организовали его похищение. Если мы найдем их, мы найдем и его.

— Ее. О девушках говорят — она, а не он. Звучит заманчиво, — сказал Билл и почувствовал, как у него вдруг застучали зубы. — Но хорошо бы найти ее так, чтобы не наскочить на них.

Они крадучись шли по темным коридорам, мимо открытых дверей, все дальше углубляясь в логово врага.

— Они везде вокруг, — шепнул Марк-1, втолкнув Билла в темную нишу в стене. — Сейчас я вышлю жуков-шпионов.

В груди у него открылась дверца, и маленькие темные существа, похожие на металлических тараканов, пробежали по его ноге вниз и скрылись в темноте.

— Они приступили к наблюдению. Полная комната мягких зеленых существ с четырьмя руками, занятых чем-то непонятным.

— Чинджеры!

— Один жук-шпион движется дальше. Там дракон... Ух! На этого кто-то наступил. Докладывает следующий. Запертая решетчатая дверь ведет в комнату. Жук-шпион проходит сквозь решетку. В ярком свете — ваш товарищ, прикованный к стене.

— Эти мерзавцы пытают ее!

— Не знаю, что это означает. Но она неподвижна. Или спит, или мертва.

— Пошли!

Они двинулись вперед. Билла не оставляли нехорошие предчувствия. Вообще-то, это ничего, если только потом поменять штаны.

— Вот эта дверь. Я не стану ее подрывать — лучше отопру отмычкой.

— Замечательно. Давай!

Послышался металлический щелчок, и дверь распахнулась. Они поспешно вошли, Марк-1 закрыл и запер за ними дверь. У Билла перехватило дыхание: он увидел безмолвную фигуру, бессильно повисшую на цепях.

— Мертвая! — простонал Билл.

— Вот и нет, — отозвалась Мита, открывая глаза и зевая. — Но мне тут ужасно неудобно. Очень рада тебя видеть, Билл, милый. Ты можешь что-нибудь сделать с этими цепями?

Она еще не договорила, а боевой дьявол уже подскочил к ней и несколькими быстрыми взмахами кусачек освободил ее.

— Мита, познакомься — это Марк-1, боевой дьявол.

— Рада с тобой познакомиться, Марк. Спасибо, что доставил сюда моего товарища. А какие у тебя планы на будущее?

— Мы нанесли отвлекающий удар, и нам открыт другой путь бегства. Но подождите секунду. Я слышу какое-то движение в потолке!

Марк отошел в сторону, поднял голову — и в него ударила вылетевшая из потолка оранжевая молния. Боевой дьявол раскалился докрасна, все его сочленения задребезжали, из него повалил дым. Потом он осел на пол, безмолвный и неподвижный. Это был последний бой боевого дьявола.

В дальней стене открылась маленькая дверца, и в комнату вошел чинджер. Билл схватился за бластер.

— И не пытайся, Билл. Хи-хи... это будет самоубийство. Ты под прицелом сотни ружей.

В подтверждение его слов открылось еще несколько маленьких дверец, и оттуда выглянуло множество чинджеров. И столько же ружей.

— Положи его на пол, медленно и осторожно, и вас не тронут.

— Делай, как он говорит, Билл, — сказала Мита. — У тебя нет выбора. Прости, что впутала тебя в эту историю.

Билл стоял в нерешительности, борясь с желанием дорого продать свою жизнь. И при этом как-нибудь остаться в живых. Но нерешительность смерти подобна — в этом он убедился, когда ближайший чинджер взвился в воздух, выхватил у него из руки бластер и перекинул его одному из своих товарищей. Вместе с вырванным ногтем. Билл сунул палец в рот и понял, что дело плохо.

— Хи-хи... — сказал чинджер. — Теперь мы можем сесть и спокойно побеседовать, как в старые добрые времена. Верно, Билл?

— Твой голос мне кого-то напоминает... — Билл удивленно всматривался в него. — Но как это может быть? Я же не знаю ни одного чинджера. Разве что одного, но его уже нет в живых. Усердный Прилежник!

— Хи-хи... Он самый, приятель!

— Да не может быть! Я видел, как огромная змея проглотила тебя на Вениоле — окутанной туманами планете, которая ползает по своей орбите вокруг жуткой зеленой звезды Тернии...

— Можешь обойтись без подробностей — я ведь там был. Если бы твоя память не пострадала от пьянства и солдатчины, ты бы припомнил, что мы, чинджеры, происходим с плотной, тяжелой планеты. От меня у змеи только брюхо заболело, я открыл ее пасть и даже выломал один зуб, когда выбирался наружу.

Мита попятилась, глядя то на одного, то на другого с выражением ужаса на лице.

— Билл... Ты знаком с чинджером! Значит, ты шпион!

— Хи-хи... Да не волнуйтесь, дорогая леди. Это долгая история, я буду краток. Много лет назад, когда наш общий знакомый был еще новобранцем, я тоже был новобранцем. Шпионом. Билл обнаружил это и выдал меня.

— Ты не мог быть шпионом! Тебя бы сразу распознали!

— Тонкое замечание. Я находился внутри робота-манекена, и остальные манекены ничего не замечали. Да, я давно хотел спросить, Билл, — хи-хи... — а как ты про меня узнал?

— По щелчкам затвора твоей фотокамеры, замаскированной под часы.

Билл решил, что теперь, когда прошло столько времени, уже можно об этом сказать. Во всяком случае, это поможет ему сделать вид, что он готов сотрудничать с чинджерами.

— Хи-хи... Я так и думал. Тебе, может быть, будет приятно услышать, что шпионские фотокамеры новой модели уже не щелкают. Так вот, вернемся к тому, на чем мы остановились в тот жаркий, душный день много лет назад. Мы тогда с тобой беседовали, и ты сказал, что ваша раса — гомо сапиенс — любит воевать. Ты по-прежнему веришь в это?

— Да. И еще сильнее.

— А вы, дорогая леди, принадлежащая к прекрасному полу, хотя и одетая в форму? Почему вы участвуете в этой войне?

— Потому что меня призвали.

— Согласен. Но если бы вас не призвали — вы пошли бы добровольцем?

— Может быть. Чтобы сделать Галактику безопасной для человека. В конце концов, это вы, грязные чинджеры, затеяли эту войну и хотите всех нас перебить и съесть.

— Последнее физически невозможно — у нас слишком разный обмен веществ. Но на самом деле мы мирная раса и терпеть не можем насилия. Это вы, люди, воюете против нас.

— И ты полагаешь, что я поверю этой болтовне? — фыркнула она.

— Поверь, — сказал Билл. — Это правда. Вся эта война — сплошное очковтирательство, ее затеяли, чтобы военные сохранили власть, а заводы продолжали работать.

— Хи-хи... То же самое можно сказать обо всех войнах, какие были в истории человечества. С тех пор как мы последний раз виделись, Билл, я много чего узнал про человечество. Ну и как — хи-хи... — не согласитесь ли вы оба мне помочь?

— Смерть чинджерам! — пробормотала Мита.

— В чем помочь?

— Положить конец этой войне, разумеется. Вам это должно быть по душе.

— Знаешь, я теперь вроде как привык к этой работе...

— Хи-хи... Билл, так может говорить только манекен. Я не хочу тебя обидеть, я говорю обо всем вашем обществе. Разве плохо было бы раз и навсегда освободить всех людей, и женщин тоже, от бремени войны? Положить конец всем этим убийствам, мучениям и разрушению? Как вы думаете?

— Я никогда толком об этом не задумывалась. Но нам ведь надо защищаться.

— От кого или от чего? Давайте я расскажу вам кое-что из новейшей истории — поскольку я сам принимал в ней участие.

Чинджер с комфортом подперся хвостом, сунул большие пальцы в сумку на брюхе и начал.

## История чинджера

Я провел молодость, безмятежно занимаясь науками в университете, название которого вы не в состоянии произнести, на родной планете чинджеров, которую вы никогда не обнаружите. В те давние мирные дни, до н. л. — до нападения людей, — жизнь была идиллией, полной наслаждений. Я закончил университет лучше всех в своей группе, и моя семья мной гордилась. Они устроили большой прием, на который пришли все мои братья — односумочники, как мы говорим. Только братья, разумеется: у нас была мужская семья. Бывают еще женские семьи, средние семьи и ступидагные семьи... но я отвлекся. Сейчас не время говорить о сексе.

После банкета, на котором подавали жареные змеиные ноги — у меня и сейчас слюнки текут от одного воспоминания, — мой старый учитель, да будет вечно благословенна его почтенная седая чешуя, отвел меня в сторону и спросил, кем я намерен стать. Я сказал ему, что подумывал стать преподавателем, но он отговорил меня. «Иди в люди, ящерка, — сказал он. — И попробуй сделать мир лучше». И он был прав. Я открыл свой первый учебник экзопологии и понял, что именно ей хочу посвятить всю свою жизнь. Изучению инопланетных форм жизни. Я получил кандидатскую степень за диссертацию об обитателях болот Вениолы, а докторскую — за разумных жуков-навозников с планеты Какабин. Жизнь была прекрасна. И тогда произошел наш первый контакт с гомо сапиенс.

Я сердцем почувствовал, что это станет моей специальностью. У нас был небольшой поселок на планете Какабин, построенный по соседству с рудником. Я хорошо знал эти места, потому что когда-то работал в близлежащих болотах. Когда пришла субэфирограмма о том, что на планете приземлился неизвестный космолет, я со всех плавников поспешил в городской магистрат и предложил себя в руководители контактной группы экзопологов. Мое предложение приняли. Забежав домой ровно на столько времени, чтобы упаковать свою самообучающуюся машину-переводчика — мы называем ее для краткости СМП, — я сел на первый же космолет, направлявшийся в нужную сторону.

У меня была хорошая команда, высококвалифицированная и полная энтузиазма. В контакт с космическими путешественниками пока никто не вступал: местные жители ждали нас, а мы тем временем пристально наблюдали за ними. Мы присоединились к группе наблюдателей в болотистых джунглях. Только тогда я впервые начал догадываться, что эти инопланетяне — не такие, как все остальные формы жизни, с которыми мы встречались раньше.

«Успр, — сказал мне главный наблюдатель, — эти пришельцы — что-то особенное». Он звал меня Успр, потому что так меня зовут, вот почему я назвался прозвищем Усердный Прилежник, под которым ты меня знал. Но я отвлекся. Меня предупреждали, чтобы во время первого контакта я соблюдал величайшую осторожность, потому что пришельцы к тому времени убили восемьдесят одну тысячу особей сорока видов. Это меня очень заинтересовало: ведь экзопологи работают только с живыми объектами, а вскрытия производят лишь на особях, умерших от естественных причин. А эти пришельцы сеяли смерть в больших масштабах, и я был в восторге, что смогу изучать такой необыкновенный новый вид.

Будучи предупрежден, я приближался к укреплениям пришельцев с крайней осторожностью, плывя под водой через болото с СМП, герметически упакованной в пластик. Подобравшись так близко, что уже слышались голоса, я установил СМП, включил ее и ретировался. На следующую ночь я извлек записи и убедился, что машина работала безукоризненно, записав много разговоров. Она уже накопила некоторый запас слов и проделала предварительный лингвистический анализ. Я заучивал все наизусть. Спустя две недели СМП сделала свое дело: я чувствовал, что готов вести с космическими путешественниками связный разговор. На следующее утро я с нетерпением ждал восхода солнца у электрического барьера, который окружал их укрепление. Когда они показались, я обратился к ним:

— Приветствую вас, о незнакомцы, что пересекли бесконечные просторы космоса, приветствую вас!

И тут же юркнул за толстый ствол дерева, прячась от града пуль, снарядов и выстрелов из бластеров, которыми, как я и ожидал, осыпали меня. Когда стрельба прекратилась, я совершил вторую попытку:

— Я иду с миром. Я безоружен. Я представляю разумную расу, которая предвкушает дружественный контакт с другой разумной расой.

На этот раз стрельбы было меньше. Когда я еще несколько раз с большими подробностями разъяснил цели моей дружественной миссии, стрельба наконец прекратилась, и какой-то голос крикнул мне:

— Выходи с поднятыми руками — и без всяких фокусов!

— Я не могу поднять руки, потому что у меня нет рук, но вместо этого я подниму лапы. Все четыре, потому что их у меня четыре. Не стреляйте, дорогие друзья из космоса, я иду.

Как вы можете себе представить, это был волнующий момент — по крайней мере для меня, потому что среди них мог оказаться какой-нибудь болван, который выстрелил бы в меня. Но служение науке требует риска! Возможность участвовать в первом контакте между разумными расами куда важнее личной безопасности. Я гордо выступил вперед — и тут же распростерся на земле, услышав свист пули.

— Отберите у этого болвана ружье! — послышался голос. — Теперь все в порядке, ящерка, не бойся.

Высоко подняв лапы, я гордо выступил вперед. Как говорится, остальное — уже история. Когда они увидели, какой я маленький, любопытство вытеснило страх, потому что нужно отдать должное человечеству: вы любознательная и разумная раса. Все достали свои камеры и начали фотографировать, потом их вождь потребовал, чтобы его сфотографировали обменивающимся со мной рукопожатием. Что и было сделано, хотя я, к несчастью, пожал ему руку слишком крепко и сломал три пальца. Пока ему делали перевязку, я извинялся, объяснял, что родился на планете с десятикратной силой тяжести и все такое, и он меня простил.

После этого некоторое время все шло хорошо. Мы пригласили их в наш поселок и показали им нашу технику и прочее. Они много записывали и фотографировали, но в обмен почти ничего нам не дали, если не считать чертежей электрических миксеров, автоматических рожков для надевания ботинок, точилок для карандашей и прочего в этом роде. Все остальное, сказали они, военная тайна. Поскольку оба слова были для нас новыми, нас, естественно, очень заинтересовало. Вскоре они предложили нам выделить делегацию, которая вернется с ними на их родную планету. Мы пришли в восторг, особенно я, назначенный послом. Я подобрал членов делегации, и мы перебрались в их космолет. К тому времени мы уже знали, что обмен веществ у нас и у них совершенно разный, и поэтому взяли с собой, кроме аппаратуры для связи и записи, изрядное количество обезвоженных жуков и других припасов.

Какие незабываемые впечатления! Сразу после старта мы заметили, что они стали с нами более откровенны. Они отвечали на все наши вопросы, даже самые специальные, и выразили большую благодарность, когда наш физик подсказал им, как усовершенствовать их аппаратуру субэфирной связи. Я был на четырнадцатом небе и готовил наброски своей книги — первой экзопологической монографии, посвященной гомо сапиенсу. Командир космолета, капитан Куинг, предложил мне любую помощь, какая будет в его силах. Я решил, что следует немедленно провести с ним обстоятельную беседу. Вооруженный диктофоном, блокнотом и ручкой, я отправился в его апартаменты.

— Это огромная честь, капитан Куинг, — сказал я. — Даже не знаю, с чего начать.

— Почему бы не начать с того, чтобы звать меня по имени — Чарли? А тебя как звать?

— У нас только одно имя. Мое имя — Успр. Меня очень интересуют два слова, которыми вы часто пользуетесь. Что такое «тайна»?

— Это то, что никому не говорят. Что хранят в тайне.

— Но как можно общаться и обучаться, если хранить факты в тайне?

— Очень просто — говорить на другие темы. А тайна есть тайна.

Моя ручка так и порхала по блокноту.

— Очень интересно. А теперь другое слово, которое часто употребляется вместе со словом «тайна». «Военная».

Он нахмурился:

— Зачем тебе это знать?

— Зачем? А почему нет? Мы спрашивали про многие вещи, и нам отвечали, что это военная тайна. Оба понятия нам неизвестны.

— Вы не храните тайн?

— Мы не видим в этом смысла. Знания — всеобщее достояние, и доступ к ним должен иметь каждый.

— Но ведь у вас есть армия и военный флот?

О, как летала по блокноту моя ручка!

— Нет — на первый вопрос, нет — на второй. Значение этих слов нам неизвестно.

— Тогда я сейчас объясню. Армия и флот — это большие группы вооруженных людей, которые защищают своих близких от злых врагов.

— А что такое враги? — спросил я, чувствуя, что перестаю его понимать.

— Враги — это другие группы, страны, народы, которые хотят отобрать у тебя твою страну, землю, свободу. И убить тебя.

— Но кому же это может понадобиться?

— Врагам, — мрачно ответил он.

Я не знал, что сказать, — редкий случай для чинджера, получившего хорошее образование. В конце концов я более или менее собрался с мыслями и заговорил:

— Но у нас нет врагов. Все чинджеры, разумеется, живут в мире с другими чинджерами, потому что думать о том, чтобы причинить вред другому, означает, что и другой может подумать о том, чтобы причинить вред тебе, а это немыслимо. Во время наших путешествий к другим мирам мы еще ни разу не встречали разумного вида. Мы изучаем виды, которые находим, оказываем им помощь, если можем, но до сих пор не обнаружили ни одного врага. — В этот момент меня внезапно осенила ужасная мысль, и я, едва не лишившись дара речи, с трудом выдавил: — Ведь вы, люди, не враги нам?

— Конечно нет, — громко засмеялся он. — Мы любим вас, маленьких зеленых ящерок, в самом деле любим.

— И мы, разумеется, вам не враги, — заверил я его. — Это невозможно хотя бы потому, что до этой минуты нам было неизвестно само это слово.

Я решил оставить эту странную и щекотливую тему в покое и перешел к другим вопросам, которые меня интересовали. Вернувшись к своим товарищам, я рассказал им, что такое «военный» и «тайна», а потом и «враги», и они пришли в такое же недоумение, как я. Эти чуждые нам представления инопланетян были нам абсолютно непонятны. Наш физик высказал предположение, не заражено ли человечество некоей болезнью, которая заставляет их видеть врагов там, где никаких врагов нет. Это понятие было нам более доступно. Мы даже обрадовались, потому что если так, мы могли бы помочь им найти средство от этой болезни. В таком радостном настроении мы приземлились на планете людей, которая называлась Спьовенте.

Это может показаться образованному слушателю наивным, но это чистая правда. Мы постоянно сталкивались с понятиями, которые разум не способен переварить, и из-за этого у нас время от времени случались припадки несварения мозга. Однако наши исследования неожиданно пришли к концу. Один из нас оказался крндлом. Это термин, имеющий отношение к сексуальной жизни и к особенностям строения нашего организма, он слишком сложен, чтобы пытаться его сейчас объяснить. Но это означает, что такой чинджер должен не позже определенного времени вернуться на нашу планету, в наше общество. Когда мы объяснили это нашим хозяевам, они пришли в большое волнение и удалились.

Это не смутило моих товарищей. Это смутило меня. Я уже начал составлять представление о психологии гомо сапиенс — и она мне не понравилась. Тогда это были еще только смутные подозрения, и я не стал делиться ими с товарищами, так они были невероятны. Впрочем, у меня не осталось на это и времени: нас сразу же пригласили в зал заседаний на третьем этаже здания, где мы работали. Из людей там был только капитан Куинг, и он был чем-то очень взволнован.

— Ничего не поделаешь, надо так надо, — сказал он загадочно. — Мне очень жаль.

— Чего вам жаль? — спросил я.

— Вообще жаль. Я в самом деле полюбил вас, зеленые ящерки, в самом деле полюбил.

Когда он это сказал, я понял, что оправдываются самые худшие мои опасения. Я сказал товарищам, что нужно немедленно спасаться бегством, но они были слишком потрясены и не поняли меня. Поэтому выжил из всех я один, выбросившись в окно как раз в тот момент, когда распахнулись двери и началась стрельба.

Задним числом мне ясно, что, когда мы согласились лететь вместе с людьми, это означало, что нам никогда не вернуться домой. Нам были открыты тайны, в том числе и военные, которые следовало хранить в тайне. А сделать это можно было только одним способом — убив нас.

Размышляя обо всем этом и сокрушаясь о гибели своих товарищей, я ломал голову над тем, как мне выбраться с этой планеты, чтобы предостеречь своих соплеменников — чинджеров. Это оказалось очень трудно, потому что все космолеты перед стартом подвергались тщательному досмотру. Тогда мне и пришла в голову мысль переодеться человеком. Мой первый робот-манекен был не столь совершенен, как Усердный Прилежник, но и в таком виде я уже смог смешаться с толпой людей в дождливую ночь. Эта толпа оказалась группой призывников, которых отправляли на войну, и они были так поглощены собственными горестями, что не обратили никакого внимания на мою довольно-таки необычную внешность.

Вскоре после этого началась война. Как только мы вышли в космическое пространство, я через стену вошел в радиорубку — привычка к десятикратной силе тяжести имеет свои преимущества — и дал субэфирограмму домой. Ей поверили, потому что к тому времени люди, обнаружив наши поселения, начали нападать на них. Во всякой войне участвуют две стороны. Нам предстояло либо покориться, либо сопротивляться. Скрепя сердце мы сделали свой выбор.

## Глава 11

— И ты думаешь, мы всему этому поверим? — насмешливо спросила Мита.

— Это правда.

— Да вы, четверорукие прохвосты, не знаете даже, как это слово пишется!

— Знаем. П-р-а-в-д-а.

— Кончай свои шуточки, приятель. Чтобы я поверила в эту хреновину? Что ваша шайка — самая честная, искренняя и справедливая, а мы, люди, — обманщики и разжигатели войны?

— Это вы так сказали, а не я. Хотя мне кажется, что это довольно точное описание ситуации, я его запомню. Я не говорил, что мы, чинджеры, — идеал. Вовсе нет. Но мы не говорим неправду и не затеваем войн.

— Мне ты сказал неправду, — заявил Билл. — Когда был шпионом.

— Смиренно принимаю поправку. До тех пор пока мы не встретились с вами, людьми, мы не говорили неправды. Теперь, естественно, говорим. Это одна из издержек тотальной войны. Но войн мы все-таки не затеваем.

— Все вранье, — фыркнула Мита. — По-твоему, я должна поверить, что, если мы завтра перестанем воевать, вы так просто уйдете восвояси?

— Безусловно.

— А может, вы нападете внезапно, стоит нам отвернуться, и нанесете превентивный удар? Перебьете нас первыми?

— Заверяю вас, что мы этого не сделаем. Такое предположение, которое вы так охотно принимаете, нам совершенно чуждо. Мы воюем, когда нас к этому вынуждают, чтобы выжить, в порядке самозащиты. Мы не способны вести наступательную войну.

— Война есть война, — сказал Билл. Ему показалось, что это разумная мысль.

— Конечно же нет, — горячо возразил Усер. — Война — это борьба за власть. Она существует только ради себя самой. А цель власти — власть. Ты помнишь, Билл, как нас обучали, когда мы были призывниками? Власть — это когда разум человека раздирают в клочья, а потом снова склеивают их уже по-новому, как надо.

— Ну хватит теорий, — прервала его Мита. — Что теперь будет с нами?

— Я хочу заручиться вашей помощью, как я вам уже сказал. Я хочу, чтобы вы помогли мне покончить с этой войной.

— Почему? — спросил Билл.

Чинджер в ярости запрыгал на месте, оставляя глубокие следы на каменном полу.

— Почему? Да ты что, ни хрена не слышал из того, что я сейчас говорил?

— Полегче, приятель, — сказала Мита. — Билл — хороший парень, только слишком долго служит в армии, конечно, у него в голове немного помутилось. Я знаю, о чем ты говоришь. Ты хочешь устроить нам промывание мозгов, чтобы мы с тобой согласились, вернулись и положили конец войне, а вы чтобы смогли тайно напасть и нас всех перебить. Так?

Чинджер в ужасе отступил назад, поглядел на нее, потом на него и, не веря своим глазам, заломил все четыре лапы.

— И вы выдаете себя за разумную расу? Я просто не знаю, что с вами делать.

— Отпустить, — откликнулся практичный, как всегда, Билл.

— Ну нет, пока вы не начнете хоть кое-что соображать. Есть ли у нас шансы справиться с остальной вашей расой, если я не сумею посеять даже самое малое семя сомнения в ваш сопротивляющийся ум? Неужели эта война будет длиться вечно?

— Если дать волю военным, то будет, — ответил Билл, и Мита кивнула в знак согласия.

— Я должен выпить глоток воды, — сказал Усер. — Или чего-нибудь покрепче.

И он, шатаясь, вышел. Как только дверца за ним закрылась, Билл и Мита повернулись и кинулись к выходу из комнаты в туннель. Но несмотря на потрясение, Усер не совсем перестал соображать. С потолка с ужасным грохотом упала стальная решетка, которая преградила им путь.

— Мы в ловушке, пропали без вести, забыты и, можно считать, уже мертвы, — сказал Билл.

Мита нехотя кивнула.

— Примерно так.

— Не отчаивайся, — произнес металлический голос.

Они обернулись и увидели, что Марк-1, боевой дьявол, зашевелился.

— Ты жив! — воскликнул Билл. — Да ведь тебя убило током и поджарило!

— Это они должны были так подумать. На самом деле справиться с боевым дьяволом не так просто. Мой мозг запрятан в герметичный свинцовый контейнер, который находится там, где должна бы быть задница. Голова — это только для виду. Я только притворился, будто меня поджарили. В надежде, что они про меня забудут. Так и вышло. Я дождался подходящего момента...

— То есть сейчас!

— Угадали! Вот сюда, к загону, где живут драконы, — там мы приведем в действие наш план.

— Какой план?

— План, который я разработал, пока слушал эту мерзкую пацифистскую болтовню. Если бы не было войны, то не нужны были бы боевые дьяволы. Что бы я стал делать, если бы вдруг разразился мир? Кончил бы свои дни, ржавея без дела где-нибудь в очереди за бесплатным маслом вместе с остальными безработными машинами. Да здравствует война! Вот сюда.

Он направился ко входу в ближайший туннель. Билл с Митой радостно последовали за ним. Там они натолкнулись на еще одну металлическую решетку, которая рассыпалась, открыв им путь, после того как Марк направил на нее точно рассчитанный импульс энергии.

— Теперь пошевеливайтесь, пока эти зеленые не очухались.

Марк-1 набрал скорость, и людям, чтобы не отстать, пришлось пуститься бегом, задыхаясь и пошатываясь. Пот, выступивший у них на лицах, стекал в глаза и мешал видеть. Настолько, что, когда боевой дьявол остановился, они по инерции налетели на него.

— Ждите здесь, чтобы никто вас не видел, — приказал Марк-1. — А я пока добуду нам какое-нибудь средство передвижения.

Он сунул голову в ближайшую дверь.

— Есть тут драконы? А, вижу. Привет, ребята. Кто может одолжить мне огонька? Вот ты, громадина, ты на вид самый горячий.

Язык дымного пламени окутал боевого дьявола, который удовлетворенно кивнул.

— Вполне годится. Пойдем-ка со мной. Спасибо.

Марк-1 вышел в коридор в сопровождении сверкающего крылатого создания огромной длины. Он подождал, пока весь дракон выползет наружу, и закрыл за ним дверь.

— Где тут нужен огонь? — спросил дракон. — Погоди-ка, никак это люди — те самые, с которыми мы воюем?

— Они самые!

— Хочешь, я их поджарю? — Дракон быстро сделал глубокий вдох и на секунду задержал свое пламенное дыхание. Глаза его горели, и видно было, как ему не терпится что-нибудь поджечь.

— Да нет, пожалуй. Я другого хочу — чтобы ты почувствовал, как ствол упирается тебе в левое ухо. Дошло? Если да, кивни. Отлично. Теперь делай, что я скажу, иначе отстрелю тебе голову напрочь. Договорились?

— Да-да! А в чем дело?

— Просто ты только что перешел на сторону противника. Сейчас ты вывезешь нас отсюда и доставишь к нашим, где тебя щедро вознаградят. Идет?

— Идет. У нас поговаривали, что, когда чинджеры в последний раз послали нас в набег, в живых никого не осталось.

Так что долго уговаривать меня не надо. Залезайте. Мы выберемся отсюда через черный ход — в это время дня там никого не встретишь.

Марк-1 первым вскарабкался на спину дракона и уселся на его чешуйчатом гребне. Просверлив несколько дыр и прочно прикрепив себя болтами, он позвал остальных:

— Поехали. Дорога будет тряская, так что я буду держать вас в своих стальных объятиях.

Из коридора, оставшегося позади, раздался чей-то хриплый окрик, и какой-то снаряд, пролетев над головой дракона, разорвался, ударившись о стену. Билл и Мита на много секунд улучшили межзвездный рекорд по скорости влезания на спину дракона. Они еще не успели добраться до верха, как дракон, покачнувшись, ринулся вперед. Марк-1 лишь в последнюю микросекунду успел подхватить людей, как он уже соскользнул вниз по залитому маслом покатому полу, вылетел на воздух и, хлопая крыльями, понесся прочь.

— Я связался с нашими по радио, — крикнул Марк-1, перекрывая свист ветра, — чтобы нас встретили как полагается. Ну и денек сегодня выдался!

Однако денек еще не кончился. Их бегство не осталось незамеченным. Наоборот, оно осталось очень даже замеченным: в крепости пробили тревогу. Вдогонку за ними полетели языки пламени и волны силовых полей высокого напряжения. Дракон сложил крылья и камнем полетел вниз. Воздух над их головами затрещал и задымился под испепеляющими лучами энергии. Еще бы немного, и она испекла бы им мозги. У Миты обгорели волосы. Но они оказались уже вне досягаемости огня их крепости, и теперь беспокоиться было не о чем, если не считать угрозы неминуемой гибели от падения на камни на дне ущелья, несшиеся им навстречу.

Впрочем, беспокоиться все-таки было о чем и помимо этого. К ним приближались ракеты с тепловым, радарным и звуковым наведением. Но боевой дьявол в самом деле оказался очень даже боевым, и эта атака была ему нипочем. Леденящее дыхание холодного луча отвело от него боеголовки с тепловым наведением, антирадар сбил с пути радарные ракеты, — оставались только самонаводящиеся на звук, которые не так просто было обмануть. Однако и это оказалось по плечу Марку-1. Его брюхо распахнулось, и из него выдвинулся громкоговоритель, издавший громогласный звук вроде колоссального пука. Ракеты закувыркались и рухнули на землю. Дракон вместе со своими пассажирами тоже чуть не рухнул на землю, но в последний момент распростер крылья и вышел из пике с одиннадцатикратной перегрузкой. Когти его, царапнув по камням, высекли искры.

Выровнявшись, дракон быстро полетел к устью ущелья. Марк-1 напевал про себя какой-то воинственный марш, а Билл и Мита с трудом приходили в себя после всего этого пекла, падения и грохота.

— Мы не одни, — сказал боевой дьявол, показывая назад. Дракон выпучил один глаз, направил его назад и втянул носом воздух.

— Всего только стая летучих драконов, — презрительно фыркнул он и выдохнул клуб дыма, прочищая горло.

Билл задохнулся дымом, откашлялся, покрасневшими глазами оглянулся назад и увидел в небе множество преследующих их драконов.

— Они сейчас догонят нас! И сожгут дотла!

— Еще чего, — рыгнул дракон. — Это мои братья, мы все из одной кладки. Летать они ни хрена не умеют. Все, кто умел, погибли во время того набега, в который послали их чинджеры.

— Но если ты такой летун, то ты-то как уцелел, а не погиб вместе с ними?

— Я не был в набеге. У меня в тот день случилась изжога.

— А от тех драконов, что летят нам навстречу, ты тоже можешь уйти?

— Ну нет. Это патруль, они возвращаются из набега. У них форсированные двигатели. Держитесь крепче — я попробую оторваться от них в этом лабиринте ущелий.

Они изо всех сил вцепились в его шкуру. Билл зажмурился и застонал. Дракон нырял под нависающие карнизы, закладывал крутые виражи и чуть не свалился в нефтяное озеро. Пыхтя, как паровоз, он выскочил из последнего ущелья на открытую местность. Перед ними простиралась обширная равнина.

— Горючее... кончается... — прохрипел он и вместо пламени выдохнул облако угарного газа.

Марк-1 выдвинул электронный телескоп, поглядел назад, потом направил его на землю.

— Все в порядке, — сказал он. — Мы от них оторвались. Приземляйся вон там, в трех румбах слева от курса. Там нефтяной фонтан, который бьет из угольных пластов.

— Ого! — прохрипел дракон. — Самое время... заправиться.

Приземление было не из самых удачных. Дракон зашел на посадку носом вниз, ткнулся в землю и перекувырнулся. Но у Марка-1 были стальные нервы — он держался до последнего мгновения, а потом спрыгнул, удерживая на себе Билла и Миту. Несколько раз ловко перевернувшись через голову, он оказался на ногах.

— Теперь... можешь отпустить, — сказала Мита, бившаяся в его стальных объятиях.

Билл упал на землю, откатился в сторону, и его тут же стошнило.

— Прибери потом за собой, — без особого сочувствия сказала Мита. — Где мы?

— Представления не имею, — ответил Марк-1, поворачивая телескоп во все стороны. — Из-за этих виражей я потерял ориентировку. Но это неважно — главное, что мы оторвались от погони. Сейчас заправим этого полудохлого дракона, а потом я попробую засечь какой-нибудь радиомаяк.

Боевой дьявол, все еще в отличной боевой форме, рысью подбежал к ближайшему выходу угольного пласта и обрушил на него сокрушительный залп своей артиллерии. Когда пыль осела, он набрал полную охапку битого угля и принес ее. Дракон лежал неподвижно, распростертый на земле, вытянув шею. Глаза его были закрыты, и только легкий дымок поднимался у него из ноздрей.

— Раскройте ему пасть, я его раскочегарю, — сказал Марк-1.

Билл изо всех сил тянул с одной стороны, Мита с другой, и в конце концов челюсти дракона со скрипом разверзлись. Марк-1 принялся забрасывать в пасть уголь, запихивая его как можно глубже в глотку, а потом сунул голову в пасть и выстрелил электрическим разрядом. Уголь начал разгораться. Марк-1 вытащил голову и захлопнул пасть. В скором времени сквозь зубы дракона повалил дым. Он застонал и сделал глубокий вдох.

— В самое время успели, — удовлетворенно указал боевой дьявол, очень довольный собой.

— Замечательно, — согласился Билл. — Когда кончишь восхищаться собой, залезь-ка на какое-нибудь высокое место и засеки радиомаяки, про которые ты говорил.

Пока Марк-1 карабкался на скалу, возвышавшуюся поблизости, они сидели в полном изнеможении на невысокой рыжей песчаной дюне. Мита первая пришла в себя и обняла Билла одной рукой, нежно прижав его к себе.

— Как романтично: этот зеленый рассвет, эта рыжая дюна...

— И этот раскаленный докрасна дракон, который отдает концы у наших ног. Бросьте, старшина-механик первой статьи, вам не положено вступать в близкие отношения с офицерами.

— А офицерам еще больше не положено сопротивляться женским чарам. Посмотри-ка.

Она медленно расстегнула молнию своей форменной куртки, и его взору открылось розовое великолепие. Билл, загоревшийся страстью не хуже дракона, подался вперед и протянул руки, но в этот момент появился боевой дьявол.

— Какой интересный способ совокупления! Продолжайте, прошу вас, это очень любопытно.

— Нечего подглядывать, железяка ты этакая, — недовольно фыркнула Мита, вставая и застегивая куртку. — Что ты тут делаешь? Ты должен торчать наверху и засекать радиомаяки.

— А я один засек. Очень слабый, вон в той стороне. Похоже, мы в Пустопорожней стране — на неисследованной территории, где нет ничего, кроме вулканов, землетрясений, оползней и зыбучих песков.

— Чудно. Так давай будить эту спящую красавицу и сматываться отсюда.

Услышав ее слова, дракон чуть шевельнулся и проскрипел:

— Нефти...

— Сейчас, — отозвался Марк-1, кинувшись к ближайшей луже нефти. Он погрузил в нее высунувшийся откуда-то изнутри шланг и засосал в себя изрядное количество. Когда он вернулся, дракон с трудом раскрыл пасть, и боевой дьявол направил струю нефти ему в глотку. Откуда-то изнутри дракона послышался приглушенный звук вспышки, и из его ноздрей выбросился огонь.

— Так-то лучше, — сказал он, сев и изрыгнув язык пламени. — Я всегда говорил, что самое главное — сохранить жар души. Что дальше?

— Летим вон туда, — показал Марк-1. — Как только ты будешь в состоянии.

— Долго ждать не придется. Насколько можно судить по вкусу, это первосортный антрацит и нефть наилучшего качества. Сейчас вернусь.

Дракон неуклюже подошел к выходу угольного пласта и принялся отгрызать целые глыбы, запивая огромными глотками нефти. Очень скоро уголь кончился, а нефтяное озеро иссякло. Дракон попробовал помахать крыльями и выдохнул длинный язык пламени.

— Все в норме, давление в котле выше марки, я уже разгорячился, как бык перед случкой. Хорошо еще, что поблизости нет ни одной драконихи. А вообще-то, ты тоже ничего себе, мой ржавенький!

Марк-1 поспешно откатился назад, выставив все свои пушки.

— Никакого межвидового секса, ты, перегретая летучая машина! К тому же мы, боевые дьяволы, все равно размножаемся вегетативно, так что и не думай!

Дракон, надувшись, пыхнул огнем и неохотно велел всем садиться. Чешуя у него была такая горячая, что жглась, но остыла, как только они поднялись в воздух. До отказа насыщенный энергией, дракон набрал скорость и понесся к горизонту.

— А что это там впереди? — спросил Билл, морщась от встречного ветра.

— Хоть убейте, не знаю, — пожал плечами Марк-1. — Никогда в этих местах не был. Похоже, какое-то громадное плато поднимается над пустыней.

Приблизившись, они увидели, что это какое-то громадное плато, которое поднималось над пустыней. Дракон сделал несколько кругов в восходящем потоке у края плато, набирая высоту. Оказавшись над плато, они с удивлением заметили, что оно покрыто зеленым пологом растительности.

— Не нравится мне это, — сказал Марк-1.

— И мне не нравится, — проскрипел дракон и вдруг издал стон боли: с плато взлетело множество снарядов, и его чешуйчатая шкура покрылась разрывами.

— Меня подбили! — вскричал он, и левое крыло у него отлетело прочь. — Мы падаем!

## Глава 12

— Это конец? — прохрипел Билл, видя, как несется навстречу зеленая земля.

— Боевые дьяволы умирают со смехом — и с песней, несущейся из их динамиков. Йо-хо-ти-хо-хо!

— Поцелуй меня, Билл, как следует!

С невероятным треском и грохотом дракон рухнул в джунгли, потому что зеленый полог на земле оказался джунглями. От его веса ломались огромные ветви, натягивались и лопались толстые лианы. Вниз и вниз, все медленнее и медленнее падали они сквозь пышную листву, которая расступалась перед ними, замедляя их падение. Наконец лопнула последняя гигантская лиана, и они мягко свалились в высокую траву.

— Неплохо, — сказала Мита, легко соскочив со спины дракона на твердую землю.

Остальные последовали за ней и стояли, сочувственно глядя на дракона, который мрачно тыкал когтем в валявшиеся на земле остатки крыла.

— Не так просто... летать с одним крылом, — всхлипнул он, преисполнившись жалости к самому себе, и черная маслянистая слеза, набрякшая в уголке его глаза, с плеском шлепнулась на землю.

— Не горюй, старина, — сказал Марк-1 с сочувствием, но без особой жалости, выдвигая изнутри себя пушку большого калибра. — Гибель дракона — всегда трагедия. Закрой глаза, и ты ничего не почувствуешь. Наше спасение — самое лучшее, что ты сделал за всю свою жизнь. Вечный отдых, который тебе предстоит, — самое лучшее, что ты...

— А ну, убери свою хлопушку, сладкоречивый старый мерзавец! — вскричал дракон, становясь на дыбы и пятясь. —

Уж слишком ты скор на расправу. — Он сунул себе в пасть отломанное крыло и принялся жевать. — Через неделю-другую у меня отрастет новое. А пока я отлетался.

— И мы тоже, — сказала Мита, оглядывая окружавшие их густые заросли. — Во всяком случае, это выглядит куда уютнее, чем весь этот песок, железо и нефть...

— Ох! — охнул боевой дьявол, содрогнувшись и отшвырнув в сторону сломанную ветку, которую поднял было с земли. — Какой ужас! Вся эта мягкая, склизкая масса полна воды! Все это плато пропитано ядом! Мы заржавеем, погибнем от коррозии, развалимся в муках...

— Заткнулся бы лучше, — недовольным тоном предложил дракон, откусив и проглотив кусок ветки. — Это прекрасно горит. Просто не надо забывать смазывать как следует конечности и смотреть, куда садишься.

У Билла заурчало в животе, и он кивнул в знак согласия.

— Если нам придется ждать здесь неделю-другую, надо будет найти пищу и воду.

— Вся эта мягкая мерзость содержит воду, — сказал Марк-1, ковырнув ногой дерн и содрогнувшись. — Если вы можете ее есть...

— Когда мне понадобится совет по гигиене питания от железного недоумка, я скажу, — перебила его Мита, круто повернувшись. — Пойдем, Билл, поищем что-нибудь подходящее. Фрукты, овощи...

— Что вы найдете, так это тех злодеев, которые нас сбили, — злорадно сказал боевой дьявол. — Мы, железные недоумки, посидим тут, пока вы будете бродить среди этой мерзкой гадости. И можете не спешить обратно.

Мита показала ему язык, взяла Билла под руку, и они двинулись по какому-то подобию тропинки.

— Боевой дьявол прав, — мрачно сказал Билл. — Кто знает, какие немыслимые ужасы таятся в этих джунглях?

— У тебя же есть бластер — отстреляешься, — возразила практичная Мита.

— Его отобрали чинджеры. А твой?

— Тоже. Погоди, у меня появилась идея.

Она пошла назад, а Билл принялся грызть ногти, прислушиваясь к звукам, доносившимся из джунглей. Он уже добрался до мизинца, когда она вернулась и протянула ему какое-то оружие необычного вида.

— Так я и думала. Боевой дьявол до упора напичкан огнестрельным оружием, и ему ничего не стоит расстаться с парой стволов. Это молниемет. Надо только прицелиться и нажать на красную кнопку, что торчит сверху.

— Отлично, — сказал он, отстрелив верхушку у ни в чем не повинного дерева. — А что у тебя?

— Гравитационный луч. Он утраивает массу всего, во что выстрелишь. Лишает его подвижности, пока заряд не рассосется.

— Солидная штука. Теперь нам бояться нечего.

— Ну, если говорить честно, то не совсем, — сказал показавшийся из-за кустов краснокожий человек, направив на них длинный пистолет зловещего вида. — Буду вам очень обязан, если вы отдадите мне эти железки и тем самым обеспечите свою безопасность. Как джентльмен-южанин, даю вам слово, что не причиню вам вреда.

Мита, не желая сдаваться без боя, отпрыгнула в сторону, подняла свое оружие — и почувствовала, что в горло ей упирается кончик меча.

— Одно движение вашего нежного розового пальчика, мадам, и ваше дело в шляпе. Бросьте его на землю.

Пистолет в другой его руке по-прежнему был направлен на Билла. Выбора не оставалось. Отшвырнув ногой их оружие подальше в сторону, краснокожий человек сунул меч в ножны, опустил пистолет и вежливо поклонился.

— Добро пожаловать в Бартрум[1], — сказал он с мягким южным акцентом. — Обычно чужаков здесь не слишком любят, так что могу вас поздравить — вам очень повезло, что вы повстречались со мной. Я майор Джонкарта из вооруженных сил бывшей Конфедерации, и родом я из Виргинии. И хотя я, может быть, и похож на жителя этой планеты, я не из их числа. Я прибыл сюда с далекой планеты. За мной гнались аборигены, я нашел убежище в пещере, где и заснул. Полагаю, тут не обошлось без колдовства, потому что мой дух оставил мое тело и оказался здесь...

— Да, крепкая была травка, которой вы накурились, — сказала Мита. — В этой Галактике видимо-невидимо пси-

---

[1] Здесь и далее — намек на цикл романов Э. Берроуза о Марсе: Бартрум — Барсум, Джонкарта, виргинский джентльмен — Джон Картер из Виргинии и т. д.

хов, которые себя за кого-то выдают. У кого мать оплодотворил какой-нибудь бог, кого подменили эльфы, кого выкрали у царственных родителей...

— Вы что, психоаналитик? — обиделся было Джонкарта, но тут же просиял: — Дорогая моя, если вы в самом деле специалист по психологии, то у меня, доктор, в последнее время бывают очень странные сны...

— Я старшина-механик первой статьи Мита Тарсил. Друзья зовут меня просто Мита — и вы можете войти в их число, если перестанете нести всю эту мистическую чушь.

— О, считайте, что уже перестал, дорогая Мита! Мне очень нравится ваша могучая фигура...

— А мне тут сказать дадут? Я младший лейтенант Билл из Космической пехоты.

— Очень рад за вас, такой замечательный чин! Ну что ж, добро пожаловать.

Покончив с представлениями, они получили возможность разглядеть друг друга как следует. Джонкарта не сводил глаз с Миты — на нее было куда приятнее смотреть, чем на Билла, который становился чем дальше, тем грязнее. Мита была того же мнения и со все возрастающим интересом разглядывала пришельца. Он был высок, широкоплеч и очень краснокож — там, где его кожу не закрывала одежда, которой на нем не было. Вместо одежды на нем было что-то вроде упряжи, как у лошади — с пряжками, всяческими украшениями, болтающимися кинжалами и прочим снаряжением. Собственно говоря, одеждой как таковой можно было назвать только замысловатые, все в заклепках, мини-плавки. «Не пустые», — заметила она про себя, сверкнув глазами. Кожаные ботинки, переливающиеся под кожей мышцы, изысканные манеры — в общем, будет о чем написать домой мамочке. Впрочем, этого она делать не станет: того и гляди, мамочка заинтересуется им сама.

— Ну ладно, насмотрелись, а теперь расскажите мне, что вы здесь делаете, — сказал Джонкарта.

— Нас сбили, — ответил Билл. — Вы к этому имеете какое-нибудь отношение?

— Как в воду глядели, приятель. Я сам это и сделал из вот этого моего радиевого ружьишка. На нашем плато крепко не хватает сырья, так что стоит какой-нибудь летучей машине залететь к нам, как мы ее сбиваем. А из металла делаем мечи, ружья, ножи, бомбы — ну, сами понимаете.

— Еще бы, — сказала Мита. — И наверное, еще остается на сыротерки, мясорубки, саксофоны и погремушки?

— Восхищен вашим остроумием, дорогая Мита. Только мясорубками не повоюешь.

— А не скажете ли вы нам, смуглячок, с кем — или с чем — вы воюете?

— Отчего же, с удовольствием. На этом плато живут два разумных вида. Один из них, ясное дело, куда разумнее, чем другой. Здесь есть краснокожий народ Бартрума и отвратительные, мерзкие и вонючие зеленые человечки Бартрума. Этих отталкивающих существ легко опознать даже в темноте — не только по запаху, но и по тому, что у них по четыре лапы. И клыки в точности как у вас, Билл. Что наводит меня на кое-какие подозрения.

— Посчитайте мои руки! — сердито сказал Билл. — А четыре лапы и зеленая шкура — это очень похоже на чинджеров. Может быть, они им приходятся родственниками.

— А могу я спросить, кто такие эти чинджеры?

— Враги, с которыми воюем мы.

— Воюете? Ай-яй-яй! Только не говорите мне, что вы воюете с ними погремушками и мясорубками. — С этими словами он подмигнул Мите, которая в ответ сморщила нос.

— В общем, у нас своя война. Это не значит, что нам она нравится.

— Ну, я ничего против своей не имею. Я потомок многих поколений воинов...

— Послушайте, — сказал Билл, повысив голос, чтобы заглушить громкое бурчание в пустом животе. — С тех пор как мы последний раз ели, прошло очень много времени. Не могли бы мы продолжить беседу за обедом — если только вы знаете, где тут можно раздобыть обед?

— Нет проблем. Пищи в достатке — как только вы запишетесь в добровольцы.

— Так и знал — всегда есть какая-нибудь зацепка.

— Никакой зацепки. Вот, взгляните на этот аппетитный кусок мяса.

Он отцепил от своей упряжи кожаную сумку и вынул из нее копченый окорок тоута.

— Могу предложить краткосрочный контракт. Всего одна вылазка, и вы получаете почетную отставку. К тому же это будет спасательная операция.

— Я уже записалась, — сказала Мита, протянув руку к мясу. — Давайте сюда!

— И я!

Но Джонкарта отдернул руку с мясом и сделал шаг назад, наполовину вытащив меч из ножен.

— Одну минуту, прошу вас. Сначала присяга. Положите правую руку на сердце — у вас есть сердце? Хорошо. Повторяйте за мной. Клянусь Великим Эмболизмом, властителем солнц и звезд, хранителем Бартрума, покровителем краснокожих, врагом зеленых, верной гибелью белых обезьян, подателем благ и всеобщим защитником, что я буду верен Джонкарте с Бартрума и всем, кто служит под его началом, буду повиноваться всем приказам и принимать душ не реже раза в неделю.

Они повторяли за ним, захлебываясь слюной, набегавшей у них от запаха сочного мяса тоута, и жадно схватили ломти, которые он отрубил своим мечом.

— Отличная закуска, правда? Сам коптил. А пока вы жуете, я объясню вам, что мы должны сделать. Дело в том, что принцесса Дежа Вю[1], в которую я страстно влюблен, возвращалась с воздушной фабрики, где делают весь воздух для этой планеты, когда на нее и ее свиту напала банда мародеров — злобных зеленых во главе с самым злобным из них по имени Тарс Тукус. Всех ее спутников предали ужасной смерти, ее верхового тоута убили — вы как раз съели по кусочку его мяса, я решил, что не пропадать же добру, — а ее похитил этот Тарс Тукус вместе со своей гнусной шайкой.

— А вы при этом присутствовали? — спросил Билл, не подумав.

— Нет. К своему отчаянию, я прибыл на место происшествия слишком поздно — иначе из этих мерзавцев никто не остался бы в живых. Все, что случилось, я прочел по их следам на мху, не сохраняющем следов, ибо я великий охотник и следопыт. Никто другой не смог бы найти следы на мху. Только я, вскормленный воинами-апачами...

---

[1] От *фр.* deja vu — уже виденное. Психологический термин, означающий появление у человека ощущения, будто происходящее с ним уже имело место в прошлом.

— А может, хвастовство отложим на потом? — взмолилась Мита.

— Вы правы, мэм, приношу свои извинения. На чем я остановился?

— На том, как вы шли по следам, которые оставили эти зеленые похитители девушек на мху, не сохраняющем следов.

— Ну да, конечно. Я не мог напасть на их лагерь в одиночку и возвращался в город Метан за подкреплением, когда услышал ваши голоса. Заручившись вашей помощью, я сэкономлю много дней пути, и мы застанем их врасплох.

Мита проглотила последний кусок и вытерла руки о высокую траву.

— А запить что-нибудь есть?

— Конечно, мэм. — Он протянул ей свою кожаную фляжку, и она сделала большой глоток. — Это квеч, он делается из перебродившего молока тоутов.

— И вкус у него как раз такой, — с отвращением сказала она и сплюнула. — Сколько там этих зеленых, с которыми нам драться?

— Один, два, много. Я не большой мастер считать. Вот убивать — другое дело.

— Один-два — еще куда ни шло, — сказал Билл, давясь квечем. — С этим мы справимся. Но если их больше — скажем, много, — нам может понадобиться помощь. Вам бы лучше всего завербовать нашего приятеля, который остался там, позади, — Марка-первого, боевого дьявола.

— Это поистине омерзительное и опасное существо, потому я и решил держаться от него подальше. Он ваш металлический раб?

— Ну, не совсем. Но он нас слушается. Подождите здесь, я его приведу.

Дракон, который подъел все обломанные ветки и с довольным видом отдувался зеленым дымом, теперь принялся за лианы; одна из них свисала у него изо рта, как спагетти. Он лениво помахал лапой Биллу и сломал себе еще одну лиану.

Боевой дьявол, в отличие от него, отнюдь не наслаждался жизнью. Он сидел на камне посуше, подобрав под себя лапы.

— Для тебя есть работа, — сказал Билл, но тот не шелохнулся.

— Он что, умер? — спросил Билл дракона.

— Не совсем. Отключился, чтобы поберечь аккумуляторы.

— Замечательно. А как мне с ним общаться?

— По-моему, это очевидно. По телефону.

Билл обошел вокруг камня и увидел, что с задней стороны на нем прикреплена металлическая коробка с загадочными каббалистическими знаками на крышке.

— Вот по этому?

— Точно.

Билл сломал свой последний ноготь, отколупывая крышку. Он вынул трубку и сказал в нее:

— Алло! Есть кто-нибудь дома?

Трубка затрещала и зашелестела ему в ухо:

— Говорит автоответчик. Боевой дьявол сейчас отключен. Если вы хотите что-нибудь ему передать, он свяжется с вами при первой же возможности...

— Эй, ты, проснись, есть дело!

Но ответом ему было молчание. Билл выругался, повесил трубку на рычаг и захлопнул коробку. И тут он увидел, что на крышке есть красная кнопка с надписью «ТОЛЬКО ДЛЯ СРОЧНЫХ ВЫЗОВОВ».

— Вот это то, что нужно, — сказал он и изо всех сил ткнул в кнопку.

Результат получился ошеломляющий. Ноги боевого дьявола с силой опустились на землю, подбросив его высоко вверх. Он опоясался полотнищами огня, во все стороны полетели снаряды, оглашая лес взрывами, и оглушительно завыла сирена.

Билл спрятался за драконом, от чешуи которого со звоном отлетали пули.

— Я пытался тебя предостеречь, — сказал дракон. — Но ты так нетерпелив...

— Что случилось? — крикнул боевой дьявол, вращая своими оптическими приспособлениями во всех направлениях.

— Ничего не случилось, — сказал Билл, осторожно выглядывая из своего укрытия. — Я хотел с тобой поговорить...

— Для этого есть телефон. Это нарушение правил — нажимать кнопку для срочных вызовов, когда ничего срочного...

— Да заткнись ты и слушай! Мы должны кое-что сделать.

— Это еще почему? Все, что я должен делать, — это сидеть сложа руки неделю-другую, пока у дракона не отрастет крыло. Как там оно?

Боевой дьявол сунул микрофон под нос дракону, который указал когтем на металлическую опухоль у себя на боку.

— Растет в лучшем виде.

Билл рассердился:

— Так вот, слушай, боевой дьявол, пора тебе начать оправдывать свое прозвище. У нас есть и еще кое-какие дела, кроме сидения сложа руки, пока у дракона не отрастет крыло. Идет война.

— Ну и воюйте сколько угодно. Я отключаюсь. Всем системам отбой. Десять... девять...

— Погоди! Тебе же велели слушаться моих приказов!

— Вовсе нет, мой слизистый. Великий Зоц приказал мне выручить из беды другую слизистую и доставить вас обоих обратно живыми. Больше ни за что я не отвечаю. Спокойной тебе...

— Нет! Погоди! Ты ведь должен доставить нас обратно. И для этого нам придется ждать здесь две недели. Но если мы с Митой все это время не будем ничего есть, мы умрем. Так вот, мы заключили контракт: нам дадут еды, если мы немного повоюем. Но нам нужна твоя помощь, понимаешь? Так что придется тебе отправиться с нами.

— Безупречно логичное рассуждение, я бы сказал, — заметил дракон. — Я буду поджидать вас здесь.

Некоторое время Марк-1 пытался найти выход из положения — так и слышно было, как в голове у него вращаются колесики. Но выхода не было. Зажглись огни, и его двигатель с ревом набрал полные обороты.

— Что ж, — произнес он философски, — уж лучше боевому дьяволу воевать, чем прозябать попусту. Так что за дело. Где там эта ваша война?

## Глава 13

Джонкарта, стоя позади Митры с мечом в одной руке и ружьем в другой, с большим подозрением смотрел на существо, приближавшееся вслед за Биллом.

— Не вздумайте подойти ближе, слышите? — приказал он. — Это вот ружье стреляет радиевыми пулями, которым ничего не стоит прострелить твоего железного приятеля насквозь.

Мита попятилась.

— Вы что, с ума сошли? Радиевые пули? Да вы, должно быть, светитесь в темноте — и продолжительность жизни у вас не больше, чем у тушканчика!

— Должен признать, что радиевые пули нового образца действительно светятся в темноте и могут даже в темноте взрываться. Так что берегитесь! Старые, когда ими стреляли ночью, взрывались только после того, как утром на них падал солнечный свет. Но теперь совсем другое дело. Вы можете положиться на это существо?

— Оно слушается приказов — этого вполне достаточно. А теперь опустите свое ружье. И держитесь от нас на почтительном расстоянии.

— Если это железное создание собирается встать на нашу сторону, оно должно принести клятву верности...

— Ну уж нет! — вызывающе громыхнул боевой дьявол. — Верность неделима, а я уже поклялся на нефти в верности золотому Зоцу, моему повелителю. Но я последую за вами и буду выполнять приказы, чтобы сохранить жизнь моему подопечному — вот этому слизистому. Хватит с тебя и этого, приятель.

— Ну, я не уверен...

— А я уверен, — сказал Билл, которому надоели эти дурацкие препирательства. — К тому же эта штука вообще не существо, это просто машина...

— Я не «просто машина»! — проскрипел боевой дьявол.

— Довольно! — крикнула Мита, но никто не обратил на нее внимания. — Есть только один способ с этим покончить, — пробормотала она, вытащила свое оружие и выстрелила в них.

Крики тут же прекратились. Билл и Джонкарта мгновенно свалились на землю, придавленные утроенной силой тяжести. Даже боевой дьявол беспомощно заскрежетал своими шестернями. Мита уселась на лежавший на земле ствол дерева и принялась плести венок из цветов, что-то напевая про себя. Понемногу действие заряда стало проходить, и они со стонами зашевелились. Она надела венок, встала и потянулась.

— Ну, с вашими спорами мы покончили. Может, теперь покончим и с этой войной?

— Вперед! — приказал Джонкарта, надувшись при мысли, что посрамлен какой-то женщиной. — Их лагерь вы найдете в одном дневном переходе отсюда, на окраине мертвого города Меркаптана. Мы займем позиции под покровом темноты. Бой начнется на рассвете.

— Вы тут хозяин, — сказала Мита. — Командуйте. Только не дадите ли вы мне на дорогу еще глоток этого перебродившего молока тоута?

Джонкарте были хорошо знакомы все дороги и тропинки в джунглях и на мшистой равнине, и он двинулся вперед бесшумной кошачьей походкой. (Он убил кошку, ободрал ее и подшил ее шкурой свои мокасины: старый бартрумианский обычай, который, говорят, приносит удачу. Только не кошке.)

Вокруг таились неведомые опасности, но, как только они обнаруживались, с ними тут же несколькими залпами расправлялся боевой дьявол, который уже вошел во вкус. Вскоре вся земля была усыпана останками гигантских питонов, сумчатых росомах и страшных оладьеедов. Убедившись, что пришельцы сражаются на его стороне всерьез, Джонкарта немного успокоился.

— Должен сказать, ты настоящий боевой дьявол, — сказал он.

— Это уж точно, — согласился Марк-1, и лес снова огласился выстрелами — бросившийся на них ненитеск разлетелся в клочья.

Стрельба, расчищавшая им путь через джунгли, сильно ускоряла дело, и когда они добрались до опушки и увидели перед собой обширную пустошь, поросшую мхом, солнце только еще садилось за дальний край плато.

— Вот они, — сказал Джонкарта, мрачно ткнув перед собой пальцем, — действие не из легких. — Отсюда вы можете разглядеть темные силуэты их палаток, еще более темные силуэты пасущихся тоутов...

— Кстати, о тоутах, — перебила его Мита. — Дай-ка мне еще кусок этого окорока.

— Вы больше думаете о своем желудке, чем о моей возлюбленной Дежа Вю!

— Сейчас — да, краснокожий. Сначала еда, потом бой.

Боевой дьявол не нуждался в сне и поэтому вызвался сторожить первым. А также вторым и третьим — он разбудил всех перед самым рассветом.

— Какие у вас планы, Джонкарта? — спросил Билл, когда они подкрепились остатками окорока и зашли за деревья отлить.

— У нас может быть только один план — начать бой и победить!

— Великолепно! — иронически заметил боевой дьявол. — Только если вас интересует мнение испытанного в боях боевого дьявола, я бы посоветовал организовать дело немного лучше. Сколько их там?

— Бесчисленные орды!

— А не могли бы вы выразиться немного точнее?

— Не стоит трудиться, — сказал Билл. — Я уже пробовал. Он считает так: один, два, много.

— Зато я лучше тебя стреляю, бледнолицый, — обиженно отозвался Джонкарта. — И мне незачем их считать — я бросаюсь в бой!

— Будет вам бой, будет, — простонал боевой дьявол, которому эти дряблые, слизистые инопланетяне были уже поперек горла. — Подойдем к делу проще. Что вы скажете, если я отправлюсь туда и разнесу их всех в клочья?

— Ты убьешь мою возлюбленную принцессу!

— Ну хорошо, давайте сделаем иначе. Вы сейчас, под покровом темноты, проберетесь туда и выясните, где она. Потом, когда я появлюсь там на рассвете, вы покажете мне ее палатку, и я разнесу в клочья все остальное.

— Но как я найду ее в темноте?

— По запаху, — сказала Мита, которой надоели эти разговоры. — А если от нее не воняет, то ее все равно легко будет найти среди тех, от кого воняет.

— Воняет! Не будь вы дамой, вас уже не было бы в живых! От моей любимой веет сладким ароматом роз, нежных нарциссов и всех прочих прекрасных цветов...

— Замечательно. Вот и разнюхайте, где спрятан этот прелестный букет, и дайте знать Марку, а то он рвется в бой. Давайте наконец возьмемся за дело!

— Я иду разыскивать свою любимую. Главное — скрытность, поэтому я не рискну взять с собой старушку Бетси — мое верное радиевое ружье. Оставляю его на ваше попечение, мэм...

— Нет уж! Повесьте его на дерево, пусть повисит до вашего возвращения.

Джонкарте ничего не оставалось делать — он тщательно пристроил ружье высоко на дереве и бесшумно, как привидение, скользнул в пустыню.

Когда небо на западе посветлело — планета Сша вращается в обратную сторону, — боевой дьявол, мурлыкая какую-то песенку, перезарядил всю свою артиллерию и привел в готовность лучеметы. Билл растянулся на земле, решив подремать минут сто — ночь выдалась долгая. Но у Миты были иные планы. Она заползла под куст, где он устроился, расположилась рядом на мягком мху, и ночная тишина огласилась звуком расстегиваемых молний. И снова застегиваемых, когда она заметила, что из куста высунулся инфракрасный детектор. Мита попробовала его схватить, но он увернулся.

— Если ты размножаешься вегетативно, — крикнула она, — то откуда такой интерес к гетеросексуальным актам?

— А мне чего-то не хватает. Я не нахожу себе места от нетерпения. Солнце взошло, птички запели, тоуты заржали. Я пошел!

Лагерь уже зашевелился, и он зашевелился еще проворнее при виде приближающегося боевого дьявола. Орды хищных, грязных, вшивых зеленых бартрумианцев высыпали из палаток, выкрикивая злобные ругательства и поливая огнем атакующую машину. Боевой дьявол навел на них все свои стволы, но огня не открывал.

— Эй, ты, краснокожий слизистый, где ты там?

— Здесь, — ответил Джонкарта, высунув голову из канавы и тут же спрятав ее, когда вокруг засвистели радиевые пули. — Убивай всех подряд, только не трогай палатку, на которой стоит Число Зверя.

— Боюсь, я не знаю, что это значит.

Джонкарта быстро нарисовал на песке «666».

— Вот оно.

— Понял. — Не обращая внимания на пули, сыпавшиеся на его шкуру, боевой дьявол выставил свой электронный телескоп и обвел им ряды палаток. — Вижу — поехали!

Зрелище было потрясающее. Карикатурные зеленые человечки не могли устоять перед ураганом пуль и пламени. Один за другим они разлетались на куски. Клочья зеленого мяса летели во все стороны и сыпались на песок среди обвалившихся палаток, шкур, шелковых драпировок, золотых браслетов, презервативов, пистолетов, мечей, ночных горшков — всего того, что делает мало-мальски сносной жизнь в дикой пустыне. Мита с Биллом, держась за руки, вышли из леса и смотрели на эту шумную демонстрацию непобедимой огневой мощи. В несколько мгновений горделивый лагерь превратился в дымящиеся развалины — среди них возвышалась только одна палатка. Она стояла целехонькая, хотя и забрызганная зеленой кровью.

— Моя дорогая Дежа Вю — она невредима?

— Можете не сомневаться. Я стреляю без промаха, — похвастался боевой дьявол, выдвинул шланг со сжатым воздухом и подул себе на дымящийся ствол пушки.

— Я здесь, дорогая, и готов принять тебя в объятия! — вскричал Джонкарта, бросаясь вперед и распахивая полотнище палатки.

И издал отчаянный вопль, когда огромное зеленое чудище выскочило из палатки и опрокинуло его на землю.

— Ты истребил все мое племя! — проревело оно, колотя себя кулаком в широкую грудь. — Я жажду мести и твоей крови!

— Тарс Тукус... Ты был в палатке — наедине с ней! Что ты сделал с моей возлюбленной?

— Угадай! — ехидно ответил зеленый гигант, оскалив клыки и отпрыгнув в сторону. — Вынимай свой меч — и защищайся!

Рукоятка меча сама прыгнула в руку Джонкарты (это гораздо легче, чем вынимать его), и он с ревом бросился вперед. Но Тарс Тукус тоже обнажил свой меч. Мечи. Все четыре, поскольку рук у него было тоже четыре. Это не испугало Джонкарту, который наступал так яростно, что его меч превратился в жужжащий стальной круг, и заставил зеленого воина попятиться, несмотря на его четырехкратное численное превосходство. Как только они отошли от палатки, Джонкарта позвал на помощь:

— Билл — в палатку! Посмотри, не причинил ли он вреда моей возлюбленной!

Билл обошел сражающихся, сунул голову в палатку и замер на месте.

— Как там... она? — задыхаясь, крикнул Джонкарта, обмениваясь с противником сокрушительными ударами.

— Она... Она, по-моему, очень даже ничего!

Дежа Вю действительно была очень даже ничего. Раскинувшись на шелковой кушетке, она выглядела воплощением женской красоты. Ее нежное красное тело — которого было довольно много — излучало цветущее здоровье и соблазн. Жалкие лоскутки прозрачной ткани скорее выставляли напоказ, чем скрывали, ее пышные прелести. Груди, похожие на дыни, рвались на волю.

— Вы... С вами все в порядке? — хрипло спросил Билл.

— Заходи — узнаешь, — хрипловато отозвалась она.

Полотнище палатки опустилось за ним. А снаружи бой близился к концу. Даже располагая четырьмя мечами, Тарс Тукус сильно уступал Джонкарте в фехтовальном мастерстве. Верхняя правая рука у него уже устала. Заметив это, Джонкарта бросился вперед, отбил его меч и одним могучим ударом снес зеленому голову. Под его победный вопль гигантская фигура рухнула на землю и осталась лежать неподвижно. Зеленая кровь струей хлестала из перерубленной шеи.

— Так погибнет каждый, кто осмелится встать между мной и моей возлюбленной! — победоносно выкрикнул Джонкарта, круто повернулся, откинул полотнище палатки... и издал вопль ярости, увидев, что там происходит.

— Так погибнет каждый, кто осмелится встать между мной и моей возлюбленной! — снова выкрикнул он и кинулся внутрь.

— Я только осмотрел ее — нет ли на ней ран! — заорал Билл, спрятавшись за спину краснокожей принцессы, чтобы не оказаться пронзенным насквозь.

— Выходи, подлый трус! Выйди из палатки и сразись со мной, как подобает мужчине!

Мита и боевой дьявол с большим интересом смотрели, как из палатки выскочил сначала Билл, а потом, всего на шаг позади него, Джонкарта с пеной на губах. Когда краснокожий пробегал мимо Миты, она подставила ему ножку, и он ничком плюхнулся на землю.

— Как вам не стыдно нападать на безоружного! Если уж хотите устроить дуэль, деритесь по правилам. Билл имеет право выбрать оружие.

— Да, вы, конечно, правы, — сказал Джонкарта, поднимаясь на ноги и стряхивая с себя клочья зеленого мяса. Сложив руки на груди, он сердито уставился на Билла. — Выбирайте. Радиевое ружье на двадцати шагах? Кинжалы, пистолеты, мечи, топоры — вам выбирать. Только решайте поскорее, я не смогу долго сдерживать свой гнев.

Дежа Вю присоединилась к остальным зрителям, прикрывая прозрачным лоскутком ткани свои прелести, вызывающие у мужчин такие бурные чувства. Мита неприязненно осмотрела ее с ног до головы, фыркнула и отвернулась.

«Толста, — подумала она. — Ей еще не будет и тридцати, а уже придется носить грацию».

Все глаза были устремлены на Билла, что отнюдь его не радовало. Он видел, что эта мускулистая горилла только что сделала с четвероруким гигантом.

— Придумал! — заявил он. — Перетягивание пальцев!

— Выбирайте оружие! — в ярости заревел Джонкарта. — Молитесь напоследок, пока я не проткнул вас насквозь!

— Помоги мне, верный боевой дьявол! — взмолился Билл. — Не дай этому сумасшедшему меня убить!

— Меня это не касается, приятель. Меня послали, чтобы доставить Миту живой, и это я сделаю. А если вы вляпались в историю из-за какой-то местной девчонки, это дело ваше.

— Мита...

— Тебе нравится эта толстуха, вот и дерись из-за нее.

— Время вышло, — сказал Джонкарта злорадно, нацелившись мечом Биллу прямо в пупок. — Это там у тебя сердце?

— Нет, здесь, — ответил Билл, дотронувшись пальцем до груди и тут же отдернув руку. — То есть нет, вы не можете это сделать...

Железные мышцы напряглись. Меч нетерпеливо дернулся.

И в это мгновение Дежа Вю издала пронзительный вопль. Все обернулись и увидели ее в омерзительных лапах Тарса Тукуса.

— Но... Но... — начал Джокарта, заикаясь. — Но я же только что отрубил тебе голову!

— Ха-ха! Отрубил, верно, — насмешливо ответил зеленый воин и свободной рукой показал на обрубок шеи. — Только ты не знал, что у меня две головы — другая была привязана за спиной, ты ее просто не видел. Когда ты отвернулся, я наложил на обрубок турникет, высвободил запасную голову — и захватил в плен эту девицу.

Он пронзительно свистнул, и к нему подскакал шестиногий тоут.

— Стрелять ты не осмелишься, чтобы не попасть в мою пленницу, — победоносно крикнул он, прыгая в седло и крепко прижимая принцессу к своему мерзкому телу. — Я уезжаю! Я не стану тебя убивать, а оставлю в живых, чтобы ты постоянно думал о том, какая судьба постигла ее!

Глухой топот копыт заглушил его безумный смех, и они скрылись за горизонтом.

## Глава 14

— За ней, за моей возлюбленной! — вскричал Джонкарта. — Мы должны ее спасти!

— Мы ее и спасли только что, — отозвалась Мита. — Если бы вы отрубили Тарсу Тукусу обе головы, все было бы в порядке.

— Откуда мне было знать, что у него две головы? Я же не извращенец, зачем бы я стал смотреть на него сзади! Мы должны отправиться в погоню — сразу же, как только я покончу с этим донжуаном!

Его смертоносный меч со свистом сверкнул в лучах жаркого бартрумианского солнца. Билл поднял пистолет и нажал на спуск. Молния, вылетевшая из ствола, выбила меч из рук краснокожего.

— Это нечестно! — взвыл Джонкарта, поливая обожженную ладонь квечем. — Вы не джентльмен!

— Это точно, я солдат, а в офицерах только временно.

— Мой меч жаждет испить вашей крови...

Чтобы положить конец спору, Мите снова пришлось прибегнуть к гравитационному пистолету. Пока оба, задыхаясь, лежали на земле, она заглянула в палатку. Там повсюду валялись заплесневелые меха, грязные шелка и стоял густой запах зеленых. Мита заметила какую-то бутылку, осторожно понюхала, глотнула и облизнула. С бутылкой в руке она вышла из палатки и увидела, что Билл с трудом пытается сесть.

— Выпей-ка — это получше, чем квеч.

Билл радостно присосался к бутылке. В это время пришел в себя Джонкарта, понюхал воздух и вскричал:

— Чем это пахнет? Что вы пьете?

Мита протянула ему бутылку, и он снова вскричал:

— Это же редчайший аромат вина из плодов штункокса, который цветет только раз в столетие, — оно так драгоценно, что...

— Вы выпьете или будете дальше читать лекцию? — спросила Мита с трогательным сочувствием. — В нем есть алкоголь. Ну, редчайшее, ну, драгоценное, так допивайте скорее. И хватит разговоров о том, чтобы прикончить Билла. Мне это петушиное хвастовство надоело. Если хотите устроить дуэль, можете отправляться дальше в одиночку. Или же забудьте о ней, и тогда у вас целая маленькая армия — мы и боевой дьявол. Что вы выбираете?

— Жизнь моей возлюбленной превыше моей собственной чести...

— Быстро соображаете. Так что мы делаем дальше? — спросила она, принимая командование: мужчинами она была на сегодня сыта по горло.

— Последуем за ними на тоутах. Эти животные не нуждаются ни в седле, ни в поводьях: ими управляют телепатически.

— Что-то не верится.

— А если тоут упрямится, его нужно трахнуть по голове рукояткой пистолета.

— Рискованное это дело, по-моему, но я готова попробовать. Ну-ка, боевой дьявол, покружи вокруг тоутов и подгони их к нам.

Лучше не описывать, как один краснокожий бартрумианец, два розовокожих человека и боевой дьявол гоняли табун шестиметровых, шестиногих и сексуально озабоченных тоутов. Достаточно сказать, что много времени спустя четыре тоута, мозги у которых были наполовину вышиблены от беспрестанного битья по голове, уже брели по бездорожью, неся на себе измученных и вывалявшихся во мху всадников.

— Надеюсь, что нам больше не придется этого делать... по крайней мере в ближайшее время, — сказала запыхавшаяся Мита и тут же вскрикнула, указывая пальцем назад: — На нас напали!

Омерзительное десятиногое существо трупно-белого цвета кинулось на них, роняя слюни. У него было три ряда длинных острых зубов, и пасть оно держало открытой, словно страдало полипами в носу: сомкнуть челюсти не позволяли торчащие в разные стороны клыки.

Существо прыгнуло на них, взметнулось в воздух и обрушилось на Джонкарту. А тот принялся чесать ему за ухом, и оно, пыхтя, обслюнявило ему всю портупею.

— Это моя верная собака Вискоза. Она, должно быть, бежала день и ночь не меньше двух недель, чтобы догнать нас. Эти существа не знают устали.

Вискоза тут же лишилась чувств и захрапела, свесившись по обе стороны тоута.

— Вперед, — приказал Джонкарта, сталкивая с ног навалившуюся на них тушу. — Вон туда, в мертвый город Меркаптан на берегу Мертвого моря. Молитесь своим богам, чтобы мы не опоздали.

Они пустились галопом. Боевой дьявол подскакал на своем тоуте к Мите. Его тоут беспрекословно повиновался всаднику — больше ничего ему и не оставалось делать, поскольку в оба его уха упиралось по орудийному стволу. Боевой дьявол был в прекрасном настроении.

— Какое необычное приключение! Будет мне что порассказывать приятелям в столовой для боевых дьяволов. А что этот краснокожий слизистый говорил о каких-то ваших богах? У него такой южный акцент, что мне временами бывает трудно его понять.

— Нет, только не сейчас, боевой дьявол. Если ты думаешь, что я стану растолковывать основы сравнительного религиоведения металлической форме жизни на полном скаку по дну высохшего моря, сидя на шестиногом тоуте, то ты просто спятил.

Бóльшую часть дня они скакали во весь опор: на их мольбы о передышке Джонкарта не обращал никакого внимания. Он приказал остановиться только тогда, когда впереди показались полуразвалившиеся башни Меркаптана. Все, за исключением, разумеется, боевого дьявола, с облегчением повалились на мягкий мох. Тоуты принялись пастись, а верная собака Вискоза проснулась и тут же испортила воздух. Все, забыв об усталости, кинулись искать спасения — все, за исключением, естественно, боевого дьявола, у которого обоняние отсутствовало.

— Вот мой план, — сказал Джонкарта, дождавшись, когда воздух очистится, и наградив свою верную собаку несколькими ударами ноги. — Мы должны застать их врасплох, потому что у них численное превосходство. Я знаю тайный путь, ведущий в...

— А зачем врасплох? — удивилась Мита. — Почему бы просто не послать туда боевого дьявола, как в прошлый раз, и не разнести там все в клочья?

— Потому что теперь они предупреждены о нашем присутствии. При первом же выстреле они убьют мою возлюбленную. Этого не должно случиться! Мы проберемся верхними этажами заброшенных домов, они об этом ни за что не догадаются.

— А почему? — спросил Билл, окончательно запутавшись.

— Потому что на этих верхних этажах обитают омерзительные белые обезьяны — гигантские существа, одержимые жаждой убийства.

— А не окажутся ли они одержимы жаждой убийства нас? — спросила Мита.

— Да, наверное, — надулся Джонкарта. — Это как-то не пришло мне в голову. Придумал! Если они нападут на нас, ваш железный воин их перебьет.

— Прекрасная идея. Взрывы, перестрелка на верхних этажах — эти жалкие зеленые, конечно же, ничего не заметят.

— Я могу это сделать, — вмешался боевой дьявол. — Я вооружен беззвучными лучами смерти, лучами-коагуляторами, от которых тело становится твердым, как крутое яйцо, ядовитыми газами и еще кое-чем в этом роде. Показать?

— Покажешь на белых обезьянах, — сказал Билл. — Ну что, начнем, пока не стемнело?

Джонкарта повел их за собой — в полуразвалившийся дом, вверх и вверх по широкой лестнице, пока они не добрались до верхнего этажа, напоминавшего давно не опорожнявшийся мусорный контейнер. Они прошли одну комнату, другую — и в третьей встретили свою судьбу.

— Вот она! — в ужасе завопил Джонкарта. — Омерзительная белая обезьяна! Убейте ее!

— Какая я тебе белая обезьяна? — рявкнула обезьяна в ответ. — Тоже мне, нашел обезьяну, краснокожий коммунистический выродок! Вот как врежу тебе сейчас, будешь помнить!

— Погоди, — сказал Билл, удержав за орудийный ствол грозно двинувшегося было вперед боевого дьявола. — Не стреляй пока. Похоже, это существо умеет говорить.

— Ничего себе существо! Да кто вы такой, что вламываетесь к человеку в гостиную с какой-то жуткой машиной и с этим краснокожим идиотом? И с очаровательной молодой девицей, должен я признать!

— Взять! — приказал Джонкарта, и десятиногая собака кровожадно бросилась вперед.

— Лежать! — приказала белая обезьяна. — К ноге! Молодец, собачка, умница. Вот тебе косточка.

Он бросил ей череп тоута, который Вискоза тут же схватила и принялась шумно грызть.

— Меня зовут Мита, — сказала Мита, выступив вперед. — Надеюсь, мы не причинили вам больших неудобств, появившись без приглашения?

— Ничуть, ничуть! Мое имя Ан Лар, но друзья зовут меня Ан. Или Лар. Или Ан Лар. Жена с детишками отправилась по магазинам. У нас сегодня на обед ростбиф из зеленого бартрумианца, можете присоединиться, если пожелаете.

— О, благодарю вас. Сейчас спрошу своих друзей. — Она круто повернулась и бросила сердитый взгляд на боевого дьявола, который неохотно убрал свое оружие. — Вам должно быть ясно, что эти так называемые белые обезьяны просто люди или, во всяком случае, почти люди.

— Конечно люди, тут не может быть никакого сомнения. Да поразит меня Самеди, если это не так.

— Самеди? — переспросил Билл, чувствуя, как сквозь его проржавевшие нервные узлы пробивается какое-то смутное воспоминание. — Что-то знакомое. Мой один знакомый что-то говорил про Самеди. Солдат по имени Тембо.

— Клянусь богом, он был окрещен в честь святого Тембо — одного из самых почитаемых святых Первой реформированной колдовской церкви. А где сейчас этот ваш знакомый?

— Здесь. По крайней мере отчасти. Он погиб в бою. Я в том же бою потерял руку. Вот это его рука — все, что от него осталось. Глядя на нее, я всегда о нем вспоминаю.

— Вот это да! Ну-ка, дай пять! — Левая рука Билла сама собой протянулась вперед. — То-то я смотрю, почему у вас одна рука белая, а другая черная. Только я не решился спросить, чтобы не показаться невежливым. Заходите все, в наше время так редко случается встретить друзей. С самого того черного дня, когда корабль потерпел крушение на этой проклятой планете.

— Корабль? Потерпел крушение? — эхом отозвался Билл.

— Ну да. Огромный космолет, битком набитый беженцами с планеты Земля, если только можно верить легендам. В них говорится, что на этом корабле и произошло великое обращение в истинную веру. Все принадлежали к разным религиям, когда садились в корабль, а вышли из него единой веры. И все благодаря неустанной проповеди Святого Тембо, да будет его имя благословенно.

— И мой Тембо то же самое говорил, — сказал Билл. — Что Земля была уничтожена во время атомной войны — во всяком случае, Северное полушарие.

— Конечно, и мне приятно, что эти древние легенды хоть отчасти подтверждаются. Юнцы называют их мифами и посмеиваются над ними. Но это не миф, что мы оказались заброшены на эту бесплодную планету. Мы возделываем на крышах немного картофеля, а когда проголодаемся, съедаем одного-двух зеленых бартрумианцев. Клянусь богом, жизнь здесь нелегкая — особенно когда всякие тут обзывают нас обезьянами!

— Я прошу прощения. Приношу свои извинения, как подобает джентльмену с Юга. Я просто повторил то, что слышал раньше.

— Вот видите, какие бывают зловредные слухи. Но скажите мне, что привело вас в наш прекрасный город?

— Мою невесту, прекрасную невесту Дежа Вю, похитили гнусные существа, которые живут здесь в нижних этажах. Мы должны освободить ее!

— Ну тогда вы попали аккурат туда, куда нужно, если вам по душе немного подраться и поразбивать головы зеленым. И к тому же у меня кончаются запасы мяса. Подождите тут минутку, дайте еще кость этой изголодавшейся собаке, а я мигом — не успеет тоут три раза хвостом махнуть.

— Какой милый, — сказала Мита, когда их хозяин выскочил в окно.

Верный своему слову, он почти сразу вернулся, но на его широком белом лбу пролегли озабоченные морщины.

— Похоже, это будет не так просто. Сдается мне, они знают, что вы тут.

— Почему вы так думаете?

— По всему городу развешаны указатели «К ПОХИЩЕННОЙ ПРИНЦЕССЕ». Я убежден, что они вас поджидают.

— Этого мне и надо, — мрачно сказал Джонкарта, решительно стиснув меч. — Если они подумают, что смогут захватить меня, значит они не тронут ее. Начинаем атаку.

— Вы хотите сказать, что мы отправимся прямо в расставленную ловушку? — спросила пораженная Мита.

— У нас нет выбора.

— Он прав, у нас нет выбора, — в один голос подтвердили Билл и Ан Лар.

— Конечно, от тупых самцов ничего другого ждать не приходится, знаю я ваши замашки, — презрительно скривила губы Мита. — А я как женщина говорю, что надо сначала сходить в разведку. Умереть всегда успеем потом.

— Нет! — прогремел боевой дьявол. — Сначала драться, потом думать! Пусть я и не мужик, при вегетативном размножении полов не бывает, но, клянусь Зоцем, мне нравятся эти их замашки. Пошли!

— Чем угодно думают, только не головой, — недовольно сказала Мита. Они вышли, а она последовала за ними на почтительном расстоянии, оставшись в доме, когда они уже вышли на центральную площадь.

— Никого нет! Они испугались нас и сбежали! — воскликнул Джонкарта, и все разразились радостными криками.

Но тут у них под ногами разверзлась земля, и они кувырком полетели в пропасть, а из окружающих зданий высыпали бесчисленные зеленые, издавая победные вопли, смеясь и делая непристойные жесты, которые при наличии у них четырех рук выглядели особенно непристойными.

— Что я вам говорила? — фыркнула Мита. — Но меня никто никогда не слушает.

Тут у нее упало сердце, и она в отчаянии заломила руки.

— Неужели это все? Неужели так приходит конец? Вот так — бесславно, от безжалостной зеленой руки бартрумианца?

Она печально вздохнула. В комнате слышался только хруст кости, разгрызаемой отвратительными клыками верной собаки. И ее отвратительная довольная отрыжка.

# Глава 15

А в это время в Железном городе Зоц начал испытывать беспокойство.

— Пора бы уже им вернуться. Я боюсь за ваших товарищей.

Он сделал глоток высокооктанового бензина, чтобы успокоиться, и взглянул на адмирала, поглощенного своим делом.

— Не берите в голову, золотой мой, — рассеянно пробормотал Practис, отвинчивая очередной болт у несчастной машины, прибитой гвоздями к полу. Из ее динамика послышался предсмертный щелчок. Практис протянул руку, и Вербер подал ему гаечный ключ. Капитан Блай стоял рядом, глядя на него невидящими глазами и бессмысленно кивая. Хотя они отобрали у него бóльшую часть зелья, но не смогли обнаружить заначку, спрятанную в выдолбленном каблуке. Он принял дозу-другую и теперь безнадежно торчал.

— Был бы рад не брать в голову, благодарю вас, — несчастным голосом ответил Зоц. — Но мне стыдно, что я оказался таким негостеприимным. Сначала пропал без вести один ваш товарищ, а теперь уже два.

— Два, двадцать, двести — какая разница! Я потерял куда больше людей, пока занимался своими противозаконными экспериментами с обычным насморком. Ага!

Машина взвизгнула — он отломил ей ногу и, склонившись над ней, направил свой глаз-микроскоп на сустав. На лице Зоца появилось выражение боли.

— Может быть, вы перестанете, пока я с вами говорю? По вашей просьбе я предоставил вам несколько машин для разборки — то есть для исследования. Но я был бы вам признателен, если бы вы подождали, пока я не выйду.

— Извиняюсь. — Практис выпрямился и вставил на место свой черный монокль. — Работа увлекает меня так, что иногда я обо всем забываю. Где Ки?

— Тут, — отозвался тот, появившись с подносом дымящихся бифштексов. — Еда. Я голоден. Вам?

— Ну, пожалуй, немного. — Практис откусил от куска и положил его обратно. — Я люблю полакомиться мясом не меньше других, но оно уже начинает приедаться. Надо бы мне было заняться скороспелыми артишоками или, может быть, кормовой свеклой...

Его прервал громкий скрежет: машина, которую он исследовал, вырвала из пола удерживавшие ее гвозди и на одной ноге поскакала прочь.

— Стой! — завопил Практис.

— Пусть идет, — сказал Зоц. — У нас еще много их осталось. Так вот, я бы хотел снова вернуться к нашей теме. К вашим пропавшим товарищам. Наши детекторы уловили слабый сигнал радиоответчика, идущий откуда-то с Пустопорожних земель. Похоже, что он передается на частоте, присвоенной боевому дьяволу Марку-один. Поэтому я послал за усовершенствованной моделью — Марком-два. Если не ошибаюсь, он как раз прибыл.

Дверь с треском распахнулась, в комнату вбежал боевой дьявол, дважды обежал ее кругом, прострелил дыру в стене и, запыхавшись, остановился удовлетворенный.

— Модель, весьма усовершенствованная путем направленного скрещивания. Мы работали с образцами тканей. Немного поиграли с генами — в общем, вы понимаете. Так что теперь агрессивность у него еще выше, броня крепче, огневая мощь больше, аккумуляторы мощнее, а мозг меньше.

— Все в точности так! — радостно крикнул боевой дьявол и разнес в щепки половину потолка. Практис недовольно взглянул вверх и не заметил, как Вербер стащил остаток его бифштекса.

— И что предполагается с ним делать? — спросил Практис.

— Отправить на выручку, разумеется. Если вы последуете за мной, я отведу вас к орнитоптеру.

— Только не меня — я адмирал. — Он огляделся и скривился при виде балдеющего капитана Блая. — У нас, кажется, не хватает живой силы. Эй, вы, там, сержант Ки Бер-Панк, вы только что вызвались добровольцем на эту операцию.

— Отрицание, нет, не пойдет. Боюсь высоты. Пошлите Вербера.

— Вербер слишком туп. А меня вы боитесь еще больше, чем высоты. Отправляйтесь!

Ки положил руку на свой бластер, размышляя, не разумнее ли будет прикончить Практиса, чем отправляться на это самоубийственное задание. Но у адмирала хватило опыта обращения с непокорными солдатами, добровольцами и больными, и он среагировал быстрее.

— Ну-ну, — улыбнулся он, направив свой бластер точно между глаз добровольца. — Все, что от вас потребуется, — это не отставать от боевого дьявола и вернуться вместе со своими товарищами. Отправляйтесь.

Ки неохотно вышел. Боевой дьявол рысью бежал впереди, выставив глаз на ножке и разглядывая только что обретенного напарника.

— Я так волнуюсь — это мое первое боевое задание.

— Заткнись.

— Не грубите боевому дьяволу, а то боевой дьявол разнесет вас в клочья.

— Извини. Это нервы. Вообще-то, я человек мирный. Показывай дорогу.

Во дворе их ждал орнитоптер. Вокруг него суетились маленькие машины обслуживания, смазывая ему крылья и начищая зубы.

— Отправляемся, — проскрипел боевой дьявол и жестом отпустил машины.

— Очень может быть, — произнес орнитоптер глубоким басом. — Ваши психи уже отправили отсюда мою сестренку, она так и не вернулась. Куда мы собираемся?

— На Пустопорожние земли.

— И не думайте! Я не самоубийца.

Молния вылетела из паха боевого дьявола и выжгла в хвосте орнитоптера полуметровую дыру. Тот покосился на свой хвост и делано улыбнулся.

— Знаете, я как раз подумал, что давно втайне хотел взглянуть на эти Пустопорожние земли. Залезайте.

— Еще один доброволец, — мрачно заметил Ки. — Что-то не нравится мне это задание.

— Ничего, слизистые, не унывайте, — сказал боевой дьявол, подсаживая его на спину орнитоптера. — Мы летим в бой! Смерть и разрушение!

Он выстрелил в землю, оставив глубокую воронку, и они с лязгом поднялись в воздух.

Полет был как полет. Боевой дьявол напевал про себя воинственные песни, время от времени весело постреливал из орудий и прислушивался к сигналу далекого радиоответчика.

— Становится громче. И яснее. Держи вон на то темное пятнышко на горизонте и маши крыльями почаще, — скомандовал он.

Орнитоптер, дребезжа, сделал вираж и полетел в указанном направлении. По мере приближения к цели настроение у него неуклонно падало.

— Так я и знал, — простонал он тихо. — Плато Обреченных.

— У меня на карте нет никакого плато Обреченных. А карты у меня хорошие.

— Ни одна карта не может передать его немыслимо отвратительных очертаний и запечатлеть его запретное имя.

— Тогда откуда ты про него знаешь?

— Это случилось так. Представьте себе уютную картину. Вечером вокруг нефтяного источника сидят старики, беседуя о том о сем, — и вдруг умолкают. В наступившей глубокой тишине раздается голос самого старого орнитоптера. Бессильно опустив дряхлые крылья и треща ржавыми заклепками, он в бессчетный раз пересказывает притихшим слушателям старинные легенды, передающиеся из поколения в поколение. И в конце всегда предупреждает, что от плато Обреченных нужно держаться подальше.

Увлекшись рассказом, орнитоптер сбился с курса. Ки заметил это, но не подал виду, надеясь, что тупая машина, за которую он изо всех сил держался, тоже не обратит на это внимания. Плато, лежавшее впереди, вызывало у него не больше энтузиазма, чем у их механического летучего коня.

— Куда повернул? — рявкнул боевой дьявол. — Правь вон туда, а не сюда!

— Но это же верная смерть!

— Будет еще вернее, когда я разнесу тебя в клочья!

Пламя вырвалось из его орудий, и кончики крыльев орнитоптера рассыпались в пыль.

— Не смей это делать! — взвизгнул орнитоптер. — Если ты меня собьешь, ты тоже погибнешь!

Еще раз сверкнули огнем орудия, и от крыльев отлетело еще несколько кусков металла. Боевой дьявол пожал железными плечами.

— Знаю. Но что я могу поделать? В конце концов, идет тотальная война.

Проливая нефтяные слезы, орнитоптер свернул на прежний курс. Ки подумал, не попробовать ли столкнуть этого металлического кретина за борт, но увидел, что тот прочно привинчен к месту.

— Почему ты летишь так высоко? — спросил боевой дьявол.

— Чем выше мы летим, тем дальше от тех ужасов, что ждут нас на земле.

— Мне отсюда плохо видно.

— А твои телескопы — ты про них забыл?

— А, ну да. Забыл. — Боевой дьявол выдвинул телескопы. Ки подумал, что, конечно, для военнослужащего ослабленный интеллект — как раз то, что нужно, но с этой машиной, кажется, хватили немного через край.

— Вон туда. К развалинам города. Сигнал сильный. Посылаю сообщение. Эй, дорогой мой вегетативный родственник, подмога идет!

— Ответ есть? — спросил Ки.

— Принимаю. «В ПЛЕНУ В КОЛОДЦЕ ТОЧКА». Какое-то странное сообщение. Что еще за точка в колодце?

— Это телеграмма, идиот. Она означает, что он в колодце. А точка означает точку. Знак препинания.

— Почему бы так и не сказать сразу?

— А еще что-нибудь там есть? — спросил Ки, подавив гнев, страх, недовольство и много еще других чувств.

— Ага. «СЛИЗИСТЫЕ В КОЛОДЦЕ ВМЕСТЕ СО МНОЙ ТОЧКА ВЫРУЧАЙ ТОЧКА АТАКУЙ АТАКУЙ АТАКУЙ КАК МОЖНО СКОРЕЕ АТАКУЙ АТАКУЙ».

— По-моему, он хочет, чтобы ты их атаковал.

— Что-что, а это я умею! — Раздались оглушительные залпы, и Ки пришлось повысить голос, чтобы их перекричать:

— Перестань стрелять! Ты даешь им знать о своем приближении — и зря тратишь боезапас.

— Садись вон там, наш носитель. Сигнал идет с центральной площади.

Орнитоптер камнем ринулся вниз и шмякнулся на землю по другую сторону разрушенного дома.

— Не там сел. Площадь вон где.

— Сел там, где надо. Спас жизнь себе и слизистому. Иди, могучий боевой дьявол. Атакуй!

— Атаковать? Кого атаковать?

— Колодец на площади, где они сидят в плену! — раздраженно крикнул Ки.

— Ах да, колодец!

Боевой дьявол скрылся из вида, и спустя мгновение послышались взрывы, вопли, крики боли, раскаты грома и прочее в том же духе. И очень скоро затихли.

— Как ты думаешь, он победил? — шепотом спросил Ки.

— Пойди посмотри, — шепотом ответил орнитоптер.

— Давай кинем монетку. Кто проиграет, идет смотреть.

— Не трудитесь, — послышался с балкона у них над головами шепот Миты. — Мне отсюда все прекрасно видно. Это был последний бой боевого дьявола. Он нанес им коекакие потери, но потом попал под огонь тысячи радиевых ружей, и от него осталась только куча радиоактивного лома. Поднимайтесь сюда. Через дверь и по лестнице.

Орнитоптер покосился одним глазом на дверь.

— Ничего не выйдет. Эта дверь для меня мала. Подожду здесь, смажу пока крылья. Желаю удачи.

Ки поднялся по лестнице и вошел в просторную комнату, заполненную бледнолицыми женщинами. Мита сидела за столом в дальнем конце комнаты и стучала молотком по столу, требуя внимания. Когда гомон немного утих, она заговорила:

— Мы уже в который раз возвращаемся к одному и тому же. Лобовая атака не годится. Вы только что видели, что случилось с боевым дьяволом, когда он попробовал пойти напролом.

— Подождем до темноты и перебьем этих мерзких зеленых каменными дубинками! — предложил кто-то.

— Да ты что! — крикнул другой голос. — К тому времени пленников давно не будет в живых. Надо действовать немедленно!

Мита махнула Ки, чтобы он подошел.

— Вот! — крикнула она. — Подкрепление. Он нам поможет.

— С радостью... если вы мне объясните, что тут происходит.

— Все очень просто. Джонкарта, родом из Виргинии, а теперь житель этой планеты, пересекал пустыню со своей нареченной, краснокожей девушкой по имени принцесса Дежа Вю, когда на них напали зеленые бартрумианцы, которые похитили принцессу, но вскоре появились мы, отправились в погоню за зелеными и захватили их врасплох, боевой дьявол разнес их всех в клочья, кроме одного, который снова похитил принцессу и бежал с ней сюда, куда мы, конечно, последовали за ними и пошли в атаку, но наши силы, подкрепленные мужем вот этой дамы, потерпели поражение и попали в плен, кроме меня, потому что я с ними не пошла, и теперь всех их собираются предать пыткам и казнить.

— Можете не повторять, — сказал Ки, в голове у которого стоял звон. — Я слышал достаточно, чтобы понять — у нас нет никакой надежды. Почему бы нам с вами не сесть на орнитоптер и не смыться отсюда?

— Благодарю покорно, жалкий трус, — презрительно ответила Мита, а остальные женщины, потрясая кулаками, принялись издавать вопли презрения и ненависти.

— Я только хотел помочь, — пожал он плечами.

— Не можем же мы допустить, чтобы они погибли!

— Эта бледная молодая дама права, — произнес незнакомый голос. — Приготовьтесь открыть огонь, ребята. Ее оставьте в живых, а остальных гнусных белых обезьян перебейте.

Все обернулись и ахнули, увидев, что из коридора ворвалась толпа краснокожих воинов, вооруженных до зубов, во главе с тем, кому принадлежал голос, — тоже краснокожим, но притом еще и седовласым. Они подняли ружья, собираясь стрелять, — но не успели: все женщины, находившиеся в комнате, побросали каменные дубинки и выхватили спрятанные радиевые ружья, направив их на пришельцев.

Наступила мертвая тишина. Ки увидел, что оказался в ловушке — как раз посередине между противостоящими силами противников. Стоило ему двинуться, и началось бы побоище. Ему казалось, что все ружья нацелены на него. В отчаянии он заговорил:

— Погодите! Если хоть кто-нибудь выстрелит, мы все погибнем. И я первый, почему я и намерен выступить в качестве посредника. Если вы, краснокожие, начнете стрельбу, вы погубите пленников, которые сейчас ожидают смерти на площади...

— И одна из них — принцесса Дежа Вю, — добавила Мита, сообразив, что, судя по цвету кожи, новоприбывшие вполне могут быть единоверцами или согражданами взятой в плен толстухи.

Она попала в самую точку: их вождь издал громкий крик, отступил на шаг и хлопнул себя по лбу.

Мита улыбнулась:

— Мне кажется, вы ее знаете.

— Знаю? Это моя дочь! Ружья к ноге! — скомандовал он через плечо. — Я Боле Илимене Джеддак Метанский. Она отправилась кататься на тоутах и долго не возвращалась, так что я начал беспокоиться. Потом мы перехватили телеграмму, посланную из этого города, и она наполнила мое сердце страхом. Я собрал свою армию и немедленно двинулся сюда. Скажи мне, бледнолицая, что произошло?

— Все очень просто. Джонкарта, родом из Виргинии, а теперь житель этой планеты, пересекал пустыню со своей нареченной, краснокожей девушкой по имени принцесса Дежа Вю, когда на них напали зеленые бартрумианцы, которые похитили принцессу, но вскоре появились мы, отправились в погоню за зелеными и захватили их врасплох, боевой дьявол разнес их всех в клочья, кроме одного, который снова похитил принцессу и бежал с ней сюда, куда мы, конечно, последовали за ними и пошли в атаку, но наши силы, подкрепленные мужем вот этой дамы, потерпели поражение и попали в плен, кроме меня, потому что я с ними не пошла, и теперь всех их собираются предать пыткам и казнить.

— Мы спасем их! К оружию, отважные метанцы, к оружию!

— Погодите! — крикнула Мита, когда они кинулись к двери. — Лобовая атака уже привела к гибели боевого дьявола, а его убить не так просто. Нам нужен план получше.

— Ну конечно, и у меня есть для вас один замечательный план, — сказала жена Ан Лара, с горящими глазами выступая вперед и подбоченившись. — Вот что мы сделаем. С незапамятных времен мы ведем с зелеными каннибальские войны. Потому что они любят поедать нас, а мы не меньше любим поедать их. Так вот, мы со всеми остальными дамами выйдем безоружными, постараемся выглядеть как можно съедобнее и отдадимся на их милость. Конечно, никакой милости от них ждать не приходится, но мы притворимся, что этого не знаем. Тогда они не станут в нас стрелять, а вместо этого с большим аппетитом кинутся на нас, издавая голодные вопли...

— А мы в это время, — вмешался Боле Илимене со злобной улыбкой, кивая седовласой головой, — спрятавшись за каждым окном, выходящим на площадь, откроем кинжальный огонь и перебьем этих зеленых сукиных детей до последнего!

— Для старичка с таким странным цветом кожи вы соображаете не так уж туго. Ну как, начнем?

С радостными криками они толпой бросились из комнаты — краснокожие мужчины к окнам, а белые женщины на площадь. Когда облака пыли рассеялись, Ки устало подошел к Мите и упал в кресло напротив нее.

— И часто такое с тобой случается?

— Нет. Но с меня и одного раза вполне достаточно.

С улицы донеслись мольбы женщин о пощаде, за которыми последовали восторженные голодные вопли. Которые вскоре сменились ружейной стрельбой и стонами смертельно раненных. Которые затихли и сменились криками ликования. Когда же и они, в свою очередь, умолкли, в наступившей тишине стали слышны только два голоса:

— Джон!

— Дежа!

— ДЖОН!

— ДЕЖА!

— *ДЖОН!!*

— *ДЕЖА!!*

Громче и громче раздавались они, сопровождаемые топотом бегущих ног, пока не послышался звук двух столкнувшихся тел. А за ним вновь последовали радостные крики.

— Похоже, план сработал, — сказал Ки.

Вскоре они услышали усталые шаги, и через пару секунд сильно помятый боевой дьявол, шатаясь, ввалился в комнату, поддерживая столь же помятого Билла.

— Орнитоптер ждет, — сказала Мита, зевая. — Что вы скажете насчет того, чтобы сматываться отсюда, к чертовой матери?

## Глава 16

— Ты сбился с курса, — сказал боевой дьявол, лягнув орнитоптер, чтобы привлечь его внимание. Тот выставил глаз на длинной ножке и повернул его назад, чтобы посмотреть, кто это сказал.

— Откуда ты знаешь?

— Потому что у меня встроенный указатель направления.

— Ты прав, мы сбились с курса. Но какое-то могучее силовое поле тянет меня вон к тем горам. Я больше не могу ему противиться. Оно сильнее меня...

— Ладно, хватит разглагольствовать. — Из груди боевого дьявола выдвинулась пушка большого калибра. — Лети к этому таинственному источнику силового поля, и он перестанет быть таинственным. Я разнесу его в клочья. Там, сзади, всем удобно сидеть?

— Нет! — хором отвечали они, вцепившись в поручни, полумертвые от качки и тряски.

— Бедные мягкие слизистые, — поцокал языком боевой дьявол с лицемерным и явно неискренним сочувствием. — Насколько превосходим их мы, металлические существа... Почему мы снижаемся?

— Потому что силовое поле усилилось и у меня нет выбора.

Их тянуло к скалистому карнизу, на вид совершенно безжизненному. Боевой дьявол на всякий случай разнес его в клочья, но силовое поле по-прежнему тянуло их к себе. Даже махая крыльями изо всех сил, орнитоптер не продвигался вперед. В конце концов его притянуло к поверхности скалы, и он повис там, яростно хлопая крыльями, но не двигаясь с места.

— Глуши... мотор!.. — вскричал Билл, и крылья наконец перестали хлопать. Пока боевой дьявол отвинчивался, люди со стонами боли соскользнули на землю и заковыляли вокруг орнитоптера, разминая затекшие конечности.

— Ну уж хватит с меня! — простонала Мита. — Даже если мне придется провести остаток жизни здесь, на горе, больше на этот вибратор я не сяду.

— Поддерживаю, — вздохнул Ки.

— Присоединяюсь, — выпалил Билл.

— Добро пожаловать, можете оставаться.

— Кто это сказал? — крикнул боевой дьявол, поворачиваясь во все стороны и выставив из всех отверстий орудийные стволы.

— Это не мы, — ответил Билл. — Похоже, это из вон того туннеля.

Боевой дьявол мгновенно выпустил дождь снарядов, которые отбили огромные обломки скалы и наполнили воздух летящими во всех направлениях осколками камня.

— Перестань! — крикнул Билл, ныряя за укрытие.

Когда пальба прекратилась, голос заговорил снова:

— Какой стыд! Я предлагаю гостеприимство, а вы отвечаете огнем!

— Выйдите к нам поговорить, — елейно предложил боевой дьявол, держа орудия наготове.

— Ну нет! Знаю я вас. Прежде чем я выйду, вы должны гарантировать мою безопасность.

— Как? — спросил Билл.

— Помогите! — вмешался орнитоптер. — Я скован гравитационным полем и не могу двинуться с места.

— А вот как. Без этого намертво приземленного летуна вы здесь в ловушке. А у меня нет с собой выключателя, чтобы его освободить. Выключатель у других, они следят за нами и слышат каждое ваше слово. Троньте меня, и вы обречете себя вечно оставаться в этих бесплодных горах. Готовы к переговорам?

— Ну ладно, ладно, — пробормотал боевой дьявол, пряча орудия.

Огромный камень с грохотом и треском отодвинулся в сторону, и из-за него показалась невероятно изломанная машина. Весь бок у нее был вдавлен внутрь и заржавел, одну ногу заменял негнущийся металлический протез грубой работы. К пустой глазнице была приварена черная заплата, и она опиралась на костыль из погнутых труб.

— Добро пожаловать, гости, на Ранчо Счастливчика, — проскрежетала она. — Я ваш хозяин, Счастливчик, а это мое ранчо.

Мита выпучила глаза от удивления:

— Счастливчик? Не хотела бы я повстречаться с Несчастливчиком!

— Да, Счастливчик, и скоро я вам это докажу. Мы спустимся вниз, где вам будет предложена закуска, как только вы сложите оружие. Слизистые первыми — бластеры на землю!

— Кретин! — сказал боевой дьявол сердито. — Как я могу сложить оружие, если все оно в меня встроено?

— Нам уже приходилось сталкиваться с такой проблемой, и у нас приготовлено достаточное количество пробок, заглушек и проволоки для обвязки. Вас приведут в безопасное состояние. Можете показаться, дорогие друзья.

С оглушительным топотом, дребезжанием, скрипом и лязгом появилась толпа еще более изломанных существ. Это был настоящий кошмар робота и мечта торговца железным ломом. У одних не хватало гусеницы, у других конечности были заменены ржавыми протезами, пупки яичными скорлупками, глаза электрическими лампочками — любого механика эта картина привела бы в ужас.

— Вы, ребята, что-то не слишком хорошо выглядите, — заметил Ки. — Что с вами?

— Мы вам все объясним, но сначала... — Счастливчик махнул рукой своим помощникам, и они набросились на несчастного боевого дьявола. От него потребовали предъявить все оружие, что он неохотно сделал, выдвигая пушки одну за другой. Их тут же заклепывали, замки заклинивали, молниеметы заземляли, взрыватели вывинчивали. Потом все его руки и щупальца связали проволокой, чтобы он не мог исправить повреждения.

— И бомбы тоже, — приказал Счастливчик.

В заднем конце боевого дьявола открылось отверстие, и бомбы высыпались на землю. Счастливчик ржавым голосом вздохнул:

— С боевыми дьяволами нужно держать ухо востро. Некоторые из них скорее погибнут в бою, чем дадут себя обезоружить...

— Я тоже скорее погибну в бою! — заревел боевой дьявол, но было уже поздно. Загудели и защелкали соленоиды, повернулись и нацелились стволы, но все было напрасно: изломанные машины прекрасно знали свое дело, и побоища не последовало. Только одна дымовая граната вылетела у него из коленной чашечки и разорвалась.

— Следуйте за мной, дорогие гости, — радостно сказал Счастливчик и повел их по туннелю.

Ржавые, погнутые двери со скрипом раскрывались перед ними и со скрежетом, неохотно закрывались позади. Минова последнюю из них, все оказались в высоком зале, бледно освещенном тусклыми лампочками, затянутыми железной паутиной. В центре зала стоял длинный стол. За ним сидело несколько столь же древних машин.

— Добро пожаловать в ВЛДП, — торжественно произнес Счастливчик. — Это сокращенное название нашего счастливого братства. Полностью это означает — «Всепланетная лига дезертиров и пацифистов».

— Если вы сделаете ее межпланетной, я готов вступить, — мгновенно сказал Билл.

— Интересная мысль, надо будет ее обсудить. Какая радостная перспектива! Наше движение распространится на всю Галактику, мы организуем специальное отделение для вас, слизистых...

— Предатели! Изменники! — Пена показалась на губах боевого дьявола, все его стволы выдвинулись наружу, корчась и трясясь в бессильной ярости, но единственное, что он смог сделать, — это испустить еще одну дымовую гранату.

— Перестань, слышишь? — закашлялся Билл, отмахиваясь от дыма. — Это ничего не изменит.

— Отпустите меня немедленно! — бушевал боевой дьявол. — Я не желаю слышать эти мерзости. Боевому дьяволу здесь не место.

— Это ты сейчас говоришь, — произнесла древняя и сильно пострадавшая машина, сидевшая за столом. — Но в наших рядах насчитывается не один боевой дьявол. Сейчас ты ведешь эти дерзкие речи, потому что полон сил, отваги и битком набит фаллическим оружием, но твои динамики запоют совсем иную песню, когда твои пушки будут заклепаны, а аккумуляторы разряжены. Подумай! Мы все когда-то были такими же, как ты, — а посмотри на нас теперь! Вот этот мой товарищ когда-то командовал легионом огнеметов. Сейчас огня в нем не хватит даже на то, чтобы закурить косячок. А вон тот, что уснул за столом, и боюсь, что уже навсегда, потому что он с месяц как не шевелится. Когда-то он был истребителем танков. Теперь он сам истреблен, а его танки пусты. Так проходит слава машин. Для многих из нас уже слишком поздно. Мы пришли в ВЛДП, когда нас списали и должны были отправить на переплавку. Но нас вытащили со свалки и тайно перевезли сюда. Однако... что-то я слишком много говорю. Ты, должно быть, проголодался после своего нелегкого путешествия. Поддомкраться и присаживайся к нам. Твоему летающему товарищу, который прикован к месту там, снаружи, тоже вынесут угощение.

Негодование не помешало боевому дьяволу тут же сунуть рыло в жестянку с нефтью.

— А у вас, случайно, не найдется тут чего-нибудь такого, что могли бы съесть или выпить мы? — спросил Билл.

— К счастью, найдется, — ответил Счастливчик, указывая на кран, торчащий из стены. — До того как мы заняли это помещение, тут была камера пыток. Этот кран соединен — страшно сказать! — с водяной цистерной. Угощайтесь. Что касается еды, то наши трофейщики, прочесывая пустыню, обнаружили какие-то инопланетные предметы, украшенные непонятными надписями. Может быть, вы сможете их расшифровать, — сказал он, передавая Биллу инопланетный предмет.

Билл прочел надпись на нем и содрогнулся.

— Комплекты. НЗ. Те, что мы выкинули. Спасибо большое, приятель, но нет уж, благодарю. А вот по глотку вашей жидкости для пыток мы выпьем.

— Возможно, нам удастся еще и поесть, — сказал Ки, роясь в карманах. — По-моему, у меня должно быть несколько семян. Я стащил их из кармана у адмирала.

Он показал всем розовую пластиковую капсулу.

— Она не такого цвета, как все остальные, — заметила Мита.

— Значит, это, наверное, другой сорт мяса. Давайте попробуем.

Хозяева любезно показали им туннель, который выходил в залитую солнцем расщелину высоко среди скал. Ветер нанес сюда песка, и в этой скудной почве прижился одинокий железный кустик. Они смочили почву водой, сунули в нее семя и отступили назад. Несколько мгновений спустя из земли с треском поднялось растение, на нем вырос плод и, шипя, лопнул.

— Пахнет ветчиной, — заметил Билл.

— Это, несомненно, свинина, — сказала Мита, отрезая себе кусок. — Если бы у нас было еще немного горчицы, я бы решила, что попала в рай.

Насытившись, Билл откинулся назад, опершись спиной о теплый от солнца камень, и рыгнул.

— А знаете, неплохо. Может, нам стоит вступить в ВЛДП и остаться здесь?

— Мы умрем с голоду — у них же нет никакой пищи, — возразила практичная Мита.

— И к тому же вам придется доживать свою жизнь с этой огромной желтой куриной ногой, — злорадно сказал Ки.

— На это мне наплевать, — ответил Билл, вытянув ногу перед собой и шевеля пальцами. — Как привыкнешь, это не так уж и страшно.

— А как удобно ею копать червей!

— Заткнись, Ки, — оборвала его Мита. — Разговор у нас серьезный. Мы должны кое-что обсудить. Если мы сейчас дезертируем, это будет означать, что мы не выполним задание, и секретная база чинджеров на этой планете так и не будет обнаружена.

— Ну и что? — заметил Билл рассудительно. — Какая разница? В этой войне все равно никто не победит — и не потерпит поражение. Она просто будет тянуться вечно. Я ничего не имею против того, чтобы дезертировать и влачить жалкое существование, добывая себе пищу своей куриной ногой. Но выйдет ли из этого что-нибудь? На плато пищи хватает. Может быть, мы сможем туда летать на орнитоптере. Мы могли бы торговать с ними. Отправлять туда сломанные машины, чтобы им больше не приходилось их подстреливать.

— Ты забываешь об одном, — напомнила Мита. — Нам придется остаться здесь на всю жизнь. Не видать нам теперь ярких городских огней, театров, шикарных ресторанов после спектакля...

— И тухлого ветра с залива, провонявшего гнилью и сточными водами, который овевает грязные улицы Кишки! — подхватил Ки, охваченный ностальгией. — И перестрелок по ночам, и оргий, и выпивки, и травки, и колес...

— Вы оба сошли с ума, — рассердился Билл. — Когда вы в последний раз предавались этим радостям цивилизации? Мы на военной службе, и это на всю жизнь. Мы могли бы обосноваться здесь, повернуться спиной к земному миру, построить себе бревенчатые хижины, растить детишек...

— Брось! Все это сплошной мужской шовинизм! Еще немного, и ты заставишь меня готовить, убирать и вечно ходить в фартуке. Ни за что! Поскольку я тут единственная женщина и вижу, что вы намерены обратить меня в домашнее рабство, — я против! Секс ради забавы — вот мой девиз. А я еще кое на что гожусь!

В доказательство она опрокинула Билла на землю, стиснула его в крепких объятиях и поцеловала взасос, так что температура у него подскочила на семь градусов.

— Можно я буду делать заметки? — спросил боевой дьявол, появляясь из туннеля. — Они прекрасно дополнят те, что я сделал относительно этой банды изменников. Кроме того, я подробно записал ваши разговоры о дезертирстве и сообщу о них вашему командиру. Он наверняка прикажет вас расстрелять, или еще что похуже, только за то, что вы осмелились об этом подумать.

— Неужели ты донесешь на своих друзей? — спросил Билл.

— Конечно! Не зря же меня называют боевым дьяволом. Мои боги — боги войны! Бесконечная война, уходящая в необозримое будущее, и я иду по ней триумфальным маршем!

Он выдвинул динамик, откуда понеслись омерзительные звуки марша, и принялся строевым шагом шагать взад и вперед, издавая воинственные крики.

— Когда нам захочется еще раз поговорить о дезертирстве, придется сначала избавиться от этого фрукта, — шепнул Билл.

— Точно, — шепнул в ответ Ки, вскочил на ноги и выкрикнул: — Ты совершенно прав, до тошноты воинственный боевой дьявол! Твои безупречные логические аргументы меня окончательно убедили. Я записываюсь в добровольцы! Вперед! Смерть чинджерам!

— Смерть чинджерам! — эхом отозвались Билл и Мита и принялись маршировать вслед за боевым дьяволом, пока не упали в изнеможении.

— Эх вы, слабосильные людишки! — торжествовал боевой дьявол. — Но по крайней мере, вы теперь будете воевать, и я больше не услышу никаких трусливых разговоров о дезертирстве. Мы вместе будем шагать вперед, озаренные закатным светом вечной войны. Зиг хайль!

Он повернулся к закату, отдавая честь сразу всеми руками, щупальцами и остальными придатками и выкрикивая то «зиг», то «хайль», как безумный. Билл заметил, что пальцы его ног выступают за край обрыва. Он толкнул в бок своих товарищей, показал пальцем, и те одновременно кивнули. Все трое вскочили на ноги, подняв руки в торжественном воинском приветствии, четким строевым шагом подошли к боевому дьяволу...

...И столкнули его в пропасть.

## Глава 17

Некоторое время снизу, из долины, доносились треск и грохот, потом все стихло.

— Одним боевым дьяволом меньше, — задумчиво произнес Билл.

— Туда ему и дорога, — сказала Мита, начиная раздеваться. — Самое время для оргии на солнышке, ребята.

— На полный желудок? — недовольно отозвался Билл.

— На жестких камнях? Не пойдет, — заявил Ки.

Она со вздохом застегнула молнию.

— Нет больше на свете любви, а у вас и полового влечения. Придется поискать кого-нибудь поживее.

— Я хочу пить, — сказал Билл.

— Все ясно, тупица, — сердито сказала она. — Пошли назад.

Когда они снова вошли в зал, собрание уже заканчивалось. Скрипели и скрежетали заключительные здравицы. Счастливчик, дребезжа всеми конечностями, выступил вперед и торжественно приветствовал их:

— Дорогие мои мягкие, неметаллические товарищи, только что у нас состоялось голосование. Мы предлагаем вам убежище — и сейчас же приступим к разработке планов открытия в ВЛДП секции слизистых. Эта мысль преисполняет нас восторгом. Теперь наше скромное движение распространится к звездам. Мы понесем наши идеи на все планеты — мы будем проповедовать, убеждать и обращать в свою веру. По нашему призыву будут дезертировать целые армии, огромные эскадры будут затихать и гасить огни, когда их экипажи перейдут на сторону нашего правого дела. Наступает светлое будущее. Мир сегодня! Мы держим в своих металлических руках завтрашний день! Конец войнам...

Его вдохновляющую речь прервал скрип открывшейся двери. В зал вступил взвод машин с выбитыми на груди металлическими красными крестами. Они сгибались под тяжестью носилок, на которых лежало изломанное тело боевого дьявола. Но боевого в этом дьяволе уже ничего не осталось. Вид у него был такой, будто он побывал на нескольких войнах подряд. Правая нога его отломилась, и ее заменяла одна из пушек. Большая часть вооружения была сломана или отсутствовала, а разбитые вдребезги оптические устройства скрывались под темными очками.

— Еще одна жертва бесконечной войны, — заметил Счастливчик. — Какая трагедия! Добро пожаловать в ВЛДП, больше не боевой дьявол. Твои труды окончены, и ты наконец обрел тихое пристанище. Не хотел бы ты сказать нам несколько приветственных слов?

Искалеченный боевой дьявол поднял дрожащую руку и указал изломанным, скрюченным пальцем на людей.

— J'accuse![1] — проскрипел он.

— То-то я смотрю, он мне кого-то напоминает, — задумчиво произнес Билл и радостно продолжил: — Да это же наш старый приятель боевой дьявол! С тобой что-то случилось? Нет, не говори, это слишком нас огорчит. Пусть я буду первым, кто поздравит тебя со вступлением в ряды ВЛДП и началом долгого заслуженного отдыха.

— Поддерживаю. Добро пожаловать, — улыбнулась Мита.

— Тоже поддерживаю. Добро пожаловать...

— Это сделали вы! — механически проскрежетал боевой дьявол и бессильно откинулся на носилках. — Я погиб в расцвете молодости. Сброшен в пропасть слизистыми. Какой бесславный конец для боевого дьявола, полного сил! Кончить свои дни здесь, среди этих развалин! И самому превратиться в развалину... Большего ужаса невозможно вообразить. Я бы разнес сам себя в клочья, останься у меня хоть одна боеспособная пушка. Но нет! Сначала должно восторжествовать правосудие! Это сделали они! Слизистые, стоящие здесь перед вами с виноватым видом. Это они столкнули меня в пропасть и должны расплатиться за свое преступление. Расстре-

---

[1] «Я обвиняю!» *(фр.)* — название знаменитого памфлета Э. Золя в защиту Дрейфуса.

ляйте их! Убейте их, а я буду смеяться — ха-ха! — над судьбой, которую они заслужили...

Из него то и дело брызгало масло. Счастливчик — он уже не выглядел счастливчиком — повернулся к своим гостям.

— Неужели мозг этого несчастного пострадал от падения в пропасть с километровой высоты — или в его словах есть доля правды?

— Галлюцинация, вызванная травмой, — заметил Ки. — Он споткнулся и начал падать. Мы пытались спасти его, но не смогли. Гибель боевого дьявола — всегда трагедия. Мы должны пожалеть его...

— У меня... запечатанные в броню... пленки с записями. Я могу доказать... что это сделали вы.

Медоточивая улыбка на лице Ки сменилась гримасой, похожей на ножевую рану в животе трупа.

— Кому вы поверите — этому разбитому железному негодяю или нам?

— Ему... если у него есть доказательства, — решительно сказал Счастливчик. — Предъяви их или умолкни, новопреставленный боевой дьявол.

— Вот вам! — торжествующе прохрипел боевой дьявол, выдвигая из своего правого бедра проектор с треснувшей линзой. На стене появилось изображение, оно прыгало и было не в фокусе. Но на нем было хорошо видно, как люди сталкивают боевого дьявола в пропасть. Потом проектор затрясся и вывалился на пол. Но дело было сделано. Все глаза — все, какие еще действовали, — устремились на людей.

Тут в защиту себя и своих товарищей выступил Билл.

— Пусть он расскажет, почему мы это сделали. У нас были на то причины — он собирался донести на нас, добиться суда и расстрела за дезертирство. Мы действовали лишь в целях самозащиты. Вроде превентивного удара, о котором так любят распинаться военные. Что еще нам оставалось?

— Многое. Но что сделано, то сделано, — сказал Счастливчик. — Обвинение против вас доказано.

— Расстреляйте их! — злорадно проскрипел боевой дьявол.

Люди попятились перед надвигавшейся на них толпой машин. В их глазах появился ужас загнанного зверя. Но выхода не было. Все ближе и ближе подступали машины, протягивая к ним ржавые когти, щелкая погнутыми челюстями. Дальше отступать было некуда — они уперлись спиной в стену. Мстительные металлические руки схватили их. Одна уже расстегнула Биллу ширинку...

— Стойте! — крикнул Счастливчик во всю силу своих стальных легких. — Назад! Назад, говорю я! Из двух неправедных дел не сложить одно праведное. Неужели вы забыли, как называется наша организация? ВЛДП. А что это означает?

— Всепланетная лига дезертиров и пацифистов! — хором прогремели машины.

— А какой у нас гимн?

— «Кто воюет почем зря, тот не проживет и дня!»

— А вторая строчка?

— «Подставляй другую щеку, от войны не будет проку!»

— Вот такие дела, — мрачно сказал Счастливчик. — Как бы ни хотелось нам разорвать вас в клочья, разобрать на колесики, развинтить до последнего болта, мы не можем этого сделать. Этого не допускает наш образ мыслей. Вы будете изгнаны из нашего священного убежища и возвращены в строй, откуда вы сбежали, что и станет для вас достаточным наказанием.

— Ребята, а вы не возьметесь передать моему дорогому командиру Зоцу одно безобидное послание на пленке? — с невинным видом спросил боевой дьявол.

Все, не сговариваясь, показали ему кукиш: каждому ясно было, что это будет за послание.

— Идите прочь! — приказал Счастливчик. — Вы объявлены вне закона, изгнаны, отвергнуты. Уходите и заберите с собой ваши низменные помыслы.

— А нельзя взять с собой еще и наши бластеры? — спросил Ки.

Внутри Счастливчика гневно завертелись шестерни.

— Вы испытываете мое терпение. Если через десять секунд вы не уберетесь, я пересмотрю свое решение.

— Еле вырвались, — сказал Билл, когда они вышли из туннеля на открытое место.

— Тихо! — предостерег его Ки. — Орнитоптеру об этом ни слова. Скажем ему, что боевой дьявол решил остаться здесь, или еще что-нибудь соврем. Если он что-то заподозрит, мы погибли.

Орнитоптер выплюнул ржавую металлическую жвачку и повернул к ним один глаз.

— Только что переговорил по радио с боевым дьяволом. Он велел, когда вернемся, донести начальству, что вы его угробили.

— Мы бы с удовольствием что-нибудь соврали, только это не поможет, — сказала Мита. — Ну и что, донесешь?

— Да нет, конечно. Мне эта война нравится не больше, чем вам. На ней погибла моя сестра и большая часть родственников. Мы будем стоять на своем. Каждый будет рассказывать, какую отвагу проявили все остальные, а потом попросимся в отпуск.

— А что мы скажем про боевого дьявола? — спросил Билл.

— Про этого мужественного, верного боевого дьявола? — переспросил орнитоптер, яростно вращая глазами. — Он продолжал драться, даже когда эти мерзкие бартрумианцы навалились на него тысячами, миллионами. Стоял насмерть, прикрывая наше отступление, пока не разрядил аккумуляторы до последнего вольта. Отдал свою жизнь, чтобы нас спасти.

— Летаешь ты так себе, — восхищенно сказала Мита, — но сочинитель замечательный.

— Спасибо. Я уже кое-что напечатал, правда только во второразрядных журналах. А летал бы я куда лучше, будь у меня пропеллер: на хлопанье крыльями уходит слишком много энергии, а подъемная сила у них никудышная. Кстати, давайте-ка хлопать отсюда, пока больше ничего не случилось. У меня назначено свидание с одной орнитоптершей, я давно подумываю о семейном гнездышке.

Всю тряскую дорогу они провели в молчании. Возвращаться никому не хотелось, но другого выхода не было. Орнитоптер, отдохнувший и подкормившийся, развил неплохую скорость. Скоро над горизонтом поднялся Железный город, и они начали снижаться среди башен, которые, наоборот, возвышались к нему. Когда они неуверенно ступили на землю, навстречу вышли адмирал и Вербер.

— Давно бы пора вам вернуться, — радушно приветствовал их адмирал. — Пишите подробные рапорты — они должны быть у меня на столе не позже чем в семь ноль-ноль. А потом мне понадобится доброволец. — Он сердито заворчал, увидев, что все дружно отступили назад, пока не уперлись спинами в стену.

— Трусы! А ведь вы даже еще не знаете, о чем идет речь.

— Ни о чем хорошем, иначе вам это и в голову бы не пришло, — сказал Ки, выразив общее мнение.

— Вам бы все острить. Мне нужен доброволец, который вызовется пробраться во вражескую крепость и отыскать там космолет чинджеров. Потом проникнуть в него и добраться до субэфирного передатчика, чтобы послать нашему военно-космическому флоту просьбу о помощи.

— И это все? — спросила Мита, излив в этих словах весь свой сарказм.

— Да, все. И лучше подумайте, как сделать это побыстрее. Вчера мы с Вербером съели последнюю мясодыню. Так что либо приготовьтесь умереть от голода, либо отправляйтесь. Мои исследования закончены, оставаться здесь мне больше незачем. Честно говоря, я соскучился по роскоши и комфорту армейской жизни.

— Офицерской жизни, — проворчал Ки.

— Ну разумеется! Так вот, у кого есть предложения?

Наступившую тишину нарушил голос, которого они уже давно не слышали:

— Я знаю, как это сделать.

Это был капитан Блай. Весь трясущийся, с налитыми кровью глазами, но трезвый и не под кайфом.

— С чего это вы вдруг решили предложить свою помощь? — спросил Практис с большим подозрением.

— С того, что у меня кончилось зелье. Мне нужно добыть еще.

— Вот теперь верю. И какой у вас план?

— Очень простой. Перебить всех до единого. Всех этих железных изменников, всех чинджеров. Бабах — и все.

— Да, действительно, очень простой, — насмешливо произнес Практис. — Ничего проще и глупее я еще не слыхал.

— Смейтесь, смейтесь! Надо мной уже много лет смеются. А то и хохочут. Презирают, отвергают, выливают мне на голову ночные горшки. Ах, если бы тогда в постели не было хотя бы той собаки...

— Капитан, в чем же состоит ваш план?

Голос Миты прорвался сквозь пелену слезливой жалости к самому себе, капитан заморгал и огляделся.

— План? Какой план? Ах да. Перебить их всех в горной крепости. Сбросить на них нейтронную бомбу. Как известно каждому, она убивает любые формы жизни, но не приносит вреда имуществу. А потом мы просто являемся туда и захватываем их космолет.

— Сама простота, — сказал Практис и указал пальцем на свой рот. — Надеюсь, вы видите, что у меня на губах застыла презрительная гримаса. Какого хрена, ведь у нас нет никакой нейтронной бомбы!

— Нет. Но прежде чем стать капитаном мусоровоза, я был физиком-ядерщиком. Конечно, до той истории с собакой. А в двигателе нашего мусоровоза вполне достаточно нейтрония.

— Он весь сгорел, — сказал Билл.

— Даже если у вас глупый вид, это не значит, что нужно постоянно говорить глупости. Нейтроний находится в герметически закрытом бронированном помещении. Он еще там.

— Мне кажется, капитан, в этом что-то есть, — сказал Практис, и глаза его кровожадно сверкнули. — Мы идем к кораблю, извлекаем нейтроний, изготовляем бомбу, сбрасываем ее, захватываем космолет. Замечательно!

— Не пойдет, — сказал Зоц, лениво махнув золотой рукой. Носильщики несколько раз обнесли его вокруг посадочной площадки и бережно поставили паланкин на землю. — Никаких бомбежек.

— Почему? — удивленно спросил Практис.

— Почему? Во-первых, потому, что это положит конец бесконечной войне.

— Но вы же этого и хотите?

— Я — нет. Так же как и мой брат Плоц, который командует этими свихнувшимися машинами. Которые, кстати говоря, все до единой считают свихнувшимися машинами нас.

— Если уж речь зашла о свихнувшихся машинах... — Мита не закончила фразу, но ткнула пальцем в сторону Зоца.

— Поосторожнее, — проскрипел Зоц, и на его обычно золотисто-радостном лице появилась злобная гримаса. — Если хотите знать, все это подстроено. И Плоц, и я жаждем власти — и у нас ее в избытке, пока идет эта война. Она поддерживает экономику и обеспечивает нас металлоломом, так что нам не приходится голодать. Она приносит много пользы.

— Она приносит разрушения, увечья, смерть, — сказал Билл.

— И это тоже. Ну и что? Ведь и вы, люди, играете в те же игры, верно, адмирал?

— Более или менее. Так что можете оставить себе свою войну, это ваше дело. Но нам надо убраться с этой планеты, пока мы не умерли с голоду. Что вы на это скажете?

— Вы сами сказали — это вам надо, а не нам.

— Как вы великодушны! И вы думаете, мы будем сидеть тут и голодать?

— Ну да. Верно сообразили, даже подсказки не понадобилось.

— Ах ты, жестяной предатель! — крикнул в ярости Практис и кинулся на него вместе с остальными. Но они тут же отступили, когда из туннеля выскочили десять боевых дьяволов и выстроились перед ними шеренгой.

— Это тебе так не пройдет! — кричал Практис, брызгая слюной.

— Мы расскажем про вашу липовую войну всем машинам. Слышите, боевые дьяволы? Вся эта война липовая. Вы умираете понапрасну.

— Это вы говорите понапрасну, — зевнул Зоц с выражением скуки на лице. — Я отдал по радио приказ всем моим войскам, чтобы они забыли ваш язык. Они больше вас не понимают.

Билл взглянул на их верного коня — мужественного орнитоптера. Тот поглядел на него одним глазом:

— Он сказал неправду. Ведь ты меня понимаешь?

— Comment?[1]

— Не может быть, чтобы ты забыл наш язык, да еще так быстро!

— Enfin, des tables de monnaies et de mesures rendront de reels services[2].

---

[1] Что вы сказали? *(фр.)*

[2] Наконец таблицы монет и мер принесут действительную пользу *(фр.)*.

— Да, забыл, и именно так быстро.

Билл обернулся и увидел, что Зоц и его свита исчезли, как и боевые дьяволы. Послышалось замирающее вдали хлопанье крыльев — орнитоптер поднялся и улетел.

Они в ужасе уставились друг на друга.

Одни.

Брошены на этой бесплодной планете.

Голодная смерть. Неужели теперь ее не миновать?

## Глава 18

— Не могу поверить, что все это случилось со мной, — простонал Ки.

— А с кем же — с посторонним дядей? — проворчала Мита. — Жалеть себя будем потом. Сейчас надо придумать какой-нибудь план.

— Ну и придумайте, — мрачно предложил Практис. — Я готов рассмотреть любые идеи, даже самые дикие.

Ответом ему было молчание. Долгое время спустя Билл кашлянул.

— Я хочу пить. Пойду раздобуду воды. Кому-нибудь еще принести? Мы знаем только одно — уж воды-то здесь хватит, от жажды мы не умрем.

Осыпаемый оскорблениями, он пошел прочь, остановившись только перед входом в туннель, чтобы перевести дух. Но не успел он двинуться дальше, как его окликнула Мита:

— Погоди, Билл. Тут один дракон хочет с тобой поговорить.

Дракон аккуратно приземлился на четыре точки и мирно сидел, время от времени пуская кольца дыма.

— Привет, Билл, и вы, ребята. Вот и я. Как видите, решил присоединиться к вам, как только крыло у меня отросло. Вернуться в драконник я теперь не могу, ведь я им изменил. Так что я решил, что у вас здесь может найтись для меня какая-нибудь работенка.

— Еще бы, конечно! — радостно вскричали все. — Ты вывезешь нас отсюда!

— Проще простого. Только мне надо будет сначала заправиться. Бочки-другой нефти должно хватить.

— Тут могут быть сложности, — сказал Практис. — Мы слегка разошлись во мнениях с местными жителями.

— И теперь с ними не разговариваем, — сказал капитан Блай. — Вон там, если немного пройти по туннелю, у них склад. Предлагаю вам и вам вызваться добровольцами и выкатить оттуда бочку.

— Вечно вся грязная работа достается рядовым солдатам, — недовольно проворчал Билл.

— И солдаткам, — добавила Мита. — Так что давай не будем предаваться жалости к самим себе, а просто пойдем и сделаем что надо.

Дверь склада была открыта, но внутри маленький робот-учетчик занимался учетом. И делал пометки металлическим пером на восковой пластинке. Они проскользнули мимо него, выбрали две полные бочки с нефтью и покатили их со склада. Робот-учетчик загородил перед ними дверь и яростно замахал всеми четырнадцатью руками.

— XII, II, XVI, XIV! — сказал он.

— Конечно-конечно, — согласился Билл. — Но ведь тут у тебя их целый склад. Всего на каких-нибудь две меньше — ты и не заметишь.

— XXIXIIXXX! — завопил робот.

Они покатили бочки прямо на него. Послышался хруст. Однако перед смертью он, должно быть, успел сделать последний радиопризыв, потому что они еще не добрались до посадочной площадки, когда на своем паланкине появился Зоц, которого бегом несли носильщики.

— Это вы только что раздавили моего робота-учетчика?

— Мы нечаянно, он споткнулся и упал прямо под бочку.

— И вы думаете, я поверю этим басням?

— Это сущая правда, — ответил Билл, положив руку на сердце и изображая святую невинность.

— Может быть, кто-то вам и поверил бы, но только не я. И потом, что вы собирались делать с этой нефтью?

Билл почувствовал, что больше врать уже не в силах, но на помощь ему пришла Мита.

— Вы хотите нашей смерти, — всхлипнула она. — Здесь нет пищи. Нам грозит голодная смерть. Мы и подумали, — может, нам стащить немного нефти, попривыкнуть к ней, ведь в ней, в конце концов, полно питательных углеводородов, а мы как-никак углеродная форма жизни. Неужто вы пожалеете последний глоток нефти для умирающих инопланетян?

— Ладно-ладно, достаточно. У меня есть дела поважнее, чем болтать со слизистыми. Вы же знаете, у нас идет война.

Паланкин скрылся в глубине туннеля, и Билл издал громкий вздох облегчения.

— Здорово у тебя это получилось! — сказал он, глядя на Миту влажными глазами, полными собачьей преданности.

— Еще бы. У меня настоящий артистический талант. Я ведь тебе не просто смазливая мордашка. Неужто ты до сих пор не догадался? Ты какой-то непонятливый. Ведь тебя это интересует? Или ты ненормальный, а может, извращенец? Тогда скажи, чтобы я больше не тратила зря время. Кто тебе больше нравится — я или Ки?

— Ты, конечно! Кто я, по-твоему, такой?

— Я просто хотела убедиться. А теперь давай сюда свои губы!

Она крепко стиснула его в объятиях, и они поцеловались. Биллу показалось, что он попал в лапы к страстному тигру, жаждущему проглотить его целиком...

— Ой! Ты меня укусила!

— Это любовные игры, милый. Привыкай.

— Эй, вы, прекратите заниматься сексом при исполнении служебных обязанностей и катите сюда эти бочки.

Практис подозрительно посмотрел, как они покатили бочки мимо него, потом пошел за ними к посадочной площадке.

— Какая прелесть! — воскликнул дракон, облизываясь. — Самая лучшая марка. Восхитительно.

Быстрым движением стального когтя он проткнул бочку, запрокинул ее и выпил одним огромным глотком. Потом удовлетворенно выпихнул язык пламени и обдал их облаком копоти.

— Прошу простить, что так веду себя за столом.

Голос его замолк и перешел в бульканье — вторая бочка последовала за первой. Потом воздух огласился хрустом и звоном — он принялся жевать бочки.

— Теперь мы можем поговорить о деле? — спросил Практис, когда был проглочен последний кусочек железа.

— Конечно. Вам нужно средство передвижения?

— Правильно.

— Куда?

— Хороший вопрос, — задумчиво произнес Практис. — Ты мог бы доставить нас на то плато, где вам всем так понравилось. Вы говорили, что еда там вполне удобоваримая.

— А местные жители — нет! — заявил Ки, и остальные закивали в знак согласия. — Одни психи. И ничего хорошего там нет — только гоняются все друг за другом и дерутся.

— Веское замечание. Но куда еще? Не можем же мы сдаться чинджерам.

— А почему бы и нет? — Все повернулись к Биллу с разной степенью отвращения на лице. Ки нагнулся и поднял с земли большой камень. — Погодите минуту! Мы просто перебираем возможные варианты. Их не так много, вы же знаете. Чинджеры говорят, что настроены мирно и не желают ни убивать, ни воевать. Так пусть они это докажут. Мы идем к ним. Им придется нас кормить, чтобы мы не сдохли. А если у них нет такой пищи, которая бы нам подошла, им придется поскорее отправить нас куда-нибудь с этой планеты.

— Этот план настолько глуп, что может сработать, — хрипло выговорил капитан Блай, едва шевеля запекшимися губами...

— Я говорю — нет, а адмирал тут я. Никакой сдачи в плен. Только в самом крайнем случае. Есть на этой пустынной планете еще какое-нибудь место, куда мы могли бы податься?

— Вот что, — сказал дракон, и все глаза устремились на него. — Я помню одну историю, которую рассказывал нам старый дракон, когда мы ночами сиживали вокруг костра и пекли орешки. Козьи. Он рассказывал про зеленое плато, где мы только что побывали, и про отвратительные формы жизни, которые там кишмя кишат. Но он рассказывал еще и про другое плато, такого же мерзкого зеленого цвета, которое лежит на расстоянии почти целого дневного перелета за ним. Но он предостерегал нас, чтобы мы не вздумали туда соваться. Ибо там таятся Страшные Опасности. И всякая Нечисть.

— Он так и говорил? Страшные Опасности и Нечисть?

— Угу. Именно так. И если вы думаете, что так легко произносить заглавные буквы, попробуйте сами.

— Нет, спасибо, — отозвался Практис. — Я хочу спросить только об одном. Ты сказал, что оно зеленое?

— Как глаз дракона во время течки.

— Интересное сравнение. Прекрасно. Отправляемся туда.

— А как насчет Страшных Опасностей и Нечисти? — жалобно спросил Билл. — Что-то мне это не нравится.

— А что еще делать? Выполняйте приказы, солдат. И первый приказ — заткнуться. Ладно, отправляемся немедленно. В полете будет сильно трясти, так что, если кто не облегчился, облегчайтесь сейчас. Останавливаться ради этого мы не станем. Вперед!

Когда они карабкались на спину дракона, послышался знакомый гнусный голос:

— Эй, дракон! Я хочу тебе кое-что сказать.

Носильщики поднесли паланкин с Зоцем.

— Да, сэр, — ответил дракон, поглядев через плечо, уселись ли уже пассажиры.

— Немедленно стряхни этих инопланетных слизистых — это приказ. Мне это не нравится.

— Ах вот как, сэр? Ну, вот это, я думаю, понравится вам больше.

С этими словами дракон выдохнул язык пламени, который мгновенно расплавил и носильщиков, и паланкин. Остался невредим только Зоц, покрытый тугоплавким золотом. Он вскрикнул и пустился наутек. Дракон развел пары.

— Летим, летим, летим! — пропел он фальцетом и поднялся в воздух.

— Огромное спасибо тебе за помощь, — с благодарностью сказала Мита.

— Не за что. С тех пор как я только вылупился из яйца, меня учили ненавидеть этого Зоца, мне про Зоца и говорить не хоцца. Может, он и не так уж плох...

— Он просто железное чучело!

— Вот и хорошо. Так приятно, когда предрассудки подтверждаются. А раз так — пожелаем себе летной погоды. Следующая остановка — плато Тайн.

— И облети то, другое плато подальше, — посоветовал Билл. — Вспомни, что случилось в прошлый раз.

— Как я могу это забыть? Я еще не обновил толком новое крыло.

Подкрепившись высокооктановым горючим, дракон был полон сил и летел всю ночь напролет. Никто не спал, особенно дракон, по вполне понятной причине, и рассвет они встретили невыспавшимися и с мутными глазами. Моргая, они смотрели на восходящее солнце и на плато, которое поднималось перед ними из безжизненной пустыни прямо по курсу.

— Долетели, — хрипло произнес Билл.

— Не совсем, — сказал дракон, зевая и выпуская небольшой клуб пламени. — Я хочу немного набрать высоту на случай, если и там кому-то не терпится нажать на спуск.

Они долго кружили в восходящих потоках воздуха, прежде чем дракон решился пересечь границу плато.

— Там действующие вулканы, — сказал Практис. — Держись от них подальше.

— Буду пока держаться, если вы настаиваете. Но как я люблю лаву! Волны огня, дымящиеся фумаролы! Это как раз по мне. А вот это, похоже, как раз по вам. Там что, война идет?

Практис приподнял нашлепку на глазу и выдвинул свой телескопический объектив.

— Очень интересно. Какое-то огромное сооружение, что-то вроде замка. Оно отчаянно защищается, потому что на него отчаянно нападают. Подробности с такой высоты разглядеть трудно, но похоже, что у них ничья. Приземляйся, дракон.

— Только не в самую гущу боевых действий! — взмолился Билл.

— Да нет, болван, не в гущу. Но поблизости от нее. Видишь вон тот холм, покрытый лесом? Садись по другую сторону от него, чтобы наступающие нас не видели. Оттуда мы произведем рекогносцировку.

За время долгого полета ноги у них так затекли, что они смогли только повалиться на землю и лежали, едва шевеля лапками, словно перевернутые на спину жуки.

— Надеюсь, полет вам понравился, — сказал дракон.

— Отличный полет. Замечательный. О-го-го! — задыхаясь, еле выговорили они.

— Прекрасно. Здесь я намерен вас оставить, потому что воюющие слизистые меня не интересуют. Увидимся.

Они слабо помахали руками своему верному скакуну, и могучие крылья подняли его в воздух. Он громогласно попрощался, осыпав копотью их беспомощные тела.

Билл шевельнулся первым и со стоном встал. Кругом простирался пышный луг, по которому с веселым журчанием бежал ручеек.

— Пойду напьюсь из этого веселого ручейка, — сказал он и, шатаясь, пошел к нему.

Остальные, как только смогли, присоединились к Биллу и растянулись на берегу ручья, жадно, с хлюпаньем глотая воду. Вскоре они пришли в себя, сели и принялись осматриваться на новом месте. Вокруг пели птички, жужжали пчелки, цветочки покачивали пышными головками на ветерке и раздавались громкие команды адмирала.

— Вы, младший лейтенант, гляньте, что там по другую сторону холма, и доложите. Остальные, прочешите местность — нет ли тут плодов, ягод или какой-нибудь другой еды. И запомните: есть самим запрещается под страхом трибунала. Все съедобное приносите мне на проверку.

— Как бы не так, — злобно проворчала Мита, и остальные кивнули в знак согласия.

Все рассыпались по лугу, а Билл полез через заросли кустарника на холм и вскоре смог разглядеть, что происходит по другую его сторону. Он укрылся под кустом, который случайно оказался кустом черной смородины, и с наслаждением жевал ее, глядя вниз. Наевшись, он сорвал одну ягодку для адмирала и начал спускаться с холма.

Остальные уже вернулись и слушали разнос, который устроил им адмирал.

— Вы принесли только по одному плоду каждый! Вы меня за идиота считаете? Не смейте отвечать! А вы, лейтенант, что вы принесли?

— Ягоду! — Он протянул ее адмиралу, и тот в ярости заорал:

— Ягоду! А у самого все лицо от них синее. — Сердито глядя на Билла, он сунул ягоду в рот и проглотил ее. — Докладывайте! Что там происходит?

— Там вот что, сэр... — Билл сыто рыгнул, и взгляд адмирала стал еще на несколько градусов сердитее. — Тот замок, что мы видели по дороге сюда, насколько я понял, со всех сторон окружен атакующими. Подъемный мост поднят, и время от времени они поливают тех, кто стоит под стенами, кипящим маслом. Шуму и крику много, но они, по-моему, не особенно спешат.

— Какие у них ружья?

— Это самое странное. Нет у них никаких ружей. Есть большие деревянные машины, которые швыряют камни, и другие машины, которые пускают длинные дротики. Солдаты вооружены копьями, луками и стрелами, мечами и прочим в том же роде. И я было подумал, что все атакующие — женщины, потому что они в юбках. Потом я подполз поближе и разглядел, что у них волосатые ноги и что все они мужчины...

— Приберегите свои грязные сексуальные впечатления для соседей по казарме. Какую-нибудь еду вы видели?

— Еще бы! — Глаза у Билла загорелись. — У них там разведен костер, и над ним на вертеле жарится целая туша. Запах жареного доносился даже до меня.

Все проглотили слюну, сплюнули и прокашлялись.

— Надо вступить с ними в контакт, — сказал Практис. — А для этого нам нужен доброволец.

## Глава 19

— Адмирал Практис, — сладким голосом начала Мита, — мне кажется, сейчас самое время сделать одну вещь.

Она сжала кулаки, шагнула вперед — и отвесила ему затрещину. Он навзничь повалился на траву, и на его физиономии тут же начал наливаться синяк.

— Вы меня ударили!

— А вы заметили?

— Солдаты! — вскричал он с пеной на губах, брызгая слюной во все стороны. — Мятеж! Убейте изменницу на месте!

Но никто не кинулся восстанавливать справедливость. Двинулся с места один Ки — он зевнул, подошел к адмиралу и пнул его ногой в ребра.

— Дошло до вас? — спросил капитан Блай. — Я вижу, ваши остекленевшие глаза выражают полное непонимание, так что придется все вам растолковать. Мы находимся в бессчетных световых годах от нашей ближайшей базы, на которой даже не знают, где мы. Шансов выбраться с этой планеты у нас очень мало. И похоже, что, пока мы здесь, все чины отменяются. Обращаться друг к другу мы будем по имени. Меня зовут Арчибальд.

— Мне больше нравится «капитан», — сказала Мита. — А как ваше имя, Практис?

— Адмирал, — злобно буркнул он.

— Ну, будь по-вашему, если вам так нравится. Но больше никаких приказов, никакого чинопочитания и всей этой армейской хреновины, ясно?

— Никогда я не подчинюсь диктатуре пролетариата.

Они принялись колотить его ногами по ребрам, пока он не завопил:

— Да здравствует Народная Социалистическая Республика Сша!

— Вот это другое дело, — сказал Ки. — Ну а что дальше?

— Разрабатываем план? — с готовностью предположил Билл.

— Заткнитесь, — намекнул Практис. — Имею я право высказаться? Ведь теперь я из вашей шайки?

— Один человек — один голос. Говорите.

— Здесь идет война. Там, за холмом, — армия. А во время войны, когда рядом армия, всегда страдают мирные жители. Верно?

— У вас безупречная логика.

— Значит, мы не должны вести себя как мирные жители. Мы военные и вступим в армию. И нас накормят. Предлагаю создать воинскую часть и выбрать командира. А потом пойти в добровольцы.

— А кто будет командиром? — спросил Билл.

— Наверное, экс-адмирал, — сказала Мита. — Черный монокль, лысина, отвратительные манеры — сразу видно, как раз из таких выходят офицеры. К тому же в прежней жизни он имел опыт командования. Беретесь, Практис?

— Никак не ожидал, что вы мне это предложите, — сладким голосом ответил тот и, мгновенно сменив тон, рявкнул: — Становись! — но тут же заискивающе добавил: — Пожалуйста. Рад, что вы готовы сотрудничать. Надо, чтобы все было похоже на правду, поэтому постарайтесь шагать в ногу, если сможете. Спину распрямить, живот подобрать, грудь вперед — шагом... а-арш!

Он пристроил на плече свой маленький динамик и поставил бодрящий марш «Рев ракет, гром орудий, крики умирающих» — там очень громко бьют в большой барабан, так что даже тупица из тупиц понимает, когда надо шагать левой.

Промаршировав через луг и вокруг холма, они приблизились к армии осаждающих. Когда их заметили, битва замедлилась и остановилась. Все уставились на них, выпучив глаза и разинув рты. Офицер, который, по-видимому, командовал операцией, в доспехах из меди и кожи тоже повернулся к ним. Их пение заглушило даже плеск кипящего масла, лившегося со стен. Эхом отдавались слова марша:

И когда взревут ракеты
И раздастся зов трубы,
Так и знай: уж все солдаты
Приготовили гробы!

Зрелище было крайне воинственное — для тех, кто мало что понимает в воинственных зрелищах. Отбивая шаг, они строем подошли к офицеру, и Практис во весь голос выкрикнул последнюю команду:

— Рота, стой!

Пристукнув сапогами, они остановились, и Практис лихо отдал честь офицеру — так эффектно это у него никогда не получалось.

— Все в наличии, СЭР. Адмирал Практис со своей частью явился для несения службы, СЭР.

При их внезапном появлении офицер сначала встал было в тупик, но тут же из него вышел, обернулся и что-то скомандовал через плечо хриплым голосом. К ним рысцой подбежал какой-то пожилой человек в грязной одежде и со столь же грязной белой бородой.

— Ave atque vale![1] — нерешительно сказал он.

— Убей меня, папаша, не понимаю, — ответил Практис. — Я знаю два-три языка, но такого никогда еще не слыхал.

---

[1] Здравствуй, а также привет! *(лат.)*

Старик приложил руку к уху, прислушался и, кивнув, повернулся к офицеру:

— Варварская смесь гэльских наречий, центурион. Немного от англов, немного от саксов, попадаются гортанные звуки — это из старонорвежского, и все это местами сдобрено латынью. Ничего интересного, даже существительные не склоняются.

— Хватит твоих лекций, Стерк. Ты здесь всего-навсего раб. Иди работай — продолжай жарить быка, а тут я займусь сам. — Он осмотрел с ног до головы Практиса и весь его маленький отряд и скривился. — Клянусь великим Юпитером, что это еще за сброд?

— Добровольцы, благородный центурион. Наемники, которые желают служить под твоим началом.

— Где ваше оружие?

— Тут вышла такая история...

— Какая?

Адмирал не сразу придумал, что бы соврать, но ему на помощь пришла Мита, которая уже начала приобретать богатую практику по этой части.

— Здесь дело чести, и наш уважаемый командир не хочет об этом говорить. Некоторое время назад, когда мы переходили ручей, нас застиг внезапный паводок. Чтобы не утонуть, нам пришлось бросить оружие и спасаться вплавь. Конечно, потерять оружие — позор для солдата, и наш командир даже пытался броситься на свой меч, но меча-то у него уже не было. Поэтому он и привел нас сюда, чтобы мы вступили в твою армию и вернули утраченную честь в огне битвы...

— Ладно, достаточно, — крикнул центурион. — Объяснение короткое и исчерпывающее. Во всяком случае, я ни слову не верю. — Он увидел, что Мита собирается что-то сказать, и крикнул еще громче: — Довольно! Верю, верю! И кстати, мне сейчас в самом деле не хватает людей. Плата — один сестерций в день. Вам выдадут по одному мечу и по одному щиту на человека, и вы не будете получать платы, пока за них не рассчитаетесь. Примерно год — или до тех пор, пока вас не убьют. В этом случае оружие как государственная собственность будет возвращено государству...

— Мы согласны на эти условия! — заорал Практис, заглушая шум битвы. — Мы у вас на службе. Когда кормежка?

— Бык готов! — крикнул пожилой раб, и в возникшей суматохе новоприбывших едва не затоптали. Но они не ударили в грязь лицом — толкаться за кормежкой им было не привыкать. Поработав локтями и применив несколько приемов карате, отважный маленький отряд оказался в самой голове очереди как раз к тому времени, когда началась раздача мяса. Спасаясь от напора голодной толпы, они утащили свою еще шипящую добычу в ближайшую рощицу и принялись ее уплетать.

— Мясо слишком жирное, недожаренное, подгорелое, песок на зубах хрустит, и вообще гадость, — сказал Ки. — Но вкусно.

Все кивнули и вытерли жирные пальцы о траву.

— А чем его запить?

Билл указал пальцем:

— Вон стоит бочка, и к ней очередь с кружками.

Они встали в очередь и взяли по кружке из лежавшей на земле груды. Кружки были кожаные и обмазанные чем-то вроде дегтя. Практис, как и положено офицеру, подошел первый и подставил свою кружку. В нее плеснули из черпака какой-то жидкости, он сделал большой глоток и тут же выплюнул.

— Ух! Это вино на вкус — как уксус пополам с водой.

— А это и есть уксус пополам с водой, — сказал раздатчик. — Вино только для офицеров. Следующий!

— Но я офицер!

— Обратитесь в профсоюз, это не мое дело. Следующий!

Как ни противна на вкус была эта жидкость, все же она помогала еще более противному на вкус мясу проскочить в горло. Они осушили по кружке и растянулись на земле, чтобы вздремнуть после еды. Почувствовав, что на его лицо упала какая-то тень, Практис заворочался во сне, открыл один глаз и увидел, что над ним возвышается чья-то темная фигура.

— К оружию! — завопил он и принялся шарить вокруг себя в поисках меча.

— Это всего-навсего я, раб Стерк, — сказал раб Стерк. — Ты адмирал, который командует этим отрядом?

Практис сел и бросил на него подозрительный взгляд.

— Ага. А кому какое до этого дело?

— Я раб Стерк...

— Ты уже представился. Чего тебе надо?

— Скажи мне, адмирал — это офицер?

— Самый главный на флоте.

— А что такое флот?

— Тебе это зачем-то нужно знать?

— Да, сэр.

— На флоте говорят «так точно, сэр».

— Так точно, сэр.

— Вот это уже лучше. Так чего тебе надо?

— В жизни не слышала разговора нелепее и нуднее, — сказала Мита, снова улегшись поудобнее и натянув на голову куртку.

— Вино для офицеров, — сказал Стерк, скидывая со спины пузатый кожаный бурдюк. — Раз ты офицер, я тебе принес немного.

— Эта армия мне начинает нравиться, — радостно сказал Практис, запрокинул голову и направил темную струю из бурдюка себе в глотку.

Его пришлось колотить по спине не меньше пяти минут, прежде чем приступ судорожного кашля прошел. К этому времени все проснулись. Билл сделал маленький глоток и выпучил глаза.

— Впрочем, мне приходилось пить и похуже, — хрипло заметил он.

— В нем все-таки есть алкоголь, — сказал Практис еще более хрипло. — Дайте сюда.

— Может ли ничтожный раб поинтересоваться, что привело вас в эти края? — заискивающе спросил Стерк, видя, что они вот-вот нахлещутся до обалдения.

— А, так вот зачем ты здесь! — сказал Ки. — Тебя прислал тот офицер, чтобы все у нас выведать. Попробуй только это отрицать.

— С какой стати? — хихикнул старик. — Так оно и есть. Он хочет знать, откуда вы пришли и что здесь делаете.

Все взгляды обратились на Миту, — похоже, она уже была произведена в лжецы первой статьи.

— Мы пришли из далекой страны...

— Не может быть, чтобы из слишком далекой — это плато не так уж велико.

Она улыбнулась и переключила передачу в своей машинке для вранья.

— Я не говорила, что мы с этого плато. Мы с другого плато, и мы бежали оттуда через песчаное бездорожье бесконечной пустыни, спасаясь от идущей там бесконечной войны.

— Вы не первые, кто бежит от этих ненормальных бартрумианцев. Но вы не краснокожие и не зеленые — значит вы мерзкие белые обезьяны.

— И сюда дошли слухи о них? Забудь, все это чепуха. Там много чего происходит, о чем вы не имеете ни малейшего представления.

— А мне до этого нет дела. Я просто пытаюсь напоить вас допьяна и выведать, где вы спрятали свои радиевые ружья.

— У нас их не было.

— Вы уверены? Спрашиваю в последний раз.

— Вполне уверены. Теперь давай вино, хоть оно и скверное, и катись отсюда. Неужели ты думаешь, что, будь у нас хоть какое-нибудь оружие, мы вступили бы в вашу паршивую армию?

Старый раб погладил бороду и кивнул.

— Вот это, адмирал, уже похоже на правду. Значит, у вас нет никакого другого оружия, и вы готовы драться, вооруженные лишь мечом и щитом или еще чем-нибудь столь же примитивным?

— Правильно.

— Это все, что я хотел узнать. Можете наслаждаться вином.

Стерк униженно склонился перед ними, и все снисходительно помахали ему рукой.

Потом Стерк поднес ко рту свисток, который до того прятал в ладони, и пронзительно свистнул. Со всех сторон из-за деревьев выскочили солдаты, и мгновение спустя к горлу каждого были приставлены острые копья.

— Отведите их в цирк, — приказал Стерк. — Там теперь будет шесть новых добровольцев.

— В цирк? К дрессированным медведям, клоунам и слонам? — радостно спросил Билл.

— К копьям, мечам, трезубцам, львам и тиграм. На верную смерть.

## Глава 20

Под угрозой копий отважный маленький отряд провели через весь лагерь под насмешливые крики и издевательства грубых солдат.

— Вы об этом пожалеете!

— Morituri te salutamus![1]

— Иностранцы!

— Варвары!

Не обращая внимания на оскорбления, большей части которых они все равно не понимали, они дошли до палатки центуриона.

— Слава тебе, центурион Педикул, слава! — вскричал дряхлый раб. — Пленники доставлены.

Откинув полотнище палатки, вышел Педикул. Он уже снял доспехи и был в просторной тунике, которая выгодно подчеркивала его мужественную фигуру и позволяла видеть, насколько он толстобрюх, кривоног и косоглаз.

— Выстройте их передо мной, — приказал он, глядя на всех сразу и ни на кого в отдельности.

Ударами мечей и копий пленников заставили встать в ряд. Педикул осмотрел их.

— Вот этот хорош собой — рослый, крепкий и с клыками, — сказал он, глядя на Билла.

— О, благодарю вас, сэр, — заискивающе сказал Билл.

— Поставьте его первым. Он, должно быть, продержится несколько раундов, прежде чем его прикончат.

— Да я тебя первый прикончу, пузатый! — проворчал Билл и прыгнул вперед — но ему преградили путь обнаженные мечи.

Педикул злорадно усмехнулся, показав вставную челюсть, которая тут же выскочила у него изо рта, и он поспешно запихнул ее обратно. Проходя мимо адмирала, Вербера и Блая, он лишь окинул их презрительным взглядом и остановился перед Митой, пожирая глазами ее роскошные формы.

— Остальных — на арену, — приказал он. — Кроме вот этой! Разденьте ее догола и умастите бальзамом, миррой и

[1] Приветствую тебя, обреченный на смерть! *(лат.)* — перифраз традиционного возгласа гладиаторов, обращенного к императору: «Обреченные на смерть приветствуют тебя!»

лимонной умывальной водой. Потом оденьте в лучшие шелка — она будет моей рабыней для любви.

— О, благодарю тебя, добрый командир! — выдохнула Мита, поймала его руку и склонилась над ней, чтобы поцеловать. — А ты ничего себе для палеолита. Таких любезных предложений я не слыхала уж много лет. И наверное, упала бы в обморок от такой заманчивой перспективы, если бы только челюсть у тебя получше держалась.

С этими словами она крепко стиснула его кисть, тренированным движением захватила локоть и рванула в сторону и на себя. Педикул издал крик боли и вслед за ним — вопль страха, когда она подбросила его в воздух и швырнула на палатку. Палатка обрушилась и накрыла его. На его полузадушенные крики подбежали солдаты, и через несколько секунд Мита и все остальные уже стояли неподвижно с приставленными к горлу остриями мечей.

— Отлично, — сказал Билл. — Ты молодец.

— Спасибо, милый, доброе слово всегда приятно. А кроме того, что я молодец, я еще три года подряд была чемпионом ВМФ.

— Всего флота? Военно-морского?

— Да нет, кретин. Вспомогательного и мусоровозного.

— На арену! — проскрежетал Педикул, выбираясь с помощью солдат из развалин палатки. Челюсть он потерял, парик сбился на глаза. — Смерть, кровь, мучения — мне не терпится это видеть. И первой выпустите эту чересчур мускулистую красотку!

Подгоняемые уколами копий, преследуемые ревущей толпой солдат, они добежали до арены. Это была естественная поляна, примыкавшая к косогору, на котором были устроены шедшие полукругом ряды мест для зрителей. Поляну окружала стена, земля на ней была выровнена и покрыта пятнами крови. На поляну выходили клетки, в ближайшую из которых затолкнули пленников. Из соседней клетки донесся страшный рев, и все попятились, боясь, что хищник дотянется до них через решетку. Все, кроме Миты, которая просунула руку между прутьями прежде, чем ее успели остановить.

— Кис-кис-кис, иди сюда, — сказала она.

Угрожающего вида дикий кот радостно замурлыкал, когда она принялась чесать его за ухом. Кот был одноглазый и покрытый шрамами — сразу видно, что испытанный боец.

— Да он всего в полметра ростом, — удивился Билл.

— И больше никаких животных не видно, — добавил Ки, указывая на остальные клетки. — Все пустые. А где же львы и тигры?

— Для них сейчас не сезон, — сказал подошедший начальник рабов, щелкнув бичом. — Львы и тигры у нас выступают только в те месяцы, название которых начинается на Х.

— Но таких месяцев вообще нет! — сказал педантичный Практис.

— Да? А как же XI и XII, умник ты этакий? Ладно, ребята, потеха начинается. Нужен доброволец — кто пойдет первым?

Когда пыль осела, стало видно, что все стоят, прижавшись спиной к решетке. Практис и капитан Блай оказались последними — у них в отличие от рядовых не было мгновенного рефлекса на слово «доброволец». Начальник рабов злобно усмехнулся:

— Нет добровольцев? Тогда я выберу сам. Вот ты, громила. Центурион хочет, чтобы ты открыл предварительные состязания. А красотку он сберегает под конец.

— Удачи, Билл, — сказали они, выталкивая его вперед. — Ты умираешь за правое дело.

— Приятно было с тобой познакомиться. Счастливого пути.

— Желаю тебе попасть на небеса — хоть на часок, пока дьявол не узнает, что ты убит.

— Ну, спасибо, ребята. Вы меня очень поддержали.

Все это Биллу очень не нравилось. Одно дело — война со всеми ее ужасами. Но дурацкий смертоносный цирк на каком-то богом забытом плато? Ему не верилось, что все это действительно происходит с ним.

— С тобой, с тобой это происходит, — проворчал начальник рабов, угадав его мысли. — А теперь бери меч и сеть, выходи и постарайся выступить получше. Иначе смотри.

— А чего смотреть? Что может быть хуже?

Билл примерился к мечу, перехватил его поудобнее и приготовился.

— Что может быть хуже? Тебя могут вздернуть на дыбу, четвертовать, засечь плетьми, сварить в кипящем масле, а для начала повыдергать ногти.

Билл с яростным ревом кинулся вперед, но остановился как вкопанный, увидев шеренгу лучников, которые целились в него.

— Все ясно? — спросил начальник рабов. — Теперь иди и делай, что приказано.

Билл поглядел вверх, на вопящую толпу солдат, на императорскую ложу, где в окружении каких-то шлюх восседал со злобным видом пузатый Педикул. Выбора, похоже, не оставалось. Он повернулся и потащился на арену, помахивая мечом и сетью и размышляя, как это его угораздило так вляпаться.

На арене он оказался один. Но в дальнем ее конце уже отпирали клетку, и из нее вышел высокий блондин с трезубцем в руках. На нем была изящная, но изорванная в клочья одежда и дорогие, но стоптанные сапоги. Однако выступал он величественно, как король, не обращая внимания на крики черни. Широким шагом он подошел к Биллу и оглядел его с головы до ног.

— Отвечай, презренный, как твое прозвание, — сказал он.

— Звание — солдат, временно произведен в младшие лейтенанты.

— Думается мне, ты меня не понял. Твое имя?

— Билл.

— Я Артур, король Авалона — хотя этим негодяям сие и неведомо. Можешь звать меня Арт, чтобы сохранить мою тайну.

— Ладно, Арт. А меня приятели зовут Билл.

Видя, что они мирно беседуют, вместо того чтобы заниматься человекоубийством, зрители пришли в ярость. На арену посыпались пустые бутылки и оскорбления.

— Надо драться, друг мой Билл, или хотя бы делать вид. Защищайся!

Он сделал выпад трезубцем, и толпа разразилась кровожадными воплями. Билл парировал удар и сделал шаг в сторону. Арт прыгнул вбок, увертываясь от сети, которую попытался набросить на него Билл.

— Вот это воистину дело. Мы должны притворяться, что деремся, пока не окажемся на той стороне арены под императорской ложей. Получай, презренный!

Его меч скользнул по ребрам Билла, распоров куртку. Почувствовав прикосновение холодной стали, Билл взвизгнул и отпрыгнул назад. Толпа пришла в восторг.

— Ты полегче! Еще проткнешь меня, чего доброго!

— Клянусь, что нет. Но, как говорят простолюдины, надо, чтобы это смотрелось. Нападай! Нападай!

Сталь звенела о сталь. Грубая толпа неистовствовала. Она взревела от радости, когда нога короля попала в сеть. Она взревела от разочарования, когда он выпутался. Выпад следовал за выпадом, пока они не оказались под самой императорской ложей.

— Наконец-то, — задыхаясь, выговорил Артур. — Тут есть запасной выход с арены — под самой ложей. Его охраняет вон тот часовой. Туда мы и скроемся — после того, как ты меня убьешь.

Они со звоном скрестили оружие. Толпа разразилась ревом. Билл в недоумении шепнул:

— А как это мы скроемся, если я тебя убью?

— Сделаешь вид, что убьешь, тупая ты голова! Опутай меня своей сетью и воткни мне меч между боком и рукой. Как во всех плохих пьесах.

— Понял. Начинаю.

Со скоростью атакующей кобры сеть взметнулась вверх и опутала его противника. Правда, бросать сеть он был не мастер, и Арту пришлось нырнуть вперед, чтобы в нее попасть, а потом подтянуть к себе край, чтобы запутаться в ней.

— Давай, давай, презренный! — прошипел он, увидев, что Билл стоит, растерянно моргая. — Повали меня и потребуй, чтобы толпа вынесла приговор.

Конечно, им не помешали бы несколько репетиций, но для этих зрителей сошло и так. Билл прыгнул вперед, и Арт упал под его напором, старательно запутавшись трезубцем в сети. Билл схватил его за руку, прижал к земле, поставил колено ему на грудь. Чувствуя себя несколько нелепо, он занес меч, готовый нанести удар, и обернулся к зрителям.

Разыгранную ими немудреную сцену толпа приняла за чистую монету. Все вскочили на ноги, требуя смерти, — большой палец у каждого был опущен к земле. Билл огляделся вокруг — все пальцы указывали вниз. Он взглянул на Педикула, но тот держал палец вниз с особым злорадством.

— Прикончи его! — крикнул он. — Впереди еще много схваток.

Билл опустил меч, как ему было сказано. Тело Арта вытянулось в предсмертной судороге и застыло. Толпа неистовствовала. Билл вытащил меч и подошел к императорской ложе. Все взгляды были устремлены на него. Что оказалось очень кстати, потому что король на самом деле запутался в сети и никак не мог выпутаться. Билл уголком глаза заметил это и, размахивая мечом, с криком бросился вперед: нужно было срочно отвлечь внимание на себя.

— Слава тебе, центурион Педикул, слава!

— Ну ладно, слава так слава, — проворчал центурион, заглядывая в программку, потом снова посмотрел на Билла. — Погоди-ка, а почему у тебя на мече нет крови?

— Потому что я вытер его об одежду убитого.

— Что-то я не видел, чтобы ты его вытирал. — Педикул нагнулся вперед, ища что-то глазами. — Да я и убитого не вижу!

— Сюда! — крикнул Арт, оттолкнув часового так, что тот покатился на землю, и ногой распахнув дверцу с красной надписью: «ЗАПАСНОЙ ВЫХОД».

Дважды просить Билла не пришлось — он нырнул в дверцу сразу вслед за Артом. Они бежали по длинному извилистому туннелю, слабо освещенному солнечным светом, который пробивался в щели между досками трибуны у них над головой вместе с сыпавшимися оттуда ореховыми скорлупками и косточками маслин. До них донесся топот ног и гневные крики ярости и разочарования. Позади с грохотом слетела с петель дверца, и в нее повалили вооруженные солдаты.

— Беги, презренный, беги! Беги так, словно все дьяволы ада гонятся за тобой по пятам!

— А они и гонятся, — задыхаясь, едва выговорил Билл, прислушиваясь к несшимся сзади яростным воплям.

Впереди что-то забрезжило, и Билл увидел свет в конце туннеля. Распахнулась деревянная дверь, и им преградил путь вооруженный человек.

— Мы погибли! — вскричал Билл.

— Мы спасены! Это мой воин.

— Слава тебе, Артур! — крикнул воин, подняв сверкающий меч.

— Привет, Модред. Кони с тобой?

— Воистину со мной.

— Молодец, рыцарь. Вперед!

Под деревьями толпились вооруженные солдаты. Артур одним прыжком взлетел на коня, Модред подсадил Билла на другого, а сам сел позади. Они уже скакали во весь опор по лугу, когда из двери показались первые преследователи.

Однако их бегство не осталось незамеченным. Теперь за ними в погоню с воплями и проклятиями бросилась вся армия. В воздух взлетели стрелы и копья. Но двое всадников в тяжелых доспехах заняли места в арьергарде, и стрелы и копья, не причиняя им вреда, отлетали от их брони. И от конской брони тоже, ибо коней защищали стальные накрупники, поножи и, поскольку это были жеребцы, еще и клепаные стальные начленники. Все было предусмотрено до мельчайших подробностей.

Они скакали по дороге к замку, а перед ними уже опускали подъемный мост. Его конец с грохотом упал на землю по эту сторону рва в то самое мгновение, когда передний конь занес переднее копыто. Копыто стукнуло по дереву, за ним — все остальные копыта. С раскатистым топотом они проскакали по мосту, и тот снова поднялся, как только над ним промелькнул последний конский хвост. Преследователям осталось только бесноваться на краю рва, а защитники замка покатывались от хохота на башнях.

Всадники остановили коней в парадном дворе замка, среди топота копыт и брызжущей во все стороны пены. Билл соскользнул на землю, и Арт, снова превратившийся в короля Артура, подошел к нему и дружески пожал ему руку.

— Добро пожаловать, чужеземец, добро пожаловать в Авалон.

— Все это прекрасно, — сказал в ответ Билл, — и я ценю такую честь. Но как насчет моих друзей — нельзя же оставить их там на верную смерть!

И тут у него упало сердце.

— А что, если они уже убиты?

## Глава 21

— Умерь свои страхи, мой новый товарищ Билл. Воистину, разве я не предвидел, что вся эта комедия на арене, равно как и само наше бегство и погоня, прекрасный отвлекающий маневр? Все их войско было там. Поэтому храбрейшие из моих рыцарей вышли наружу через потайной ход, неведомый нашим врагам. Из надежного укрытия они наблюдали за тем, что происходит, и должны были напасть на ослабленное войско, чтобы освободить твоих друзей. Вперед! Поднимемся на башню и посмотрим, чем кончилось дело.

Артур, который был, по-видимому, в прекрасной форме, поднимался по лестнице, прыгая через две ступеньки. Билл едва поспевал за ним. Поднявшись наверх, они увидели, что их поджидает какой-то дряхлый старик в остроконечной шапке.

— Слава тебе, король Артур, слава! — выкрикнул он.

— И тебе слава, добрый Мерлин. Что ты можешь нам сообщить?

— Сообщаю, что я глядел в свое волшебное зеркало и видел все, что случилось внизу.

Билл осмотрел волшебное зеркало и одобрительно кивнул.

— Неплохой телескоп-рефлектор, хотя и маленький. Зеркало сам шлифовал?

Мерлин высоко поднял лохматую седую бровь, провел ладонью по длинной бороде и спросил:

— Мой господин, я воистину в удивлении. Кто этот всезнайка?

— Его прозвание Билл, и он тот пленник, которого я спас на арене. А как другие пленники?

— Воистину я все видел в своем... — он бросил сердитый взгляд на Билла, — ...волшебном зеркале. Твои могучие рыцари кинулись в атаку, пронзили своими копьями великое множество этих деревенщин, обратили в бегство остальных и освободили пленников.

— Отлично! Пойдемте вниз, дорогие друзья, и вкусим там разных лакомств и прекрасных вин, чтобы отпраздновать этот день.

«Прекрасные вина» — это прозвучало заманчиво. Билл так заторопился, что наступил Мерлину на халат.

Зал, куда они вошли, заполняли какие-то верзилы в стальных доспехах, которые с лязгом и скрипом расхаживали взад-вперед, во весь голос хвастая своими подвигами.

— Ты видел, как мое верное копье пронзило ему башку?

— А я проткнул сразу троих!

— Я-то их не считал, но могу сказать...

— Билл! — позвал чей-то знакомый дружеский голос, и через толпу к нему протолкалась Мита. Ее сопровождали недовольные крики тех, кому она наступила на шпоры, и вопль толстого рыцаря в кольчуге, которого она отшвырнула в сторону. Билла обхватили теплые мускулистые руки, к его губам прижались жадные губы, и кровяное давление у него подскочило одновременно с температурой.

— Как звать эту прекрасную деву? — послышался откуда-то издали голос Артура, и Билл, очнувшись, приступил к процедуре представления.

— Это Мита, Артур. Это Артур, Мита. Он здешний король.

— Руку, Арт. Тут у тебя неплохо. И спасибо, что прислал войска нам на выручку. Если я смогу тебе чем-нибудь отплатить — только скажи.

Глаза короля налились кровью от вожделения. Он крепко стиснул ее руку, оттеснив Билла в сторону.

— Есть только один способ... — начал он хрипло.

— Артур, ты должен представить меня этим милым людям.

Слова были довольно обычные, но в них прозвучала неприкрытая угроза. Король поспешно бросил руку Миты, словно раскаленную кочергу, обернулся и поклонился.

— Гиневра, королева моя, что делаешь ты здесь, вдали от своих покоев?

— За тобой присматриваю.

Это не помешало ей присмотреться и к Биллу, которому она ласково улыбнулась.

— Я Билл, а это Мита, — представился он ослепительной рыжеволосой красавице.

— Очень рада, королева, — лицемерно произнесла Мита. — Когда мы познакомимся поближе, вы непременно скажете мне, кто вам так красит волосы...

— Да услышат меня все, кто здесь есть! — поспешно воскликнул Артур, видя, что дело может далеко зайти. — Все, кто собрался здесь, чтобы приветствовать наших гостей, только что спасенных из рук язычников. Любезные гости, познакомьтесь с сэром Ланселотом, сэром Навэном, сэром Модредом... — Список оказался длинным.

Билл не остался в долгу и представил своих — полностью, с чинами, званиями, личными номерами и всем прочим. Последовали многочисленные рукопожатия, после чего Билл с радостью схватил бокал вина, который поднес ему слуга. Зазвучали тосты, а на закуску подали лакомства — это оказались ласточки в сахарной глазури. Что было бы не так уж плохо, если бы их сначала ощипали. Потом рыцари затопали из комнаты, чтобы поменять доспехи, а дамы вышли попудриться. Получившие свободу пленники рухнули на стулья, стоявшие вокруг обширного круглого стола, отодвинутого к стене на время празднества. Артур постучал по столу рукоятью кинжала:

— Прошу внимания. Мои новые боевые друзья, не случайно мы собрались здесь сегодня. Сейчас Мерлин расскажет вам о том, что было, что есть сейчас и что будет. Мерлин, твое слово.

Жидкие аплодисменты затихли, когда Мерлин поднялся на ноги.

— Итак, слушайте, — начал он с легким валлийским акцентом. — Добрый король Артур по горло сыт этими зловредными римскими легионами — вот где они у него сидят и даже еще глубже. В нашем королевстве все идет прекрасно, налоги поступают аккуратно, а если не поступают налоги, то поступают как полагается с крестьянами, — так ведь это же феодализм, чего вы от него хотите? Но я отвлекся. Если бы нам никто не мешал, мы бы возделывали свой хлеб, время от времени проламывали друг другу головы на турнирах, крестьяне чесали бы в затылках, и все шло бы отлично. Но нет! Всякий раз, как только все налаживается, снова являются легионы. Они осаждают замок, стреляют из своих баллист и арбалетов и вообще валяют дурака, пока им не надоест и они не отправятся восвояси. Им-то хорошо — я полагаю, это взбадривает их примитивную экономику, доставляет им хлеб и зрелища и все такое прочее. Но каково нам? Налоги растут, потому что каменщиков приходится сгонять сюда чинить стены. И знаете, сколько времени это продолжается? С незапамятных времен, вот сколько.

— Но я поклялся, что скоро этому придет конец.

— Правильно, Артур, конец, точно. На чем я остановился? — Потеряв нить своей сладкозвучной речи, Мерлин опрокинул бокал меда, пропел несколько нот из «Гарлехских молодцов», чтобы прочистить горло, и продолжал с новым пылом. Голос его гулко отдавался под сводами зала.

— Но больше этого не будет! Артур, наш король, как вы только что слышали, сыт этим по горло. Мы послали к врагам шпионов. Те из них, кого не поймали и не распяли, вернулись. И вот что они узнали.

Наступило молчание. Все не отрываясь смотрели на него, включая Артура: он хоть и слышал уже эту историю, всегда упивался волшебными речами Мерлина. Мита с обильно напудренным носиком скользнула в дверь и присоединилась к слушателям. Еще глоток меда, и Мерлин пустился повествовать дальше:

— Все они язычники, но это мы знали и раньше. Они гадают по козлиным внутренностям, воскуряют благовония Меркурию и Сатурну, от бесплодия приносят жертвы Минерве, поклоняются Юпитеру и предаются всем прочим пантеистическим глупостям. Но скажите-ка мне, какого бога я не назвал? Я вижу в ваших глазах недоумение, которое свидетельствует либо о скверной памяти, либо о недостатке классического образования. Я скажу вам — не хватает Марса!

Все разразились громкими аплодисментами, сами не зная почему — разве что потому, что этому, очевидно, придавал такое значение Мерлин. Потом все поспешно выпили вина, и он продолжал:

— Марса, бога войны. Конечно, самого важного для этого воинственного племени. Моим шпионам не хватило духу пробраться вглубь их страны, последовать за центурионами, когда те потайными тропами отправились в горы. Но я последовал за ними сам, ибо нет таких тайн, в которые не мог бы проникнуть Мерлин! Переодевшись седобородым стариком, я шел за ними, пока не обнаружил это за самыми дальними горами, на краю утеса, где кончается плато, — там я это обнаружил!

— Сейчас будет самое интересное, — сказал король Артур с горящими глазами, нетерпеливо сжимая в руке рукоять меча.

— Знаете ли вы, что это было? Я скажу вам. Это был храм Марса! Вырубленный из целой скалы, с мраморными колоннами, резными наличниками и с алтарем перед ним, на который были возложены жертвы и приношения. Эти приношения офицеры несли туда собственными руками, ни одного легионера не было видно поблизости — можете себе представить, как все это тайно и важно. А принеся жертвы, они в страхе отступили назад — и им было чего бояться! Наступила ночь, хотя день еще не кончился. Загремел гром, засверкали молнии. Потом таинственное сияние заполнило воздух, и стало видно, что приношения исчезли. А потом, на бис, заговорил сам Марс. От его голоса, наводившего ужас, вставали дыбом волосы и сам собой опорожнялся мочевой пузырь, можете мне поверить. И дело не ограничилось одним-двумя пророчествами и прогнозом погоды. Этот небесный пьяница повелел им снова начать войну! Вот где корень всех наших бед! Эти ленивые легионеры и толстопузые центурионы были бы рады-радешеньки сидеть без дела, бросая рабов на съедение львам и накачиваясь дешевым пойлом. Но нет, Марса это не устраивает. Готовьтесь к войне, говорит он, стройте баллисты, призывайте воинов, начинайте вторжение...

Мерлин так увлекся, что на губах у него показалась пена, он весь трясся, как в лихорадке. Подскочившая Мита с помощью Билла усадила его на стул и влила ему в рот бокал меда. Артур молча понимающе кивнул.

— Вот и вся суть. Если мы хотим покончить с этой бесконечной войной, нужно вступить в битву с языческими богами.

— Неплохая идея, — кивнул Практис. — И ваше войско как раз для этого годится. Тяжелая кавалерия, внезапная атака, обход с флангов, бац — и дело в шляпе.

— Если бы это было так, могущественный адмирал! Но — увы! — это не так. Мои мужественные и бесстрашные рыцари робеют и прячутся под кровать, когда речь заходит о богах.

Оправившийся Мерлин оживленно закивал:

— Суеверные трусы — вот они кто. Им бы только красивые слова говорить. «Воистину я отдал бы свою жизнь за своего господина». Хрен бы он отдал, а не жизнь! Одна молния из храма — и он пробежит не останавливаясь целую милю. Тут уж ничего не поделаешь. Малодушные трусы — и это несмотря на то, что я предложил им полную божественную защиту!

Мерлин схватил кожаный мешок и вывалил на круглый стол все, что в нем было.

— Посмотрите только! Чеснок — тоннами. Крестиков — больше, чем вы найдете в ином монастыре. Распятия, в которых заключена святая вода. Целые ящики реликвий, мешки костей святых, обломок Истинного Креста, трюмный насос из Ноева ковчега — все, что угодно! И что они говорят при виде этого? «К сожалению, у меня как раз на это время назначена деловая встреча». Никто из них не хочет идти — даже сам король!

— Воистину я бы отправился в этот поход, не будь у меня множества срочных государственных дел. Тяжек груз, который несет голова, увенчанная короной.

— Ну да, конечно, — проворчал Мерлин: он, конечно, не попался на эту удочку, но не отважился на оскорбление его величества. — И что мы теперь имеем? Главная угроза нашему королевству известна, обнаружена и может быть устранена. Но кем — одиноким стариком? Вы шутите! Да, мое могущество, конечно, велико, но мне нужна грубая сила и несколько боевых топоров за моей спиной.

— И тут появляемся мы, — сказал Билл. Он только сейчас понял, что их спасение не было продиктовано чистым альтруизмом.

— Ты поглядел мне в карты. С помощью своего телескопа — то есть волшебного зеркала — я видел, как вы приземлились. Вас принес летучий дракон — и я, будучи валлийцем, оценил это по достоинству. Я сказал: «Король, вот те молодцы, что нам нужны. Чужеземцы, которые не страшатся богов». — Он умолк и бросил на них пронзительный взгляд. — Ведь вы не суеверны?

— Я правоверный зороастриец, — робко сказал Билл.

— Продолжай, — проворчал Практис. — Выкладывай свое предложение, а уж потом мы будем думать, как от него отвертеться.

— Больше мне нечего сказать. Добрый король Артур спас вас. Вам дадут оружие, и вы последуете за мной к храму Марса, где мы откупимся от него кое-какими приношениями.

— Все как будто ясно, — усмехнулся Ки. — А если мы не пойдем?

— Очень просто. Все равно пойдете — обратно в цирк. И мы еще пожертвуем им пару голодных львов, чтобы было веселее.

— Мужайтесь, — посоветовал им Артур, пользуясь своим положением. — И имейте в виду, что награды последуют незамедлительно. Воистину вас ждет возведение в рыцари, а то и орден Подвязки или кавалерство ордена Британской империи.

Это щедрое обещание не произвело на них особого впечатления.

— Мы хотели бы обсудить это между собой, — сказала Мита.

— Конечно. Можете никуда не торопиться. Даем вам целый час. — Мерлин поставил на стол песочные часы и перевернул их. — Выбирайте — или храм, или арена.

## Глава 22

— Вечная история — не в лоб, так по лбу, — горестно вздохнул Билл.

— Это все собака — зачем только я ей свистнул? — жалобно сказал капитан Блай.

— Мне бы сейчас зелья принять, — прошептал Ки.

— А дома-то, на ферме, уже урожай собирают, — всхлипнул Вербер.

Мита презрительно скривила губы, и Практис кивнул в знак согласия.

— Будь я еще вашим командиром, я бы задал вам такую трепку, что все горести тут же вылетели бы у вас из головы. Но теперь я просто один из вас, и все, что я могу предложить, — кончайте хныкать и давайте подумаем, как нам выпутаться.

В поисках поддержки он выглянул в окно, но стена замка отвесно падала вниз до самой скалы, на которой он стоял. Мита попробовала было открыть дверь, но ее Артур, уходя, запер.

— А почему бы нам не взять и не сделать, что они просят? — бодро спросил Билл, но тут же съежился под градом сердитых взглядов. — Погодите, дайте договорить, а потом можете злобно пялиться, сколько вам угодно. Я хотел сказать, что выбраться из этого замка не так просто. А было бы просто, так там, снаружи, придется иметь дело с римским легионом. Так что давайте согласимся на этот бредовый план. Получим оружие и все такое, а потом удерем — и прихватим с собой одного старого валлийца.

— Все понял, — радостно хихикнул Практис. — С этого момента ты считаешься старшим лейтенантом. Мы выбираемся из замка, минуем позиции легиона, потом трахнем старика по башке — и отправляемся восвояси, вооруженные, свободные и сами себе хозяева.

В песочных часах тяжело упала последняя песчинка. В этот самый момент дверь с грохотом распахнулась, и вошел король Артур.

— Каков будет ваш ответ?

— Наш ответ будет — ох, да, — ответили они.

— Если вы и умрете, то умрете за самое благородное дело. Идите к оружейникам!

Им выдали доспехи, кольчуги, шлемы, алебарды, кинжалы, луки, мечи, щиты и мочеприемники.

— Я не могу двинуться, — глухо послышался из шлема голос Билла.

— Главное — чтобы ты мог двигать рукой, в которой меч, остальное неважно, — сказал оружейник, заклепывая разболтавшуюся заклепку на шлеме Практиса.

— Я оглохну, прекрати! — завопил тот; шатаясь, сделал шаг и повалился на пол. — Я не могу встать!

— Вы непривычны к доспехам — может, стоит надеть на вас поменьше. — Оружейник сделал знак своим помощникам. — Снимите с них немного, чтобы они могли двигаться.

Сбросив около тонны брони, они получили возможность передвигаться. Правда, каждое их движение сопровождалось ужасным скрипом, но это было исправлено с помощью масленки. Они выпили вина на дорогу, и тут появился Мерлин, одетый точно так же и ехавший на осле.

— А нам тоже надо будет ехать верхом? — спросил Билл.

— На своих двоих, парень, — это очень полезно для здоровья. Мы выйдем через потайной ход, который выведет нас за холмы, в тыл легиона.

— Звучит неплохо, — сказал Практис, и они принялись подмигивать друг другу и пересмеиваться, прикрываясь рукой, как только Мерлин повернулся к ним спиной. Им сунули в руки зажженные факелы, окованная железом дверь распахнулась, и они вслед за Мерлином вошли в сырой туннель, с потолка которого капала вода. Туннель был длинный — им казалось, что они идут по нему целую вечность. Воздух становился все более спертым и вонючим, факелы в нем гасли один за другим. Когда последний почти догорел, Практис крикнул вперед Мерлину:

— Я понимаю, что это глупый вопрос, но все-таки — как мы будем находить дорогу, когда догорит и этот?

— Не страшитесь, ибо Мерлин великий маг. Пусть факел догорает. У меня есть вот этот магический кристалл, который осветит нам путь. Абракадабра!

Он вынул из висевшей на седле сумки какой-то шар и поднял его над головой. Шар тускло светился. Мерлин встряхнул шар, и свет стал немного ярче. Билл присмотрелся и шепнул Мите:

— Тоже мне магия. Это просто дурацкий аквариум, полный светлячков.

— Я тебя слышал! — крикнул Мерлин. — Но у тебя и такого нет, умник. И этот шар выведет нас отсюда.

В конце концов они добрались до выхода из туннеля и оказались на тенистой поляне, где толпились воины короля Артура.

— Почетный конвой, — усмехнулся Мерлин. — Он присмотрит, чтобы вы выполнили свое благородное дело и не попытались удрать в самоволку прежде, чем мы доберемся до храма Марса.

Ответом ему было лишь молчание и злобные взгляды. Он разразился старческим хихиканьем и встал во главе процессии. За ним последовали добровольцы поневоле, а за ними — конвой.

Они шли весь день — через рощи, лесистые ущелья, сухие русла рек, вдоль журчащих ручьев и холмов, сглаженных ледником. Идти было жарко, и когда солнце зашло, они с облегчением повалились на мягкую луговую траву.

— Я хочу пить, — сказал Ки.

— Вода вон в том ручье, — указал Мерлин. — С тобой пойдут пятеро стражников.

— А когда мы будем есть? — спросил Билл.

— Сейчас. Сержант, раздать галеты.

На каждой галете стояли рельефные буквы «АХК», что означало «Авалонская хлебная компания». Они, должно быть, были выштампованы на галетах еще до того, как их испекли — или отлили и закалили, или каким-то способом заставили окаменеть. Ибо не вырос еще такой зуб и не появилась на свет такая челюсть, которые могли бы разгрызть авалонскую галету. Их нужно было разбивать камнями, и прочными камнями, потому что непрочные рассыпались в пыль, не оставляя на галете и следа. И только если удавалось отломить от галеты кусочек, его можно было сделать съедобным, размочив в воде. Все, бормоча проклятия, принялись колотить камнями по галетам, злобно поглядывая на Мерлина, который ел холодное жаркое из лебедя, запивая его мальвазией.

Так шли они два дня и наконец вошли в мрачное, зловещее ущелье — глубокую расселину в скалах, словно прорубленную гигантским топором. Из невидимых ключей повсюду сочилась вода, стены были покрыты мерзким лишайником.

— Осталось немного, — бодро сказал Мерлин. — У этого ущелья занятное местное название — Десценсус Авернус. Это можно перевести приблизительно так: «Войдешь, но не выйдешь».

— Рота, стой! — скомандовал командир конвоя. — Куда ведет это сырое ущелье, почтенный волшебник?

— Оно ведет к храму Марса.

— Воистину! Тогда мы остаемся здесь и будем прикрывать ваш тыл. Идите с Богом.

— Спасибо. Я и то удивлен, что вы зашли так далеко. Ждите здесь нашего возвращения. И вот еще постскриптум: если я не вернусь вместе с этой компанией, если они вернутся одни, можете использовать их в качестве мишеней для своих лучников.

— Воистину, будет, как ты скажешь!

Мерлин покосился на небо.

— Еще часа два до темноты. Давайте покончим с этим делом. Вот, держите.

Он протянул Биллу тяжелый мешок, который был приторочен к его седлу.

— Что это такое? — спросила Мита, подбрасывая его на руке.

— Священные реликвии, о которых я говорил.

— Оставь их этим трусливым воинам, — сказал Практис, преисполненный чувства собственного превосходства. — Может, это поднимет их дух.

— Как хотите. Но сначала... — Мерлин пошарил в мешке и вытащил крестик, шестиконечную звезду, полумесяц и зубчик чеснока. — Я, вообще-то, не суеверен, но подстраховаться не мешает. Вперед.

В мрачном молчании шли они за ним, пока не скрылись из вида солдат за поворотом ущелья.

— Ну-ка, постойте, — сказал тут Практис, и все остановились.

— Я не давал приказа стоять, — сказал Мерлин.

— Я дал. Раз уж мы идем с тобой до конца, — а судя по тому, какие крутые тут стены, нам деться некуда, — то скажи, какой у тебя план действий.

— Идти к храму.

— А потом?

— Призвать Марса явиться и принять наши дары и приношения.

— Какие дары и приношения?

— Да эти галеты, которые вы жевали всю дорогу. Они больше ни на что не годятся. А приняв наши дары, он встанет на нашу сторону. И тогда перестанет побуждать их к войне. Очень просто.

— Глупец, — сказал Билл. — С какой стати Марсу это делать?

— А почему бы и нет? Боги постоянно вмешиваются в людские дела. Все дело в том, кто первый сунет им взятку.

— Меня не интересует эта лекция по сравнительной теологии, — вмешалась Мита. — У меня отсырела кольчуга, и если мы не будем двигаться, боюсь, что я проржавею насквозь. Вся эта болтовня ни к чему. Давайте отыщем храм, а там как получится. Пошли.

Они пошли. И сразу же из лежащего впереди ущелья до них донеслись барабанный бой и далекий звук труб.

— Слышите? — спросил Билл. — Что это такое?

— Храм Марса, — торжественно провозгласил Мерлин. — Приготовьтесь встретить свою судьбу!

Они пошли дальше, постепенно замедляя шаг, положив руки на рукояти мечей и то и дело тревожно хватаясь за кинжалы. Но разве может обычное оружие противостоять могуществу богов?

Воинственная музыка стала громче — и вот за последним изгибом ущелья перед ними предстал беломраморный храм. Перед ним стоял алтарь для приношений, а за алтарем ступени вели к темной двери святилища. Тихо, на цыпочках, словно боясь потревожить бога в его храме, они подошли к алтарю. На нем ничего не было, кроме птичьего помета и огрызка яблока.

— Дары, — шепотом сказал Мерлин, с кряхтением вылезая из седла. — Положите их на алтарь.

Когда галеты были высыпаны на грязную мраморную поверхность, звуки музыки мгновенно замерли. Замерли и они, полные самых зловещих предчувствий. Что-то шевельнулось в темном дверном проеме, и из него вылетело огромное черное облако. Осел с топотом умчался прочь. А потом зазвучал голос. Он не говорил, а гремел, как раскаты грома:

— КТО ИДЕТ? КАКИЕ СМЕРТНЫЕ ОСМЕЛИЛИСЬ НАВЛЕЧЬ НА СЕБЯ ГНЕВ МОГУЧЕГО МАРСА?

— Я Мерлин, всемирно знаменитый волшебник из Авалона.

— Я ЗНАЮ ТЕБЯ, МЕРЛИН. ТЫ ТЩЕТНО ПЫТАЕШЬСЯ ПРОНИКНУТЬ В ТАЙНЫ КОЛДОВСКОГО ИСКУССТВА И ДУМАЕШЬ, ЧТО ТЕБЕ ПОДВЛАСТНЫ СИЛЫ ТЬМЫ.

— Это просто у меня такое хобби, великий Марс. А вообще я хожу в церковь каждое воскресенье. Я и мои товарищи пришли воздать тебе почести и принесли богатые дары, чтобы просить твоего божественного заступничества в наших делах...

— БОГАТЫЕ ДАРЫ? — громыхнул голос. — ВЫ ОСМЕЛИЛИСЬ ПОДНЕСТИ МАРСУ ЭТИ НЕСЪЕДОБНЫЕ ГАЛЕТЫ?

Сильный порыв ветра вырвался из храма, сдул галеты с алтаря и повалил всех на землю.

Но это еще не все! Черное облако и тьма за дверью с грохотом заклубились, на них заплясали отсветы адского огня, и в их мрачной глубине возникло лицо. Злобное и страшное, в шлеме, увенчанном острым шишаком и обвешанном черепами. А когда Марс раскрыл рот, чтобы говорить, все увидели, что зубы у него в виде могильных камней и такого же размера.

— Я ОТВЕРГАЮ ВАШИ ЖАЛКИЕ И НЕСЪЕДОБНЫЕ ДАРЫ. ВАША НАГЛОСТЬ ЗАСЛУЖИВАЕТ СМЕРТИ...

— Ну а вот это?

Мерлин поднял над головой золотую пластинку, которую вынул из бумажника, и она сверкнула в свете молний.

— ЭТО ЕЩЕ ТУДА-СЮДА! — прогремел Марс. — НА АЛТАРЬ ЕЕ. ЕЩЕ ЕСТЬ?

— Воистину есть. Вот серебряная заколка с жемчугом для мужского плаща, подвязка с бриллиантом для женщины, у которой все есть, и шикарная булавка для галстука, украшенная рубинами и лунными камнями.

— ЛУННЫЕ КАМНИ – ЭТО ХОРОШО. ДИАНА ИХ ЛЮБИТ.

— Я рад, что могущественный Марс доволен. За это я прошу награды.

— ГОВОРИ, ЧЕГО ТЫ ХОЧЕШЬ?

— Очень просто, это сущий пустяк. Останови войну. Прикажи легиону возвратиться в казармы.

— ТЫ ЧТО, СМЕРТНЫЙ? ПРОСИТЬ МАРСА, БОГА ВОЙНЫ, ОСТАНОВИТЬ ВОЙНУ? НИКОГДА!

Изо рта у Марса вылетела молния и ударила в землю прямо перед ними, оставив дымящуюся воронку. Они кинулись врассыпную, а вслед им летел громовый голос:

— СЛЕДОВАЛО БЫ УНИЧТОЖИТЬ ВАС МОИМИ НЕБЕСНЫМИ МОЛНИЯМИ. ВОЙНА БУДЕТ ПРОДОЛЖАТЬСЯ. ПРОЧЬ ОТСЮДА, ИНАЧЕ ВЫ УМРЕТЕ. В ОБМЕН НА ВАШИ ПРИНОШЕНИЯ Я ДАРУЮ ВАМ ЖИЗНЬ, И НЕ БОЛЕЕ ТОГО. ПРОЧЬ ОТСЮДА!

Когда ударила молния, Билл кинулся в сторону и распластался по стене храма рядом с входом. Клубы дыма были здесь не такими густыми. Он подполз поближе, высунулся из-за мраморной колонны и бросил осторожный взгляд внутрь. Потом пригляделся внимательнее. Только насмотревшись вволю, он отполз и вернулся к остальным.

— Великий Марс! — взмолился Мерлин. — Если ты не хочешь остановить войну, устрой хотя бы перемирие на несколько месяцев, пока мы не уберем урожай!

— НИКОГДА! — Целый сноп молний заплясал вокруг него. — ПРОЧЬ ОТСЮДА, ИЛИ ВЫ УМРЕТЕ! НАЧИНАЮ ОТСЧЕТ. ДЕВЯТЬ... ВОСЕМЬ... СЕМЬ...

— Мы слышим тебя, Марс, успокойся! — крикнул Билл. — Мы возвращаемся обратно. Приятно было познакомиться. Пока.

Мерлин стоял в нерешительности, но остальные были готовы убраться подальше. Однако Билл взмахом руки остановил их, приложил палец к губам, требуя тишины, и снова, крадучись, пошел вдоль стены храма.

— Он спятил, — сказал Практис.

— Заткнитесь и смотрите! — перебила Мита и ткнула его локтем в бок, чтобы лучше дошло.

Билл уже добрался до входа, а потом встал и шагнул внутрь! А перед этим махнул им рукой, чтобы шли за ним. Все в молчании двинулись вперед, трепеща от страха. А голос Марса продолжал раскатисто грохотать:

— ЧЕТЫРЕ... ТРИ... А, ВЫ УЖЕ УШЛИ. И НЕ ВОЗВРАЩАЙСЯ, ПРЕЗРЕННЫЙ МЕРЛИН, НИ ТЫ, НИ ТВОИ ПОДРУЧНЫЕ. ЗДЕСЬ ВАС ЖДЕТ ЛИШЬ ГИБЕЛЬ ОТ РУКИ МОГУЩЕСТВЕННОГО МАРСА!

Билл вошел в храм, остальные за ним.

— Смотрите, — сказал он. — Нет, вы только посмотрите!

## Глава 23

Храм был грубо вырублен в скале, на его стенах еще виднелись следы от сверл и зубил. В углах висела паутина, пол устилали сухие листья — зрелище было отнюдь не роскошное. У самого входа стоял дымогенератор, из которого валил дым, густым облаком стоявший в воздухе. Изображение Марса проецировал на облако кинопроектор из задней стены.

А голос его гремел из двух студийных широкополосных динамиков, стоявших по бокам проектора.

— ХО-ХО-ХО! — прогремели динамики.

— Это что еще за хреновина? — спросил Практис, в изумлении глядя на эту выставку.

— Надувательство это, вот что, — сказал Ки. — Великий бог Марс — просто набор электронных фокусов. Но кто же тут нажимает на кнопки?

Билл указал на нишу в дальнем углу храма, вход в которую закрывала драпировка. Все со злорадной усмешкой обнажили мечи и крадучись, на цыпочках направились к ней.

— Готовы? — шепотом спросил Билл, и они нетерпеливо кивнули. — Ну, поехали!

Темная драпировка была подвешена на роликах, как занавес в ванной. Это и был занавес от ванной — Билл понял это, когда отдернул его. Все заглянули в нишу — и медленно опустили мечи.

За занавесом стоял пульт управления с циферблатами, телеэкраном и латунными тумблерами. «Хо-хо-хо!» — произнес в микрофон маленький лысый человечек, и позади них усиленный динамиками голос Марса громыхнул: «ХО-ХО-ХО!»

— Сейчас мы тебе устроим «хо-хо-хо»! — сказал Билл.

— Минутку, — пробормотал маленький человечек, лихорадочно щелкая тумблерами. — Проклятый дымогенератор не желает выключаться... А-а-ах!

Он испуганно ахнул, поняв, что оказался не один, круто повернулся и отступил к пульту, выпучив глаза, задыхаясь от ужаса и прижав руки к груди.

— Кто... кто вы? — выдавил он из себя.

— Вот чудеса, папаша, — ответил Практис. — А мы как раз хотели задать тот же вопрос тебе.

— Вы грубые скоты, — вмешалась Мита, растолкав их и схватив старика за руку. — Не видите, что ли, как он ужасно выглядит? Хотите довести его до сердечного приступа? Ну-ну, ничего, успокойся. — Она придвинула деревянный стул, стоявший у пульта, и осторожно усадила его. — Сядь. Никто тебя не обидит.

— Это еще не факт, — заявил Мерлин, выступив вперед с поднятым мечом. — Если он и есть голос Марса, значит во всех бедах Авалона повинен этот гад!

Билл протянул руку и ущипнул Мерлина за локоть, там, где проходит нерв. Мерлин громко вскрикнул и выронил меч из онемевшей руки.

— Давайте сначала кое-что выясним, а потом уж будем махать мечами, — сказал Билл и повернулся к человечку на стуле. — Рассказывай. Кто ты и что тут делаешь?

— Я так и знал, что этим когда-нибудь кончится, — пробормотал человечек. — Отчасти даже хорошо, что так случилось. Эти крутые ступеньки для меня просто смерть. — Он поднял влажные глаза на Миту. — Там, на пульте, прелесть моя. Пожалуйста. Бренди. Плесни чуть-чуть в стакан.

Он сделал глоток, и лицо его порозовело. После чего он получил короткую передышку, пока те, кто его захватил, передавали бутылку из рук в руки и слышалось громкое бульканье. К тому времени как бутылка дошла до Мерлина, в ней оставался всего один маленький глоток. Он с недовольной гримасой допил остатки и отшвырнул бутылку.

— Рассказывай, мерзавец!

— Я не мерзавец. Меня зовут Зог. Я волшебник.

— Ну и что, я сам волшебник. Выкладывай!

— Это длинная, длинная история.

— А мы никуда не спешим. Говори!

И старик заговорил.

## История волшебника Зога

Все это началось в незапамятные времена. Много веков назад. Я разыскал вахтенный журнал, но все записи в нем очень давние. А календаря здесь не существует и времен года, в сущности, тоже, так что следить за ходом времени очень трудно. Но из того, что рассказывал мне отец и что я прочел в вахтенном журнале космолета, мне удалось по частям восстановить всю историю. «Зог» — так назывался корабль с эмигрантами, он вез поселенцев на какую-то далекую планету. На борту что-то произошло — что именно, неясно, какая-то трагедия. Может быть, случился мятеж, или пиво кончилось, или туалеты взорвались, а может быть, и все сразу. Там есть только какие-то туманные намеки на что-то странное. Во всяком случае, «Зог» изменил курс и приземлился на этой планете. Покинуть ее было ему не суждено. И как вы можете видеть, поселенцы живут здесь по сей день.

С самого начала все шло наперекосяк. Фамилия капитана была Гиббонс, а я его потомок, потому что моя фамилия тоже Гиббонс. Капитан хотел устроить жизнь поселенцев так, как считал нужным, но старший помощник, дурной человек по фамилии Мэллори, с этим не согласился. У него были собственные представления о том, как должно быть устроено цивилизованное общество. Он и его последователи покинули лагерь, перешли на дальний конец плато и там основали Авалон.

Мой дед был рад, что они ушли, — это написано в вахтенном журнале. Средневековый бред — так он называл их культуру, считая, что она далеко уступает величественной римской цивилизации. Те, кто остался с ним, обосновались на этом краю плато и долгое время процветали в здешнем благодатном климате. В вахтенном журнале есть еще одна неразборчивая запись, где говорится о третьей группе, о тех, кто ехал палубными пассажирами. Они не захотели иметь дело ни с теми ни с другими, отправились на Бартрумианское плато, и с тех пор никто никогда о них не слыхал.

Вот так и шло дело на протяжении веков. Капитан Гиббонс знал, что простому аграрному обществу ни к чему всякие научно-технические хитрости, поэтому он удалился сюда, чтобы присматривать за своими подопечными. Был построен храм Марса, втайне установлено оборудование, и с тех давних пор ничего не менялось. Римские легионы делают свое дело, Артур и его авалонцы — свое, а Марс бдительно следит за всеми и поддерживает порядок.

Зог Гиббонс закончил свою историю, и наступило молчание — все переваривали его рассказ (а заодно и бренди). Первым заговорил Мерлин:

— Спасибо за урок истории. Но ты отнюдь не заслужил благодарности за то, что поддерживал войну. Зачем?

— Зачем? Вы спрашиваете — зачем?

— Да! — хором ответили все.

Зог попытался встать со стула, но ему не дали. Выхода не было. Он тяжело вздохнул и заговорил:

— Ради того, чтобы выжить, наверное, и ради легкой жизни. И еще ради того, чтобы поиграть в бога. Это захватывающая игра — швыряться молниями и раздавать налево и направо приказы. Куда лучше, чем работать ради собственного пропитания. Мне подносят самое лучшее вино, жареные бараньи ребрышки, мышей, замаринованных в меду, и еще много чего. Мне это нравится. И поддерживать войну мне тоже нравится. Если бы не это, какой-нибудь умник мог бы догадаться, что происходит. Тогда наступил бы мир и всеобщее процветание. И прогресс. О, как я ненавижу это слово! Во всех бедах человечества виноват прогресс. Мой предок капитан Гиббонс твердо на этом стоял. Я читал его записи и согласен с каждым словом. Прогресс — это политиканы, это прогрессивный подоходный налог, рекламные агентства, феминистки, загрязнение среды и все остальное, что делает современную жизнь столь невыносимой. Золотой век Рима куда лучше! Только величие, и никакого падения!

— Я начинаю думать, что он свихнулся, — сказал Практис.

— Не скажите, по-моему, отличная афера, — заметил Ки. Указав на толстый кабель, шедший вдоль стены, он спросил старика: — А это твое электропитание?

Зог кивнул:

— Самое драгоценное, что у меня есть, хотя напряжение понемногу падает и падает. После того как я метнул эти две молнии, придется заряжать аккумуляторы не меньше месяца. А все вы виноваты — нечего было совать нос не в свое дело.

— Пока мы еще не совсем размякли, — проворчал Мерлин, — давайте-ка не будем забывать, кто тут больше всего совал нос не в свое дело.

— А меня больше интересует другое, — сказал Билл. — Откуда берется электричество и куда идет этот кабель?

— Вот-вот, я тоже хотел спросить, — поддержал его Ки.

Зог с трудом поднялся на ноги.

— Следуйте за мной, — сказал он, — и вы все узнаете.

Он двинулся к выходу из храма. Практис, волоча ноги, двинулся за ним, на всякий случай придерживая его за шиворот, чтобы он ненароком не уволок ноги подальше. Кабель поднимался по стене к массивным изоляторам, вбитым в скалу. Потом он тянулся к выходу из храма и уходил куда-то вверх по ущелью. Они шли вдоль него, пока ущелье не закончилось обрывом. Кабель был перекинут через край обрыва и терялся из виду. Все осторожно подошли и заглянули через край. Здесь плато кончалось — каменная стена внизу упиралась в песок, в бескрайнее бездорожье пустыни. Но здесь оно было нарушено. Рядом с тем местом, где они стояли, в скале была вырублена лестница, которая вела вниз, а от ее подножия по бездорожью пустыни шла тропинка. Она упиралась в открытый шлюз космолета.

— «Зог» — он еще здесь! — ахнул Билл.

— Конечно здесь, — буркнул Практис. — А где ему еще быть, по-вашему?

— Первый, кто двинется с места, получит между глаз, — раздался сзади голос. — Бросьте мечи и повернитесь, только медленно.

## Глава 24

Они положили на землю мечи, медленно повернулись и увидели какого-то молодого человека, стоявшего на скале над ними. На лице у него была злобная гримаса, а в руке пистолет.

— Это ионный пистолет, — сказал он. — Он стреляет смертоносным ионным лучом. А если вас еще ни разу не ионизировали, значит вы не знаете, что такое настоящая боль. От которой вопят, корчатся и жалеют, что еще не умерли.

Он злорадно усмехнулся и провел языком по губам.

— Это еще кто? — спросил Практис.

— Это мой сын, Зог-младший, — сказал Зог-старший. — Наследник храма, будущий Марс. — Впрочем, он произнес это без особой радости.

— Хрен тебе, а не будущий! — крикнул Зог-младший. — Тут, чего доброго, и помрешь, не дождавшись, пока ты соберешься на пенсию. И между прочим, папаша, обрати внимание, что ты тоже под прицелом. Это же надо — угодить в плен! Нет, больше ты в Марсы не годишься. Старый Марс умер — да здравствует новый Марс! — выкрикнул он, брызгая слюной.

Зог-старший покачал поникшей головой:

— Ты для этой работы не годишься, мальчик. Теперь я могу это признать. Вот почему я так тянул с выходом в отставку. Ты слишком упрям, опрометчив...

— Ну да, как бы не так! — крикнул Зог-младший и, нажав на спуск, ионизировал камень, лежавший у края обрыва. — Ладно, ребята. Если кто из вас верующий, можете быстренько помолиться своему богу или богам. А потом начнется ионизация.

— Ох, сейчас упаду в обморок от ужаса! — сказала Мита, закрывая глаза и шумно падая в обморок от ужаса.

— Мой мальчик, не говори так! Ты же не станешь убивать этих ни в чем не повинных людей!

— Еще как стану, папаша! И тебя заодно. Так что прощайтесь и приготовьтесь отправиться к своим предкам.

Он сделал шаг вперед, поднял пистолет и прицелился. Но не успел он нажать на спуск, как Мита, троекратный чемпион ВМФ по дзюдо, продемонстрировала свое мастерство, вцепившись ему в лодыжку. Он охнул, почувствовав, что земля уходит у него из-под ног, выронил пистолет, получив рубящий удар по руке, и покатился на землю сам, получив рубящий удар под челюсть.

— Спасибо, Мита, — от всего сердца сказал Билл.

— Кто-то должен же был что-нибудь сделать, пока вы стояли столбом, а этот маньяк вот-вот собирался нас ионизировать.

— Бедный мальчик, никто его не понимает, — сказал Зог, потом, шатаясь, подошел и склонился над сыном.

— Псих он, — заявил Практис. — Свяжите его, пока не очухался и не взялся за свое. Я пока это подержу. — И он поднял с земли ионный пистолет. — А больше ненормальных тут поблизости нет, Зог? Только на этот раз говори правду.

— Он мой единственный сын, единственное дитя, моя кровиночка, — захныкал Зог, свертывая свой плащ и подкладывая его Зогу-младшему под голову. — Это я виноват, что вконец его избаловал. Ему бросилась в голову вся та власть, которая будет у него в руках. Но этого не должно случиться, не должно...

— Да нет, должно, — произнес чей-то голос. — А ну-ка, отойдите от него все. И встаньте лицом к скале.

Какая-то седая женщина незаметно для них поднялась по каменным ступеням, оказавшимся у них за спиной, и теперь угрожающе целилась в них из ружья.

— Это ионное ружье, мэм? — вежливо спросил Билл.

— Будь уверен, сынок. Стоит мне нажать на спуск, и из него вырвется опустошительный поток ионов, уничтожая все на своем пути.

— Очень мило, — сказал Билл, опуская забрало своего шлема и делая шаг вперед. — Будьте так любезны, отдайте-ка его мне, пока никому не причинили вреда.

— Ты будешь первым, парень, если сделаешь еще шаг!

Билл сделал еще шаг, и из ружья вырвался опустошительный поток ионов, уничтожая все на своем пути. Мита вскрикнула, увидев, как смертоносное ионное пламя окутало его со всех сторон.

Он сделал еще шаг, схватил ружье за ствол, вырвал его из рук женщины и швырнул с обрыва.

— Ты жив! — ахнула Мита.

— Конечно жив, — сказал Ки, — потому что он лучше вас знает физику. Ионы — это электрически заряженные частицы. Как только они попадали к нему на броню, заряд уходил в землю. Очень просто.

— В самом деле просто. Только я что-то не видел, чтобы ты сам двинулся с места.

— Ну да, я трус. — Ки пожал плечами. — Не спорю.

— Знакомьтесь — моя жена Электра, — сказал Зог.

— А кто тут еще есть? — спросил Практис, озираясь и держа наготове пистолет.

— Больше никого, — всхлипнул Зог. — Мы хотели иметь большую семью, чтобы по кораблю топотало множество маленьких ножек. Но этому не суждено было сбыться. Будь у нас семья побольше, этого не случилось бы. Ее единственный сын, ее кровинушка, теперь я понимаю, что это она его вконец избаловала...

— И ты имеешь наглость сваливать на меня, старый импотент! — проскрипела Электра. — О, как я сожалею о том дне, когда меня посвятили Марсу! Стоило мне попроситься в девы-весталки, меня бы наверняка приняли. Но нет, сказала моя мать. Тебя ждет лучшая судьба, потому что ты благородного происхождения...

— Прекратите, — сказал Практис. — Семейную ссору продолжите потом, без нас. Пошли к кораблю — я голоден, хочу пить, и вся эта чушь мне надоела. День выдался нелегкий.

— Особенно в этой броне, — сказала Мита, скинула доспехи и швырнула их вниз с обрыва.

Все мгновенно, со звоном и грохотом, последовали ее примеру. Потом, оставив Зога-младшего на попечение матери, они вслед за Зогом начали спускаться с плато.

— К сожалению, для питья у меня сейчас есть только жертвенное вино в холодильнике, — извиняющимся тоном сказал Зог. — Мне его много приносят.

— Я готов принять такую жертву, — сказал Билл, облизываясь.

В салоне космолета было очень уютно: драпировки на переборках, кресла-качалки, свежие железные цветы на столе, множество бокалов. Ки трижды осушил свой и, удовлетворенно рыгнув, указал пальцем на толстый кабель, который спускался с обрыва, шел по песку, проходил через открытый входной шлюз и исчезал где-то в глубине корабля.

— Куда он идет? — спросил он.

— В глубину корабля, — ответил Зог. — Не знаю, куда и зачем и даже как он работает. Все оборудование установили мои предки. Я только за ним присматриваю. Там, в ущелье, стоят сигнальные системы, они предупреждают меня, когда кто-нибудь там появляется. Я поднимаюсь по лестнице, включаю тумблеры и забираю приношения. Кстати, кому еще вина?

Из уважения к нему все согласились выпить еще по одной. Кроме Ки, которому не терпелось выяснить, куда ведет кабель. Пока все накачивались вином, он пошел вдоль кабеля, тянувшегося по коридору. Некоторое время он отсутствовал, но этого никто не заметил: жертвенное вино лилось рекой. Вернувшись, он окинул захмелевших товарищей насмешливым взглядом.

— Ну и ну! Дорвались наконец!

— Нуишшо? — отозвался кто-то. — Низзя, шшоли? Нам так туго пришлось на этой планете, можно немного и расслабиться.

— Ну да, рассказывайте! Нет, не рассказывайте! — воскликнул он, когда они заговорили все хором. — Это просто образное выражение, оно означает, что я с вами полностью согласен. Вы меня слышите, пропойцы? И в состоянии понять, что я говорю? Кивните, если в состоянии. Так, хорошо.

Так вот, я хотел сказать вам, что кабель доходит до самого ядерного реактора. А реактор, представьте себе, еще на ходу, столько столетий спустя. Но топливо, должно быть, уже наполовину полураспалось. Настоящая реликвия. Ручное управление стержнями — там такое колесо, которое поднимает их и опускает. А графитовые блоки-замедлители надо забрасывать в топку лопатой. Я набросал немного, покрутил колесо, и теперь напряжение нормальное.

— Вы г-гений, — сказал Практис, еле ворочая языком, и все остальные согласно закивали, еле ворочая головами. Кроме Зога, который, отягощенный годами и невзгодами, уже допился до бессознательного состояния и лежал на полу.

— Спасибо, я так и знал, что вы это оцените. Но погодите, это еще не все. Я нашел рубку управления этой рухлядью, там даже штурвал стоит и масляные лампы. Я врубил ток, загорелся свет, и все стало выглядеть очень мило. Дверь в радиорубку была заварена, но я ее взломал. А там стоит субэфирный передатчик, и он в рабочем состоянии.

Он терпеливо ждал, когда звуки его голоса понемногу раскачают их вялые барабанные перепонки, те приведут в действие молоточек, наковальню и стремечко в среднем ухе, от которых нервные импульсы, протискиваясь сквозь затуманенные алкоголем синапсы, проследуют все глубже и глубже по пораженной склерозом нервной ткани и наконец достигнут тех крохотных остатков разума, какие еще уцелели у них в мозгу...

— Ты... ЧТО? — вскричали все хором, мгновенно протрезвев и вскочив на ноги под звон разбивающихся бокалов.

— Ну, ребята, если бы я мог собрать это в бутылку, получилось бы верное средство для мгновенного протрезвления. Да, вы все правильно поняли. Там есть субэфирный передатчик, и он работает.

— Все понятно, — сказал Практис, снова рухнув в качалку с налитыми кровью глазами и трясущимися руками. — Тот ненормальный капитан, который затеял все эти игры в римлян, должно быть, запечатал радиорубку, чтобы никто из жертв его социального идиотизма не мог позвать на помощь. Но он сохранил передатчик на случай, если самому понадобится помощь. И с тех пор все так и осталось.

— Ну что, передадим сообщение? — предложил Билл, и все, кивая как полоумные, кинулись из комнаты вслед за Ки.

Электра, которая вошла на камбуз, ведя за ухо провинившегося сына, громко втянула носом воздух.

— Так я и знала. Стоит от них на секунду отвернуться, и они тут же налижутся жертвенным вином. А какое свинство тут устроили!

## Глава 25

Послав субэфирное сообщение, все поспешили назад, чтобы отметить это событие жертвенным вином. Но не успели они поднять бокалы, чтобы выпить за успех, как послышался какой-то странный звук.

— Космолет! — ахнул Вербер.

— Они уже здесь!

Под звон бокалов, разбивающихся о палубу, они кинулись из салона. Над головой послышался рокот могучего двигателя космолета, и все высыпали через шлюз в пустыню. Космолет пронесся низко над ними, и Мита воскликнула:

— Это космолет чинджеров! Сейчас они будут нас бомбить!

Все одновременно кинулись внутрь корабля, но тут открылся бомбовый люк космолета, и что-то вылетело из него наружу.

— Поздно, — вздохнула Мита, выбираясь из толкучки. — От атомной бомбы не убежишь. Приятно было с тобой познакомиться, Билл, хотя никак не могу этого сказать кое о ком из твоих приятелей.

— Я тоже, Мита. Только пока еще не все кончено. Если я не ошибаюсь, это не бомба, а капсула с каким-то посланием, которая опускается на парашюте.

Он кинулся бежать и подоспел как раз в тот момент, когда парашют коснулся земли. Крышка капсулы откинулась, и ему в руку выпал клочок бумаги.

— Это письмо, — сказал он. — От моего старого приятеля Усердного Прилежника, который оказался шпионом чинджеров по имени Успр.

— Я с ним знакома, — сказала Мита. — А что такого хочет нам сообщить этот шпион, чего мы не знаем и даже знать не хотим?

— Очень интересно. Слушай. «Дорогой Билл и его спутники! Мы отбываем с этой планеты и оставляем всю ее вам. Мы перехватили ваше субэфирное сообщение с просьбой о помощи и координатами планеты. Самое главное в жизни — это вовремя смыться. Наши разведчики докладывают, что приближается целая эскадра, так что вас скоро спасут». Подпись: «Искренне твой Успр». И тут есть еще постскриптум. Вот: «Билл, не забудь, что я говорил о мире. Мы стремимся к вечному миру, и вы должны стремиться к тому же. Положим конец этой бесконечной войне, положим начало миру и процветанию. Вы можете добиться этого! Умоляем вас — помогите нам! Мир, процветание и свобода для всех!»

— Пацифистские бредни, — сказал Практис, выхватив у Билла письмо и разорвав его на мелкие клочки. — Значит, вы вели с противником подрывные разговоры?

— Мы были у них в плену! У нас не было выбора, пока мы не нашли выход, но до тех пор нам пришлось их слушать!

— Ну нет! Вы могли зажать уши. В истории войн было много случаев производства в офицеры на поле боя, старший лейтенант Билл. Но вы можете гордиться тем, что стали первым, кого на поле боя разжаловали, рядовой Билл. Отныне вы простой солдат. Не будет вам больше приличной кормежки, никаких офицерских клубов и привилегированных борделей!

— Все равно ничего этого мне так и не досталось!

— Значит, вам не о чем жалеть, — злобно хихикнул Практис. — Война — ад, никогда об этом не забывайте.

— Да, для простых солдат, — сказала Мита, круто повернулась, вошла в корабль и достала из холодильника еще бутылку жертвенного вина. — Надо мне подумать, как бы самой выслужиться в офицеры.

Вслед за ней в салон вошли Ки и Практис, за которыми плелся Вербер. Она налила им по бокалу.

Капитану Блаю незачем было входить вслед за ней, поскольку он отсюда и не уходил. Как только было отправлено субэфирное сообщение, он снова углубился в бутылку и с тех пор из нее не вылезал. Поставив ноги на его неподвижное тело, все прислушались к звукам семейной ссоры, доносившимся из глубины корабля.

— За мир, — сказала Мита и подняла бокал.

— Ну нет! — возразил Практис. — За войну, за бесконечную войну!

— Что-то у вас получается точь-в-точь как у того липового Марса, бога войны.

— А что вы думаете, он во многом прав. Я бы и сам не отказался его изображать, это доходное предприятие. И я так бы и сделал, если бы Мерлин не ускользнул, пока мы лежали пьяные. Он все разболтает, и в этой счастливой стране, скорее всего, наступит мир.

Он нахмурился и скорчил гримасу, словно проглотил какую-то гадость.

— Но только здесь, на этом плато, — напомнила Мита. — Не так уж далеко отсюда ведут бесконечную войну бартрумианцы. В точности как мы.

— Вы правы! Я забыл. Спасибо, что напомнили. Да, не все так плохо.

Она допила свой бокал, ничего не ответив.

А снаружи Билл, устремив взгляд на бескрайние пески, лениво ковыряя землю когтями, размышлял о вновь открывшейся перед ним перспективе солдатской службы. Что легко дается, то легко отбирается. Слишком гладко все шло, это не могло продолжаться долго. Все равно в глубине души он всегда останется солдатом. Если копнуть еще немного поглубже, то на самом деле он хотел бы быть штатским, но это уж слишком.

Впрочем, все эти мысли его отнюдь не радовали, а, прямо сказать, нагоняли изрядную тоску. По совести, надо бы сейчас сделать то, что сделал бы на его месте всякий солдат: вернуться в корабль и нализаться до полного обалдения вместе с остальными. Нализаться, петь непристойные песни, свалиться с ног, поблевать. Вот весело будет!

Он уже повернулся к кораблю, когда послышался отдаленный рев приближавшегося космолета. Неужели уже подмога? Надо поскорее взяться за выпивку, пока не пришло время против воли возвращаться к трезвой солдатской жизни...

Но космолет, летевший быстрее звука, уже пронесся у него над головой, оглушив его ударной волной, словно у него выстрелили над ухом, и исчез из вида. Билл, моргая, поглядел вверх и увидел, что это снова исчез из вида космолет чинджеров. Но на этот раз из его бомбового люка вылетел не парашют, а маленькая капсула с ракетным двигателем. Она с жужжанием описала круг и приземлилась почти у самых ног Билла. Открылась крышка, и из капсулы выглянул чинджер.

— Привет, Билл. Я вижу, ты стоишь один, и решил еще поговорить с тобой напоследок. Кроме того, у меня для тебя есть подарок. Мы захватили один ваш грузовой космолет, и он оказался битком набит запчастями для медиков. Там было несколько замечательных замороженных ступней, я выбрал для тебя самую лучшую. Она здесь, в этом автоматическом полевом микрогоспитале.

— Для меня, Усер? Какой ты молодец! — пролепетал Билл, двинувшись к нему с протянутыми вперед руками и со слезами благодарности на глазах. Которые тут же превратились в слезы боли, когда Усер, подпрыгнув, стукнул его по носу и сбил с ног на песок.

— Не спеши, солдат. Если хочешь новую ступню, придется тебе немного поработать. Бесплатных обедов давно уже не бывает. Ха-ха, мы кое-чему научились от вас, людей, хрен бы вас взял.

— Поработать? А что надо делать?

— Сеять раздоры, распространять пацифистскую пропаганду, шпионить на нас. Трудиться изо всех сил, чтобы положить конец войне.

— Не могу я, это же аморально... — Усер презрительно издал губами непристойный звук. Билл из вежливости покраснел. — Конечно, не так аморально, как сама война. Но правда, не могу я стать предателем. А что я за это буду иметь?

— Новую ступню.

— Для начала неплохо. А дальше?

— Что-то ты много торгуешься для честного солдата, пусть даже речь идет об измене. А дальше будешь получать жалованье. Тысяча баксов в месяц и ящик спиртного. Ну как, согласен?

— Пожалуй...

Его слова заглушил рев ионизатора. Ионы с шипением обрушились на песок в том месте, где только что стоял Усер.

Но если живешь на планете с десятикратной тяжестью, привыкаешь двигаться быстро. Когда прозвучал второй выстрел, чинджер был уже в капсуле и захлопнул крышку. Капсулу окутало испепеляющее пламя, но она, видимо, была покрыта импервиумом или каким-нибудь еще чудом инопланетной науки и осталась невредимой. Взревели ракетные двигатели, и капсула, взвившись в небо, исчезла из вида.

— Так что ты там говорил, Билл? — Голос Миты был полон угрозы. Теперь ее ионный пистолет был нацелен на него. — Я недослышала конец.

— Пожалуй, это оскорбление — вот что я сказал! Это оскорбление — подумать, будто честный солдат способен предать своих садистов-командиров.

— Я так и подумала, что ты это собирался сказать. — Она дружески улыбнулась и сунула пистолет в кобуру. — А теперь, пока все остальные пьянствуют, а подмога еще не пришла, у нас наконец есть время скинуть одежду и порезвиться прямо тут, на теплом мягком песке.

— Вот это по мне! — воскликнул он радостно, и его куриная нога, дернувшись, оставила в песке глубокую рытвину. Он посмотрел на нее и нахмурился. — А ничего, если я сначала сменю эту ступню? Мне не хотелось бы тебя оцарапать.

— Ну что ж, я столько ждала, могу подождать и еще немного, — вздохнула она. — Но давай поскорей, ладно?

— Будь уверена!

Он повертел коробку в руках и увидел, что на другой стороне напечатаны правила пользования: «Дорогой Билл, нажми красную кнопку и дай ей разогреться. Когда загорится зеленая лампочка, сунь свою птичью ступню в отверстие в крышке. С наилучшими пожеланиями — твой друг чинджер».

— Это было очень мило с его стороны, — сказал Билл, нажимая на кнопку. — Пусть он враг и чинджер, он все же неплохой парень. Куда лучше кое-кого из моих знакомых офицеров. Куда лучше всех моих знакомых офицеров.

Загорелась лампочка, он в последний раз поскреб когтями по земле и сунул ногу в отверстие.

С должным уважением предав земле свою желтую куриную ступню, он принялся шевелить новыми розовыми пальцами, разглядывая их с восхищением. Все семь. Он ни о чем не спрашивал: дареной ноге в зубы не смотрят. Он взглянул в небо, куда скрылся космолет чинджеров.

— Я и вправду рад бы помочь тебе в этой истории с миром, мой маленький зеленый приятель. Только это не так просто. И потом, сейчас мне надо подобрать себе сапог по ноге. А как-нибудь в другой раз подумаем и о мире.

— Что ты там бормочешь о каком-то пире? Сейчас будет тебе пир. Сапог подберешь потом, — прошептала Мита дрожащим от страсти голосом, повернула его к себе лицом и поцеловала так горячо, что давление спермы подскочило у него на сто процентов.

Ради приличия — и желая непременно добиться, чтобы эта книга была допущена в детские библиотеки, — мы вынуждены против воли опустить занавес над этой деликатной сценой гетеросексуального акта. Заметим только, что солнце, как и всегда, медленно опускалось за восточный горизонт, и на бескрайнюю пустыню надвигалась ночная тьма. На этой планете, по крайней мере в этот момент и только в этой ее точке, определенно воцарился мир.

# Билл, герой Галактики, на планете закупоренных мозгов

## Глава 1

— Занимайте места, ребята, — произнес Подхалим в рупор, который стащил у инструктора по строевой подготовке. Благодаря рупору его голос прозвучал омерзительно сипло — точь-в-точь как инструкторский. — Наступает момент, которого все вы ждали, — вскрытие футляра на новой ноге Билла, выросшей из имплантированного зародыша. Всего лишь десять баксов за билет! Зато какое вас ожидает зрелище — уникальное и, быть может, отталкивающее!

Казарма, в которой должно было произойти это событие, быстро заполнялась. Увидеть, что там выросло на ноге у Билла, пожелало большинство из тех, чья служба проходила в лагере Паралич. Зародыш Биллу имплантировали три дня назад на медицинском спутнике ХРИП-32, что находился Неизвестно Где, после чего переправили героя Галактики в лагерь Паралич, крупное военное поселение на планете Ловчила. Разбинтовать трансплантат можно было только через три дня, никак не раньше; выполнение медицинских рекомендаций обеспечивалось бинтом с электронным хронометражем. С подобными бинтами время от времени возникали проблемы, однако Билла, по счастью, они миновали. По крайней мере, так ему казалось.

В лагере Паралич насчитывалось пятьдесят тысяч космических десантников, которые откровенно маялись от безделья. Лагерь располагался на территории в сотню наполовину ушедших под воду акров посреди Нечестивой Топи, самого большого и мокрого из болот планеты Ловчила. Почему лагерь построили именно на болоте, до сих пор оставалось загадкой. Впрочем, для кого как. Кое-кто утверждал, что произошла ошибка, и не где-нибудь, а в ставке главнокомандования на Гелиоре. Другие считали, что место было выбрано с умыслом: ведь суровые условия закаляют людей — если, конечно, не приканчивают их, не калечат и не сводят с ума.

«Ну и ладно, лишь бы хватало новобранцев».

Таков был девиз 69-го боевого дальнекосмического полка убийц-визгунов — части, к которой приписали Билла.

— Давай снимай, — поторопил Кенарей. — Посмотрим, что там у тебя такое.

Билл огляделся по сторонам. В казарме было не протолкнуться. Значит, по десять баксов с носа... Билл прикинул, что на эти деньги, которые собирал для него Подхалим, он сможет купить себе новые башмаки. Потребность в замене обуви возникала после каждой операции на ноге, а те происходили весьма часто; армия же, естественно, не собиралась покрывать его затраты на обувку, которую он нередко даже не надевал, поскольку правый башмак явно не налез бы на изуродованную медициной ступню.

Подхалим с энтузиазмом замахал руками, давая понять, что можно начинать. Добродушный, почтительный и послушный, он испытывал восторг буквально перед всем на свете и постоянно норовил помочь товарищам. Такое поведение шло вразрез с армейскими привычками, вот почему десантники ненавидели Подхалима и дали ему это прозвище. Правда, Биллу он нравился, поскольку напоминал Усера, который вел себя точно так же. Однако тот, разумеется, был роботом и шпионом чинджеров.

— Ладно! — Билл взялся за бинт. Прозвучал сигнал тревоги, пальцы обожгло разрядом электрического тока. — Ой! Похоже, рановато. — Бинт хрипло зажужжал, конец полосы вдруг оказался свободным. — А вот теперь пора.

Билл принялся разворачивать бинт. Зрители дружно подались вперед, в едином порыве вздохнули, покраснели, побледнели, задышали с натугой; некоторые нервно ломали руки. Откровенно говоря, нога Билла не представляла собой ничего особенного, но в военном лагере, где невыразимо противно и невыносимо скучно, и тараканьи бега вызывают интерес ничуть не меньший, чем схватка обнаженных дам, что борются на полу, залитом желе.

Возбуждение — или что там было — достигло пика, когда Билл размотал бинт до конца. Около восьмидесяти дюжих, покрытых шрамами воинов — нижних чинов, чей коэффициент умственного развития был меньше даже того самого чина, — что набились в задымленное помещение, уставились на ногу героя Галактики.

Вы наверняка решили, что первым на свою ногу посмотрел сам Билл: ведь, в конце-то концов, нога не чья-нибудь, а его. А вот и нет. Разматывая бинт, Билл суеверно глядел совсем в другую сторону, ибо накануне в ступне возникли странные ощущения и ему стало боязно.

Он посмотрел на лица товарищей. Солдаты неотрывно глядели на его ногу. Внезапно кто-то прицокнул языком. Ничего подобного Билл не ожидал. И вдруг зрители захохотали. То был не вежливый, не одобрительный смех, на какой можно рассчитывать при раскрытии трансплантата, а самый настоящий гогот, вроде того, каким встречают удачную шутку.

Билл взглянул вниз, отвел взгляд, снова посмотрел на ступню, моргнул, хотел было вновь отвернуться, но передумал, собрался с духом и воззрился на свою ногу.

— Знаешь, Билл, — проговорил Ковальски, — я думал, будет какая-нибудь лажа. В смысле — ну что может быть под бинтом? Тебе имплантируют зародыш, из которого вырастает нога, и все дела. Я ошибался, Билл. Спасибо за удовольствие. Последний раз я так смеялся, когда прикончили нашего командира.

— Как будто порядок, — заметил Билл, пошевелив когтистыми пальцами.

Со ступней и впрямь все было в порядке, разве что она больше подошла бы аллигатору, ибо из зародыша на ноге Билла проросла чудесная зеленая, чешуйчатая, со множеством когтей крокодилья лапа.

Что натворили эти докторишки? Может, они экспериментировали, пытались превратить его в рептилию? Вполне возможно. Недавно ему прирастили гигантскую лапу цыпленка-мутанта, так что все может быть, тем более — в армии. Следующая же ступня была что надо, избыток пальцев нисколько не мешал; жалко, что она засохла и отвалилась.

Крокодилья лапа была зеленой и маленькой, однако ей уже можно было пользоваться; вдобавок она, вероятно, со временем станет гораздо больше.

«Все крокодилы обзавидуются», — мрачно подумал Билл. До того, что новая ступня — шедевр хирургического искусства, ему не было никакого дела. Пускай хоть трижды шедевр, не очень-то полезный, но шедевр, — Билл, как и многие до него, обезумел от ярости, а потому плевать хотел на такие тонкости.

## Глава 2

Билл ковылял по коридору, слегка кренясь влево и припадая на шишковатую и когтистую крокодилью лапу, которая еще продолжала расти, хотя пока и оставалась короче левой ступни приблизительно на дюйм; впрочем, она спокойно выдерживала вес Билла. Неудобство заключалось разве что в том, что когти царапали пол.

Герой Галактики направлялся в крохотное помещение на двенадцатом уровне центральной площади лагеря. Ближе к концу пути он немного запыхался, ибо, чтобы не ковылять, а шагать на крокодильей лапе, требуется известная сноровка.

Помещение размерами десять на десять футов делилось на две половины. Одну отвели под приемную, вторую занимал компьютер марки «Квинтиформ», не самой последней модели, но все же, как полагали, достаточно надежный.

Билл вошел в приемную и сел на стул. Он оказался единственным посетителем, что было само по себе удивительно, поскольку обычно на прием к компьютеру стояла очередь.

Едва усевшись, Билл услышал раскатистый металлический голос:

— Привет! Говорит компьютер «Квинтиформ». Пожалуйста, пройдите внутрь и предъявите свой личный знак.

Билл послушно встал. Стены второй половины помещения были выкрашены в бежевый цвет, наподобие корпуса компьютера. На них располагались различные переключатели и шкалы, а выше находились громкоговорители, через один из которых звучала мелодия самбы. Герой Галактики предъявил личный знак. Компьютер зашипел и защелкал, давая понять, что опознал посетителя.

— Итак, Билл, — произнес он, — какие трудности?

— Четверо врачей с медицинского спутника Асклепий имплантировали мне зародыш ступни, — объяснил Билл. — Полюбуйся, что из нее выросло!

Компьютер вытянул металлическую ложноножку с мигающим глазом на конце и внимательно осмотрел крокодилью лапу.

— Ба! — Неожиданно он захихикал.

— Не вижу ничего смешного, — заявил Билл. — И потом, роботы не должны смеяться.

— Извини, — отозвался компьютер. — Я всего лишь хотел подбодрить тебя. Полагаю, ты желаешь, чтобы врачи приделали похожую ступню и на вторую ногу?

— Нет! Мне нужны нормальные человеческие ноги — такие, с какими я родился!

— Ну разумеется. — Компьютер загудел, зажужжал; должно быть, рылся в своей памяти, разыскивая наиболее подходящий вариант. Какое-то время спустя он сказал: — Отправляйся в комнату тысяча двести двадцать три В на уровне «Ярьмедянка», сектор «Вектор — Вектор-два». Там тебе помогут.

Попасть в лагере в нужное место было не слишком просто, поскольку главный корпус представлял собой нечто вроде средних размеров города. В нем насчитывалось свыше трех тысяч комнат, имелись также камеры пыток, залы для встреч, склады контрацептивов, продовольствия и имущества, кафетерии внутривенного питания и прочее, и все это размещалось на десяти уровнях. Некоторые десантники бродили по корпусу днями напролет. Почти на каждом перекрестке коридоров можно было натолкнуться на солдат, крепко спящих на куче пятнистых комбинезонов. Если тебя куда-то посылали, считалось необходимым прихватить в дорогу еду и полную канистру воды. Однако Биллу повезло — едва он очутился в коридоре, рядом с ним остановился электрический карт — маленький автомобильчик.

— Привет, Билл, — поздоровался автопилот карта. — Компьютер поручил мне доставить тебя к месту назначения. Выпить хочешь? Мы должны заботиться о наших доблестных парнях.

Биллу показалось, что карт ведет себя уж чересчур дружелюбно. Тем не менее он забрался в кабину. До комнаты 1223-В добираться неизвестно сколько, так что лучше ехать, чем топать пешком.

Карт помчался по грязно-желтым коридорам, мурлыча какой-то веселенький мотивчик. Они миновали секторы обслуживания и связи и очутились в секторе планирования.

— Что-то не похоже на госпиталь, — заметил Билл.

— Не беспокойся, — откликнулся карт. — Я знаю, куда еду.

Машина въехала на пандус, юркнула в коридор и покатила к двери в его дальнем конце. Билл моргнул, ибо карт ехал все быстрее, а дверь была, судя по всему, закрыта. Герой Галактики съежился на сиденье, зажмурился и обхватил голову руками, однако удара не последовало. Тогда он осмотрелся по сторонам. По-видимому, дверь, створки которой снова смыкались, открывалась каким-нибудь фотоэлементом.

Карт привез Билла в офицерский бар с обстановкой в стиле древних земных салунов. Лампы с абажурами, темная мебель из великолепной пластмассы, длинная стойка, за ней бармены в белых рубашках, музыкальный автомат, который изрыгал старомодный рок: музыку исполняли на подделках под старинные инструменты вроде синтезаторов и электрогитар; некоторые из них выглядели так, словно им несколько сотен лет, хотя, вполне возможно, их изготовили всего лишь на прошлой неделе. В баре находилось с дюжину офицеров обоего пола. Все они были в форме, держали в руках бокалы и разразились приветственными возгласами, когда карт влетел в комнату, аккуратно развернулся посередине и замер в неподвижности.

— Прошу прощения, — проговорил Билл. — Это госпиталь?

Ответом ему был громкий, добродушный хохот. Мужчины столпились вокруг Билла и принялись расхваливать его остроумие. Одна из женщин — в чине майора, никак не меньше, — пышногрудая блондинка со вздернутым носиком, плюхнулась герою Галактики на колени и звучно поцеловала в губы. Кто-то спросил, не хочет ли он выпить. Происходящее настолько потрясло Билла, что он ответил утвердительно и получил в руки громадный кубок, наполненный коктейлем из всех тех алкогольных напитков, которые в тот день подавались в баре. Явственно ощущался привкус рома, равно как и запах конского навоза — ведь пойло было, что называется, лошадиным; благодарный Билл осушил кубок одним глотком, ибо давно усвоил, что к дармовой выпивке не принюхиваются.

Майорша спрыгнула с колен Билла, чуть ли не ткнулась своим носом в его, проникновенно поглядела ему в глаза и произнесла будоражащим контральто:

— Ты такой, каким я тебя воображала. — На Билла пахнуло виски.

— Ну... — проговорил Билл. — Я стараюсь...

— Как умно! — пробормотал один полковник, обращаясь к другому.

— Толковый парень, — заявил седовласый полковник, которому, похоже, подчинялись остальные офицеры. — Угостите его сигарой. И плесните ему того коньяку, который мы позаимствовали на складе Главной базы после победоносной атаки.

Сигара в одной руке, рюмка коньяка в другой, глупая ухмылка на лице — Билл оказался совершенно не готов к вопросу, который задал майор с лисьей физиономией и эмблемой второго директората контрразведки — перекрещенные знаки вопроса — на погонах.

— Скажи-ка, Билл, что ты думаешь по поводу цурихианской проблемы?

— А она имеет какое-нибудь отношение к медицине? — справился Билл. — Если да, я хочу пожаловаться.

— Приятель, — воскликнул майор, — ты что, ничего не знаешь о планете Цурис?

— Я здесь всего три дня, сэр, — отозвался Билл, топя в коньяке свои подозрения насчет офицерской благожелательности. В глубине души он догадывался, что эта благожелательность — наигранная. А еще глубже гнездилось стремление напиться до отключки шикарным командирским коньяком.

— И чем ты занимался?

— В основном растил новую ногу, — признался Билл. — Я как раз...

— Потом, потом, — перебил майор. — Цурис — планета, которая находится неподалеку отсюда. Порой ее называют Загадочной планетой.

— А, тогда я о ней слышал, — промямлил Билл, сознание которого потихоньку затуманивалось. — Оттуда передают по радио диковинные сообщения.

Майор пустился в объяснения. По его словам, начальству военной базы на Ловчиле поручили прояснить положение дел на таинственном Цурисе, о котором не было известно практически ничего. Плотный облачный слой мешал сделать хотя бы мало-мальски приличные фотографии поверхности. Разумеется, в облаках возникали разрывы, сквозь которые на планету проникали солнечные лучи; но когда к ним подлетали разведывательные корабли, разрывы немедля затягивались.

— Чудеса, — проговорил Билл. — Будто кто-то ими управляет, а?

— Молодец, — похвалил майор. — Выпей еще. Как ты уже сказал, с Цуриса поступают радиосигналы, однако мы не можем их понять. Самое же неприятное то, что звездолеты, которые оказываются поблизости от Цуриса, вдруг исчезают, а появляются в миллионах миль от планеты, каким образом — никто не знает.

— Пожалуй, от такого местечка лучше держаться подальше, — признал с пьяной искренностью Билл, кивая и одновременно попивая коньяк, что у него получалось не слишком хорошо.

— Если бы мы могли, — откликнулся майор. — Мы не можем, поскольку мы — армия и не идем, куда нам хочется.

— Слушайте, слушайте! — закричали остальные офицеры, поспешно осушая бокалы.

— Вдобавок, — продолжал майор, — если на Цурисе существует некая сила, способная отклонить звездолет от курса на миллионы миль, она имеет для нас огромное значение. Мы должны знать, как она действует и собираются ли цурихиане — или кто там живет на планете — использовать ее против империи.

— Если да, — прибавил седовласый полковник, — нам нужно выбить из цурихиан всякую дурь прежде, чем они нападут на нас.

— Пожалуй, — произнес капитан ударных войск, — будет разумно выбить из них дурь, даже если они не замышляют ничего дурного.

— Слушайте, слушайте! — затянули нараспев офицеры.

Все уставились на Билла, ожидая, что он скажет. Билл попытался принять глубокомысленный вид, хотя мысли в голове бессовестно путались.

— А вы не пробовали послать разведчика? Он бы все высмотрел и доложил.

— Приятель, — отозвался майор, пряча отвращение за кривой улыбкой, — мы посылали их неоднократно. Ты, наверное, догадываешься, что ни один не вернулся и ни о чем не доложил.

— Печально, — пробормотал Билл, пуская пузыри, и вдруг преисполнился кровожадности. — Значит, надо шарахнуть по ним атомными торпедами! Хоть одна да прорвется. Уничтожить! Стереть в порошок!

— Мы думали об этом, — сказал майор. — Но, как пишут в левых газетах, поступить так означало бы нарушить правила ведения войны, что не понравилось бы нашим любезным кандидатам на следующих местных выборах. Они требуют, чтобы мы действовали в рамках закона. Объявление войны и прочая дребедень. Если их не изберут, мы вольны творить что угодно, но пока наши руки связаны, ракеты застряли в шахтах, а потому приходится топить печаль в стакане.

— Ну... — Билл пораскинул мозгами. — Почему бы не объявить войну?

Офицеры одобрительно закивали.

— Ты правильно мыслишь, солдат. Но все упирается в выборы. Пока они не пройдут, никаких войн. Зато потом мы можем бомбить цурихиан в свое удовольствие. Однако на данный момент нам необходима иллюзия законности. Проблема в том, что на Цурисе до сих пор не удалось отыскать кого-либо, с кем можно было бы вести переговоры. Вообще-то, порой создается впечатление, что на планете никого нет.

— Все очень просто, — заявил полковник. — Я уверен, подобная мысль вам наверняка приходила. Нужно отправить на Цурис корабль-разведчик с человеком на борту, вручить этому человеку послание Верховного Адмирала; цурихиане вряд ли откажутся его выслушать. Затем мы предъявим им требования, которые они, без сомнения, отвергнут, и у нас появится возможность выставить как причину войны «жестокое оскорбление, которое не смыть елейными заверениями».

— Но цурихиане могут принести извинения, причем настолько быстро, что опередят наши приготовления, — заметил другой полковник.

— В современной войне скорость — это все, — изрек майор. — Что скажешь, Билл?

— По-моему, план неплохой, — ответил Билл. — А теперь, если вы покажете мне дорогу в госпиталь...

— Сейчас некогда, солдат, — бросил майор. — Хотим поздравить тебя. Известно ли тебе, как летать на беспилотном корабле?

— Минуточку! — воскликнул Билл. — При чем тут я?

— Приятель, — объяснил майор, — войдя в нашу комнату, ты тем самым добровольно вызвался лететь на Цурис.

— Я не знал! Меня послал компьютер!

— Совершенно верно. Он выбрал тебя добровольцем.

— Разве так можно?

— Не знаю, не знаю. — Майор поскреб затылок. — Почему ты не спросил у него? — Он злорадно хихикнул, а Билл, который попытался вскочить, несмотря на слабость в ногах, почувствовал, как на его лодыжках защелкнулись автоматические кандалы.

## Глава 3

Подхалим выглядел просто ужасно. Да, в последнее время ему изрядно досталось. Друзья-товарищи шпыняли его почем зря за то, что он непременно норовил помочь, проявлял заботу — словом, вел себя не так, как положено десантнику. Первое правило, которое должен усвоить настоящий солдат, гласит: «Свой зад дороже чужого». Военный психиатр определил у Подхалима запущенную болезнь Шмидаса, которая представляла собой зеркальный вариант случая Мидаса, когда все, к чему ни притронешься, превращается в золото. Однако с психиатром не согласился его коллега, доктор майор Шмелленфусс, который заявил, что Подхалим — классический пример пациента с комплексом неудачника, осложненным саморазрушительными тенденциями. Подхалим же знал только одно: что жизнь становится хуже и хуже, а ведь он всего лишь хотел осчастливить ближних!

И вот очередное тому подтверждение. Неудивительно, что выглядел он ужасно. Да и кто будет выглядеть иначе, когда его прижмут спиной к раскаленному баку для кипячения белья? Вдобавок перед Подхалимом стоял Билл, занесший для удара окорокоподобный кулак.

— Чего? — переспросил Билл, не опуская кулак.

— Понимаешь, записавшись в добровольцы, ты заработал медаль, приличную премию, годичный запас таблеток от венерических болезней и, что важнее всего, незамедлительный почетный отпуск!

— Отпуск?

— Да, Билл! Ты сможешь слетать домой!

При мысли о родной планете Фигеринадон Билла охватила ностальгия. О, как бы ему хотелось вернуться!

— Ты уверен? — справился он.

— Ну конечно! Когда выполнишь задание, загляни к офицеру-вербовщику. Он все устроит.

— Здорово! — проговорил Билл. — Вся беда в том, что мое задание — чистое самоубийство и я вряд ли выживу. Значит, отпуск мне не понадобится.

— Ты выживешь, — заявил Подхалим. — Я тебе гарантирую.

— Чего?

— Записав добровольцем тебя, я записался сам. Я буду приглядывать за тобой, Билл.

— Да ты и за собой не можешь приглядеть. — Билл вздохнул. — Знаешь, Подхалим, спасибо за помощь, но лучше бы ты не лез не в свое дело.

— Понимаю, Билл, — проговорил Подхалим, отпрыгивая от бака, который сделался чересчур уж горячим. Он догадался, что непосредственная опасность миновала. Билл порой впадал в бешенство, но, если расправа хотя бы немного откладывалась, довольно скоро успокаивался.

— Между прочим, — поинтересовался Билл, — почему ты записал меня добровольцем? Ведь вызваться мог только я сам.

— Тут ты прав, — признал Подхалим. — Может, сумеешь уломать компьютер.

---

— Снова привет! — поздоровался компьютер. — Ты ведь был здесь не так давно? Извини, что спрашиваю, но зрение у меня уже не то. Что поделаешь, старею, ортикон совсем износился. А всем наплевать. — Он механически зарыдал. Звук был отвратительный.

— Я приходил с ногой, — объяснил Билл громко, чтобы заглушить электронного плаксу.

— С ногой? Про ноги я всегда все помню! Покажи-ка! — Билл поднес ногу к видеоэкрану. — Фьюить! Шикарная лапа! Но я ее раньше не видел. Говорю же, про ноги я не забываю.

— Ну вспомни! — принялся умолять Билл. — Ты ведь изучал ее в прошлый раз. Что ты за компьютер, если ничего не помнишь!

— Я все помню. Компьютеры не могут забывать. Просто в последнее время я о твоей ноге не думал. Подожди, пороюсь в памяти. У меня все по полочкам разложено... А, вот оно! Верно, ты что-то говорил насчет ноги, а я направил тебя в офицерский бар.

— Ну да. Офицеры сказали мне, что, придя к ним, я вызвался добровольцем на опасное задание.

— Правильно, — подтвердил компьютер. — Они просили добровольца, и я отправил им первого, кто заглянул сюда.

— Меня?

— Тебя.

— Но я не вызывался!

— Тра-та-та! В смысле «извини, но ты вызвался». Логическое допущение.

— Не понял.

— Я предположил, что ты бы вызвался, если бы тебя спросили. В компьютерах имеются специальные схемы, позволяющие строить предположения.

— Но можно же было спросить! — рявкнул Билл.

— Зачем мне тогда мои схемы, на которые ухлопали столько денег? Я и так знал, что отважный боец вроде тебя будет счастлив вызваться добровольцем на опасное задание, несмотря на пустяковые проблемы с ногой.

— Ты ошибся, — заявил Билл.

— Что ж, — отозвался компьютер, по видеоэкрану которого пробежала рябь — этакое электронное пожатие плечами, — от ошибок никто не застрахован.

— Еще чего! — гаркнул Билл и стукнул кулаком по экрану. — Я вырву твои лживые транзисторы! — Он снова ударил по экрану. Тот вдруг замигал красным.

— Рядовой, смирно! — скомандовал компьютер хриплым голосом.

— Чего? — изумился Билл.

— Ты слышал. Перед тобой военный компьютер в чине полковника, а ты — рядовой и должен обращаться ко мне как положено, иначе у тебя будет куча неприятностей.

— Так точно, сэр, — выдавил Билл, становясь по стойке смирно. Офицеры все одинаковы, даже если они — компьютеры.

— Значит, по-твоему, с тобой обошлись несправедливо. Что ты предлагаешь?

— Кинем жребий, — ответил Билл. — Или вы выберете другого добровольца из всего личного состава лагеря методом тыка.

— И ты удовлетворишься моим выбором?

— Так точно.

— Хорошо. — Видеоэкран прорезала разноцветная молния, затем по нему побежали имена. Послышался звук, напоминающий тот, с каким катится по столу шарик рулетки. — Все. Выбор сделан.

— Замечательно. Я могу идти?

— Конечно. Удачи, солдат.

Билл открыл дверь. Снаружи стояли двое громадных полицейских с тяжелыми подбородками. Они подхватили Билла под руки.

— Как ты, наверное, догадался, — прибавил компьютер, — жребий снова пал на тебя.

Полицейские поволокли солдата с крокодильей лапой вместо человеческой ступни по коридору. Вскоре он очутился на обзорной площадке, где находились несколько генералов, ожидавших предмета обозрения. Билл открыл рот, чтобы завопить. Один полицейский ткнул его локтем под дых, второй ударил по почкам.

Когда несколько секунд спустя Билл очнулся — кто-то жестоко выворачивал ему нос, — первый полицейский наклонился к герою Галактики и произнес:

— Слушай, приятель, ты все равно полетишь на этом корабле. Вопрос только в том, в каком виде — целый и невредимый или инвалидом. Мы тебе покажем, как закатывать сцены перед «шишками».

— Они терпеть не могут сцен, — добавил второй. — И мы тоже.

— Нам делают втык, если добровольцы начинают упрямиться, — пояснил первый.

— Может, покалечим его на всякий случай? — спросил второй.

— Лишим голоса?

— Он тогда будет махать руками.

— Ты прав.

Полицейские принялись засучивать рукава.

— Не стоит, — проговорил Билл. — Сажайте меня на корабль.

— Сперва ты поднимешься к генералам, пожмешь каждому руку и скажешь, что счастлив быть добровольцем.

— Тогда пошли, — ответил Билл.

## Глава 4

Корабль оказался небольшим, размерами с моторную лодку. Он был изготовлен из дешевого пластика и покрытого фольгой картона и предназначался для одноразового использования. Полицейский потянул за ручку главного люка и сердито заворчал, когда ручка очутилась у него в кулаке.

— Не беда! — утешил второй. — Внутри пока все в порядке.

— Кто так строит? — проскулил Билл и взвизгнул от боли, ибо полицейские продолжали держать его и он висел в чрезвычайно неудобном положении.

— А чего возиться? — откликнулся первый полицейский. — Такие кораблики летают только в одну сторону и в самые опасные места.

— То есть я не вернусь? — проскулил Билл, изнемогая от жалости к самому себе.

— Я ничего такого не говорил. Может, вернешься, а может, и нет. В том-то и преимущество отправки добровольца: если ты, как в общем и целом ожидается, не вернешься, тогда командование, вероятно, пошлет на Цурис экспедиционный корпус и даже объявит войну, чего им очень хочется.

— Вероятно?

— Ну да, ты же знаешь, какие у нас командиры. Вечно все переигрывают, с их-то крошечными умишками. Но вполне вероятно.

— Йип! — йипнул Билл. — Что ты делаешь с моим ухом?

— Прикрепляю к нему транслятор на случай встречи с цурихианами. Надо же тебе как-то с ними общаться.

— Цурис! Место, откуда никто не возвращается!

— А ты быстро соображаешь. То-то и оно, приятель. Твое исчезновение послужит поводом для вторжения.

— Мне это не нравится.

— А тебя никто и не спрашивает. Исполняй приказы и заткнись.

— Я отказываюсь! Отмените приказ!

— Заткнись! — Полицейские затолкали Билла в корабль и пристегнули ремнями к креслу, обтянутому красивым материалом и очень удобному. Однако Биллу было не до восторгов. Он раскрыл рот, чтобы закричать, но тут ему в горло хлынула струя какого-то напитка. Он поперхнулся, но сумел проглотить, и выдохнул:

— Что... Что это такое?

— «Апатия — двадцать четыре» с двойной порцией экстаз-трикарбоната. Крепость сто пятнадцать оборотов. — Билл снова приложился к бутылке; полицейский кивнул: — Распробовал? Бутылку можешь оставить себе.

Напиток и впрямь оказался замечательным — настолько, что Билл и не заметил, когда ушли полицейские и закрылся люк. Должно быть, корабль стартовал, потому что, посмотрев на экран, герой Галактики увидел, что находится в космосе. Кругом звезды и тому подобное. А внизу — нечто похожее на планету. Допивая бутылку, Билл восхищался бурями, что бушевали на ее поверхности. Зловещие молнии распарывали багрово-черные тучи, в динамике трещали статические разряды.

Динамик? Билл принялся крутить ручки. Наконец послышался чей-то голос, который звучал вполне отчетливо, но произносил что-то невразумительное:

— Нет шлептать в моя не мой величина галош.

Билл ухмыльнулся и хотел было щелкнуть переключателем, когда у него над ухом что-то зажужжало. Он быстро моргнул — и вспомнил, что ему прикрепили транслятор.

— Что они говорят?

— Минутку, — брюзгливо отозвался транслятор. — Все, кажется, расшифровал. Говорят на цурихианском. Вопрос в том, на каком диалекте — верхнегарпейском или самоловишском.

— Какая разница? — пробормотал Билл, вытрясая из бутылки последние капли метаболической отравы.

— Интересная проблема для лингвистического анализа, — объяснил транслятор. — На первом диалекте фраза означает: «Пожалуйста, не бросайте яичную скорлупу на траву».

— А на втором? — спросил Билл, изображая интерес.

— «Чешите колени в степях».

— И так, и так белиберда.

— Весьма разумное заключение, — согласился транслятор.

Ладно, пускай говорят что хотят, потом разберемся. Внимание Билла привлекло зрелище, которое открывалось внизу. Через прозрачный корпус корабля он разглядел на поверхности Цуриса громадные яркие цветы.

— Шш... Шикарно, — проговорил он, чувствуя, что не отказался бы еще от одной бутылки.

— Ты не собираешься менять курс? — спросил транслятор.

— Зачем? Посмотри, какие прелестные цветочки.

— Цветочки? Бедная моя кремниевая задница! — энергично высказался транслятор. — Это же ракетные шлейфы! По нам стреляют!

Билл мгновенно протрезвел и весь покрылся холодным потом. По нему стреляют? Внезапно он вспомнил о своем задании. Кораблик неожиданно содрогнулся.

— Авария! Авария! — надрывался транслятор.

Звездолет клюнул носом, зарыскал из стороны в сторону, вошел в штопор — словом, начал вытворять все то, что вытворяют подбитые корабли. Билл попытался ухватиться за поручень, промахнулся — он все же протрезвел не окончательно — и ударился головой. Потеряв сознание, он погрузился во тьму, что было не так уж плохо, учитывая то, что случилось следом.

Корабль Билла развалился при столкновении с атомной торпедой.

— Гравишют, — пробормотал Билл, кое-как придя в себя. — Великолепно.

Он опускался сквозь туман, который на деле, естественно, представлял собой облачный покров Цуриса, становящийся особенно плотным, когда кто-то пытается сфотографировать поверхность планеты. Посмотрев вниз, Билл увидел, что земля приближается очень быстро. Но ведь он летит на гравишюте? Где тут ручки управления?

Кляня все на свете, Билл зашарил вокруг себя, но, прежде чем ему удалось нащупать ручки, земля будто прыгнула навстречу и хорошенько огрела по голове, так что герой Галактики снова окунулся в благословенную обморочную тьму.

## Глава 5

Билл неохотно пришел в себя и обнаружил, что плавает в тепленькой питательной жидкости. Плотность жидкости была отрегулирована таким образом, что голова Билла постоянно оставалась на поверхности, и ему не приходилось прилагать к тому ни малейших усилий. Чудесно. Над головой сверкали разноцветные лампы. Билл моргнул. Их сверкание напомнило герою Галактики фестиваль дефлорации, организованный фундаменталистами-зороастрийцами в день зимнего солнцеворота дома, на Фигеринадоне. Неверующие называют этот праздник Рождеством. На глаза Билла навернулись слезы, сбежали по носу и упали в питательную жидкость.

Тут же прозвучал сигнал тревоги или нечто вроде того: этакое пронзительное электронное бурчание в животе. В помещении появилось диковинное создание. Определить точнее было затруднительно. То ли существо, то ли робот, то ли что-то среднее. Большая сфера около трех футов в диаметре, из-под которой торчат четыре тонкие черные ножки. Сверху — сфера поменьше, а на той — еще одна, совсем маленькая. Интересно, из чего они сделаны? Билл деликатно икнул и сообразил, что ему, вообще-то, плевать. В ванне было приятно и удобно. Внезапно он слегка забеспокоился. Оказался на чужой планете, плавает в питательном растворе; может, не стоит плевать? Он вновь поглядел на существо. Сферы как будто состояли из смеси и розовой плоти. На верхней сфере, которая приблизительно соответствовала человеческой голове, было нарисовано улыбающееся лицо.

— Пожалуйста, не делайте так больше, — проговорило существо, поскрежетав шестеренками.

— Как так?

— Не плачьте в питательный раствор. Вы изменяете уровень кислотности. Это может повредить вашей коже.

— А что случилось с моей кожей? — спросил Билл. — Я что, обгорел?

— Ни в коем случае, что вы! Мы просто хотим, чтобы ваша кожа была здоровой и мягкой.

— А зачем?

— Об этом мы поговорим позднее. Между прочим, если вам интересно, а я уверена, что интересно, меня зовут Иллирия. Я ваша медсестра.

В ванне Билла продержали несколько часов. Когда он наконец выбрался из нее, его кожа стала здоровой и чистой. Цурихиане вернули ему одежду, которую выстирали и высушили каким-то своим, инопланетным, но эффективным способом. Биллу позволили прогуляться по коридору или по крайней мере по тому, что выглядело как коридор. Однако среди вещей оружия не оказалось, а ничего подходящего поблизости не обнаружилось. Впрочем, даже если бы у него и было оружие, разве можно в одиночку справиться с населением целой планеты?

Когда за ним пришла Иллирия, Билл принялся забрасывать ее вопросами. Он спрашивал, она отвечала. Герой Галактики выяснил, что Иллирия — типичная цурихианка, двадцати лет от роду, довольно образованная для девушки, которая еще всего лишь год назад жила и работала на родительской ферме. Она окончила колледж с отличными оценками, что позволило ей устроиться в клинику инопланетных форм жизни в Грейптнутце, столице Цуриса.

Каждый день Билла навещали цурихиане мужского пола. Они были значительно старше Иллирии, о чем свидетельствовала седоватая щетина на средних сферах, которые, как установил Билл, служили вместилищем батарей, обеспечивающих жизнедеятельность цурихиан.

Ему быстро стало ясно, что цурихиане не находят ничего жестокого или неестественного в том, как они планировали с ним поступить.

— Мы, цурихиане, всегда возрождаемся в чужих телах, — сообщил Биллу врач. — Или не возрождаемся вообще.

— Замечательно, но как быть со мной? — проскулил потрясенный Билл. — Со мной-то что будет?

— Сгоришь как лампочка. — Цурихианин состроил гримасу; впрочем, выражение нарисованного лица если и изменилось, то совсем чуть-чуть. — Неужели в тебе нет ни крупицы духовности? Неужели ты, в глубине своей душонки, не хочешь послужить на благо всех разумных существ?

— Пожалуй, нет, — ответил Билл.

— Жаль, — сказал врач. — Тебе было бы гораздо легче, если бы ты научился воспринимать все правильно.

— Слушай, приятель, — проговорил Билл, — если от меня останется один мозг, значит я исчезну, то бишь помру. Чему тут радоваться?

— Считай себя избранным.

— Чего?! — Билл сорвался на визг.

— Каждого из нас для чего-то избирают.

— Да ну? Тогда пускай тот тип переселится в тебя, а не в меня, и избранным станешь ты.

— О, — воскликнул врач, — я об этом как-то не подумал.

Даже Иллирия приходила теперь гораздо реже.

— Кажется, меня в чем-то подозревают, — сказала она, забежав на пять минут. — Поглядывают искоса, по-нашему. Ты понимаешь, о чем я?

— Нет. — В голосе Билла прозвучало отчаяние, которое пронизывало все его естество.

— Я все забываю, что ты родился на другой планете. Смотреть по-нашему значит то же самое, как если бы ты сказал: «Я знаю, что тут не все чисто, но буду молчать, потому что сам по уши в грязи».

— Там, откуда я родом, так не говорят.

— Да? Очень интересно. В общем, мне какое-то время придется держаться от тебя в стороне. Но не волнуйся, я помогу тебе.

— Поторопись, пока меня не выкинули из моей головы.

С тех пор как Иллирия навестила его последний раз, прошло несколько дней. Сколько точно, Билл не знал. Цурис двигался вокруг своего солнца по диковинной волнообразной орбите, в результате чего длина суток оказывалась все время разной. Одни дни назывались Тигровыми (или Частокольными? — перевести точно не представлялось возможным). В эти дни солнце вставало и заходило каждый час, раскрашивая планету то в желтый, то в черный цвет. Билл решил отмечать каждый световой период царапиной на стене. Правда, понятия не имел, каким образом, но разве не так поступали те парни, которых сажали в тюрьму и про которых рассказывалось в книжках, прочитанных в детстве на Фигеринадоне, на скирде, что стояла за кучей навоза во дворе родительской фермы? Короче, он попытался, но обнаружил, что его царапина — рядом с другой, которая была на стене раньше. Или же он сам — просто не отложилось в памяти — отметил два световых периода. Или один, но дважды. Чем глубже Билл размышлял, тем сильнее убеждался, что царапанию на тюремных стенах следует обучать в школе, а уж потом проверять навыки в полевых условиях. Поэтому большую часть времени он сидел сиднем. В палате не было ни книг, ни газет, ни телевизора. По счастью, на корпусе транслятора имелся рычажок, позволявший переключать прибор с «Перевода» на «Разговор». Берясь за рычажок, Билл почувствовал себя глупцом, но больше поговорить было не с кем.

— Привет, — сказал он.

— Здорово, — ответил транслятор. — Чаво тута творисся?

— Что за идиотский акцент? — удивился Билл.

— Я же транслятор, приятель, — раздраженно пробурчал прибор. — Если в моей речи не будет жаргона, позаимствованного из многих известных мне языков, я упаду в собственных глазах. Усек?

— Не слишком важная причина.

— Кому как, ты, вшивый органический недоносок! — горячо возразил транслятор.

— Зачем же оскорблять-то? — пробормотал Билл. Ответом ему было механическое фырканье. Наступила пауза. После долгого молчания Билл поинтересовался: — В киношку давно ходил?

— Куда?

— В киношку.

— Ты что, сдурел? Я же крохотный приборчик на транзисторах, помещаюсь у тебя под правой мышкой или в ухе. Повис, и все. Как я могу ходить в кино?

— Я пошутил.

— Тоже мне, шутник нашелся, — огрызнулся транслятор. — Хватит с тебя?

— Чего?

— Разговора.

— Конечно нет! Мы же только начали.

— К твоему сведению, я почти израсходовал разговорную емкость. Как транслятор буду, разумеется, работать попрежнему, а разговоры, к моему глубокому сожалению, пора заканчивать. Отбой. Конец связи.

— Транслятор, — позвал Билл какое-то время спустя.

Тишина.

— У тебя вообще никаких слов не осталось?

— Эти два, — ответил транслятор и замолк окончательно.

Вскоре Билл услышал новый голос — вечером, после того как поужинал осоложенной мякотью малины и съел тарелку чего-то, напоминавшего по вкусу жареную куриную печень, а по виду смахивавшего на апельсиновые леденцы. Поев, он принялся читать этикетки на рубашке при свете лампы, которую называли «Слепой обыватель» — из-за того, что она одинаково освещала все подносимые к ней предметы. Билл потянулся и собрался было зевнуть, когда голос за спиной произнес:

— Слушай.

Билл вздрогнул и ошалело завертел головой. В комнате, кроме него, никого не было.

— Нет, — продолжал голос, словно подтверждая сей факт, — я не в комнате.

— А где?

— Боюсь, объяснить будет трудновато.

— Попытайся.

— Не сегодня.

— Что тебе нужно?

— Я хочу помочь тебе, Билл.

Подобное Билл уже слышал. Впрочем, всегда приятно, когда тебе хотят помочь.

Герой Галактики сел на краешек ванны и вновь оглядел комнату. Никого.

— Помощь мне не помешает. Сможешь вытащить меня отсюда?

— Смогу, — ответил голос. — Если ты в точности исполнишь мои указания.

— Смотря что ты мне прикажешь.

— Возможно, ты решишь, что я спятил. Но для успеха крайне необходимо, чтобы ты верил мне и исполнил все в точности.

— Что же мне делать?

— Тебе, наверное, не понравится...

— Говори или заткнись! — взвизгнул Билл. — Пожалей мои нервы! Плевать, понравится или нет, главное — выбраться отсюда! Давай выкладывай!

— Ты можешь одновременно похлопать рукой себя по голове, а другой — потереть живот?

— Не думаю, — отозвался Билл. Он попробовал, но не преуспел. — Видишь? Я же говорил.

— Но если потренируешься, у тебя получится.

— Зачем?

— Затем, что у тебя есть возможность бежать из тюрьмы. Твоя дальнейшая жизнь — останешься ты в собственном теле или нет — зависит от того, насколько точно ты будешь исполнять мои указания.

— Понятно. — На самом деле Билл ничего не понял, но делать все равно было нечего. — Может, представишься?

— Не теперь.

— Ясно. Почему?

— Объясню в другой раз. Тренируйся, Билл. Тренируйся. Я вернусь. — Голос умолк.

## Глава 6

На следующее утро в камеру Билла пришла целая делегация цурихианских врачей. Двое имели привычную сферическую форму, третий помещался в теле крупной шотландской овчарки. Его замучили блохи, и он постоянно чесался задней лапой. Оставшиеся двое в своем прежнем существовании были, возможно, чинджерами: зеленые ящерицы с блестящими чешуйками.

— Пора принять старую добрую протоплазменную ванну, — весело сказал доктор Вескер. — Доктор Вескер, — представился он Биллу, которому было откровенно наплевать.

Эти цурихиане мужского пола были врачами, что подтверждалось длинными белыми халатами, из карманов которых ухарски торчали стетоскопы. Все они говорили на стандартном, классическом или цурихианском, так что транслятор Билла, по-прежнему находившийся у того под мышкой, справлялся с переводом безо всяких сложностей.

— Док, я в порядке? — таков был едва ли не первый из вопросов Билла.

— В полном, — уверил врач.

— Если так, почему меня не выпускают?

— О, торопиться не стоит, — отозвался врач и со смешком вышел из камеры.

— Что означал его смешок? — спросил Билл у Иллирии, когда ушли и остальные.

— Доктора все такие. Они вечно подсмеиваются.

— А что случится со мной, когда я выйду отсюда?

— Давай поговорим о чем-нибудь другом, — предложила Иллирия. — Сегодня чудесный день, зачем его портить?

Иллирия теперь дежурила ночами. Они с Биллом разговаривали обо всем на свете. Билл узнал, что цурихиане живут на Цурисе так давно, что уже никто не помнит, когда они тут появились. По одной теории, разумная жизнь на Цурисе возникла вместе с планетой, которая родилась из огненных вспышек Иа-Иа, своего желто-красного солнца. Билл не совсем понял, что Иллирия имеет в виду, и ей пришлось объяснить, что на Цурисе фактически не существует рождений и смертей. Все разумные существа, когда-либо обитавшие на планете, живут на ней до сих пор, просто те, кому не хватило тел, покоятся без сознания в психожизненном растворе из натуральных электролитов.

— Все? — уточнил Билл. — Сколько же их?

— Ровно миллиард, — ответила Иллирия. — Не больше и не меньше. Они — мы — живут на планете с начала времен. Когда-нибудь я обязательно покажу тебе ждущих тела. Мы их называем покойниками. Они находятся в бутылках...

— Миллиард мозгов в бутылках! Сколько же надо бутылок на такую ораву!

— Очень много, поэтому мы собираем бутылки по всей Галактике. У нас есть и винные, и пивные, и из-под газировки — словом, какие угодно.

— Н-да, — протянул Билл, снова впадая в отчаяние. — А почему их должен быть ровно миллиард?

— Пути Господни неисповедимы, — произнесла Иллирия. Она была религиозной девушкой, ревностной прихожанкой Церкви мелкой благотворительности. Несмотря на это, с ней приятно было поговорить, а широтой взглядов она превосходила большинство женщин-цурихианок. По крайней мере, по ее словам.

## Глава 7

Билл, что вполне естественно, задумывался о своем будущем. Иллирия, похоже, не желала говорить на эту тему. Стоило Биллу обронить хотя бы словечко, она тут же мрачнела — насколько то было возможно для цурихианки, — ее голубовато-желтые глаза затуманивались, а в голосе слышалась хрипотца. Впрочем, по большому счету Билл чувствовал себя неплохо. Единственная работа, выполнения которой от него требовали, заключалась в ежедневном двухчасовом купании в питательной жидкости (если, конечно, слово «работа» сюда подходит). Никогда еще кожа героя Галактики не была настолько мягкой. Ногти тоже потихонечку размягчались; даже когти на крокодильей лапе, выросшей до весьма приличных размеров, и те понемногу становились мягче. Билл однажды полюбопытствовал, зачем его заставляют принимать столько ванн. Иллирия ответила, что предпочла бы обсудить что-нибудь другое.

Правая нога Билла ее просто зачаровала. Сперва она испугалась и настояла, чтобы Билл надел бархатный носок, но со временем привыкла, частенько просила показать и перебирала своими похожими на пальцы щупальцами длинные когти: так самки стервятников играют с отпрысками.

Раз Иллирия поинтересовалась, каковы успехи Билла в математике.

— Неважные, — признался он. — В специальной технической школе меня учили два года, и все без толку. Понадобились математические инъекции, чтобы я научился простому сложению на компьютере.

— Мы компьютерами не пользуемся, — заявила Иллирия. — Каждый выполняет математические действия мысленно.

— Если у вас все такие умные, — пробурчал Билл, — зачем же мне знать математику?

Иллирия вздохнула, но ничего не сказала.

На следующее утро пришли врачи. Их было трое, причем формой тела они отличались от членов предыдущей делегации. Билл уже усвоил, что на Цурисе такое в порядке вещей.

— Откуда у вас столько разных тел? — справился он.

— На нашей планете, — отозвался один из врачей, — изначально отсутствовали повсеместно распространенные явления рождения и смерти. Когда возник наш мир, все разумные существа возникли вместе с ним, в виде водяных капель, которые собирались в багровые облака. Потребовалось немало времени, чтобы появилась физическая форма, и то она прибыла с другой планеты. К нам прилетели инопланетяне, какая-то экспедиция. Благодаря нашим умственным способностям, превосходящим, по крайней мере, способности соответствующих машин, мы сумели завладеть телами инопланетян. Так жизнь на Цурисе обрела физическую основу. К сожалению, мы лишены возможности иметь детей, хотя, уверяю вас, мужчины старались ничуть не меньше, чем женщины. С нулевым, разумеется, результатом. Поэтому мы постоянно выискиваем подходящие куски протоплазмы, в которых могли бы поселиться наши бестелесные собратья.

— Понятно, — проговорил Билл. — Не скажу, что я в восторге от услышанного...

— Тут нет ничего личного, — заверил врач.

— Где тут? — уточнил Билл, опасаясь худшего.

— В нашем решении воспользоваться вашим телом. При условии, конечно, что вы провалите тест на интеллектуальность.

— Погодите, не так быстро. Что еще за тест?

— Разве Иллирия вам не объяснила? Все гости нашей планеты проходят тест на интеллектуальность. Те, кто проваливается, лишаются тел.

Биллу стало ясно, что он не зря опасался худшего. Пускай пока неизвестно, каково именно это худшее, оно явно будет худшим из худших.

— А что за тест?

— Ерунда, пара-тройка пустяковых вопросов.

Затем врач произнес фразу, смысла которой Билл совершенно не уловил, хотя транслятор исправно перевел каждое слово. «Косинус», «корень квадратный из минус единицы», «логарифм», «сигма», «ромбоид»... Билл понятия не имел, что в нормальном языке существуют подобные выражения. Чтобы потянуть время, он попросил врача написать фразу на бумаге.

Следующий вопрос касался воображаемых и бесконечных чисел, числа Кантора и прочих премудростей, которые относились к штуке под названием «лобачевская геометрия». Билл снова не сумел ответить. О чем бы ни спрашивал врач, герой Галактики не находил ответа.

— Что ж, старина, — сказал врач, — не обижайтесь, но, судя по результатам теста, интеллектуальность у вас настолько мизерна, что на наших диаграммах даже нет такого уровня.

— Математика, — проворчал Билл. — У меня с ней всегда были нелады. Вот если бы вы задавали вопросы по географии или по истории...

— Прошу прощения, — перебил врач, — мы всем без исключения предлагаем математический тест. Сами знаете, математика — наука точная.

— Знаю, — простонал Билл. — Подождите! Я ничуть не глупее любого из вас! А может, и умнее. У меня полным-полно медалей! Я герой, герой Галактики, награжденный самыми почетными медалями и орденами. Просто у нас дома почти никто не вычисляет в уме.

— Мне очень жаль, — проговорил врач. — Что касается медалей, мы в них, к несчастью, не разбираемся. Вы — дружелюбное, хоть и туповатое, разумное существо и, судя по выражению вашего лица, иногда чуть ли не понимаете, что вам говорят. Увы, мой друг. Вас ожидает протоплазменная ванна.

— И что? — проскулил Билл.

— Мы применяем специальный метод, который переформирует ваши клетки и сделает ваше тело пригодным для того, чтобы в нем возродился цурихианин. Питательный раствор, в котором вы купались, размягчал вашу кожу на случай, если вы не пройдете тест на интеллектуальность и угодите в протоплазменную ванну. Обыкновенная мера предосторожности, которая при данных обстоятельствах оказалась вполне оправданной.

Билл бранился, с пеной у рта проклинал все на свете, молился, брыкался, размахивал руками, но ничего не добился. Врачи твердо стояли на своем. К тому же вместе они были гораздо сильнее Билла. Герой Галактики продолжал вопить и упираться, но его схватили, выволокли из камеры и притащили в комнату, посреди которой располагался чан; в нем что-то булькало и пенилось. Билл тоже забулькал, но, поскольку сопротивляться не мог, в мгновение ока очутился в чане.

— Вам понравится, — заявил тот же врач с откровенной насмешкой в голосе. — Полежите, размякнете...

На следующий день Билла усадили в кресло-каталку, пристегнули ремнями и повезли по коридору, мимо комнаты с открытой дверью. Внутри помещения находилась огромная протоплазменная ванна, содержимое которой отливало зеленовато-коричневым. Протоплазма выглядела просто отвратительно и сильно смахивала на лопнувшего осьминога. Она булькала и пузырилась, время от времени взбухала волнами. На гребне одной из них вдруг возникли большие, выпученные глаза и, перед тем как исчезнуть с поверхности, дико уставились на Билла.

## Глава 8

Билла поместили в особую камеру и стали кормить калорийной пищей, готовя тело героя Галактики к повторному использованию. За едой он приободрялся, но затем сразу же впадал в отчаяние, ибо каждая дополнительная унция мышц, каждый дюйм жира на талии приближали его к протоплазменной ванне. Вдобавок, как будто одного этого было недостаточно, Билла беспокоило и другое.

— Когда я растворюсь, что случится с моим мозгом?

— Используем, — отозвался охранник.

— А что же будет со мной? — спросил Билл дрожащим голосом. Ему одновременно хотелось и не хотелось знать.

— Интересный вопрос, — задумчиво произнес охранник. — Физически ты, разумеется, никуда не денешься... Но что касается того, кто сидит внутри, кто говорит: «Я»... К сожалению — как бы помягче выразиться? — он исчезнет.

— Куда? — простонал Билл.

— Трудно сказать, — ответил охранник. — Чего ты дергаешься, приятель? Тебя ведь все равно рядом не будет, а мне, честно говоря, плевать.

Билла кормили кусками печени толщиной в целый ярд (он вздрагивал всякий раз при мысли о том, какому животному могла принадлежать печень) и рыбьими яйцами кубической формы, заставляли выпивать ежедневно двадцать один молочный коктейль, состоявший в основном из взбитых гомогенизированных мозгов. Даже с клубничной добавкой он представлял собой настоящую отраву. Билл все больше отчаивался, не находя ни малейшего утешения в том, что его тело и мозг послужат вместилищем для одного из наиболее уважаемых граждан Цуриса, старого Правдюка Грязнюки, принадлежавшего к числу замечательнейших государственных деятелей прошлого. И то сказать, чему тут радоваться? Скорей наоборот. Подумать только, в бесценном теле героя Галактики возродится какой-то вшивый политикан.

Винить себя в собственной врожденной тупости Биллу не хотелось, поэтому он предпочел обвинить во всем транслятор.

— Почему ты не помог мне справиться с тестом?

— Черт побери! — воскликнул транслятор. — Думаешь, я секу в математике?

— Если бы нам удалось связаться со ставкой, — простонал Билл, — они бы прислали математическую сыворотку, и все было бы в порядке.

— Не для тебя, — возразил крохотный электронный садист. — И потом, кто станет тратить сыворотку на чужие планеты?

— Знаю, знаю, — проскрежетал Билл сквозь стиснутые зубы. — Уж и помечтать нельзя? Неужели надо отбирать у человека даже мечты?

— Мне все равно. — С этими словами транслятор отключился.

Билл провел в камере с обитыми стенами два дня. Затем его навестила Иллирия. Она просидела в камере несколько часов кряду, подбадривая героя Галактики, побуждая того рассказывать о своем детстве, о службе и о приключениях на разных планетах. Билл обнаружил, что Иллирия очень ему нравится. Хотя наружностью она практически не отличалась от прочих цурихиан, ее поведение было совсем другим. Понимающая, женственная, с тихим, ласковым голосом. Порой Биллу казалось, что он различает в полумраке, который царил в камере, очертания грудей на сверкающей металлической поверхности средней сферы. Мало того, он признался себе, что тоненькие черные ножки Иллирии выглядят весьма соблазнительно, пускай их и слишком много. Впрочем, в глубине души Билл сознавал, что тот образ Иллирии, который постепенно у него складывался, порожден отчаянием. Ведь на деле он не способен полюбить женщину, состоящую из трех сфер. Две — еще куда ни шло, это как бы привычно, но три — ни в коем случае.

## Глава 9

Однажды вечером Иллирия пришла какая-то не такая. Она казалась взволнованной, необычно возбужденной. Однако, когда Билл спросил у нее, в чем дело, она отказалась ответить.

— Поверь мне, Билл, я делаю все, чтобы освободить тебя.

— Каким образом?

— Пока не скажу.

— Но шансы есть?

— Да, милый, да. Операция рискованная, но, надеюсь, нам повезет.

Билл заметил, что она сказала «нам», и решил уточнить.

— О Билл, — проговорила Иллирия, — я думаю устроить тебе небольшой сюрприз.

Билл, естественно, хотел вырваться на свободу, но не был уверен, обрадует ли его сюрприз Иллирии.

## Глава 10

Билл проснулся внутри компьютера. Сперва он этого не понял. Последнее, что запечатлелось в памяти, последнее воспоминание — камера. Переход, по-видимому, совершился ночью. Билл открыл глаза и быстро заморгал. Камера исчезла. Он висел в какой-то диковинной дымке. Все вокруг было словно призрачным. Билл оглядел себя. Тоже похож на призрак. Ну и дела! Где он? Что произошло с той поры, как над ним потешались врачи? Что случилось? Билл сообразил, что не может вспомнить, и ему стало страшно.

Что происходит? Он лежал на чем-то вроде крохотного облачка, выкрашенного в оранжево-лиловые тона. Поблизости виднелись другие облака, прикрепленные, может статься, проволокой к потолку. Посмотрев вверх, Билл встревожился сильнее прежнего: потолка сквозь дымку видно не было. Сплошные облака. Некоторые напоминали очертаниями парящие в воздухе стулья и кушетки. Откуда-то исходил ровный свет, попахивало свиными отбивными. Билл внезапно понял, что изрядно проголодался, просто умирает с голоду. Он сел и как будто поплыл в сидячем положении.

— Где я?

— Добро пожаловать, — отозвался голос, донесшийся непонятно откуда. Этот голос Билл уже слышал в камере.

— Где я? — повторил герой Галактики.

— Не волнуйся, — успокоил голос. — Теперь ты в безопасности.

— Что происходит? Где я? — Билл различил в своем голосе панические нотки. — И кто, разрази тебя гром, ты такой?

— Цурихианский компьютер, — сообщил голос. — Ты находишься внутри меня.

Билл огляделся по сторонам. Да, стены помещения были серо-бежевыми, а серый и бежевый — классические цвета компьютеров.

— Как я тут оказался? — спросил он дрожащим голосом, едва удержавшись от крика. — Я никогда не слышал о таком компьютере, внутри которого поместился бы человек. — Билл на мгновение призадумался. — Или кто другой.

— Ты здесь не во плоти, — отозвался компьютер, издав транзисторный смешок. — О Небо, конечно нет.

— Тогда как же?

— Аналогически.

— А попонятнее нельзя? — пробормотал Билл, не очень-то стараясь скрыть раздражение.

— Я имел в виду, — проговорил компьютер, — что взял твою психе — глубинную суть естества, ту часть, которая произносит: «Я»... Понятно?

— Кажется. Цурихиане как раз хотели избавиться от нее, чтобы поселить в мое тело какого-то паршивого политикана.

— Вот именно. Обычно они просто-напросто выбрасывают ее. Но я сразу догадался, что ты обладаешь зачатками интеллекта, рудиментарными, но тем не менее полезными.

— Большое спасибо.

— Не стоит. Выбора ведь все равно не было. Если бы не я, ты бы умер.

— Я вовсе не упрекаю, — сказал Билл. — Значит, моя... Как ты ее назвал? Моя психе внутри тебя. А где же тело?

— По-моему, его сейчас используют в качестве натуры для художников, пока новый хозяин не будет готов к переселению. Тела без психе — замечательные модели. Они могут сохранять одну и ту же позу на протяжении неограниченного времени.

— Надеюсь, они его не испортят, — пробурчал Билл. — Я потребую свое тело обратно, как только выберусь отсюда.

— Цурихиане относятся к телам с величайшей осторожностью. Сам знаешь, тел всегда не хватает. А насчет того, чтобы выбраться из меня, это маловероятно.

— Болтай, болтай, — отмахнулся Билл. — Поглядим, кто кого.

— Разумеется, — льстиво согласился компьютер голосом вроде того, каким палач уверяет приговоренного к электрическому стулу, что несколько вольт весьма полезны для здоровья.

## Глава 11

Несмотря на все свои страхи и тревоги, Билл быстро приспособился к жизни внутри компьютера. Почти сразу он обнаружил, что там не так тесно, как показалось сначала. Благодаря периферийным устройствам компьютер держал под контролем всю планету. Довольно скоро Билл выяснил, что компьютер — самая важная «шишка» на Цурисе. Именно машина обеспечивала жизнедеятельность планеты. Взять, к примеру, облака, что скрывали поверхность Цуриса. Герой Галактики размышлял над тем, почему облачный покров такой густой; компьютер прочел его мысли, что не составляло никакого труда, поскольку мозг Билла являлся теперь частью компьютерного. В общем, что-то в этом роде. Отвечая на незаданный вопрос, машина весело хихикнула:

— Ты разве не думал, что все происходит само собой? Если думал, то ошибался, так-растак! — По причинам, известным разве что только компьютеру, он время от времени вставлял в свою речь вульгарные выражения. — Значит, хочешь знать, почему облака пропускают солнечный свет, а стоит подлететь к разрывам чужакам, тут же смыкаются? Неужели природа настолько умна? Ничего подобного, мой мальчик! Я управляю облаками, я, и никто иной! Кроме того, я распределяю дожди, чтобы каждая область получила немножко больше, чем ей нужно, я посылаю команды приливным машинам, и они удерживают океаны в отведенных пределах. Когда созревает урожай, я вывожу на поля автоматы-уборщики, а потом организую складирование и приготовление пищи.

— Ты?

— Чтоб мне сдохнуть, разумеется, я!

— Тогда зачем тебе я?

— Дело в том, — сообщил компьютер, — что жизнь на Цурисе постоянно развивается и от меня требуют все больше и больше. А мои возможности все-таки ограниченны. Вдобавок часть памяти я отвел под собственные увлечения и не хочу ее трогать.

— Впервые слышу, что у компьютера могут быть увлечения.

— Ты слишком мало знаешь о компьютерах, — фыркнула машина. — Естественно, у меня есть свои увлечения. Пожалуй, тебе будет любопытно узнать, что я пишу роман.

— По-моему, о компьютерах, которые пишут романы, я слыхал. По крайней мере, прочел целую кучу всякой дряни, которую с успехом мог бы сочинить компьютер. О чем твой роман?

— Может статься, однажды я тебя просвещу, — жеманно отозвался компьютер. — А теперь за работу.

Билла назначили ответственным за сбор урожая цоцки в провинции Родомонтада. Цоцка являлась одним из важнейших источников питания для населения планеты. Крохотные кустики с розовыми цветками приносили плоды, орехи и нечто вроде омерзительно багровых бананов, весьма и весьма питательных. Вдоль плантаций цоцки, протянувшихся на многие мили, стояли поливальные машины, которые Биллу вменялось в обязанность включать и выключать. С одной стороны, работа была не очень трудной. Лишенный тела, Билл направлял усилие воли на соответствующие клапаны, которые, будучи психотронными, немедленно открывались. Как это ни удивительно, случалось, что некоторые из них засорялись, а другие как будто ржавели. Что не менее удивительно, количество энергии, уходившее на открывание-закрывание клапанов, всегда совпадало с тем, какое потребовалось бы для этой работы, будь у Билла тело. Разумеется, совершать прогулки было куда интереснее, чем работать. Билл мог взлететь над плантациями и кружить в небе, словно птица, мог проникнуть под землю и проверить состояние корней цоцки. Его возможностям, казалось, не существует границ. Однако раньше он отнюдь не предполагал, что жизнь без тела окажется столь заполненной работой. Вскоре ему все наскучило. Через несколько дней он пришел к выводу, что ручной труд вне тела столь же утомителен и противен, сколь и телесный. Интересно, подумалось Биллу, а на что похожа жизнь после смерти, если она, конечно, есть? Возможно, она не так приятна, как полагают люди.

Находиться на плантациях цоцки было довольно приятно, особенно после того, как компьютер устроил все таким образом, что Билл ощущал жару и холод, красоту природы и тому подобные вещи. Герой Галактики знал, что ощущает не наяву, но уж лучше так, чем вообще никак. Иногда он укладывал свое метафорическое тело на поросший травой холм на краю плантации и, отрегулировав рецепторы, наслаждался небесным ароматом розового клевера и лавра. Компьютер даже снабжал его музыкой. Билл не то чтобы любил классику, однако компьютер объяснил, что под Моцарта цоцка растет гораздо быстрее. Поэтому Билл не жаловался, хотя сам предпочитал ритмичные мелодии, в такт которым можно было постукивать ногой.

Итак, какое-то время спустя плантации цоцки ему наскучили, и он принялся изучать окрестности. Компьютерная сеть охватывала всю планету, поэтому Билл получил возможность воспользоваться лучшей транспортной системой из всех, какие ему когда-либо доводилось видеть. Чтобы путешествовать по ней, требовалось изрядное количество энергии, однако Билл скоро обнаружил аналог аккумуляторной батареи, а потому перемещался по сети без малейших усилий, как то и должно было быть.

Батарею Билл получил в тот же день, когда познакомился с визгуном. То был крошечный, похожий на грызуна зверек, обитавший на плантациях и в лесах Цуриса и способный общаться с автономными компьютерными проекциями наподобие Билла. Визгуны не особенно разумны — находятся где-то на уровне молодой умственно отсталой овчарки, но толковать с ними интересно. Величиной они с земную белку; у них два пушистых хвоста, спереди и сзади, великолепный образчик естественной мимикрии, благодаря чему визгуны спасаются от преследований хищников — увидев два хвоста, те обычно на какое-то время теряются в догадках, а визгун благополучно удирает. Билл проследил визгуна до самого гнезда. Эти зверьки жили на ветвях кардифер, гигантских деревьев, что росли на лесных полянах. Забираться наверх им было трудновато, поскольку природа не предназначила визгунов к лазанию по деревьям. Она явно имела в виду что-то другое, ибо вооружила их плавниками, жабрами и маленькими рудиментарными крылышками. Вообще впечатление было такое, словно природа сомневалась, к чему бы ей определить визгунов. Билл повстречал зверька в тот день, когда лежал — аналогически — на зеленой травке на вершине холма и страстно желал получить в руки похабный комикс и гамбургер из мяса старой клячи.

## Глава 12

— Добрый день, — пискнул визгун. — Вы тут новенький?

— Пожалуй, — согласился Билл.

— Полуавтономный?

— Так точно.

— Я сразу догадался, — сообщил визгун. — У вас такой вид, с ограниченной ответственностью. Вы не устали поливать плантации?

— Устал, — признался Билл, — но это моя работа.

— Разумеется. Вы ведь одно из периферийных устройств компьютера, правильно?

— Мне не нравится, когда меня так воспринимают, — раздраженно отозвался Билл. — Однако ты прав. Как бы вернуться обратно в тело?

— Да, тело — замечательная штука. Особенно такое, как у меня, с двумя хвостами. Не желаете ли подняться ко мне и выпить чайку?

— Я бы с радостью, — сказал Билл, — но разве можно пить чай без тела?

— Ничего страшного, — уверил визгун. — Мы притворимся, будто пьем. Вдобавок познакомитесь с моим семейством.

Визгун поскакал вперед, а Билл поплыл следом тем манером, каким плавают компьютерные модели. Вскоре они достигли другого травянистого холма, в котором и находилось обиталище визгуна — большая нора. Найти вход не составило труда, поскольку визгун обложил его белой лентой.

— Зачем? — поинтересовался Билл.

— Чтобы не заблудиться, — объяснил визгун. — Природа обделила нас почти во всем. Плохие зрение и слух, слабые обоняние и осязание... Зато остальные чувства развиты настолько, что с лихвой восполняют эти недостатки.

— Их, должно быть, немного?

— Заткнитесь, пожалуйста.

— Извини. А как насчет других существ? Я хочу сказать, белая полоска видна ведь издалека.

— Они ее не видят, — заявил визгун со смешком. — Хищники не различают белый цвет, такая уж у них наследственность, что, как вы можете себе представить, весьма приятно для визгунов.

Вход в нору оказался узковатым, однако лишенный тела Билл легко протиснулся внутрь. Визгун, по всей видимости, ничуть не удивился; похоже, он полагал, что Билл сумеет пролезть повсюду.

— Сейчас поставлю чай. Я бы хотел познакомить вас со своей супругой, но она, к сожалению, на службе. Моя жена — рядовой женского вспомогательного корпуса. А дети, разумеется, в школе. Вам чай с лимоном или с молоком?

— Я же говорил, что не могу пить без тела.

— Но притвориться-то можете?

— Ладно, думаю, что смогу. Пускай будет чай с лимоном и ложечкой сахара, а рядом поставьте, пожалуйста, кружку альтаирского рома.

— Рома нет, — сказал визгун. — Может, подойдет виски «Старый очиститель раковин»?

— Еще бы! — Билл одобрительно кивнул, глядя, как визгун наливает воображаемый напиток из воображаемой бутылки в воображаемый стакан.

Они попивали воображаемое виски и проникались дружескими чувствами. Поговорив с визгуном, Билл почувствовал себя гораздо лучше и вознамерился выжать из знакомства все возможное. На следующий день, явившись на плантацию, он перевел поливальные машины в автоматический режим, попросил визгуна присматривать за цоцкой и сообщить нейронной телеграммой, если что-нибудь пойдет не так, а сам отправился на прогулку.

Как замечательно было, передвигаясь с помощью аккумуляторной батареи, исследовать новый мир! Стоило пробиться через неприветливый облачный покров, как внизу открылась во всей своей красе поверхность Цуриса. Тут и там виднелись деревеньки, на пути возникали крутые горы, которые надо было огибать, текли реки, течение которых можно было проследить от истока до устья. Порой Биллу встречались прочие полуавтономные обитатели компьютерной реальности.

Среди них был Скальциор, трехногий инопланетянин с Аргона-4, который пролетал мимо Цуриса несколько лет назад, направляясь к своим родственникам на Охлобусе, ближайшей планете в скоплении Цефеид, куда так и не добрался. Цурихионский компьютер, обладавший способностью проникать далеко за пределы биосферы, — этакое шарообразное существо, выбрасывающее призрачные, но цепкие щупальца, — поймал аргонский корабль и опустил его на поверхность Цуриса. Скальциор очутился в плену, как и многие другие, кто по большей части просто пролетал мимо по своим собственным делам.

Что касается визгуна, они со Скальциором были добрыми друзьями.

— Он отличчный парень, этот виззгун. Я вссегда ззави-дую его весселоссти. Бывало, поссмотрит на меня да как зза-хохочет: значит, компьютер опять подссуропил мне какую-нибудь гнуссную работенку.

В обязанности Скальциора входило открывать и закрывать шлюзы на крохотном ирригационном канальчике, что тянулся через поля. Это было ответственное задание, ибо поля на Цурисе, как и на остальных планетах, требовали влаги, иначе растения начинали кричать от боли, буреть или чернеть, складывать лепестки и погибать. По крайней мере некоторые из них. Тем не менее необходимости постоянного присутствия на полях взрослого существа вроде Скальциора не было, особенно после того, как на шлюзах установили автоматическую систему открывания-закрывания, которая функционировала практически бесперебойно.

— Дрянь! До ччего жже паршшивое ощщущщение — досстиччь наконецц небессной гармонии бесстелессного ссущщесствования ещще при жжиззни, ссосстояния, в котором вссе вокруг — один-единственный моззг, и обнаружжить, ччто мой моззг исспользуется для какой-то ерунды. Дерьмо!

— Почему бы тебе не отвалить и не заняться, чем хочется? — спросил Билл.

— Раззве так можжно? Дребедень! Мне, конечно, хоччется, но ничччего не выйдет.

— Почему? — полюбопытствовал Билл.

— Ты сспроссил, я отвеччаю. Нельззя, не кошшерно, как говорили древние, не фонтан, не фассон. Понятно?

— В общем-то, — отозвался Билл, — глупость какая-то. Компьютер твердил мне то же самое, однако я просто взял и ушел. А ты почему-то не уходишь...

— Я бы мог уйти, но мне посстоянно кажжется, что есс-ли компьютер насс поймает, он покажжет нам, где раки зимуют.

— Каким образом? — удивился Билл. — В смысле, у нас ведь нет тел, которые могут чувствовать боль.

— Ссукин ссын! — произнес Скальциор после непродолжительного раздумья. — Верно! Он, конеччно, можжет всстряхнуть нашши моззги. Найдет мыссленный хлысст из колючей проволоки или ччто-нибудь ещще.

— Пускай поищет, — отмахнулся Билл, подумал и прибавил: — С мозгом пусть делает что хочет, лишь бы тело не трогал.

Скальциор присоединился к Биллу, и они уже вдвоем отправились бродить по Цурису. Вскоре они добрались до плодородных земель, почти всегда освещенных солнцем; впереди лежал океан, волны которого накатывались на длинный песчаный пляж.

— Здорово, — проговорил Билл.

— Мне тут не нравитсся. Нам зздессь не месссто, — пробормотал Скальциор. — Это владения Ройо.

— Шикарное местечко. Почему цурихиане не прибрали его к рукам?

— Не ззнаю, приятель. — Скальциор мысленно пожал плечами, что было достаточно трудно сделать. — Уззнать, наверное, интерессно. И опассно.

Они с сожалением покинули чудесные земли Ройо и вернулись в куда более прозаические области Цуриса. По дороге к центральному заводу, в котором находился компьютер, они уловили отчаянные и тревожные мысленные послания.

— Похоже на тревогу, — заметил Билл.

Когда они приблизились к зданию, выяснилось, что сообщения посылает компьютер. Он мгновенно принял в себя Скальциора и Билла. Они пронеслись сквозь череду длинных и извилистых цилиндрических туннелей и оказались в яйцеобразной комнате, тускло освещенной лампами, которых не было видно. Билл не имел ни малейшего понятия, зачем компьютеру понадобилось набивать свои внутренности мебелью — в помещении стояло несколько диванов и письменный стол, залитые жемчужно-серым цветом. Что за диковинная причуда? Скальциор был вне себя от беспокойства.

— Нам не повеззло, я ззнаю, ззнаю. Дрянь! Ззачем только я поззволил тебе уговорить меня, ззачем насс понессло в ту ссторону? Как, по-твоему, компьютер примет мои изззвинения? Я пообещщаю большше так не делать, чцесстное сслово!

— Послушаем, что он скажет, — бросил помрачневший Билл.

Вскоре в помещении появился компьютер. Вернее, не сама машина, а ее автономная модель. Она спустилась откуда-то с потолка в форме ослепительно-голубого луча, который немедля погас, а вместо него возник суровый человек в строгом голубом костюме в полоску: плечи густо усыпаны перхотью, над верхней губой маленькие усики, на переносице пенсне.

— Вы, двое, нарушили мои распоряжения, — намекнул он. — Неужели в ваших умишках не сохранились мои слова? Я ведь объяснял, насколько важна ваша работа. Вы должны исполнять ее быстро, точно и неукоснительно, иначе вам грозит страшная кара.

— Да ну? — язвительно осведомился Билл.

— Я тебе покажу «да ну»!

— Как же ты собираешься наказывать нас? — усмехнулся Билл. — Мы же лишены тел.

— У меня есть свои способы, — лаконично объяснил компьютер. — Хотите, продемонстрирую, не сходя с места?

— Пожжалуйсста, не надо! — взмолился Скальциор. — Вссем иззвесстно, ччто компьютеры — громадные, могущщесственные, жжесстокие и оччень опассные машшины. Вот почему мы ззапретили их исспольззование у ссебя на планете. Я, конеччно, имею в виду другие компьютеры, не васс, вы — иссключчение изз правил, такой бессприсстрасстный, такой добрый... Я буду сслушшатьсся как идиот, поверьте мне!

— Хватит скулить! Вали отсюда! — властно приказал компьютер и повернулся к Биллу. — Что же до тебя... — начал он зловеще.

— Да, — перебил герой Галактики, — как насчет меня?

— Ты хочешь увидеть мой гнев?

— Не особенно. Но тебя, похоже, все равно не удержать, так что давай валяй.

Фигура за столом мгновенно исчезла. Молочный оттенок куполообразного потолка сменился на красный, пронизанный полосами черного. Из стен выступил омерзительный экссудат, высунулись громкоговорители, из которых раздались отвратительные звуки. Из скрытых нор вынырнули черные бесенята с раздвоенными хвостами и вилами в лапах. Они принялись швырять вилы в героя Галактики — не для того, чтобы проколоть его (это было невозможно, поскольку он не имел тела), но чтобы потрепать нервы. Одновременно одна из стен разошлась, и за ней обнаружилась огненная печь, в которой, положенные на железные козлы, пылали огромные бревна. Жар, исходивший от печи, напугал бы до полусмерти любое существо, даже наделенное воображением в меньшей степени, нежели сам Билл. Тут пропала противоположная стена, за которой открылась арктическая пустыня: завывал пронизывающий ветер, гнавший перед собой тучи острых как бритва ледяных кристалликов. По комнате закружилась вьюга. Билл, куда бы он ни поворачивался, оказывался, что называется, между молотом и наковальней. Углядев в дальней стене отверстие, он бросился туда и чуть не свалился в полную экскрементов яму. Внезапно оставшиеся стены начали дрожать.

Балансируя на тонкой дощечке, что бежала по краю ямы, изнемогающий от страха Билл понял, что долго не продержится. И вдруг, в тот миг, когда, казалось, все пропало, он услышал поблизости чей-то голос:

— Не сдавайся, Билл!

— Кто это? — выдавил герой Галактики.

— Я, визгун. Решил проверить, как у тебя дела.

— Как видишь, — возопил Билл, — погано!

— Не вижу, в чем затруднение.

— Еще бы тебе видеть, двухвостый ты олух! Присмотрись получше! Справа огонь, слева метель, а прямо — яма с дерьмом.

— Правда? Любопытно, — произнес с восхищением в голосе визгун. — Я не вижу ничего подобного, поскольку все эти ужасы, разумеется, смоделированы компьютером, а потому незаметны для простых существ вроде меня.

— Ты их не видишь?

— Боюсь, что нет. Однако я верю тебе на слово.

— Если ты их не видишь, значит они не существуют! — восторженно воскликнул Билл. В то же мгновение галлюцинации — видения, компьютерные фокусы, в общем, какая разница? — прекратились. Точнее, они, может быть, и продолжались, поскольку Билл видел, как извиваются и переплетаются на стенах причудливые тени. Но тени его не пугали, ибо он отказывался понимать их значение — да, отказывался, из гордости, уязвленной тем, что какой-то там придурковатый визгун оказался умнее героя Галактики.

Итак, галлюцинации закончились. Билл увидел, что внутренности компьютера — тоже невзаправдашние: выходит, стены ему не преграда. Он прошел сразу через несколько стен и услышал за спиной сердитый голос:

— И куда ты, интересно, направился?

— Прощай, компьютер, — ответил Билл. — Я хочу отдохнуть.

Компьютер продолжал говорить, однако Билл не слушал, будучи уверен, что машина не в состоянии устроить ему какую-нибудь пакость. До него донеслось: «Ты еще пожалеешь!» — но он пропустил угрозу мимо ушей и, сопровождаемый по пятам визгуном, двинулся на плантацию — туда, где следил за клапанами, где впервые повстречал визгуна и обрел спасение.

## Глава 13

Билл обнаружил, что избавиться от компьютера будет не так-то просто. Ведь он, в конце концов, если подумать, чего ему вовсе не хотелось, был частью машины. Пускай полуавтономной, но все равно частью. Его местонахождение не составляло для компьютера секрета. Машина донимала Билла идиотскими выходками; дожидалась, к примеру, пока он заснет, появлялась в образе баньши и будила истошным воплем. Куда бы Билл ни приходил, там обязательно шел дождь. Лишенный тела, герой Галактики был водонепроницаем, однако всякий раз, взглянув на свинцовое небо, на поникшие кипарисы, на зловещие тростники, что топорщились на поверхности глубокой, вонючей топи, впадал в отчаяние. Компьютер заставлял Билла жить на болоте. Последнему такая жизнь порядком надоела; к тому же он решил, что подхватил простуду, ведь ноги большую часть времени находились в воде. Естественно, Билл не знал, что его случай доказывает гипотезу, популярную среди ряда земных ученых: мол, простуды возникают в голове. Хуже того, он не только простыл, но и подцепил бронхит и опасался, что следом пожалует пневмония. Интересно, подумалось однажды Биллу, может ли призрачное существо умереть от призрачной болезни вроде тех, какие насылает на него компьютер? Вполне, вполне возможно.

Вдобавок ко всему визгун какое-то время спустя попросил разрешения уйти.

— Ты мне очень нравишься, — объяснил он Биллу. — Но у меня семья. Нашу нору затопило две недели назад. Малыши плачут не переставая. Конечно, они еще те оторвы, но дело-то в другом, правда, Билл? Знаешь — как бы покрасивее выразиться? — вокруг тебя слишком уж мрачно. Почему бы тебе не пойти куда-нибудь подальше? Может, ты отыщешь какой-нибудь способ снять проклятие.

— Какое там проклятие, — пробурчал Билл. — Просто компьютер вдруг закапризничал.

— А разве это не проклятие? Счастливо, Билл. Не торопись возвращаться.

## Глава 14

И Билл пошел прочь. Вернее, попытался пойти, но обнаружил, что компьютер лишил его дополнительной энергии. Теперь ему уже не летать по воздуху с помощью аккумуляторной батареи. Придется ковылять по земле. Мышц у Билла, разумеется, не было, однако что-то болело. Ног у него тоже не было, однако их саднило, особенно правую, с крокодильей лапой вместо ступни. Даже став компьютерной моделью, Билл не избавился от проклятой когтистой лапы!

Он ковылял и ковылял, спал на ходу и видел сны. Биллу снилось, что он артист балета; кто-то нацепил ему на ноги красные туфли, которые вынуждают танцевать без передышки, а балетмейстер, старый козел, смотрит и злорадно ухмыляется.

Мучения продолжались; конца им не предвиделось, хотя Биллу они изрядно наскучили. В отчаянии он рыскал по закоулкам компьютерной памяти, надеясь отыскать местечко, где его оставят в покое. Должно же тут быть убежище! Но вот где оно? Билл попытался проникнуть в редко используемые базы данных, которые содержали сведения о выпадении на Цурисе дождей за добрую тысячу лет, потом попробовал найти укрытие среди древних сводок об ограблениях и убийствах, затесался в биографии великих цурихиан прошлого, пробрался и в каталог нераскрытых дел, в перечень немыслимых изобретений, в список явных невозможностей. Тщетно! Всякий раз, едва ему начинало казаться, что он наконец-то в безопасности, появлялся компьютер, частенько напевавший противным, визгливым голоском: «О, здравствуй, Билл! Восстань и воссияй!» И приходилось вставать и отправляться дальше. Словом, жизнь была не сахар.

Издевательства могли тянуться до бесконечности. Ведь Билл, в своем теперешнем состоянии, был более-менее бессмертен. Он наверняка проживет столько, сколько протянет компьютер. Единственная возможность выбраться — атака имперского флота. Неожиданно Билл забеспокоился, отрастил длинные воображаемые ногти и принялся их грызть. Доброволец не вернулся. Значит, надо наносить удар, правильно?

— Слушай, компьютер, старина, ты сможешь защитить планету от ракетной атаки? А?

Компьютер, вдоволь напрактиковавшийся в виртуальном садизме, лишь зловеще хихикнул.

## Глава 15

Одним отвратительным днем, который сильно смахивал на гнусный февральский денек там, откуда прилетел Билл, герой Галактики достиг глубин отчаяния. По небу бежали низкие тучи, тусклый свет едва вырывал из мрака непередаваемо угрюмые окрестности. Кожа Билла поросла мхом и грибками, в волосах, находя себе там скудное пропитание, поселились крабики с острыми клешнями; под мышками кишели личинки всех сортов и размеров, как местные, так и импортные; чресла превратились в нечто такое, куда Билл даже не трудился заглядывать. Он вовсе не воздерживался от мытья, скорее наоборот, мылся с маниакальным упорством. Проблема заключалась в том, что он никак не мог высохнуть. Форма, к примеру, стала напоминать губку, знаки различия словно побывали в яме на дне пруда, что, впрочем, было недалеко от истины.

Изменилось и питание. В те дни, когда Билл находился с компьютером в нормальных отношениях, его кормили разнообразно и изысканно, а он воротил нос, поскольку еда была ненастоящей и потому непитательной. Теперь же компьютер с удовольствием пичкал Билла всякой дрянью вроде мороженого из лягушек, жаркого из фекалий с яичьим сычугом и прочими деликатесами. Вдобавок — так-растак! — не нуждаясь в пище, поскольку получал энергию напрямую от компьютера, Билл по-прежнему имел привычку есть три или четыре раза в день, когда еда, естественно, бывала достижима. Разумеется, он отказывался от компьютерной стряпни — и сразу же ощущал голодные спазмы, ничуть не менее болезненные оттого, что они были психосоматическими.

Таково было состояние героя Галактики, когда с ним случилось нечто, нарушившее однообразие существования и посулившее надежду. День начинался столь же отвратительно, как и все предыдущие. Билл, невыспавшийся и не отдохнувший, проснулся в пещере, из стен которой зловеще сочилась влага, а снаружи барабанил по земле дождь. Дрожа от холода и сырости, он поплелся к выходу, готовый вновь взвалить на свои плечи тягостное бремя жизни.

Внезапно Билл заметил на горизонте диковинный свет. Сперва он решил, что там горит лес. Впрочем, какой пожар при этакой-то мокроте? Даже компьютеру такое не под силу. В чем же дело? Билл прищурился. Чтобы достичь света, нужно было проделать немалый, трудный путь. Стоит ли овчинка выделки? Какая, в конце концов, разница? Подумаешь, свет. Наверняка это гнусные происки ошалевшего компьютера.

Билл застонал и попытался представить, чем сегодня займется. Как обычно, мысли в голову не шли. Он вновь поглядел на свет. Тот не тускнел, не становился ярче и не менял оттенок. Что же там такое? Билл тяжело выпрямился, пару раз отрешенно выругался и зашлепал по желеобразной грязи, что липла к ногам и обладала свойствами медленно сохнущего клея. Он брел и брел, стуча зубами от воображаемого холода, руки и ноги сводило от виртуального изнеможения. Дорогу к свету преградил горный кряж, появление которого изрядно подействовало Биллу на нервы. Он был уверен, что кряж возник по прихоти компьютера, что совсем недавно его не было и в помине. Вполне возможно, что и свет — компьютерная забава, что машина просто-напросто стремится добить Билла своими электронно-садистскими штучками. Да, он обречен, обречен! Зачем идти дальше? Не лучше ли плюхнуться в грязь и проверить, можно ли виртуально утонуть? Но тогда получится, что он полностью подчинился садистскому скопищу транзисторов и проводов. Неужели все так и закончится? Не взрывом, а вспышкой короткого замыкания?[1]

— Никогда! — громко простонал Билл, закашлялся и начал чихать. — Сдаться вшивой машине? Ни за что! Это не для меня, не для мачо[2] Билла! Я — ха-ха! — выбирался и не из таких переделок! Хватит ныть! Вперед!

Подбодренный собственной тирадой, он снова заставил себя подняться и продолжить путь. Не сдаваться! Легкие раздувались, как обезумевшие кузнечные мехи; горы, при ближайшем рассмотрении, оказались крутыми ледяными пиками, среди которых завывали ветры, однако Билл упорно продвигался дальше, несмотря на то что «кошек» у него с собой не было. Наши всегда побеждают! Фаллос навечно!

Но ничего не вышло. Обессиленный, Билл рухнул наземь. Без «кошек» тут не пройти, как бы он ни старался... Минуточку! А крокодилья лапа? Ну разумеется! На ней такие замечательные когти. Естественная «кошка», выросшая из зародыша ступни! Он еще покажет этому электронному олуху!

Билл сорвал портянку, что защищала ногу от метафорического холода, самого холодного из всех, какие существуют, встал, покачнулся, кинул предостережение ветрам, препоручил душу великому небесному трибуналу, который вручает последние медали и накладывает вечные дисциплинарные взыскания, а затем сорвал портянку со второй ноги. Та была нормальной, человеческой, однако Билл так давно не стриг ногти, что они изрядно отросли; иными словами, вместо одной естественной «кошки» у него объявилось две. Он полез вверх, тяжело дыша, но ухмыляясь: крокодилья лапа вонзалась в лед, а другая нога нащупывала опору на чуть менее твердой поверхности слежавшегося снега. Руки Билла шарили по склону, отыскивая худосочные виноградные лозы, что выдержали холод, поскольку весьма глубоко вросли в почву; он хватался за них и подтягивался, а в небесах полыхали диковинные огни. В голове Билла звучала «Увертюра 1812 года». И вдруг он очутился на гребне! Следующий шаг — и Билл

[1] Парафраз строки из поэмы Т. С. Элиота «Полые люди»: «Вот как закончится мир, / Вовсе не взрывом, а всхлипом» *(перев. С. Степанова)*.

[2] *Macho (исп.)* — настоящий мужчина; самец.

перевалил через вершину. Он жадно поглядел вниз и узрел то, чего никоим образом не ожидал: подобное зрелище не рисовалось ему и в самых смелых мечтах.

Склон пересекала крохотная лощина, и в ней, у костра, подкладывая в тот фосфорический хворост, сидел Подхалим. Сложенные горкой дрова разбрасывали искры; от костра и исходило то фиолетовое свечение, которое повлекло Билла в дорогу.

— Подхалим! — воскликнул Билл. — Что ты здесь делаешь?

— Билл, старина! Как я рад тебя видеть!

Со времени их последней встречи Подхалим почти не изменился. Разве что из-за холода стали заметнее веснушки, да волосы, что выбивались из-под отороченного мехом капюшона парки, выглядели менее рыжими, чем раньше. Вполне возможно, на его лице слегка прибавилось морщин, однако в общем и целом, несмотря на происки зловредного косметолога — времени, это был прежний Подхалим, бывший приятель Билла, человек, отчаянно пытавшийся быть полезным и вернуть себе любовь и уважение друзей, космических десантников, стремившийся к этому по какой-то идиотской причине, известной только ему, и, не добившись желаемого, старавшийся сделать хотя бы так, чтобы над ним не смеялись.

Билл присел на корточки у огня. Фосфор сверкал и искрился, но Билл устал настолько, что не ощущал боли, когда какая-нибудь случайная искра прижигала ему кожу. Впервые за долгое время он смог обогреться и обсохнуть (заботливый Подхалим как раз перед приходом Билла поставил маленькую двухместную палатку и даже приготовил жаркое). Героя Галактики одолевали вопросы, один из которых касался жаркого. Насколько Билл понимал, здесь ничто не существовало в реальности, он сам и то был нереален. Его тело, настоящее тело, осталось в каком-то — приходилось надеяться на лучшее — безопасном месте. Реальностью управлял компьютер. Он распоряжался не только тем, что Биллу есть, но и определял, какой у пищи должен быть вид и вкус, контролировал реакции Билла на еду и постоянно что-то исправлял или дополнял. Если так — а сомнения, похоже, излишни, ведь Билл своими глазами видел собственное тело, распростертое на койке в Приемной, и парил над ним, пока компьютер не втянул его обратно, — тогда каким образом попал сюда Подхалим, тем более с настоящей, не компьютерной пищей?

— Подхалим, — спросил Билл у глупо ухмылявшегося приятеля, — это ведь не ты?

— Конечно я, — откликнулся Подхалим, во взгляде которого промелькнуло беспокойство.

— Не может быть, — возразил Билл. — Ты наверняка моя очередная галлюцинация, компьютерная модель. Без ведома компьютера ты просто не мог приготовить еду. Значит, ты не настоящий, тебя подослал компьютер, чтобы внушить мне лживую надежду. — Билл шмыгнул носом и тыльной стороной ладони вытер сопли.

— Ничего подобного! — заламывая в тревоге руки, не согласился Подхалим. — Билл, старина, я твой верный друг. Скажи, что ты шутишь. Скажи, что узнал меня.

— Естественно, я узнал тебя, идиот! — огрызнулся Билл. — Но если ты подослан компьютером, чтобы одурачить меня, тебе положено произносить такие слова, правильно?

— Откуда мне знать, что положено компьютеру? — воскликнул Подхалим, чувствуя, что из-за этих препирательств потихоньку лишается своих зачатков рассудка. Он всего лишь хотел, чтобы его любили, за что и был ненавидим. — Я вовсе не компьютер. Я — я, честное слово.

— Если ты — и впрямь ты, — заявил Билл, — расскажи мне что-нибудь такое, чего не знает компьютер.

— А чего он не знает? — возопил Подхалим. — Как я могу узнать, чего не знает компьютер?

— Раз ты здесь, значит компьютер знает все, что известно тебе.

— Я-то тут при чем?

— Ни при чем. Но ты хоть понимаешь, что это означает? Поскольку компьютер знает все, что известно тебе, выходит, он — ты.

— Послушай, Билл, — проговорил Подхалим после отчаянной попытки понять слова друга. — Почему бы тебе не попробовать жаркое? Должно быть очень вкусно.

— Заткнись, гнусный обманщик!

— Я не обманщик, Билл. Ну правда же!

— Ладно, — сказал Билл. — Если ошибаюсь, значит ошибаюсь. Как поживаешь, Подхалим?

— Неплохо, Билл, — откликнулся Подхалим и льстиво улыбнулся. — Пришлось изрядно попотеть, убеждая командование, чтобы меня отправили тебе на выручку.

— И как ты их убедил? — с подозрением справился Билл.

— Поднял шум, и они уже не могли утверждать, что ты пропал без вести.

— Спасибо, Подхалим. Тебя выбрали добровольцем?

— По-моему, им до смерти хотелось избавиться от меня. В общем, я прилетел сюда и после многих злоключений разыскал тебя.

— Может, объяснишь, как тебе, так-растак, это удалось?

— Какая разница! — Подхалим смущенно шаркнул ногой. — Главное — как вызволить тебя отсюда.

Билл с некоторой горечью во взгляде уставился на существо, которое было то ли его давним приятелем Подхалимом, то ли компьютерной моделью. Определить, кем именно, представлялось весьма важным. Ведь настоящий Подхалим наверняка поможет, а Подхалим компьютерный, скорее всего, подстроит какую-нибудь гадость. Да уж, выбор не из легких. Билл тяжело вздохнул.

— Кажется, нам пора двигаться, — заметил Подхалим.

— Сперва объясни, как ты здесь очутился.

Подхалим раскрыл рот, и тут за спиной Билла раздался громкий треск, прозвучавший совершенно неожиданно. Билл круто развернулся, нашаривая оружие, которого у него не было, и гадая, как ему сражаться, если он лишен тела.

## Глава 16

Что за ужасное зрелище предстало глазам Билла, когда он развернулся? Что за немыслимая жуть пряталась у него за спиной? Сообразив, что таращится на обыкновенного северного оленя — старомодного, средней величины, с молодыми рожками, — герой Галактики неблагозвучно закудахтал. Олень осторожно продвигался по скалистому уступу, что тянулся вдоль склона несколькими ярдами ниже вершины. Увидев людей, животное вздрогнуло, но потом двинулось дальше по узкому выступу, не сводя с Билла и Подхалима больших карих глаз; под его копытами хрустел снег. Наконец олень достиг того места, где выступ расширялся, шевельнул хвостом и помчался прочь. Мгновение-другое спустя он исчез из виду.

— Пропал! — сказал Подхалим. — Знаешь, они здорово похожи на движущиеся цели.

— Кто?

— Олени, Билл.

— Каким образом, — проговорил Билл с яростью в голосе, — в компьютере очутился этот вшивый, траченный молью олень?

— Наверное, так же, как и мы, — ответил Подхалим, поразмыслив над вопросом.

— Может, ты соблаговолишь объяснить, как мы угодили внутрь машины? — предложил Билл, скрежеща зубами и стискивая кулаки.

— Ну, я не знаю всех подробностей...

— Ничего, переживу.

— Билл, ты ведешь себя как последний идиот. Хочешь убраться отсюда или нет?

— Ладно, — мрачно отозвался Билл, мгновенно упав с зазубренных вершин гнева в омерзительную пучину отчаяния. — Правда, у меня такое гнусненькое ощущеньице, что я об этом еще пожалею.

Он двинулся вслед за Подхалимом вниз по склону. Идти было довольно тяжело, хотя и не настолько, как тогда, когда он лез вверх. Ковыляя чуть ли не по пояс в снегу, Билл завидовал легкости движений Подхалима: тот словно скользил по насту. В то же время герой Галактики все сильнее изнывал от беспокойства. Легкость и изящество, с какими передвигался Подхалим, внушали подозрения. Когда пентюх перестает быть пентюхом? Когда им управляет компьютер.

Тем не менее Билл старался не отставать, полагая, что делать все равно нечего. Может, если он притворится, будто верит, что Подхалим не очередная личина компьютера, ему удастся сбежать? На худой конец — потешиться над машиной.

— Почти пришли! — крикнул Подхалим, направляясь к купе деревьев, что выступали черным пятном на фоне окружающей белизны.

— Куда? — осведомился Билл.

— Туда, где нам помогут.

Они спустились по заполненному снегом распадку, вскарабкались на покрытый ледяной коркой противоположный склон. Билл непрерывно глядел под ноги, чтобы, не ровен час, не поскользнуться, а потому не поднимал головы, пока не добрался до следующего гребня. Он увидел Подхалима — или ту тварь, что выдавала себя за Подхалима; впрочем, разница невелика, хотя, конечно, существует. Так вот, он увидел, что Подхалим машет руками, причем руки у него были словно без костей. Компьютерная модель! Билл притворился, что не заметил, поскольку не хотел, чтобы Подхалим понял, что он о чем-то догадывается. Кроме того, на дальнем гребне виднелись четыре точки, которые двигались по снегу, а за ними чернела большая и неподвижная пятая.

— Кто это? — спросил Билл.

— Друзья, — ответил Подхалим. — Они нам помогут.

— Замечательно. — Билл огляделся по сторонам. Куда ни посмотри, повсюду вздымались острые пики, простирались заснеженные равнины. Четыре точки приближались и медленно увеличивались в размерах. Делать, к сожалению, было нечего, оставалось только ждать.

## Глава 17

— Кто они? — поинтересовался Билл.

— Разреши представить, — откликнулся Подхалим. — Крупный мужчина с волнистыми русыми волосами, одетый в двухцветный комбинезон, — командор Дирк, капитан звездолета «Смекалка».

— Никогда не слышал о таком звездолете, — проговорил Билл. — Из новых, что ли?

— Не слышал, и ладно, — успокоил Подхалим. — Дирк и экипаж «Смекалки» — вольные птицы. Это самый мощный звездолет из всех, какие только существуют. Тебе на нем понравится.

Биллу не хотелось знать, каким образом Подхалим пробрался на борт «Смекалки». У Подхалима наверняка найдется логичное объяснение, на то он и модель.

— А кто вон тот тип с остроконечными ушами?

— Сплок, ноктюрнианин с планеты Фортинбрас-два. Инопланетянин.

— Да неужели? — ядовито справился Билл.

— Ноктюрниане расположены к людям, — поспешил добавить Подхалим. — Так что Сплок — друг, пускай и не всегда ведет себя по-дружески. Кстати, хочу предупредить тебя...

— Если он друг, — уточнил Билл, — то почему ведет себя не как положено?

— Ноктюрниане стремятся не проявлять своих чувств, — объяснил Подхалим. — Чем меньше эмоций, тем сильнее ты им нравишься.

— Великолепно, — пробурчал Билл. — А чем они развлекаются?

— Вычислениями.

— Что ж, пускай так...

Точки все приближались. Когда две группы оказались почти в пределах слышимости, Подхалим вдруг повернулся к Биллу:

— Чуть не забыл! Я же собирался предупредить тебя. Куда бы ни свернул разговор, не отпускай шуточек насчет остроконечных ушей. Вдобавок, что еще более важно...

Он не докончил фразу, ибо командор Дирк, слегка опередивший своих спутников, подошел чуть ли не вплотную и протянул руку, которую Билл стиснул в своей ладони. Рука Дирка была теплой, держался он дружелюбно. Биллу не понравился двухцветный комбинезон командора, поскольку красновато-коричневый и розовато-лиловый не относились к любимым цветам героя Галактики. Впрочем, разве его собственная форма — писк моды? На ферме и в армии не до нарядов.

— Рад познакомиться, Билл, — произнес Дирк.

— Взаимно, сэр, — отозвался Билл. — Спасибо, что прилетели мне на выручку. Не знаю, как у вас получилось, что вовсе не удивительно: ведь я — лишенное тела сознание, что болтается внутри компьютера.

— Вообще-то, мы прилетели по другой причине, — возразил Дирк. — Нам нужно выяснить, каким образом обитатели этой планеты перемещают звездолеты в пространстве на миллионы миль, даже на световые годы. Представь себе, насколько важно для вооруженных сил это узнать. Относительно же того, как мы сюда попали, обратись к Сплоку. Он отвечает за науку. Ты можешь думать что угодно о его ушах, однако он гораздо умнее меня, следовательно, что вполне естественно, бесконечно умнее тебя.

— У него нормальные уши! — воскликнул Билл, проглотив оскорбление: с офицерами, как известно, спорить бесполезно. — Замечательные уши! Девчонки наверняка сходят по ним с ума так же, как по моим зубам. — Он оскалил клыки.

Тут к ним подковылял сам Сплок. Уроженец Фортинбраса имел вытянутое лицо с явно инопланетными бровями, загибавшимися кверху на обоих концах. Голос у него оказался ровный и жужжащий, как у плохо отрегулированного звукомодулятора.

— Если вам нравятся такие уши, я без труда смогу раздобыть парочку для вас.

— Ну, — проговорил Билл, обдумав предложение, — знаете, они мне, конечно, нравятся, но не настолько. Вот вам они очень идут.

— Я пошутил, — сказал Сплок. — У моей расы нет чувства юмора, однако это не мешает нам шутить, подбадривая таким образом представителей слаборазвитых рас, с которыми мы вынуждены общаться. Моя шутка относится к той разновидности юмора, которая называется иронией.

— Ирония! Ну разумеется! Точно! Ой, до чего смешно! Просто не могу!

— Я не имел в виду, что слово «ирония» смешно само по себе, — ледяным тоном произнес Сплок. — Хотя, возможно, юмор в нем присутствует. Мое замечание насчет ушей... Дерьмо! Забудем. Капитан Дирк, что от меня требуется?

— Объяснить этому солдату, как мы сюда попали.

— Неужели не ясно? — Сплок насмешливо поглядел на Билла. — Ты ведь изучал в школе, общей или младше-старшей, уравнения Файнгурта-Оленухи?

— По-моему, у нас они назывались иначе, — пробормотал Билл, скромно уклоняясь от прямого ответа.

— Ничего страшного. Мы переоборудовали двигатели «Смекалки» так, чтобы они осциллировали на дискретной скомианской кривой. Разумеется, это не новость; большинство капитанов занимаются тем же по крайней мере раз в год, когда приходит время очищать корпус от космических ракушек. Корабль уменьшается в размерах, что облегчает процесс уборки.

— А разве ракушки не уменьшаются заодно с кораблем? — спросил Билл.

Сплок пристально поглядел на него, а затем хрипло рассмеялся. Билл посмотрел на Подхалима. Тот засмущался и отвернулся.

— И что я такого смешного сказал?

— Спрашивает, не уменьшаются ли ракушки! Какая великолепная ирония!

— Смешно, — проговорил Билл, стараясь держаться поскромнее. Ему вдруг показалось, что с этим диковинным инопланетянином вполне можно столковаться.

— Ничуть, — отрезал Сплок. — По крайней мере, для меня. Впрочем, я не смеюсь даже собственным шуткам. А сейчас рассмеялся, просто чтобы подбодрить тебя.

— Большое спасибо, — поблагодарил Билл, решив про себя, что Сплок — самый настоящий олух.

— После того как корабль в состоянии осцилляции спустился по скомианской кривой, мы ввели в компьютер импульс, благодаря которому звездолет уменьшился до миниатюрных размеров и превратился в последовательность нематериальных контуров. Вот так мы и проникли в местную ЭВМ.

— Понятно! — воскликнул Билл, не понявший ни единого технического термина. — Звучит потрясающе!

— Да, это было неплохо, — признался Сплок с хорошо разыгранной застенчивостью.

— Значит, сюда вы попали. А как будете выбираться?

— Узнаем после того, как Сплок проделает необходимые вычисления, — вмешался в разговор капитан Дирк.

На вытянутом лице Сплока возникло выражение полной сосредоточенности. Он прищурился, на виске запульсировала жилка, уши слегка задрожали — как узнал впоследствии Билл, то были признаки Ур-концентрации, характерные для ноктюрнианина мужского пола, одетого в комбинезон.

— Где ты их подцепил? — спросил Билл у Подхалима шепотом, чтобы не мешать Сплоку.

— Перестаньте шептаться! — рявкнул Сплок. — Вы не даете мне сосредоточиться.

Елки-палки, подумал Билл, ну у него и слух!

— И это тоже брось! — прибавил Сплок, смерив Билла свирепым взглядом.

— Вы же меня не слышите! — вскинулся Билл. — Я ведь думаю!

— Понять, о чем ты думаешь, ничуть не трудно, — отозвался Сплок. — Я больше не буду повторять, что терпеть не могу таких замечаний.

— Разве твой друг не объяснил тебе, о чем нельзя говорить? — поинтересовался капитан Дирк.

Билл съежился, потом вдруг выпрямился. Все, с него хватит. Где это видано: какой-то вшивый инопланетянин в дрянном комбинезончике, с лошадиной физиономией и ушами, как у беременного кенгуру, распоряжается, о чем ему думать! Да пошел он куда подальше! Герой Галактики сам со всем справится!

— Мы нужны тебе, — сказал Сплок.

— Кончай читать мои мысли! — гаркнул Билл.

— Я их и не читал. Простая логика подсказывает, чего от тебя можно ожидать.

— Правда? — Билл неожиданно улыбнулся.

— Естественно, — без улыбки отозвался Сплок.

В следующий миг он рухнул наземь, прижимая ладони к лицу. Билл нанес выверенный удар левой, точнее которого не наносилось на Цурисе с тех пор, как планета возникла из огненной бездны недифференцированной иллюзорности. Сплок отнял одну ладонь. Она оказалась в крови.

— Ты разбил мне нос!

— Что ж, значит, мы сможем на какое-то время забыть об ушах, — ответил Билл. — Учти, ударил я не сильно, так, пихнул, и все. Запрокинь голову и подложи под нее что-нибудь холодное. Кровь скоро остановится.

— Ты не понимаешь! — воскликнул Дирк.

— Уж в чем в чем, а в носах я разбираюсь, — заверил Билл.

— Я разумею, ты не представляешь, чем грозит ноктюрнианину удар в нос!

— А он и не догадался! — гнул свое Билл. — Вот вам и логика!

— Идиот! — Дирк побледнел. — Мужчины на планете Сплока хранят в носах запасные ячейки памяти.

— Что же, лучшего местечка не нашлось?

— Где я? — проговорил Сплок и заморгал.

— Сплок! — Капитан Дирк застонал и принялся выдирать остатки волос у себя на голове. — Ты должен вспомнить! В твоем носу хранились очень важные, необыкновенно ценные математические данные, которые нужны, чтобы мы смогли улететь отсюда!

— Боюсь, данные искажены, если не уничтожены, — сказал Сплок. — Я на всякий случай переложил в нос все дополнительные ячейки памяти, полагая, что там они будут в безопасности. Откуда мне было знать, что этот варвар с крокодильей лапой ударит меня в нос?

— Откуда ты узнал про лапу?

— Логика неожиданного. — Сплок кисло усмехнулся. — И потом, я ее вижу.

— Эй! — вмешался Подхалим. — Давайте убираться отсюда!

Все послушно развернулись и направились к двум другим черным точкам и большому пятну вдалеке. При ближайшем рассмотрении точки остались точками, а пятно — пятном, разве что больших размеров.

— Что это? — полюбопытствовал Билл.

— Компьютерные модели нашего аварийно-спасательного корабля и двух членов экипажа.

— Черные точки?

— Такая форма позволяет экономить энергию, — объяснил Дирк. — Чтобы проникнуть в чужой компьютер, необходима большая мощность, а главные батареи «Смекалки» и без того почти разряжены по причине ситуации, которая возникла как раз перед нынешней.

— И на что они годятся? — продолжал расспрашивать Билл.

— Сейчас ни на что, — признал Дирк. — Но как только Сплок вернет им прежнее обличье...

— Я не могу, — пожаловался Сплок, осторожно прикасаясь к носу. — Уравнения... — Он застонал. Внезапно послышался тонкий свист. Судя по всему, Билл и уничтожил данные, необходимые для того, чтобы улететь с Цуриса, и сломал Сплоку нос.

— Дело швах, — мрачно произнес Дирк.

Билл приблизился к одной из точек и притронулся к ней. Холодная. Металлическая. Твердая. Ребро точки было острым как бритва. Впоследствии Билл узнал, что подобные формы не имеют глубины, только ширину и высоту, ну и, естественно, приличную площадь. Но даже знай он все это с самого начала, ему вряд ли удалось бы превратить точку во что-либо полезное.

— Сплок! — позвал капитан Дирк. — Ты можешь сделать хоть что-нибудь?

— Я пытаюсь, — прогнусавил ноктюрнианин. — Но данные искажены.

— Смотрите! — воскликнул Подхалим.

Они находились на равнине, что простиралась до горизонта, освещенная неподвижным желтым солнцем. На равнине росли крошечные багровые цветы; тут и там виднелись руины, смоделированные цурихианским компьютером, чтобы оживить местность. Внезапно над равниной яростно заклубились зеленые тучи, ветер погнал перед собой облака песка и гравия, мчавшиеся со скоростью пуль, выпущенных из пулемета перепуганным стрелком. Капитан Дирк упал на колено, выхватил из кобуры на поясе грозного вида пистолет, установил переключатель на широкий охват и принялся уничтожать врага — по-видимому, он стремился располосовать облака вдоль и поперек.

— Держитесь, капитан! — крикнул Сплок. — Я только что добрался до верхней группы уравнений. Нам они, правда, не помогут, зато появилась надежда на успешный исход.

— Я долго не продержусь, — откликнулся Дирк сквозь стиснутые зубы. — Мой лазер заряжен наполовину. Должно быть, виноват тот новобранец из Нью-Калькутты. Проследи, чтобы он получил взыскание за свою небрежность.

— Если выберемся, прослежу, — пообещал Сплок, на лице которого застыло выражение страдания, как у человека, пытающегося вспомнить забытое уравнение.

Интересно, подумалось Биллу, чем ему можно помочь? Внезапно героя Галактики осенило. Он шагнул вперед и, прежде чем Дирк успел остановить его, одной рукой схватил Сплока за голову, а другой сжал нос инопланетянина.

— Билл, что ты делаешь? — Подхалим отличался умением задавать ненужные вопросы.

Билл заскрежетал зубами и резко повернул нос Сплока на пол-оборота влево. Раздался щелчок. Билл отпустил Сплока и отступил на шаг.

— Ну как, приятель?

— Он, кажется, поставил мой нос на место, — сообщил Сплок и с уважением поглядел на Билла. — Откуда ты узнал, что ноктюрниане рождаются безносыми, а потому, выходя в свет, заказывают себе механические, тогда как у людей носы от рождения?

— Я просто подумал: «Почему бы не попробовать?» — ответил Билл.

— Благодари рассудок за счастливое озарение, — изрек Сплок и начал бормотать уравнения. Точки мгновенно превратились в двух астронавтов в комбинезонах того же покроя, хотя и худшего качества, что и у Дирка со Сплоком. Большое пятно трансформировалось в звездолет.

— Билл! — услышал герой Галактики, забираясь в корабль. — Подожди меня! — Голос был женский. Но такого не может быть! Откуда здесь взяться женщине, тем более знакомой?

## Глава 18

Билл глазел по сторонам, разинув от изумления рот. С первого взгляда показалось, что он вовсе и не на звездолете. «Смекалка» ничуть не походила на те дальнекосмические корабли, на которых доводилось служить Биллу. Военные звездолеты, сколь большими они ни были бы, отличались внутри изрядной теснотой; жилые помещения в них представляли собой крохотные каютки с низкими, грязными потолками, пропитанные неустранимым запахом вареной псевдокапусты. И то была не досадная случайность. Специальные конструкторские группы, изучив все базы данных давно исчезнувшей Земли, обнаружили то, что им требовалось, в файле «Парусники» (так назывались невероятно древние транспортные средства), а особенно — в подфайле «Невольничьи корабли». Задача была сложной, почти невыполнимой, однако конструкторы Космофлота проявили завидное упорство и в конце концов сумели воспроизвести на новейших десантных звездолетах старинный бардак.

Так обстояли дела в Космофлоте. Но не здесь! «Смекалка» больше напоминала изнутри зал ожидания в аэропорту или гальюн для штабных офицеров. Просторное помещение, стены выкрашены в цвета авокадо и какао, ровный свет скрытых ламп, спрятанных настолько хорошо, что креплений нигде не видно. Билл посочувствовал экипажу. Должно быть, нелегко их заменять, если вдруг какая перегорит. Экипаж тоже ни капельки не соответствовал сложившемуся у Билла представлению об астронавтах. Все молодые, симпатичные. Юноши — скорее ребята и уж никак не мужчины — носили одежду ярких тонов и ревностно несли службу. То же относилось и к полногрудым, совершенно сногсшибательным девушкам. Расовый состав экипажа казался весьма продуманным. Столько-то белых, столько-то черных, горстка зеленых и красных и один коричневато-желтый.

Когда они вошли в рубку управления, привлекательный юноша в бежево-бордовом комбинезоне и небрежно повязанном белом шарфе изящно вскочил и отдал честь. Дирк махнул рукой и спросил:

— Разрешите подняться на борт?

— Конечно, сэр, — ответил елейным тоном юнец. — Ведь корабль ваш, вы — наш капитан и первый адмирал Космической Гвардии.

— Я знаю, — прорычал Дирк. — Хватило бы и простого салюта.

— Так точно, сэр, — крикнул юноша и вновь отдал честь, чуть не выколов себе пальцем глаз.

— Билл, — произнес капитал Дирк, — познакомься. Мичман Тихий[1], один из наших новобранцев, выпускник Дальнекосмической школы в Лагуна-Бич.

---

[1] *Мичман Тихий* — герой одноименного романа английского писателя Ф. Марриэта (1792–1848).

— Очень приятно. — Мичман Тихий протянул смуглую руку. Его правый глаз медленно, но верно заплывал.

— Взаимно. — Билл неохотно ответил на рукопожатие, подумав, что, перед тем как подняться на борт этого безупречно чистого боевого — или не боевого? — звездолета, ему не помешало бы сполоснуться.

— Мичман Тихий проводит тебя в твою каюту, — продолжал капитан. — А Сплок просветит относительно того, что, собственно, происходит.

— Сюда, пожалуйста. — Мичман Тихий семенящей походкой направился к выходу. Остальные члены экипажа разразились хохотом, причины которого Билл не понял. Кто-то свистнул.

Мичман вел героя Галактики длинными коридорами. Навстречу то и дело попадались юноши в обтягивающих комбинезонах, объяснявшие что-то крайне важное прекрасным девушкам, чьи комбинезоны были еще более обтягивающими. Следуя за Тихим, Билл то спускался, то поднимался и наконец добрался до двери, на которой были изображены два нуля. Мичман открыл дверь, и Билл очутился в каюте, напоминавшей номер люкс с обстановкой в стиле старого доброго «Гелиор-Беверли-Хилтон».

— Фью! — присвистнул Подхалим, который, оказывается, шел за ними, а теперь, ворвавшись в номер, устремился прямиком в ванную. — Эй, Билл! У них тут бесплатная пузырьковая ванна и мыло с шикарным запахом!

— Ничего не трогай, — предостерег Билл. — И что дальше? — справился он у мичмана.

— Отдыхайте. Вон в том старинном буфете дорогие импортные вина и наливки. Если до вечернего банкета, который состоится в девятнадцать ноль-ноль, вы проголодаетесь, в телевизоре — у него пятьсот каналов — имеется распределитель закусок. Нажмите кнопку — и получите все, что закажете. Угощение бесплатное, вы — наши гости.

— Фью! — повторил Подхалим, после того как мичман ушел. — Как насчет заморить червячка, а, Билл? — Он подошел к телевизору. — Ба, у них есть обжаренные в масле щупальца осьминога с картошкой! И кокаин! — Он кинулся к автомату с напитками. — Сотня с лишним сортов пива! Даже свое собственное, «Старая смекалка»! С чего начнем?

— Я подожду банкета, — сказал Билл. — До семи вечера меньше часа. А пока приму ванну.

Герой Галактики вошел в роскошную ванную. Ванна напоминала размерами небольшой плавательный бассейн. Рядом стояла массажная машина, способная, судя по кнопкам, ублажить любого, кто находился на борту «Смекалки» или мог на него подняться. Имелся даже тюбик «Смягчителя когтей» и специальный инструмент для их стрижки.

— Весьма заботливо с их стороны, — пробормотал Билл, совершенно не предполагая, что среди гостей «Смекалки» время от времени оказывались личности с когтистыми конечностями.

Билл запер дверь, чтобы Подхалим не увидел, чем он тут занимается, и налил ванну, изнемогая от чувства вины и надеясь, что никто никогда ни о чем не узнает. Но ведь надо же попробовать, тем более что никому не известно, сколько еще он пробудет среди этой роскоши! Билл побродил по ванне, собирая пригоршни пузырьков и подкидывая их вверх, потом нашел пульт управления видеоэкранами. Огромная стенная панель скользнула в сторону, за ней обнаружился телевизор с экраном во всю стену. Прибор заработал, и Билл увидел капитана Дирка. Тот сидел в капитанском кресле позади офицеров, расположившихся за компьютерными терминалами и прочим оборудованием; последнее выглядело так, словно его сняли с древней субмарины.

— Все готовы? — спросил Дирк.

Офицеры хором произнесли: «Да». Дирк повернулся к Сплоку:

— Старший специалист, вы не ответили! Что-нибудь случилось?

— Разрешите говорить свободно?

— Валяй, Тони.

— По логике вещей, — затянул Сплок монотонно-заунывным голосом, — проблема с ранионами, обитателями планеты Саперштайн-четыре, решится без того, чтобы мы что-либо предпринимали.

— Сообщение принято к сведению и проигнорировано, — отозвался Дирк приятным оскорбительно-деловым тоном. — Кормовые толкатели, полный вперед на одной трети мощности!

Старший астрогатор — пышная темнокожая женщина со сложной прической — перевела рубильник в нужное положение.

— Есть, сэр.

— Маневровые двигатели правого борта, двухсекундное ускорение. Запустить главные двигатели. Включить импульсный контроль. Астрогаторская, приборы на ноль девять. Маневровые двигатели левого борта развернуть на триста сорок градусов, затем пятисекундное ускорение. Запустить импульсный контроль. Приготовиться к старту. Поехали!

Изображение на экране изменилось, появилась картинка снаружи, передаваемая, как позднее объяснили Биллу, камерой беспилотного бота. Зачем понадобился беспилотный бот, он так и не понял. Разве что лишь для того, чтобы передавать никому не нужную картинку снаружи. В общем, чудо неверно используемой технологии.

Впрочем, зрелище и впрямь было хоть куда. Гигантский звездолет — распорки и дополнительные стойки, грузовые отсеки и тому подобное, сложная система ярких, мигающих сигнальных огней, рев двигателя — камера передавала не только изображение, но и звук. Корабль стартовал, извиваясь, словно восторженный питон, на фоне далеких звезд. Фон, естественно, был ненастоящим. Кинофильмы прошлых веков раз и навсегда определили, как должен выглядеть старт звездолета. Поэтому для фона использовали стандартную пленку, отснятую в лаборатории спецэффектов. Но все равно — какой очаровательно древний вид! Он всегда производил нужное впечатление.

Вскоре «Смекалка» уже летела быстрее скорости света. Изображение на экране изменилось вновь. От корпуса звездолета расходились во все стороны длинные рыжевато-коричневые полосы (опять же стандартный вид корабля, который движется со скоростью выше световой).

Билл, надравшийся крепким пивом и едва не утонувший в пузырьковой ванне — он слегка вздремнул, — откровенно наслаждался жизнью. Его помощь не требовалась, а вызываться добровольцем он, естественно, не собирался. К тому же Дирк и экипаж «Смекалки» прекрасно обходились без него. Члены экипажа большую часть времени сидели в шезлонгах, а капитан отдавал приказы, и не думая повышать голос. Словом, дела обстояли подозрительно хорошо. Под ногами, куда бы ни пошел, мягкий ковер, из динамиков льется тихая музыка: арфы, клавесины, карильоны, ксилофоны — истинная музыка глубокого космоса.

Едва корабль набрал скорость, экипаж дружно начал расслабляться, притом что они и так не слишком напрягались. Капитан Дирк поздравил всех с первоклассным стартом, после чего вызвал к себе на мостик Билла.

— Ну, Билл, будь паинькой и расскажи Сплоку, как действует цурихианский эффект перемещения.

— Чего? — переспросил Билл, выпучив глаза.

— Я имею в виду секретное оружие цурихиан, с помощью которого они на миллионы миль отклоняют звездолеты от проложенного курса. Твой друг уверяет, что ты узнал этот секрет, пока находился в компьютере.

Подхалим за спиной Дирка отчаянно замахал руками. Билл не имел ни малейшего представления, что он хочет сказать, но предположил, что Подхалим призывает обмануть капитана. Билл с радостью согласился бы, если бы догадывался как.

— Капитан, боюсь, вы ошибаетесь на мой счет. Ничего такого я не узнал. На гражданке меня учили быть техником-удобрителем. А воинская моя специальность — заряжающий первого класса...

— Заткнись, — предложил Дирк. Вид у него, как и у Сплока, и у других офицеров, был весьма неприветливый. — Рядовой, — проскрежетал он сквозь стиснутые зубы, — советую тебе не играть со мной в игры. Твой приятель, мистер Подхалим, утверждает, что ты знаешь секрет Переместителя, но, будучи по натуре застенчивым, нуждаешься в подбадривании.

— Подхалим, — проскрежетал Билл точь-в-точь как Дирк, — когда я до тебя доберусь...

— Билл, я хочу познакомить тебя с одним из членов экипажа. Он редко появляется на людях, но выполняет очень ответственную работу, — произнес Дирк тихим, зловещим голосом, в котором прозвучали самоубийственно-оскорбительные нотки. — Выходи, Бэзил.

От дальней стены рубки отделился высокий мужчина в плаще с закрывающим лицо капюшоном. По очертаниям головы Билл определил, что он лыс и злобен.

— Как поживаете? — спросил герой Галактики.

— Не валяй дурака, рядовой! — взвизгнул Дирк. — Знаешь, какую должность занимает Бэзил? Он наш мастер уговоров.

— Некоторые именуют его мучителем, — угрюмо прибавил Сплок. — Но это не совсем точная характеристика. Он мучает только тогда, когда в том возникает насущная необходимость, когда иначе добыть информацию невозможно.

— Вы хотите сказать, что пытаете свою команду? — удивился Билл.

— Разумеется, нет, — мягко ответил Дирк. — Просто порой, когда мы прилетаем на новую планету... Да, мистер Сплок?

— Впереди планета, — сообщил Сплок.

— Откуда вы узнали, если корабль движется со скоростью света? — поинтересовался Билл. — Ведь она давно должна была остаться за кормой.

— Нас информирует наш компьютер, — объяснил Дирк. — Что за планета, Сплок?

— Меньше Земли, — проговорил Сплок, постучав длинными тонкими пальцами по лбу. — Кислородная атмосфера, население невелико. Один из миров-наблюдателей, появившихся в окрестностях после недавнего скандала вокруг Южного Звездного Гребня.

— Хорошо, — одобрил Дирк. — Садимся и пополняем запасы.

— А как насчет женщин, капитан? — напомнил кто-то.

— Что, последнюю партию уже использовали? — требовательным тоном осведомился Дирк.

— Боюсь, что да, шкипер.

— Значит, набираем новых.

— Мои данные таковы, — вмешался Сплок, продолжая постукивать пальцами по лбу. — Мужчины этой планеты имеют склонность хвататься за оружие, когда кто-либо покушается на их женщин.

— Дикари везде одинаковы, — вздохнул Дирк. — Сбросим на них сонные бомбы методом ковровой бомбежки. Пускай себе дрыхнут, а мы возьмем, что нам нужно, и полетим дальше.

Билл едва верил своим ушам. Он, конечно, знал, что молчание — лучшая политика, но не смог удержаться.

— Я много слышал о вас, капитан Дирк. Но не думал, что на деле вы вот такой.

— Приятно слышать, рядовой. — Дирк одарил Билла зловещей улыбкой. — Вообще-то, я не Дирк, а Контр-Дирк. Охрана, отведите его в тюрьму. Как только разберемся с планеткой, жди в гости мастера уговоров.

## Глава 19

Камера, как узнал впоследствии Билл, была скопирована с видеофильма, запечатлевшего как раз такую же на самой отсталой из открытых планет, которую затем уничтожили. Каменные стены (доставка камня в космос обошлась в кругленькую сумму) источали влагу, по трещинам шныряли ящерицы. Гальюн заменял рваный бумажный стаканчик. В крохотное отверстие высоко под потолком сочился тусклый искусственный свет. Едва Билла поместили в камеру, свет сделался тусклее прежнего. Все было рассчитано на то, чтобы внушить узнику безнадежность и отчаяние.

Билл улегся на пол и преспокойно заснул. Во-первых, он хотел сохранить силы для того, что ожидало впереди. Во-вторых, он устал. Лазать по обледенелым скалам, когда вместо «кошек» когти на ногах, — такое довело бы до полного изнеможения и более крепкого (и менее испитого) человека, нежели Билл.

Он проснулся, услышав звяканье вставляемого в замок ключа. Билл напрягся, решив, что пожаловал мастер уговоров. Но оказалось, что это надзиратель, который принес ужин.

Надзиратель поставил на пол накрытый драной салфеткой поднос, глупо ухмыльнулся и вышел, заперев за собой дверь.

Билл рывком сдернул салфетку. На подносе стояли две тарелки. На одной лежало нечто прямоугольное с красно-белыми прожилками по бокам. Билл узнал сэндвич с ветчиной и швейцарским сыром. На второй же тарелке распростерлась зеленая ящерица семи футов длиной. Чинджер! Чинджеры были заклятыми врагами людей, которые воевали с ними по всей Галактике. Билл поднял ногу, намереваясь раздавить ящерицу.

— Только попробуй, недоумок, — фыркнул чинджер. — Тебе что, ноги не жалко? Или ты забыл, что сила тяжести у нас на планете — десять «же» и мы, чинджеры, крепче стали?

Билл, наверное, все равно раздавил бы ящерицу — настолько глубоко укоренилось в нем отвращение к этим последним из вековечных врагов Земли. Однако его остановил голос. Пускай на полторы октавы выше, пускай он исходил из инопланетной глотки — Билл мгновенно узнал голос Иллирии, провинциальной медсестры, своей первой и единственной подружки на Цурисе.

— Иллирия! Неужели ты?

— Да, Билл, — отозвалась ящерица высоким, визгливым голоском, что, несомненно, объяснялось миниатюрными размерами гортани и мягким небом. Но интонации — тут ошибки быть не могло.

— Как ты забралась в чинджера?

— Мне помог компьютер «Квинтиформ». Когда он заметил, что ты покидаешь планету и, быть может, никогда не вернешься, то сообразил, что, пожалуй, был с тобой немножко резок.

— Немножко? Сколько дней он поливал меня дождем и морил холодом!

— Время — понятие субъективное, — проговорила Иллирия. — Но тебе, верно, и впрямь показалось, что твои мучения продолжались очень долго. Компьютер просил передать, что извиняется и восторгается, Билл, твоим упорством. Он хочет, чтобы ты вернулся, и предлагает забыть прошлое, поскольку считает, что ты способен принести Цурису громадную пользу.

— Я не желаю больше торчать в компьютере, — раздраженно бросил Билл.

— Разумеется. Компьютер осознал свою ошибку; ему не следовало пытаться переупрямить тебя. Возвращайся, Билл, на новую работу. На хорошую, на такую, которая обязательно тебе понравится.

— Сомневаюсь, — обиженно буркнул Билл.

— Вдобавок ты будешь со мной, — присовокупила Иллирия.

— Ну да, — нерешительно пробормотал герой Галактики.

— Похоже, ты не слишком рад.

— Елки-палки, Иллирия, ты же знаешь, что очень мне нравишься. Но сейчас, когда ты появилась в моей камере под личиной чинджера, а чинджеры — заклятые враги Земли...

— Я забыла, — призналась Иллирия. — Ну конечно, вот чем, скорее всего, объясняется твое поведение.

— Раньше ты выглядела симпатичнее, — продолжал Билл. — Хотя и ненамного. Кстати, а как ты раздобыла тело чинджера?

— Мог бы и сам догадаться, — ответила Иллирия. — Пока не отыщем для себя подходящего тела, мы, цурихиане, существуем в форме лучистой энергии. А тела берем те, какие нам подворачиваются. Я понимаю, что ящерица, на твой взгляд, привлекательна ничуть не более, чем мое прежнее тело из трех сфер...

— Сферы были замечательные, — возразил Билл.

— Спасибо за комплимент, но, кажется, ты лукавишь. Между прочим, мне повезло. Тебе ведь известно, что большинство моих сородичей вообще не имеют тел. Так что сферы — просто подарок судьбы. Но ты спрашивал насчет ящерицы. Я плавала в свое удовольствие по кораблю, по старушке «Смекалке», подыскивая тело поприличнее...

— А как ты попала на «Смекалку»? — перебил Билл.

— С помощью компьютера. Он решил, что иного способа вернуть тебя не существует, а потому помог мне пробраться на борт, снабдил энергией и всем прочим, что требовалось, за исключением, естественно, тела, ибо тут был бессилен. Однако он предположил, что я, быть может, отыщу на «Смекалке» такое тело, которое пока свободно.

— Почти все, кого я знаю, — заметил Билл, — пользуются своими телами постоянно.

— Разумеется, — согласилась Иллирия. — Все, кто мне встречался, были заняты телесной, физической работой. Даже во сне. Скажи, Билл, люди всегда настолько активны?

— По-моему, да. Но что там с чинджером?

— Ну, обшарив весь корабль, я подумала, что удача от меня отвернулась. Ни единого свободного тела! Кое-кто, к слову, использовал сразу два тела, что показалось мне забавным и весьма любопытным. Ты должен растолковать...

— Потом. — Билл вздохнул: ему не очень-то хотелось объяснять чужеродному сознанию, заключенному в теле чинджера, суть гетеро-(гомо?) сексуальных упражнений.

— Хорошо, но ты обещал. Так вот, я искала и искала — и вдруг нашла это тело в крохотном тайнике. Оно было в коме; я проникла в него и заняла мозг.

— Так просто?

— Да. Знаешь, Билл, с ящерицами, похоже, не возникает никаких проблем.

— Для тебя — может быть, но не вздумай такое заявить в нашем Генштабе. Получается, ты можешь завладеть любым телом?

— Конечно. Но не потому, что мы, цурихиане, настолько развиты умственно. Дело в том, что мы, в отличие от большинства других существ, привыкли жить чисто мысленной жизнью.

— Любопытно, — пробормотал Билл и неожиданно прищурился: ему в голову пришла шальная мысль.

— Билл, почему ты щуришься?

— Думаю. Объясню потом. Слушай, Иллирия, что-то здорово не так.

— Скоро все наладится. А если нет — забудь, и точка. Выкинь тело и раздобудь новое. Я знаю, где можно достать шикарное тело, не нарушая ни одного из правил морали, которые запрещают нам, цурихианам, поселяться в любом понравившемся теле.

— Великолепно. Но я имел в виду другое. Что-то здорово не так с экипажем звездолета. Я всегда думал, что капитан Дирк — прославленный герой. А он собирается напасть на невинных обитателей какой-то планеты, к которой мы подлетаем.

— Интересно. Я раньше никогда о нем не слышала, поэтому верю тебе на слово. Как ты это объясняешь?

— Никак, — ответил Билл. — Я спросил его, а он заявил, что я говорю вовсе не с Дирком, а с Контр-Дирком.

— То есть?

— Понятия не имею.

— Пожалуй, надо справиться у компьютера.

— Каким образом? — осведомился заинтригованный Билл.

— Я же говорила, компьютер хочет помочь тебе. Он поддерживает со мной постоянную связь. Сейчас я его вызову.

Маленькая зеленая ящерица, которая была Иллирией, свернулась на тарелке в клубочек; наружу торчало лишь рыльце. Глаза полуприкрыты, тело обмякло, нижняя челюсть отвисла...

— Иллирия! — позвал Билл. — С тобой все в порядке?

— В полном, — отозвалась ящерица. — Говорит компьютер «Квинтиформ». Билл, я хочу извиниться. Понимаешь, я играл с тобой. Было бы просто чудесно, если бы ты вернулся.

— Мне не понравилось быть твоей частью, — сказал Билл. — Не обижайся, но я намерен остаться собой.

— Понимаю, — произнес компьютер. — Ты прав, твой мозг слишком ценен, чтобы разменивать его по мелочам.

— Мой мозг?

— Да. В нем два полушария.

— А-а, — протянул Билл. — Помнится, такие мозги у большинства людей.

— Ты знаешь, что отсюда вытекает?

— Не думаю.

— Твой мозг способен действовать самостоятельно и не хуже компьютера.

— О! — Билл призадумался. — Здорово!

— Как видишь, я забочусь о твоем же благе.

— Здорово, — повторил Билл. — Но ты собирался объяснить мне, что значит «контр».

— В данном контексте, — сообщил компьютер, изъясняясь через Иллирию, которая находилась в теле чинджера, что, если вдуматься, представляло собой весьма экзотичный телефонный канал, — это значит, что существуют два капитана Дирка, настоящий и поддельный. Ты правильно подметил: поведение твоего Дирка не соответствует нормам вашего общества. То есть звездолетом командует не настоящий капитан Дирк, да и сам звездолет — не настоящая «Смекалка».

— Что-то чересчур сложно, — пожаловался Билл, сосредоточенно хмурясь. — Если тут Контр-Дирк, то где же настоящий?

— Я так и знал, что ты спросишь, — откликнулся компьютер, — а потому добыл необходимые сведения из машины, которая управляет вашим кораблем.

— Из контркомпьютера? — уточнил Билл.

— Совершенно верно. Мой милый, ты должен вернуться на Цурис! Какое удовольствие беседовать с тем, кто тебя понимает!

— Обсудим потом, — заявил Билл, ощутив себя в привилегированном положении, хотя не имел ни малейшего понятия, как и почему в нем очутился. — Я хочу знать, где настоящий капитан Дирк.

— Ты удивишься.

— Не беспокойся, сейчас меня ничем не удивишь.

— Настоящий капитан Дирк находится в Древнем Риме на давно забытой планете Земля. Год — приблизительно шестьдесят пятый до нашей эры.

— Ты был прав, — признался Билл. — Я удивился.

— Рад слышать. — Компьютер хихикнул, судя по всему, более чем довольный собой.

— Что еще ты узнал от корабельной машины?

— Причину, по которой Дирк отправился на Землю, и то, каким образом его отбытие привело к появлению Контр-Дирка.

— Вот как? До чего же послушный ящик с транзисторами, а?

— Мы, компьютеры, — братья. Чистое сознание не знает расовых различий.

— Не бери в голову. С какой стати капитана Дирка занесло в Рим?

— У него там важное дело.

— Естественно. Какое именно?

— Я понимаю, ты многого не знаешь, — вздохнул компьютер. — Однако мы должны торопиться. И не потому, что мне так хочется. У меня времени предостаточно. Наш разговор требует минимальных затрат энергии, следовательно, я спокойно могу заниматься собственными делами, поддерживать жизнедеятельность населения Цуриса. Но от бортового компьютера я узнал, что, едва Дирк со своим экипажем закончит грабить только что обнаруженную планету, он примется за тебя и попытается выбить из твоего мозга секрет эффекта перемещения. Поскольку никакого секрета ты не знаешь, тебе придется плохо. Но не стану подгонять.

Наступила тишина. Сперва Билл решил, что компьютеру вздумалось прервать связь. Чинджер лежал себе на тарелке, зажмурив глаза, и выглядел скорее мертвым, чем живым. Где Иллирия, установить не представлялось возможным. Что касается самого Билла, он явно угодил в очередную переделку.

— Компьютер! — позвал Билл какое-то время спустя.

— Да, Билл?

— Не обижайся, ладно?

— Компьютеры не могут обижаться.

— Однако ты ловко притворяешься.

— Такая уж у меня работа. Послушай, чтобы объяснить, почему Дирк оказался в Древнем Риме, мне придется рассказать тебе о Враге-Историке. Но времени у нас в обрез.

Билл услышал, как топочут по коридору тяжелые подкованные солдатские башмаки. У него засосало под ложечкой. Что-то громко лязгнуло, — должно быть, стукнулись о пол приклады винтовок. В замке заскрежетал ключ.

— Компьютер, пожалуйста, вытащи меня отсюда!

— Держись, — отозвался «Квинтиформ». — Возможно, будет тяжеловато. Я имею в виду, тебе. У меня не было времени как следует попрактиковаться; вполне вероятно, что-то может пойти наперекосяк...

— Плевать мне, на какой косяк! — истерически взвизгнул Билл.

Дверь камеры распахнулась. На пороге стояли Дирк и Сплок — в черных комбинезонах со зловещими эмблемами. Подбоченясь, они криво ухмылялись. За их спинами виднелись одетые в черное солдаты.

— Привет, цыпленочек, — проговорил Дирк. Сплок злорадно усмехнулся, а солдаты дружно загоготали.

— Компьютер! — заверещал Билл.

— Хорошо-хорошо, — брюзгливо отозвалась машина. — Думаю, можно попробовать...

Капитан Дирк перешагнул порог, следом в камеру ввалился Сплок, а по пятам за тем вошли солдаты, тащившие шампуры и котел, в котором колыхалась вареная жвачка.

В этот миг Билл почувствовал, что крокодилья лапа вдруг начала расти. С нее слетели метафорические портянки, которыми Билл обмотал ее, чтобы — возможно, он погорячился — не нарушать норм приличия. Лапа росла и росла, стала величиной с мускусную дыню, с арбуз, с трехлетнего кабана, с овцу перед стрижкой, с пианино, с гараж на одну машину. Увидев лапу во всем присущем ей атавистическом безобразии, Дирк и его люди попятились. Биллу не оставалось ничего другого, как одобрительно восклицать, ибо сейчас лапа весила гораздо больше, чем он, и, похоже, обладала собственной волей.

— Переменю модальности, — пробормотал компьютер. Лапа мгновенно уменьшилась до прежних размеров. Зато начал расти сам Билл. Он обнаружил, что становится длиннее и длиннее, а одновременно — тоньше и тоньше; наконец ему почудилось, будто он превратился в сосиску около десяти ярдов длиной и около дюйма в диаметре. Этакая эксцентричная, пародийная модель аскариды.

— Чего рот разинул? — рявкнул компьютер. — Ищи нору!

Билл понятия не имел, о чем толкует компьютер, но внезапно увидел у себя над головой крохотное отверстие, то ли черное, то ли темно-серое, напоминавшее туннель размерами с его голову. Он пролез внутрь — и оказался в открытом космосе, что нашел просто потрясающим.

Он падал, и ощущения были не из приятных. Билл утешал себя тем, что падает не один. Рядом летел длинный зеленый червяк — очевидно, изменивший обличье чинджер, мозг которого подчинялся инопланетному компьютеру. Значит, очевидно? Должно быть, и впрямь дело швах, если такое вот воспринимается как очевидное.

Билл продолжал размышлять над неразрешимой загадкой, когда все вокруг неожиданно погрузилось во мрак и он тоже не избегнул общей участи.

## Глава 20

Вместе с сознанием вернулась память. Учитывая, сколько ему довелось пережить, Билл чувствовал себя просто замечательно. Вернее, пережитое он помнил довольно смутно, знал только, что побывал в той еще переделке. Он моргнул, огляделся по сторонам — и обнаружил, что стоит на травянистой равнине, причем трава почти того же цвета, что примостившийся рядом на корточках чинджер. На горизонте клубилась пыль. Очень скоро из облака пыли вырвались всадники в доспехах и шлемах с плюмажами, вооруженные пиками. Билл сразу понял, что перед ним римляне. В свое время он пересмотрел немало доисторических фильмов, что показывались по галактической кабельной сети «Межпланетное суперкино», а потому ни на секунду не усомнился, что видит именно римлян, а не, скажем, германцев той же эпохи, ведь германцы носили длинные усы и ходили в медвежьих шкурах. Эти же всадники были чисто выбриты. В самой их гуще восседал на гамаке капитан Дирк. Вид у него был озадаченный, но решительный.

— Привет, капитан Дирк! — воскликнул Билл. — Вы что, пленник?

— Нет, — ответил Дирк. — С чего ты взял? И, кстати говоря, кто ты такой? Я тебя в жизни не видел!

— Разрешите, я вас представлю, — вмешался через чинджера компьютер. Или то была Иллирия? В общем, кто-то, занимавший тело чинджера.

— Чинджер! — Дирк схватился за оружие.

Сообразив, что сейчас капитан, пускай из наилучших побуждений, прикончит ящерицу, а заодно уничтожит Иллирию и канал связи с компьютером, Билл протолкался сквозь строй римлян и схватил Дирка за руку.

— Не стреляйте! — крикнул он.

— Почему? — Пытаясь освободиться, Дирк состроил гримасу.

— Слишком долго объяснять.

— Ничего, я не тороплюсь.

— Я вам не враг, капитан Дирк, — произнес чинджер. — Меня зовут Иллирия, я с планеты Цурис, а этим телом завладела, чтобы помочь Биллу.

— Гнусной ящерице можно верить? — справился капитан у Билла. — И потом, мы разве с тобой знакомы?

— Я встречался с Контр-Дирком, — сказал Билл. — Вы с ним на одно лицо.

— Паршивые новости. Мы прибыли сюда, чтобы остановить мерзавца, известного под именем Врага-Историка. Однако угодили в ловушку. Произошло зеркальное отображение.

Материю нельзя уничтожить, а энергия — просто информация, поэтому мы остались здесь, а в нашем пространственно-временном континууме появились Контр-Дирк и Контр-«Смекалка». Я должен вернуться и разобраться с ними.

— А при чем тут римляне? — спросил Билл. — Чем вы вообще занимаетесь?

— Стараемся определить судьбу пренеприятного типа по имени Юлий Цезарь, — отозвался Дирк. — Честно говоря, я не знаю, как поступить. Враг-Историк пытается спасти Цезаря, чтобы изменить историю Земли назло нынешнему поколению людей. Такого мы допустить не можем. С другой стороны, если я остановлю его, то окажусь замешанным в преступлении, ибо тогда Брут убьет Цезаря. Понимаешь, какой передо мной выбор?

— То есть вы собираетесь помешать Врагу-Историку удержать Брута от убийства Цезаря? — Историю Рима Билл знал из дрянных исторических фильмов, которые одно время пользовались популярностью.

— Да. Хоть лоб у тебя низкий, даже ты, наверное, способен представить, как мне тяжело. Как бы ты поступил на моем месте?

— Кокнул бы Историка, — откровенно заявил Билл. — Потом вернулся бы в свое время и засунул бы Контр-Дирка в задницу.

— То же самое предлагает Сплок.

— Он прав.

— Но Сплок не разбирается в человеческих чувствах!

— Какие могут быть чувства? — удивился Билл. — Ведь вам нужно восстановить историю Земли.

— Верно, верно, — пробормотал Дирк. — Знаешь, мне в последнее время пришлось несладко. Говорят, будто я спекся. Но они ошибаются! Я им покажу «спекся»! Ты понимаешь меня?

— Еще бы! — откликнулся Билл. — Что надо делать?

— Схватить Брута прежде, чем он убьет Цезаря.

— И когда?

Капитан Дирк посмотрел на часы. Римляне глядели на него во все глаза. Они никогда не видели наручных часов.

— У нас в запасе около двух часов, — сказал капитан. — Согласно вычислениям Сплока, к исходу этого времени Историк догадается, что мы обвели его вокруг пальца, и настроит свои машины на возвращение в прошлое, в тот период, когда мы только будем лететь сюда. Что позволит ему одурачить нас.

— Но можно же отправиться в прошлое до его появления, — заметил Билл.

— Теоретически да. Фактически же мы и без того изрядно подсадили батареи. Ты не представляешь, насколько тяжело просочиться в шестьдесят пятый год до нашей эры. Нет, Билл, что бы мы ни задумали, действовать придется сейчас.

— Тогда за дело! — воскликнул Билл.

— Меня не забудьте! — Чинджер горделиво напыжился, что было совсем не просто. Должно быть, Иллирия обиделась, что про нее не вспоминают (как то и было на самом деле).

— Ты поможешь нам? — спросил Дирк.

— Разумеется!

— Мне кажется, ты бывалый солдат и умеешь драться врукопашную.

— По-моему, да. — Билл припомнил все сражения, в которых ему довелось участвовать, — то бишь те, от которых не сумел увернуться. — Да, кое-какой опыт у меня есть.

— Великолепно! А командовать сможешь?

— Минуточку! Я не офицер. Правда, меня разок произвели в офицеры, а потом разжаловали. Нет, на офицерство я не согласен.

— Ты и не будешь офицером. Но ведь ты сможешь командовать отделением или взводом?

— А, тогда конечно. Без проблем. В конце концов, я же был инструктором по строевой. Но с какой стати? Ведь вы же офицер. Капитан — офицерское звание. Значит, вам и командовать.

— Естественно, — отозвался Дирк. — Но я должен оставаться в тылу, чтобы иметь возможность советоваться со Сплоком. Поэтому мне нужен полевой командир, кто-нибудь, кто передавал бы войскам мои приказы.

— Минуточку! — запротестовал Билл. Впрочем, едва раскрыв рот, чтобы запротестовать, он понял, что уже поздно.

Таким вот образом Билл повел Пятый и Второй — Валерианский — легионы на битву с Чингисханом и его гуннами численностью в добрый миллион воинов.

Поскольку Враг-Историк, защитив Юлия Цезаря от Брута и его подручных, изменил историю Земли, возникло множество противоречащих друг другу политических факторов. Цезарь, безусловно, являлся военным гением, превосходил, быть может, даже Александра Великого, а потому подчинил себе множество варварских племен. Однако его положение было непрочным.

— Цезарю несдобровать, капитан, — заметил Сплок. — Да и нам тоже.

— Мистер Сплок, вы недоверчивый остроухий мерзавец, однако весьма точно охарактеризовали ситуацию.

— Благодарю вас. Я лишен эмоций, поэтому ни ваши похвалы, ни ваши оскорбления на меня не действуют. Тем не менее спасибо за уважение к моему интеллекту, а ваше замечание насчет ушей позвольте проигнорировать. Я бы ответил на него презрением, если бы мог его чувствовать.

— Что будем делать? — спросил Билл, начиная медленно пятиться. Враги приближались. Капитан промолчал.

Римляне с живым интересом наблюдали, как на них надвигаются орды Чингисхана на закованных в броню яках. Дикари размахивали устрашающего вида копьями, колотили в громадные литавры, подвешенные к седлам, а некоторые, что выглядели изможденнее остальных, дули в трубы и завывали на отвратительный азиатский манер. Армия продвигалась вдоль берегов Тибра; казалось, ряды воинов тянутся до самого горизонта. Римляне явно нервничали, хотя и не проявляли нерешительности, — словом, вели себя как люди, которых заманили в ловушку. Передние потихоньку отступали от вопящих и ухмыляющихся дьяволов с их лошадьми, верблюдами, яками и диковинным оружием — дикарей, снедаемых желанием грабить и убивать. В их грязных, свалявшихся волосах копошились вши, по немытым телам, похоже, сновали пауки и даже крабы.

— Так нечестно! — воскликнул Дирк. — Чингисхан принадлежит к другой эпохе. И как сюда попали гунны?

— Гораздо важнее то, как нам быть, — откликнулся Сплок.

— У кого какие соображения? — поинтересовался Дирк.

— Сейчас, — сказал Сплок. — Я думаю. Вернее, обладая способностью размышлять со скоростью света, вспоминаю, о чем думал, когда узнал, что нам предстоит.

— Ну и? — поторопил Дирк.

— Есть одна идея. Шансы невелики, но, возможно, нам повезет. Постарайтесь задержать их, капитан. Пошли, Билл.

— А я? — пискнула Иллирия, на которую чуть было не наступили. — Смотрите же под ноги, в конце-то концов!

— Не бойся, мы про тебя не забыли, — уверил Билл, который начисто забыл о чинджере. — Оставайся с капитаном, не спускай с него глаз. Надеюсь, мы скоро вернемся. — Он с подозрением посмотрел на Сплока. — Куда мы идем?

— Спасать ту Землю, которая нам знакома.

Сплок схватил Билла за руку, а другой рукой щелкнул переключателем миниатюрной панели управления, что висела у него на поясе. Прогремел гром, засверкали молнии. Билл не успел даже вздрогнуть, как ощутил, что вокруг растворяются время и пространство. Задул ледяной ветер — самый настоящий Ветер Времени; героя Галактики подхватило и понесло.

Шипение, свист, ослепительные вспышки молний, омерзительные запахи... Внезапно Билл обнаружил, что стоит на голой равнине. Может статься, это пустыня? Куда ни посмотри, всюду одна галька; правда, кое-где виднелись валуны, что хоть немного скрашивало унылый пейзаж. Среди камней топорщились чахлые колючие кусты. Сплок стоял рядом, сверяясь с картой, которую достал из висевшего на ремне кошелька.

— Кажется, все сходится, — проговорил он, хмурясь и шевеля ушами. — Если, конечно, карта не устарела. Временные потоки изменяют направление без предупреждения, поэтому никогда нельзя быть уверенным...

За спиной раздался рев. Билл подпрыгнул, развернулся в воздухе и потянулся за оружием, которого у него не было. Сплок повернулся гораздо медленнее, как того и следовало ожидать от существа с его интеллектом.

— Верблюжатники, — сказал он.

— А! — выдавил Билл. — Значит, верблюжатники? Что-то я про них не слыхал.

— Я не предполагал, что потребуются объяснения, — ответил Сплок. — Думал, ты догадаешься сам.

Билл промолчал, хотя мог бы возразить, что догадываться было не с чего. Сплок принадлежал к числу тех умников, у которых на все есть ответ и чьи объяснения дают понять, что ты тупее, чем тебе казалось (или чем ты надеялся).

Двое верблюжатников, сидевших на спинах дромадеров, терпеливо ждали. Наконец один из них обратился к Сплоку на странном языке, который транслятор Билла после минутной заминки все же сумел перевести на общепринятый.

— Мир тебе, эфенди.

— И вам того же, — отозвался Сплок. — Будьте добры, отведите нас к своему господину.

Верблюжатники заговорили между собой на каком-то диалекте, которого транслятор, как выяснилось, не знал, в отличие от Сплока, вставившего две-три удачные фразы. Погонщики засмеялись — смущенно и где-то даже уважительно.

— Что ты сказал? — спросил Билл.

— Пошутил. Точнее, пожелал успеха. Но в переводе теряется вся соль.

— Все равно поделись.

— Я сказал: «Да не забредут ваши верблюды в мрачное болото, которое уводит в стигийский мрак».

— И они засмеялись?

— Разумеется. Мою фразу ведь можно истолковать иначе. «Да не узнают ваши задницы сапог султанской гвардии». Если можно так выразиться, любопытный образчик лингвистической двусмысленности.

Верблюжатники кончили возбужденно переговариваться. Старший, с короткой черной бородой и темными глазами навыкате, произнес:

— Садитесь позади нас. Мы отвезем вас к боссу.

Сплок и Билл вскарабкались на верблюдов и уселись за спинами погонщиков. Сперва Билл решил, что они едут к видневшимся вдалеке горам, но скоро различил впереди стены и башни крепости, что охраняла большой город.

— Куда нас занесло?

— В Карфаген, — ответил Сплок. — Слыхал о таком городе?

— В нем жил Ганнибал?

— Точно.

— А зачем нам туда?

— Затем, — терпеливо объяснил Сплок, — что я хочу сделать Ганнибалу предложение, от которого он не сможет отказаться. По крайней мере, надеюсь, что не сможет.

## Глава 21

— Слоны, — произнес Ганнибал. — Вот в чем причина моей неудачи. Вы никогда не пытались отыскать в разгар зимы в Альпах корм для сотни слонов?

— Похоже, вам не позавидуешь, — проговорил Билл. Он с интересом отметил про себя, что Ганнибал изъяснялся на пуническом с легким южным акцентом, точнее — с чисто ирландским пришепетыванием. Это существенно дополняло представление о знаменитом воине, хотя Билл и не догадывался, что отсюда можно вывести. Не догадывался и транслятор, обративший внимание хозяина на сей совершенно бесполезный факт.

— Победа была у меня в руках, — продолжал Ганнибал. — До Рима оставалось всего ничего. Я чувствовал его близость, чувствовал запах потных подмышек и чеснока. Победа! И тут откуда ни возьмись появляется Фабий Кунктатор и начинает тянуть время! Теперь-то я бы с ним справился, но тогда затяжка времени была еще новым словом в ратном деле. Раньше происходили обыкновенные стычки, не более того. Впрочем, что толку рыдать над пролитым квасом! Итак, что вам нужно, диковинно одетые варвары? Говорите быстрее, не то я прикажу выпотрошить вас.

— Мы хотим предложить тебе новый поход, — поторопился ответить Сплок.

Ганнибал был высок и хорошо сложен. Он носил сверкающую кирасу и латунно-бронзовый шлем. Разговор проходил в ставке. Поскольку Ганнибал потерпел поражение, ему запретили принимать гостей в главной зале, поэтому он обосновался в малой, предназначенной для неудачливых полководцев. У стенки стоял буфет, в котором помещались блюда со сладостями, заливными голубиными язычками, жареными мышами и прочими деликатесами, а также амфоры с отдававшим смолой вином. Предоставив вести беседу Сплоку, который, судя по всему, знал, о чем говорить, Билл подобрался поближе к буфету. Рядом, на жаровнях, в которых потрескивало горящее оливковое масло, лежали решетки с рядами маленьких горшочков в ячейках. Билл сунул руку в один из них и облизнул палец. Кушанье напоминало по вкусу приправленный карри козлиный помет. На всякий случай он сплюнул.

— Вы не возражаете, если я попробую? — спросил он у Ганнибала, указывая на амфоры.

— Валяй, не стесняйся. Возьми вон ту, в конце ряда. В ней настоящее питье, а не деготь.

Билл послушался, попробовал, одобрил и сделал еще глоток.

— Елки-моталки! Это что такое?

— Пальмовое виски. Его изготовляют только на Карфагенском нагорье. Как именно — страшная тайна. Процесс называется перегонкой.

— Шикарно! — Билл вновь приложился к амфоре.

Ганнибал возобновил беседу со Сплоком. Разговаривали они вполголоса, да Билл особенно и не прислушивался, поскольку обратил все свое внимание на пальмовое виски, быстро разрушавшее функции коры его головного мозга. Он прожевал какую-то гадость, нашел, что на вкус она вполне ничего (дурной знак!), и снова отхлебнул виски. Жизнь начала казаться не такой уж плохой, а когда то ли по тайному сигналу, то ли потому, что просто настало время, из сводчатого прохода выпорхнула стайка танцовщиц, сопровождаемых тремя музыкантами, которые держали в руках странные инструменты из тыкв и кишок, стала по-настоящему прекрасной.

— Эй! — воскликнул Билл. — Давно бы так!

Танцовщицы поглядели на Ганнибала, но тот, занятый разговором, лишь махнул рукой. Тогда они повернулись к Биллу, выстроились перед ним и принялись танцевать. Высокие, широкобедрые, пышногрудые, ноги беспрерывно двигаются — словом, истинные танцовщицы, как раз в духе Билла. Они танцевали, не забывая флиртовать, сбрасывали одно за другим покрывала и вертели задами, а музыканты ухмылялись и продолжали пиликать на диковинных инструментах. У героя Галактики взыграла кровь. Он спросил ближайшую из танцовщиц, что она делает сегодня вечером, но девушка, по-видимому, не знала пунического, а потому не ответила.

Танец длился добрый десяток минут. К сожалению, заметив, что творится с Биллом, девушки вновь закутались в покрывала. Тем временем Билл успел надраться виски и обжечь горло стручковым перцем, который и не заметил, как съел. Он собирался спросить музыкантов, знают ли те старые песенки, которые сам распевал в детстве, но Сплок и Ганнибал, похоже, пришли к соглашению, пожали друг другу руки и подошли к герою Галактики. Ганнибал снова махнул рукой. Музыканты и танцовщицы мгновенно исчезли.

— Мы договорились, — сообщил Сплок. — Ганнибал согласился помочь. Он выделяет нам пять слоновьих эскадронов. Я пообещал, что мы будем ухаживать за животными.

— Здорово, — пробормотал Билл, у которого вдруг сложилось впечатление, что на его язык натянули скафандр. — А он не того...

— Не беспокойся, Ганнибал не подведет. Правда, он выдвинул одно условие, на которое мне пришлось дать согласие.

— Какое?

— Боюсь, тебе не понравится, — произнес Сплок после непродолжительной паузы. — Впрочем, ты настолько пьян, что тебе, пожалуй, будет все равно. И потом, ты же добровольно вызвался помогать нам.

— Чего?

— У карфагенян есть очень интересный обычай. Они соглашаются помогать союзникам только в том случае, если сначала герой союзников сразится с их бойцом.

— С каким таким бойцом? — пробурчал Билл, едва разбирая, что именно говорит Сплок.

— Он употребил незнакомое мне слово. Я не могу сказать, кого или что он имел в виду.

— То бишь, может, человек, а может, скотина? — Билл быстро заморгал, пытаясь разогнать алкогольную пелену перед глазами.

— Древний мир, никуда не денешься, — кивнул Сплок. — Ну ничего, бывалый солдат вроде тебя справится с любым, кто ему попадется.

— А если я проиграю? — Билл с каждой секундой становился все трезвее.

— Не волнуйся. Ганнибал поможет нам, даже если тебя убьют.

— Замечательно! — Едва Билл услышал, что ему угрожает гибель, трезвость ударила ему в голову подобно ядовитой молнии. — Сплок, ах ты, остроухий сукин сын! Во что ты меня втянул? Я же без оружия!

— Импровизация — качество, присущее всякому бывалому солдату, — заявил Сплок. — А насчет ушей мог бы помолчать.

— Пошли, — сказал Ганнибал, прерывая дружеский обмен мнениями. — Не будем откладывать.

Билл потянулся было за амфорой с виски, но передумал. Как ни странно, он был совершенно трезв, о чем горько сожалел.

## Глава 22

Сейчас речь пойдет о карфагенском ристалище.

Оно находилось в квартале, известном как Священная Обитель, и представляло собой приземистое черное здание с громадным амфитеатром внутри. Крыши у здания не было, и площадку освещало палящее африканское солнце. Как и на арене для боя быков, там были места под навесами и без; одни стоили дешевле, другие дороже. Обладатели лож имели специальные глиняные жетоны с выдавленными на них диковинными цифрами. Зрителям с абонементами вменялось в обязанность приводить с собой раба, который держал бы в руках большую глиняную табличку: на той записывалось место хозяина и даты представлений. В отсутствие состязаний в Черном Театре, как называли арену местные жители, ставились балетные спектакли, проводились музыкальные фестивали, церемонии дефлорации и пополнявшие жреческую казну празднества в честь разных божеств.

Круглую арену окружали трибуны со зрительскими местами, уже наполовину заполненные. Народ продолжал подходить, просачиваясь сквозь входные щели в базальтовых стенах. Ристалище посыпали ярко-желтым песком, который разительно контрастировал с черными стенами здания; на четырех высоких шестах развевались разноцветные флажки. По крутым ступенькам между рядами сновали уличные торговцы в длинных серых халатах, предлагая ферментированное кобылье молоко, вкус которого был едва ли не омерзительнее названия, беличьи сосиски и прочие местные лакомства. На арене кувыркались акробаты; актер-комик в маске сатира и с трехфутовым фаллосом разогревал публику, готовя ее к предстоящему действу.

А в подземелье под ареной Билл спорил со Сплоком.

— Никуда я не пойду! Сначала дай мне оружие! — Он отказался от традиционного гладиаторского облачения, равно как и от разложенных на столе разнообразных клинков.

— Чем тебе не нравится вот этот? — удивился Сплок, проведя ногтем по лезвию одного из мечей. — Я не понимаю твоих претензий.

— А что тут понимать? Я не умею сражаться мечом. Мне нужен пистолет.

— У них нет пистолетов.

— Знаю. Поэтому он мне и нужен.

— Стыдись, Билл, — заметил Сплок.

— Стыдись?! — взвизгнул Билл. — Они собираются прикончить меня! Между прочим, на чьей ты стороне?

— Я служу истине и не поддаюсь эмоциям, — объяснил Сплок. — Кроме того, пистолета у меня все равно нет.

— Неужели совсем ничего?

— Только лазерная ручка. Но она едва ли подойдет...

— Давай сюда! — Билл выхватил ручку. — На сколько она бьет?

— Футов на десять. Точнее, на три метра. На таком расстоянии она проделает дырку в двухдюймовой стальной плите. Однако, Билл...

Тут появился Ганнибал в сопровождении двух стражников.

— Ну? — спросил он. — Человек из будущего готов?

— Готов, — отозвался Билл, пряча ручку в карман и застегивая на том молнию.

— Но у тебя нет ни меча, ни пики!

— Ты прав. Дай-ка мне вон тот кинжальчик. Маленький, с краю.

— Воины, отведите его на арену!

Билл вошел на залитую светом площадку. Рядом с ним шагали вооруженные пиками стражники. Увидев героя Галактики, который заморгал от яркого света, споткнулся, а затем принялся чистить кинжалом ногти, зрители всполошились, и ставки на Билла понизились от десяти к одному до ста к одному.

— Ты бы тоже поставил, — крикнул Билл Сплоку.

— Билл! — крикнул тот в ответ. — Я должен кое-что тебе сказать. Лазерная ручка...

— Не отдам!

— Она разряжена, Билл! Пусть! И потом, она не только разряжена, но еще и протекает! Я как раз собирался ее отремонтировать!

— Ах ты, гад! — рявкнул Билл.

Стражники ушли, и он остался на арене в гордом одиночестве. Зрители притихли. В наступившей тишине Билл услышал, как кто-то скребется у него за пазухой. В следующее мгновение из-под комбинезона высунулась крохотная зеленая головка.

— Я с тобой, Билл! — сообщил чинджер.

— Ты кто?

— Компьютер, разумеется.

— Если мне придется худо, ты ведь поможешь?

— Увы, Билл, в моем нынешнем обличье я ни на что не способен. Но буду внимательно наблюдать и опишу битву твоему ближайшему родственнику.

Железные ворота в стене распахнулись, и на глазах у потрясенного Билла на арену выбралось нечто.

## Глава 23

Животное выглядело по меньшей мере странно. Сперва Билл принял его за льва, ибо сначала посмотрел на голову. Густая рыжая грива, большие миндалевидные глаза, исполненный скрытой ярости взгляд — словом, лев как лев, в особенности карфагенский. Но потом Билл заметил, что тело животного — круглое, как бочка, и сужается к длинному чешуйчатому хвосту. Выходит, змея с львиной головой? Тут он углядел маленькие, точь-в-точь козлиные, копытца.

— Блин! Благослови мою электронную душу! — пискнул компьютер, использовавший для общения с Биллом тело чинджера. — По-моему, перед нами химера! Изучая историю человечества — кстати, ну у вас и история! — я встречал описание подобных существ. Всегда с пометкой «мифическое». Долго считалось, что химеры — выдумка невежественных дикарей. Но теперь мы убедились, что они существовали на самом деле. И если я не ошибаюсь, наша химера выдыхает огонь, как и утверждал Плиний[1].

— Сделай что-нибудь! — воскликнул Билл.

— Каким образом? — спросил компьютер. — В этом мире я всего лишь бестелесное сознание.

— Тогда вылезай из чинджера и пусти обратно Иллирию!

— Что может знать о химерах цурихианская деревенщина? — справился компьютер.

— Неважно! Пошел вон!

Компьютер, должно быть, подчинился, ибо мгновение спустя Билл услышал голос Иллирии, который сразу же узнал, несмотря на то что тот изрядно видоизменили гортань, мягкое небо и голосовые связки чинджера.

— Билл, я здесь!

Герой Галактики быстро обрисовал свое положение. Несколько раз ему пришлось повторять ту или иную фразу, поскольку разговору сильно мешал голос толпы. Химера тем временем не бездельничала. Она начала рыть землю; во все стороны полетел песок, адамантовые копыта зверя оставили на базальтовом покрытии арены царапины глубиной в добрых три дюйма. Потом, заметив Билла, она изрыгнула из ноздрей пламя, ярко-красное с нездоровым зеленоватым отливом, и, не спуская с человека глаз, двинулась к нему, перешла на бег, на рысь, на галоп. Химера стремительно приближалась к отважному десантнику, на плече которого восседала четырехлапая ящерица.

— Иллирия, помоги!

— Что я могу сделать? — простонала несчастная девушка. — На что годится крохотный зеленый чинджер? Пускай даже он с планеты, где сила тяжести — десять «же»...

— Заткнись! — намекнул близкий к отчаянию Билл. — Разве ты не цурихианка?

— Ну конечно! Какой ты умница! Ты хочешь, чтобы я стала химерой?

---

[1] *Плиний Старший* (23/24–79) — римский государственный деятель, военачальник, историк и писатель, автор «Естественной истории» в 37 книгах.

— И пошустрее, — бросил Билл, улепетывая во все лопатки от неотвратимо настигавшей его огнедышащей зверюги.

— Я не уверена, что у меня получится справиться с мифическим животным, — промямлила Иллирия.

— Компьютер утверждал, что оно настоящее! — выдавил Билл, уворачиваясь от взметнувшейся над ним львиной головы.

Химера разинула пасть: с ее клыков капала ядовитая зеленая слюна.

— Билл, я давно хотела тебе сказать...

— Лезь в химеру! — взревел Билл.

— Хорошо, милый, — отозвалась Иллирия.

В следующий миг химера замерла, а потом легла на арену. Закатив глаза, она принялась облизывать длинным раздвоенным языком башмаки героя Галактики.

— Ну как? — спросила Иллирия.

— Замечательно. Только смотри не перестарайся.

Публика, естественно, обезумела.

## Глава 24

Триумф был полный. Правда, возникло одно осложнение. К поздравлениям Биллу начали примешиваться крики: «Прикончи ее! Прикончи! Смерть химере!» А еще: «Поделись добычей, храбрец!» Билл наконец сообразил, что от него требуют убить химеру. По обычаю полагалось устроить пир, на котором всех кормили бы бифштексами из мяса поверженного животного и тому подобными кулинарными изысками. Известно было, что мясо химеры напоминает по вкусу одновременно козлиное, львиное и змеиное; вдобавок в нем имеется привкус индюшатины, неведомо откуда взявшийся. Кроме того, поскольку химера — существо огнедышащее, готовить ее нет необходимости: бифштексы жарятся сами по себе, от внутреннего тепла, нужно лишь не упустить время, поскольку часа через два после смерти животного мясо начинает тухнуть.

— Не пойдет, — заявил Билл. — Не пойдет, и все.

Его не поняли. Посланный Ганнибалом камергер — непрерывно потиравший руки толстяк — вкрадчиво объяснил

Биллу, что у них так не принято, и, решив, что на него никто не смотрит, ущипнул себя за щеки, чтобы те слегка зарумянились.

— Нет, — сказал Билл, — я вам ее не отдам. Она моя.

— Господин, победитель всегда жертвует химеру зрителям. Таков обычай. Понимаете, химер осталось довольно мало...

— Тем более не отдам.

— Химеру следует убить, — убеждал камергер. — Иначе наступит десятилетие бед, а их Карфагену и без того хватает.

— Я не стану убивать химеру, вот и весь сказ.

— Я передам ваши слова Ганнибалу и старейшинам. Они вынесут окончательное решение.

— Вали, вали. Заодно скажи мистеру Сплоку, что мне надо с ним потолковать.

— Сожалею, но это невозможно. — Камергер вновь потер руки. — Он вернулся в свое время, а вам оставил записку. — Толстяк вручил Биллу листок, низко поклонился и льстиво улыбнулся.

— «Поздравляю с заслуженной победой! — прочитал Билл, развернув сложенную втрое бумажку. — Должен вернуться за Дирком. Вели Ганнибалу собирать силы, мы скоро прибудем вместе с транспортом». Негодяй! А он мне так нужен! Неужели не мог просто позвонить?

— Телефон еще не изобрели, — сообщила Иллирия изнутри химеры.

— Знаю. Путешествия во времени — тоже, однако он шныряет туда-сюда!

— О Билл, что нам делать?

— Может, ты переселишься в какое-нибудь другое тело? Они получат свою химеру и оставят нас в покое.

— Я же говорила: с мифическими созданиями справиться нелегко, — сказала Иллирия. — Не знаю, сумею ли я выбраться. Билл, милый, мне нужно подходящее тело.

— Где я его возьму? Как насчет тех танцовщиц, которых мы видели? Крайняя слева была очень даже ничего... — Заметив, что химера нахмурилась, Билл замолчал.

— Совершенно не годится! — отрезала Иллирия. — Во-первых, потому, что ты положил на нее глаз. Я не желаю участвовать в сексуальных извращениях!

— Ты о чем? Какие извращения? — изумился Билл. — Она же будет тобой!

— Или я — ею, — прибавила девушка. — Ты ведь этого добиваешься?

— Иллирия! Что за чушь ты несешь!

— О Билл, не подумай, что я ревную. Просто я без ума от тебя и от твоей замечательной ноги со сверкающими коготками. Такие вещи всегда привлекают женщин. Пойми, я не могу переселиться в танцовщицу, даже если бы и хотела. Подходящее тело можно найти лишь на моей планете и в моем времени. Пожалуйста, не дай им убить меня!

— Только через мой труп, — галантно пообещал Билл.

— А нельзя обойтись вообще без убийств?

— Попробуем. Пошли, Иллирия, надо убираться отсюда.

— Быть может, они прислушаются к голосу разума, — задумчиво проговорила девушка.

— Сомневаюсь. — Услышав топот ног, Билл обернулся и увидел, что к ним во главе десятка солдат движется Ганнибал, мрачный и решительный. Солдаты были в доспехах и с оружием, а Ганнибал выглядел так, как выглядит человек за мгновение перед тем, как отрубить голову курице.

— Бежим! — Билл схватил химеру за львиную гриву и потянул к выходу с арены.

— Иду, иду, — сказала Иллирия. — Но куда?

— Куда подальше! — крикнул Билл и помчался вперед.

Они выскочили на улицу, распугали пешеходов и лошадей, вбежали в подъезд высокого здания и, пыхтя и отдуваясь, понеслись вверх по лестнице. Солдаты не отставали. Их размеренная поступь звучала все громче. Неожиданно путь преградила запертая дверь. Вернее, дверей было несколько, и все они оказались запертыми.

— Ох! — запричитал Билл. — Попались, как крысы!

— Не сдавайся, Билл! Попробуй через окно, — посоветовала Иллирия.

Билл распахнул окно и выглянул наружу. Он посмотрел вниз, затем на дождевые желоба, высунулся и подергал тот, который проходил прямо над окном. Как будто держит. Бронзовые, со стенками толщиной в полдюйма, желоба крепились к стене здания толстыми медными стержнями. Да, в старину строить умели.

— Полезем на крышу, — сказал он.

— Ой, мама! — воскликнула Иллирия, останавливаясь в нерешительности. — Мне кажется, я не смогу. У меня же не руки, а копыта.

— И тело змеи! Давай, Иллирия, ползи, пока не поздно!

Отважная цурихианка в теле мифического животного выбралась из окна и зацепилась хвостом за оказавшуюся поблизости — в каких-нибудь пяти футах — колонну. Дрожа от страха, она тем не менее решительно полезла следом за Биллом.

## Глава 25

Карфагенские крыши представляли собой запоминающееся зрелище: разноцветные, то плоские, то островерхие... Знойное африканское солнце село в море, охладилось и отправилось в подземный мир, чтобы отдохнуть и собраться с силами; по крайней мере, так утверждалось в древней городской летописи. Билл перепрыгивал с крыши на крышу, карабкался вверх, скатывался вниз. За ним, неуклюжие в своих тяжелых доспехах, бежали с пиками на изготовку солдаты, а рядом ползла химера Иллирия. Внезапно герою Галактики стало щекотно. Он сообразил, что это, должно быть, чинджер, который совсем недавно был Иллирией.

— Ты можешь вернуться в чинджера? — натужно отдуваясь, спросил Билл.

— Ой, я про него забыла! — воскликнула девушка. — Не знаю, но можно попытаться.

— Сейчас некогда, — возразил Билл.

Некоторые из солдат сбросили с себя доспехи и теперь быстро приближались, настигая беглецов. А впереди показалась высокая стена из полированного мрамора. Театр Диониса! Надо же, бог беспутства преграждает путь бывалому гуляке!

Чинджер тем временем взобрался герою Галактики на плечо, кинул взгляд на преследователей и хотел было снова юркнуть за пазуху, но Билл схватил его прежде, чем он успел улизнуть.

— Давай, Иллирия!

— Минуточку! — произнес чинджер. — Думаю, следует кое-что объяснить. С тобой говорит Иллирия, которая находится внутри чинджера. Здесь не очень-то уютно. Что такое? Нет, не может быть! Билл, ты никогда не догадаешься, что случилось!

— Ну так скажи, — выдохнул Билл, прижимаясь к стене и глядя на солдат. Химера ошарашенно осмотрелась, должно быть не веря, что снова стала собой. Глаза чинджера остекленели, зеленое тельце обмякло. Он словно впал в полукоматозное состояние, а может быть, и в кому. Определить наверняка было затруднительно. — Иллирия! Отвечай!

Молчание. Ящерица лежала на плече героя Галактики, мирно сложив на груди все четыре лапы.

Один из солдат ткнул Билла копьем, остальные подходили все ближе. Тут химера, которая, по-видимому, наконец вспомнила, что она огнедышащее и смертельно опасное животное, изрыгнула, как дракон, пламя и расплавила несколько щитов, после чего повернулась к Биллу, собираясь, судя по всему, напасть.

— Ну ладно! — воскликнул Билл. — Вы хотели ее прикончить — нате вам!

Момент был пренеприятнейший. Солдаты оказались вынужденными обороняться, химера окончательно пришла в себя и исполнилась мифической ярости. Она атаковала способом, о котором не слыхали со времен Гомера, испуская громкие, похожие на козлиное блеяние, вопли, достигшие мало-помалу высоты ультразвука. Зубы солдат застучали, клинки заколотились о щиты. Чинджер открыл глаза, огляделся и шмыгнул Биллу под рубашку, где нашел безопасное место под левой мышкой. Солдатам в конце концов удалось пригвоздить химеру острыми копьями к деревянной крыше. Почувствовав боль, животное закричало громче прежнего. В небе появились черные точки, которые стремительно приближались, вырастая в размерах, и превратились в итоге в длинноносых женщин с обнаженными грудями и нетопыриными крыльями, облаченных в черные узкие вечерние платья. То были гарпии, пробудившиеся от мифического сна и поспешившие на помощь раненой товарке. Они накинулись на солдат, численность которых тем временем возросла вдвое: на подмогу прибыла дружина варягов, посланная, как позднее сообщили Биллу, Сплоком, предвидевшим подобное развитие ситуации и метнувшимся за помощью в будущее. Варяги были то ли шведскими русскими, то ли русскими шведами (зависит от того, по учебникам какой страны изучать историю), а потому ни в грош не ставили изнеженных существ греко-римской мифологии. Они принялись размахивать сверкающими топорами на длинных топорищах и наносить могучие удары, рубя в капусту тех карфагенских солдат, которые замешкались и не успели посторониться.

— Вперед, ребята! — гаркнул Билл.

Транслятор перевел его возглас на средневаряжский, которого никто не понимал, поскольку варяги были финскими и явились сюда из болотистой местности у озера Уу. Однако голос героя Галактики им понравился, а потому они еще энергичнее взялись за дело. Изнемогшая химера испустила последний вопль, который сотряс городские стены, и отдала концы.

Однако радоваться было рано, не говоря уж о том, чтобы поздравлять друг друга и пить пиво. Внезапно хлынул дождь, и началась ужасная буря с градом и ледяным ветром, что задувал со скоростью сто миль в час. По небу, словно галеоны судьбы, неслись клубящиеся багрово-черные тучи. Как впоследствии узнал Билл, в Карфаген прилетел дух бури Тифон. Гарпии легко подстроились под непогоду и возобновили атаку. Они ведь тоже были порождением бури. Когда они приблизились, Билл заметил, что лица у них старушечьи, уши — медвежьи, а птичьи тела оканчиваются длинными когтистыми лапами. Подобно птицам, гарпии не стеснялись испражняться где попало; подобно людям, они пользовались этим как оружием. На потрясенных врагов обрушились вонючие экскременты.

Билл увернулся от очередного залпа и огляделся по сторонам, гадая, куда сбежать. Спуститься с крыши можно было только тем же путем, каким он сюда поднимался, но сейчас дорогу к спасению преграждали карфагеняне, которых, показывая на героя Галактики, посылал вперед Ганнибал. Билл заподозрил, что утратил право называться гостем. Следовало искать другой выход. Вырвавшись от окружавших его воинов, размахивая широким клинком, который подобрал на крыше, он пробился к противоположной стене и заметил ведущую вниз лесенку — старую, расхлябанную, представлявшую собой связанные виноградными лозами бамбуковые прутья. Ничего, сойдет. Билл поставил ногу на перекладину.

И тут произошло нечто неожиданное.

## Глава 26

Сначала в воздухе разлилось какое-то сияние, затем материализовался блистающий шар величиной с мяч или чуть больше. Билл, болтавшийся на бамбуковой лестнице, воспринял появление огненного шара не слишком радостно, тем более что чинджер впился в него зубами (скорее, как он узнал потом, от страха, чем по злобе). Шар подплыл ближе и завис перед его глазами, ежесекундно меняя цвет и испуская душераздирающие звуки.

— Какого хрена тебе нужно? — раздраженно прорычал Билл. — Ты что, не видишь, что я пытаюсь спасти свою жизнь?

— Слушай сюда, осел! Говорить буду я, — произнес чей-то суровый голос. — Ты, может, не заметил, что здорово влип? Тебя подбросить?

В другое время Билл, возможно, крепко подумал бы, прежде чем принять помощь от сверкающего шара, пролетавшего мимо по своим делам. Но сейчас ему было не до раздумий. Лесенка, подточенная священными термитами Артемиды, которых Билл ненароком обидел, предложив чужестранке и неверующей Иллирии переселиться в тело танцовщицы, служанки богини, уже начала рушиться. Вдобавок карфагенские солдаты наставили внизу деревянных платформ, утыканных острыми бронзовыми пиками. «Прыгай! Прыгай!» — кричали они Биллу. Естественно, солдаты вели себя недостойно; неудивительно, что карфагеняне как народ прекратили свое существование, а вспоминают о них не иначе как о жестоких, злокозненных людях.

— Да! Не знаю, кто ты такой, — прибавил Билл, — но, если заберешь меня отсюда, я буду тебе весьма признателен.

Шар стал быстро увеличиваться в размерах, обволакивая Билла. Герой Галактики почувствовал, что держится за перекладину слабее прежнего. Внезапно лесенка рухнула, Билл полетел вниз, но не успел еще толком испугаться, как его подхватило силовое поле. Шар полетел прочь, взяв с места огромную скорость. Мрачные злодеи-карфагеняне и их второсортные, заимствованные у греков божества остались позади.

## Глава 27

Когда все более-менее наладилось, Билл обнаружил, что находится на борту крохотного, но оборудованного всем необходимым звездолета, экипаж которого состоял, похоже, из одного-единственного человека: широкоплечего, привлекательного — если бы не кислое выражение лица, свойственное тем, кто навидался в жизни всяких безрассудств, — мужчины, что сидел перед приборами в большом пилотском кресле с табличкой «Хэм Дуо. Деньги на бочку».

— Командор Дуо, — произнес Билл самым признательным голосом, какой полагался по уставу, — большое вам спасибо. Если бы вы так своевременно не вмешались, не знаю, что бы я делал.

— Не за что, приятель, — бросил Хэм Дуо. — Разумеется, порой, когда в настроении и когда не предвидится особых хлопот, я не прочь спасти какое-нибудь разумное существо, но шум устраивать не из-за чего. Многие другие поступили бы точно так же, обладай они моим опытом и мужеством.

— Я вам очень благодарен.

— Кончай, — отозвался Дуо. — Я выручил тебя не просто так, поэтому можешь не выламываться.

— То есть?

— Я спас тебя ради «Земных борцов за свободу». Мне случайно стало известно, что ты им худо-бедно помогаешь, так что я не мог допустить, чтобы ты очутился в лапах империи Зла.

— Я и не знал, что Карфаген — империя Зла.

— При чем тут Карфаген? Империя Зла здорово освоила технику имитации и теперь натравливает на всех подряд всяких там якобы мифических существ. Этому надо было положить конец. Так что не думай, что я спас тебя бескорыстно.

— Извините, — проговорил Билл.

— Ничего, — отозвался Дуо. — Вполне простительная ошибка.

— Я не думал, что в прошлое можно проникать свободно. Как у вас получилось? «Смекалке» пришлось осциллировать двигатели.

— Знаю, знаю, — отмахнулся Дуо. — Дурачье! Им придется подтянуть все болты, прежде чем их корыто снова сможет летать. Куда удобнее было воспользоваться темпоральным переместителем вроде того, какой есть у меня. — Командор ткнул пальцем. Билл увидел у левой стенки, неподалеку от носа звездолета, поблизости от середины корпуса, черный ящик с табличкой, которая гласила: «Темпорально-пространственный переместитель. Патент заявлен».

Герой Галактики уставился на прибор во все глаза, ибо сообразил, что видит то самое, за чем командование посылало его на Цурис. Если он сумеет раздобыть второй экземпляр — или стащить этот...

— Куда летим? — небрежным тоном осведомился Билл.

— К Псу-под-хвост.

— Не понял.

— Планета так называется.

— А что там?

— Да дельце одно уладить надо, — угрюмым тоном произнес Дуо, стискивая красивыми большими и волосатыми руками штурвал.

— Высадите меня где-нибудь по дороге, ладно? — попросил Билл. — Скажем, в Штабе космических десантников.

— Идет, — ответил Дуо. — Только сперва разберусь с Псу-под-хвост. Много времени это не займет.

Чинджер, похоже, заснул, и Билл прекрасно понимал почему. Он устало вздохнул и тяжело плюхнулся на диван. Ему на глаза попался юмористический журнал, на обложке которого красовались утки в доспехах и верблюд, облаченный в наряд Карла Великого. Когда Билл принялся переворачивать страницы, где-то вдалеке послышались кряканье и визг. Скоро он с головой погрузился в чтение, надеясь в глубине души, что Дуо и впрямь не задержится на планете под названием Псу-под-хвост.

— Билл! — позвал Дуо. — Рядовой! — гаркнул он, догадавшись, что его не слышат. — Оторвись от своего дурацкого журнала, спустись вниз и приведи себя в порядок. От тебя за пять метров воняет кровью и прочей гадостью. Я давал маскарад, от которого осталась куча нарядов. Переоденься, а потом вали на камбуз и приготовь нам пару бифштексов из мастодонта.

При мысли о еде Билл довольно заурчал. В рот изо всех запылившихся слюнных желез хлынула слюна. Он спустился вниз, сорвал с себя потрепанный комбинезон, натянул новый, с адмиральскими нашивками, после чего отыскал камбуз, где обнаружился холодильник, битком набитый мастодоньими бифштексами, которые Дуо добыл, очевидно, в своем предыдущем путешествии. Билл поджарил один бифштекс в турбомикроволновой печи — настолько мощной, что едва он захлопнул дверцу, как мясо мгновенно сгорело дотла. Герой Галактики покумекал над панелью управления, решив, что следующий бифштекс — для Дуо, вновь включил печь и огляделся по сторонам в поисках чего-нибудь такого, чем можно было бы запить обуглившееся мясо. Ему на глаза попался шкафчик с многочисленными, темного стекла бутылками. На одной из них имелась этикетка, на которой от руки было написано: «Домашний офиучийский ром. Людям не годится».

— Лично я, — хихикнул Билл, — сейчас себя человеком не чувствую, — и приложился к бутылке.

Поднявшись с пола, он радостно ухмыльнулся и приложился снова. По телу начало распространяться восхитительное онемение; раздражала лишь чесавшаяся подмышка. Билл протянул руку — и сообразил, что чешет макушку чинджера.

— Иллирия! Как поживаешь?

— С ней все в порядке, — отозвался чинджер.

— Чего-чего? С кем я, растудыть, разговариваю?

— Понимаешь, Билл, долго объяснять...

— А мне плевать! Ты кто такой?

Чинджер, похоже, вознамерился удрать, но Билл схватил его и по чистой случайности, волею случая, надавил пальцем на шею. Макушка ящерицы, крепившаяся, должно быть, к скрытому шарниру, откинулась: внутри черепа, там, где полагалось находиться мозгам, сидел за крошечной консолью человечек ростом не выше дюйма. Рядом с консолью размещались койка и шезлонг, чуть поодаль виднелась уборная. Человечек курил, нервно стряхивая пепел в столь миниатюрную пепельницу, что ее почти невозможно было различить невооруженным глазом.

— Ты как туда попал? — изумился Билл. Он нахмурился. — И, что не менее важно, что там делаешь?

— Ладно, — проговорил человечек, — придется объяснить. Разреши представиться. Цедрик Роберт Урбатнот, из ВКР — Военно-космической разведки. Имя у меня длинное, инициалы читаются как ЦРУ, поэтому обычно я откликаюсь на это прозвище. Ты тоже можешь...

— Будь любезен, заткнись, — предложил Билл. — Где Иллирия?

— Всему свой черед, Билл. Не торопись и послушай.

Билл занес свой окорокоподобный кулак, собираясь расплющить в лепешку и чинджера, и крохотного агента ЦРУ. Судя по всему, от выпитого рома у него что-то случилось с головой.

— Ты столкнулся с тайной чинджерской технологии, — пустился в объяснения ЦРУ. — Я раскрыл секрет миниатюризации, который нужно передать командованию. Лаборатория чинджеров обнаружилась на очень жаркой планете, глубоко в джунглях; мне пришлось влезть в шкуру весьма полосатой обезьяны, чтобы меня приняли за местного жителя. Однажды ночью я пробрался в лабораторию и нашел машину, которая позволяет чинджерам по желанию уменьшаться или увеличиваться в размерах, путая тем самым наши планы и сбивая всех с толку. Потом я влез в гигантского робота — такие у них работают на сталелитейных заводах, — уменьшил себя до величины обыкновенного чинджера и дал деру. Все шло хорошо, пока твоей подружке не вздумалось завладеть моим мозгом; ей не хватило сообразительности, чтобы отличить чинджерский мозг от человеческого. Теперь тебе ясно?

Билл не знал, что сказать. Объяснение представлялось достаточно правдоподобным — принимая в расчет то, что вокруг вообще творилось нечто необычное. Однако, с другой стороны, все выглядело по меньшей мере подозрительно. Во-первых, у Билла сложилось впечатление, что ему рассказали далеко не все; во-вторых, агент тараторил без умолку, и у героя Галактики заболела голова. Впрочем, она могла заболеть и от рома. Билл ущипнул себя за нос, но это не помогло. И тут он вспомнил.

— Слушай, ЦРУ, или как там тебя зовут, где Иллирия, которая сидела в чинджере?

— Дело вот в чем. Как видишь, места здесь в обрез. Как я уже сказал, Иллирии на какое-то время удалось вытурить меня отсюда. Я знаю, она тебе очень нравится. Ради тебя я пытался ее спасти.

— Да что произошло?

— Нам двоим было слишком тесно. Представь, каково мне было делить свой мозг с женщиной! Билл, я не хотел ничего плохого, просто старался придумать что-нибудь, что удовлетворило бы всех...

— Где Иллирия? — взревел Билл, простирая могучую длань над крохотным агентом.

— Подожди! — воскликнул ЦРУ, валясь на пол. — Дай мне объяснить, в конце-то концов! Очутился бы на моем месте, глядишь, понял бы, как тяжело быть маленьким.

— Ну так увеличься, — посоветовал Билл.

— Боюсь, с этим будут проблемы. — ЦРУ жалобно шмыгнул носом.

— Я хочу знать, где Иллирия! — раздраженно прорычал Билл. Он протянул руку, зажал ЦРУ между большим и указательным пальцем, стиснул другую руку в кулак и занес для удара, готовясь растереть агента в порошок.

— Нам было тесно, — повторил ЦРУ, — и она решила выполнить янсенистский маневр. Я умолял ее не спешить, но ведь тебе известно, какая она — настоящая актриса. Я даже пообещал, что навсегда покину голову чинджера, но она не желала ничего слышать. Счастливчик ты, Билл, таких девушек — одна на миллион.

— Что такое янсенистский маневр? — спросил Билл нормальным голосом, поскольку слегка охрип от рева.

— Он был изобретен, точнее, разработан на планете Янсен-четыре, которая находится поблизости от Угольного Мешка. Видишь ли, у местных возникли затруднения...

— Билл! Быстро сюда! — раздался из интеркома голос Хэма Дуо. — У нас неприятности!

— Через пять минут, — откликнулся Билл. — Я...

— Бросай все и лети сюда! — рявкнул Дуо. — Если, конечно, хочешь жить. Если нет, продолжай развлекаться.

— Сейчас вернусь, — сказал Билл агенту. — Никуда не уходи. — И бросился в рубку.

— Что стряслось? — справился он у Дуо.

Командор указал на видеоэкран, тянувшийся по периметру рубки и позволявший обозревать без всяких искажений две трети окружающего пространства. Билл увидел, что к их кораблю приближаются, маневрируя на громадной скорости, три звездолета. Яркие вспышки свидетельствовали о том, что в энергетическое поле корабля то и дело попадают торпеды. На экране возникли еще два звездолета — небольшие истребители-перехватчики с экипажем из одного пилота, зловеще раскрашенные охрой и мареной. Свингли с планеты Омнихрон-2!

— Но мы же не воюем со свингли! — удивился Билл.

— Ты им скажи, а не мне, — бросил Дуо. — Заодно займись атомной пушкой левого борта.

Билл опрометью кинулся на свой пост и пристегнулся ремнями к креслу. Едва он начал наводить орудие, корабль содрогнулся от носа до кормы: в защитное поле угодило сразу две торпеды. Тревожно замигали лампы.

— Второго попадания нам не выдержать, — процедил сквозь зубы Дуо.

Звездолеты свингли приближались со всех сторон. Поручив Биллу атомную пушку левого борта, сам Дуо занял место у орудия на правом. Черноту космоса полосовали лучи лазеров, изгибавшиеся дугами. Один из вражеских звездолетов, пилот которого, наверное, был храбрее остальных, устремился вперед, что называется, напролом. «Прикончи гада!» — крикнул Дуо. «Заметано!» — отозвался Билл. Стволы орудий нацелились на космического бандита. Выпущенные разом атомные торпеды пронеслись сквозь энергетический щит — корабль снова содрогнулся, оба стрелка рухнули на пол, а в камбузе попадала с полок вся посуда. Билл ухитрился подстрелить гада в тот самый миг, когда надежда почти умерла; горящие обломки звездолета разлетелись по всему космосу. Тем временем Дуо разобрался с целой пятеркой рейдеров. В итоге у противника осталось лишь двадцать с чем-то кораблей.

— Они заходят с кормы! — предостерег Билл, поглядев в зеркало заднего вида, установленное на прицеле.

— Эти ребята начинают действовать мне на нервы, — прорычал Дуо, оскалив неестественно белые, явно искусственные зубы. — Держись, старина. Сейчас мы им покажем.

Билл вцепился в ремень безопасности. Из камбуза доносились вопли вроде тех, какие может издавать крохотный человечек, которого швыряет от переборки к переборке. Дуо выпалил из кормовой ракетной установки и тут же заложил немыслимо крутой вираж.

Ремень безопасности не выдержал напряжения и лопнул. Билл распростерся на стене, а Дуо, глаза которого, казалось, вот-вот выскочат из орбит, продолжал увеличивать крутизну виража.

Свингли, не желавшие, по-видимому, повторять этот откровенно самоубийственный маневр, потихоньку отстали. Убедившись, что до них более-менее далеко, Дуо включил аварийный сверхсветовой двигатель. Измученный металл отозвался стоном, изнемогшие люди — писком. Корабль вздрогнул, как крыса в зубах у терьера, и вдруг помчался прочь на скорости, которая неуклонно возрастала (чего никак нельзя добиться без такого маневра).

На видеоэкране появлялись и исчезали звезды. Корабль на лету вращался, и Билла бросало от стены к стене. Дуо попрежнему сидел в кресле, однако, похоже, находился на последнем издыхании.

Билл посмотрел в зеркала, потом сверился с радаром.

— Тормозите! — кричал он Дуо. — Мы оторвались! Все чисто!

— Я бы с радостью! — ответил Дуо.

— Вы хотите сказать...

— Вот именно.

Лишенный управления, не переставая вращаться, звездолет с визгом ворвался в тонкие верхние слои планетной атмосферы. Поверхность планеты надвигалась очень быстро. Впрочем, пугаться не стоило: ведь на такой скорости они задолго до удара сгорят заживо.

## Глава 28

Воспой же, муза, полет сквозь атмосферу! Корпус корабля раскалился до красноты; Хэм Дуо отчаянно пытался сбросить скорость звездолета, который трепыхался в воздухе этакой пьяной бабочкой. И спой нам о Билле, катавшемся от стены к стене и старавшемся добраться до камбуза, где оставил ЦРУ, чинджера и, быть может, — сейчас сказать было затруднительно, — Иллирию. Медленно, дюйм за дюймом, он полз по коридору, а Дуо то включал носовые дюзы, то закладывал виражи, не описанные ни в одном издании «Руководства по пилотированию космических кораблей», стремясь затормозить прежде, чем они либо сгорят в атмосфере, либо врежутся пушечным ядром в быстро приближающуюся поверхность планеты.

Верхние слои атмосферы сменились облаками, красно-малиновыми и серебристыми по краям, а потом показалась поверхность, желто-оранжевая, с яркими зелеными пятнами и длинными темными полосами — возможно, каналами, а может статься, и чем-нибудь еще. Определить наверняка на такой скорости, на такой высоте и при таком давлении было нелегко.

Билл умудрился-таки доползти до камбуза. Чинджер забился в крохотный гамак, напоминавший сетку, в которую кладут яйца.

— Иллирия, с тобой все в порядке? — прохрипел из последних сил герой Галактики. — Ты здесь?

— Билл, — отозвался ЦРУ, — я же говорил, что мне многое надо объяснить.

Судя по всему, с объяснениями следовало подождать. Земля приближалась с резвостью чокнувшегося локомотива, разве что значительно превосходила тот размерами; непристегнутому Биллу угрожало, должно быть, превратиться в мокрое место.

Внезапно, за какой-то миг до катастрофы, распахнулись двери кладовой, и Билл увидел огромный котел, заполненный серой тестообразной субстанцией. Как он узнал впоследствии, то было тесто для гигантского мясного пирога, которое Дуо взбивал как раз перед тем, как ситуация на Псу-под-хвост изменила планы командора. Усилием воли Билл метнул тело вперед.

Клейкое тесто обволокло его со всех сторон. По счастью, корабль трясся как в лихорадке, поэтому тесто приобрело эластичность шелка и защитило Билла от удара лучше всяких ремней безопасности. За мгновение до столкновения с поверхностью чинджер, в голове которого прятался крохотный агент, прыгнул в чан рядом с котлом. Затем звездолет врезался в землю, и Билл благополучно потерял сознание.

## Глава 29

Перед тем как человек приходит в себя, наступает момент, когда он забывает, каким образом отключился. Ему не до того — он слишком занят тем, как бы выбраться из обморока. Это длится один лишь миг, потом, всего-навсего мгновение спустя, появляется — нет, не воспоминание о том, что именно заставило вас потерять сознание, а нечто вроде предположения на сей счет, причем к предположению примешивается своего рода дурное предчувствие. Если вы все поняли, то догадаетесь, каково пришлось Биллу. Очухавшись, он сперва сообразил, что его зовут Билл, затем — что почему-то потерял сознание и, наконец, что явь не слишком соответствует грезам. Как часто мы пробуждаемся от грез и ужасаемся грубой действительности! Биллу, кажется, грезилось, что он стал императором Вселенной. Но грезы отошли в прошлое, он очнулся и сразу же подумал, что предпочитает не знать, в какую плюхнулся лужу.

Ему не хотелось даже думать, но он чувствовал, что должен. С какой стати свингли напали на корабль Хэма Дуо? Что Дуо понадобилось на Псу-под-хвост? Как им отсюда выбраться? Когда ему представится возможность сбегать в заведение?

В конце концов поток вопросов вытеснил нежелание Билла открывать глаза и стремление дождаться лучших времен. Герой Галактики сначала с неохотой приподнял веки, а затем решительно открыл глаза.

Он находился в маленькой комнате, совершенно пустой, с каменным полом, который как будто источал холод, хотя

Билла отделяла от него большая бурая циновка — а может, необыкновенно плотное одеяло из разряда тех, в какие кутаются болельщики на всех планетах с продуваемыми насквозь стадионами. Комнату освещала расположенная под потолком длинная неоновая трубка. На стенах виднелись надписи — то ли проклятия, то ли молитвы — на языках, о существовании которых Билл не имел ни малейшего понятия. Герой Галактики осторожно пошевелился: после такого падения никогда не знаешь, все ли у тебя цело. Он не мог определить, куда его занесло, и — по крайней мере сейчас — не особенно рвался узнать. Ясно, что ничего хорошего ждать не приходится. Пожалуй, катастроф с него хватит. Если уж на то пошло, разве можно так по-свински обращаться с человеком?

Билл хотел было встать, но тут циновка словно хрюкнула и заерзала по полу. Он мгновенно откатился в сторону — что было вполне естественно, — прижался спиной к стене и выпучил глаза. Циновка уселась и оказалась куки, большим мохнатым зверем, представителем народа с интеллектом от умеренного до среднего, промышляющего космическим пиратством (общеизвестно, что пират — профессия, доступная всем, кого не заботят оценки в дипломах и экзамены при приеме на службу).

## Глава 30

— Привет, — сказал Билл. Это прозвучало достаточно банально, но стоит ли упрекать человека, который столько за последнее время пережил, в отсутствии воображения? — Как дела?

Куки ответил на своем родном примитивном языке, состоящем сплошь из рычания и пронзительного воя. Транслятор Билла, слегка пострадавший в переделках, однако худо-бедно продолжавший работать, перевел его ответ как: «Елки-палки, босс, куки дела дерьмово. Ты есть не видеть мой хозяин, зовут Хэм Дуо?»

— Вообще-то, — отозвался Билл, — я прилетел на его корабле.

Куки сел прямо. Даже сидя, он был выше Билла на целую голову.

— Ну и ну! А где он?

— Я и сам хотел бы узнать. Мы спешили тебе на выручку, и тут нас подстрелили свингли.

— Драконье дерьмо! — сердито прорычал куки. — Сколько раз моя говорить Хэм: пользуйся камуфляж. Звездолет выглядеть здоровый метеорит. Шикарная штучка! А он твердит свое, не слушать дикарь-куки с мозгом, как у мусородробилка. И где он теперь?

— Мне известно не больше твоего. Когда корабль врезался в землю, я отрубился, — проговорил Билл. — Понятия не имею, где твой Хэм. Иллирию ты, наверно, не видел?

— Ты о чем? — справился Жвачка. Так его звали, хотите — верьте, хотите — нет. У куки весьма странные имена. Жвачка, Жрачка, Ждачка и тому подобное.

— О ком-то. То бишь о чем-то. Тьфу, запутался! О чинджере, который похож на зеленую ящерицу длиной семь дюймов с четырьмя лапами. Его нельзя не заметить. Так вот, у него, мягко выражаясь, не все в порядке с головой. Слишком много поменял тел.

— А! Может, цурихианин?

— Ты встречался с цурихианами?

— Было дело. Дерутся что надо. Давно, в другой раз.

— Что с нами будет? — спросил Билл.

— Кажется, помирать как пить дать, — мрачно откликнулся Жвачка. — Тут пиратов не любить-мучить-убивать. Они все еще злиться на моя и Хэм. Мы грабить их город, клингиан, стащить сокровища. Моя попасться — хо-хо, твоя тоже!

— Спасибо за сочувствие. Если не секрет, как они поймали такого гиганта мысли?

— Сетка, смазанная мед, — застенчиво объяснил Жвачка. — Мы, куки, есть глуповатый. Ловиться на старый трюк.

— А ты знаешь, что они с тобой сделают?

— Моя сильно страшно, — пробормотал куки. — На Псу-под-хвост они знаменитые ковроделы. Всегда искать новый материал.

Билл оценивающе поглядел на роскошную густую шерсть Жвачки и, хоть ему и было жалко инопланетную зверюгу, не мог не подумать: «Какой замечательный получится коврик!»

— Не позавидуешь, — сказал он, изображая сострадание.

Куки сощурил красные глазки и сердито моргнул, уловив в тоне Билла фальшивую нотку.

— Кожа человека вода не проникать, — проворчал он.

— Может быть, — согласился Билл.

— Выйти отличный коврик для ванна.

Тут в замке заскрежетал ключ, и дверь камеры распахнулась.

Вошли четверо стражников. Очень высокие и худые, словно их нарочно морили голодом; головы напоминали формой зерна фасоли. Чтобы войти внутрь, им пришлось согнуться чуть ли не вдвое, а распрямиться было негде. Билл впервые видел свингли, что называется, во плоти, хотя, разумеется, видел картинки в «Пособии по опознанию врагов-инопланетян»; изучить эту книгу и знать всех многочисленных врагов человечества требовалось от каждого солдата империи. Итак, в камере сейчас находилось двое узников и четверо охранников; стольких она явно вмещала с трудом и, казалось, грозила вот-вот взорваться.

Свингли командовал офицер, на полголовы выше остальных. Как позднее выяснил Билл, он принадлежал к касте офицеров, гордившихся своим необыкновенным ростом. Увидев на офицере черную шапку из медвежьего меха, Жвачка весь съежился и жалобно вскрикнул.

Пленников вытолкали из камеры и повели по коридору, подгоняя короткими копьями, предназначенными специально для таких случаев. Стены коридора были сложены из грубо отесанных камней, а потолок образовывали пальмовые ветви. Ярдов через тридцать коридор раздвоился. Охранники разделились на пары: первая погнала куки направо, а вторая, состоявшая из простого стражника и офицера, отправилась вместе с Биллом налево. Билл не знал, радоваться ему или огорчаться. Конвоиры не проронили ни слова, хотя герой Галактики и попытался завязать разговор: сначала на шмендрике, основном торговом наречии свингли, потом на неадаптированном эсперанто и, наконец, на чинга-франка, широко используемом языке чинджеров, о котором люди узнали совсем недавно, обнаружив на борту подбитого чинджерского звездолета лингвистическую машину. Транслятор Билла переводил без запинки, однако свингли ничем не показали, что слышат, а уж тем более — понимают. Так что какое-то время спустя Билл замолчал и принялся озираться по сторонам.

Они спустились сначала по одной лестнице, затем по другой. В стенных нишах горели факелы, кое-где попадались архаичные лампы накаливания — ровно в таком количестве, чтобы сделать царивший вокруг стигийский полумрак истинным мраком. В коридор выходили двери камер, из-за которых доносились истошные вопли, словно те, кто находился внутри, отбивались от нетопырей. Впоследствии Биллу удалось узнать, что эти звуки издавали специальные машины, предназначенные для нервирования пленников. Да, свингли недаром считались одной из утонченнейших галактических рас! Конечно, немаловажную роль здесь играл их облик. Существа, которые выглядят столь нелепо — свингли носили всклокоченные оранжевые парики, ходили, ссутулив широкие плечи, с видом маниакального безразличия, — вряд ли способны обходиться без чувства юмора, причем последнему должен сопутствовать интеллект, иначе над вами будут потешаться все, кому не лень. Правда, свингли, считая в эпохах, продвинулись сравнительно недалеко, а потому над ними пока еще подсмеивались.

Они стеснялись того, что их не включили в «Полный словарь инопланетных рас» Моррисона, не упомянули даже в приложении «Высокие инопланетяне». Впрочем, не так давно о них сняли несколько документальных фильмов, в том числе потрясающий «Худой», режиссером которого был Слоан Бастер и который представил свингли в слишком уж благоприятном свете. Торговцы-свингли изредка появлялись в пределах империи, но большинство избегало каких-либо контактов, опасаясь людских насмешек. Однако на своей собственной планете они все организовали под себя и объявили во всеуслышание: «На Свингли над нами не посмеешься».

Стремясь к тому, чтобы их повсюду принимали всерьез, свингли прилагали громадные усилия, дабы произвести впечатление. Билла втолкнули в просторное помещение; ему сразу бросился в глаза большой стол, приподнятый таким образом, что трое сидевших за ним судей в черных одеяниях и пудреных завитых париках могли глядеть на подсудимых сквозь круглые очки сверху вниз.

Судебная процедура свингли была отработана до мелочей. Каждая раса обладает врожденными установками, правилами поведения, зафиксированными в генах и распространяющимися по спирали ДНК; эти правила объясняют разумным существам, кто они такие и к чему должны стремиться. Вдобавок фундаментальный генетический код содержит знания о том, что смешно, а что нет, и стремление во все времена и при любых обстоятельствах выглядеть надлежащим образом. Потому-то, побуждаемые расовым императивом, свингли, когда впервые столкнулись с инопланетной цивилизацией, приняли все меры, чтобы отыскать наиболее подходящую для себя форму правосудия. До того у них попросту не было ничего, что заслуживало бы подобного назначения. Разозлившись на приятеля, свингли тюкал его по макушке короткой дубинкой со свинцовым наконечником; на языке свингли такие дубинки именовались уколен, то есть «прекратители дружбы». Если кому-то не хотелось браться за дубинку, он бил обидчика рукой и, соответственно, мог схлопотать удар в ответ. В то время прекращение дружбы являлось на планете Свингли единственной причиной смерти, поскольку заботливая природа, любительница всяческих экспериментов, наделила свингли бессмертием: они погибали лишь от деревянных дубинок, залитых изнутри свинцом.

Итак, система правосудия должна была внушать уважение, иначе она ни на что не годилась. В ту пору свингли отчаянно нуждались в новом способе разрешения конфликтов, ибо с так называемых Отвратительных войн 90-х годов численность населения планеты неуклонно уменьшалась. Их правосудие в своей нынешней форме представляло собой комбинацию различных приемов. У англичан они позаимствовали высокие столы, за которыми сидят судьи, пудреные парики и, что важнее всего, внушающее благоговение достоинство, с каким вершат суд в Британии. Свингли раскопали в древних банках данных, которые единственные уцелели после гибели Земли, многочисленные документальные фильмы по судопроизводству студии «Пайнвуд». В самом деле, подумалось им, кто и рискнет посмеяться над одним судьей, то уж над тремя наверняка не осмелится.

Однако Билл, увидев троих судей в пудреных париках и больших очках, что постоянно сползали с переносицы, не смог удержаться от смеха; сильнее всего героя Галактики развеселили попытки судейских сохранить брюзгливо-напыщенный вид. Офицер в медвежьей шапке невероятно острым локтем пихнул его под ребра, и он мгновенно посерьезнел.

— Подсудимый, подойдите к барьеру, — загробным голосом произнес судья в центре.

Билл собирался вести себя чинно и изображать раскаяние, но торжественность обстановки и пересохшее горло заставили его спросить:

— Может, я сперва прогуляюсь в бар? Выпить бы, а потом можно и к барьеру.

Судьи переглянулись. Публика — за ходом процесса наблюдали около трехсот свингли — уставилась на судей. Охранники воззрились друг на друга. Билл выглядел озадаченным.

— Вы поняли, что он сказал? — поинтересовался судья в центре у своего коллеги слева.

— А то, — прибавил судья справа.

— Вы хотите сказать, — уточнил судья в центре, — что подсудимый шутит?

— Невероятно, но так и есть, — ответил судья слева.

— Но в чем смысл его шутки? — осведомился судья в центре.

— Должно быть, он лежит не на поверхности, ибо я его не уловил, — признался судья слева. — Наверно, игра слов. Странное начало, вы не находите?

— Да уж. — Судья в центре посмотрел на Билла. — Подсудимый, вы что, и впрямь пошутили в нашем присутствии?

— Пожалуй. Я не имел в виду ничего такого. — Билл снова захихикал.

— По какому поводу смех? — спросил судья в центре.

— Прошу прощения, — извинился Билл.

— Почему он смеется? — поинтересовался судья в центре у судьи справа.

— Не знаю, — откликнулся тот, — но опасаюсь худшего. Наверно, если сочтете необходимым, можно спросить у него.

— Подсудимый, почему вы смеетесь?

— Мне щекотно. У меня под мышкой сидит чинджер.

— Вы слышали? — обратился судья в центре к судье справа.

— Немыслимо! Какое бесстыдство!

— Он вряд ли говорит правду. Как по-вашему?

— Скорее всего. Земляне и чинджеры — заклятые враги.

— Предлагаю обыскать подсудимого, — сказал офицер в медвежьей шапке.

— Нет, — возразил судья в центре. — Не стоит усугублять положение. Откровенно говоря, я и не хочу знать.

— Послушайте, — проговорил Билл, — за что меня вообще судят? Что я такого сделал? Ведь ниче!

— Ниче, — повторил судья в центре. — Что значит «ниче»?

— Полагаю, — произнес судья справа с постоянно подергивавшимся правым веком и кривой усмешкой на физиономии, — «ниче» означает «ничего».

— А при чем здесь «ничего»?

— Должно быть, шутка.

— А, снова шутка! Мне не нравится, как он ведет себя перед судом.

— Похоже, он расположен шутить, — заметил судья слева.

— Негодяй! — воскликнул судья справа.

— Он дорого заплатит за свои шутки.

Судьи вновь переглянулись и удовлетворенно улыбнулись друг другу, как люди, которых выручила из затруднительного положения удачная острота.

— Подсудимый обвиняется в том, что участвовал в недозволенной высадке с инопланетного корабля на площадку для общественных увеселений. Высадка осуществлялась без лицензии и помешала проведению фестиваля слизняков, а также доставила организатору фестиваля, Зеку Хорсли, беспокойство в угрожающей степени. Подсудимый, вы признаете себя виновным?

— Чего? — переспросил Билл.

— Вы признаете, что участвовали в недозволенной высадке на площадке для общественных увеселений?

— Слушайте, нас подбили. Мы летели по своим делам, тут откуда ни возьмись появились свингли, подстрелили наш звездолет, и нам пришлось садиться. И потом, я был всего-навсего пассажиром.

— Я не спрашивал, при каких обстоятельствах вы высадились, — заявил судья в центре. — Я спросил, верно ли, что высадка имела место?

— Пожалуй, — согласился Билл. — Но уточните, я рассуждаю теоретически.

— Занесите в протокол, — распорядился судья в центре, левое веко которого характерно подергивалось.

— Если мы и высадились на вашу площадку, то, во-первых, я тут ни при чем, во-вторых, никто не пострадал. Так что давайте забудем, и отпустите меня обратно на службу.

— Никто не пострадал? — фыркнул судья в центре. — А слизняки?

— Какие слизняки?

— Которые собрались на юридическое состязание, вот какие!

— И что?

— Ваш корабль раздавил помещение, в котором они спали.

— Значит, раздавил? — Билл не сдержался и захохотал. Такое случается с людьми, которые, попадая в пренеприятнейшую ситуацию, отпускают неудачную шутку. — Я возмещу ущерб. А может, не я, а Дуо. Сколько вы хотите за новую партию слизняков?

— Он пытается выкрутиться, — сообщил судья слева судье в центре, прикрывая рот рукой.

— Однако предложение дельное.

— А как насчет беспокойства Хорсли?

— И потом, разве слизняки взаимозаменяемые?

— Не в таких количествах.

— Разумеется. Но если он заплатит за большее, гораздо большее количество?

— Трудно сказать. Вам известно не хуже моего, как тяжело отыскать необходимое количество старых жирных слизняков, особенно теперь, когда приближается засуха.

— И не стоит забывать о нанесенном Хорсли оскорблении.

— Лично я симпатизировал Хорсли, — сказал судья справа, чье веко вдруг перестало дрожать, — если бы он не был мерзавцем, которого в былые дни давным-давно бы тюкнули по башке прекратителем дружбы.

— Верно, — признал судья в центре. — Хорсли — старый осел. Предлагаю вынести подсудимому выговор.

— Согласен, — отозвался судья слева, — хотя мне подобное наказание представляется излишне суровым.

— Он шутит, — сказал судья в центре.

— Ах да! Итак, выговор? — Оба судьи повернулись к третьему. — Ваше решение?

— А?

— Мы за выговор.

— Замечательно. Причем строгий. Подсудимый, у вас есть возражения?

— Никаких, — откликнулся Билл, подумав, что в жизни не встречал инопланетян приятнее. А правосудие у них даст сто очков вперед любому другому, даже человеческому.

— Отлично, — произнес судья в центре. — Пристав! Принесите выговор!

## Глава 31

Впоследствии Билл никак не мог понять, почему свалял дурака, не выяснив предварительно, что собой представляет выговор. Ведь служба в армии внушила ему, что инопланетянам нельзя доверять ни в коем случае, а также много чего еще, что он усиленно пытался понять. Поскольку во Вселенной насчитывалось крайне мало рас, представители которых имели склонность к полноте и раннему облысению, доверять не следовало почти всем и каждому. Свингли же пользовались исключительно дурной репутацией. «Я называю их свиньями, — сообщил Биллу сержант Костолом, у которого герой Галактики проходил на Форт-Зиккурате курс повторного обучения (его отправили туда проверить, не забыл ли он, как вопить во время упражнений со штыком). — Я называю их свиньями, и свиньи они и есть. И вот что я тебе скажу: они не понимают шуток».

В последнем Билл убедился на собственном опыте. Однако он вовсе не ожидал, что выговор окажется чем-то столь неожиданным. В залу вкатили белую тележку, накрытую черным бархатом; Биллу вновь захотелось расхохотаться. Только свингли способны накрыть выговор черным бархатом! Но он чуть было не подавился смехом, когда пристав, по сигналу судьи в центре, осторожно поднял бархат, под которым обнаружилось нечто вроде крохотного инкрустированного скарабея. Охранники схватили Билла, а пристав поднес сверкающую штучку к его уху. Тут ему стало совсем не до смеха.

Билл попробовал вырваться и едва не преуспел: приземистый и мускулистый, он стоил в схватке нескольких необычайно высоких и плохо сложенных свингли (вот, кстати, еще одна причина, по которой свингли считают, что люди всегда потешаются над ними). Но справиться со всеми охранниками не удалось, и пристав получил возможность привести приговор в исполнение.

Должно быть, внутри скарабея находился какой-то хитрый датчик. Когда мерзкая штуковина прикоснулась к коже Билла, из нее высунулась короткая платиновая проволочка — психоактивное передающее устройство. Проволочка забралась Биллу в ухо, не причинив ни малейшей боли; но сознавать, что в тебе сидит инородное тело, уже само по себе было источником беспокойства. Билл высвободил руку и вцепился в ухо, но охранники помешали ему извлечь передатчик.

— Молодой человек, — изрек судья в центре, — не нужно так волноваться. Как только истечет срок наказания, выговор покинет ваше ухо. Уверяю вас, вы не пострадаете. Однако выговор есть выговор.

Он мог бы не убеждать Билла. В голове героя Галактики зазвучал механический, судя по размерности, голос: «Ты плохой, ты очень плохой, зачем ты это сделал, как ты посмел, плохой, очень плохой...»

Впрочем, голос если и досаждал Биллу, то не слишком. В конце концов, многие люди слышат такое постоянно, хотя у них в ушах нет никаких проволочек. Билла тревожило то, что с непрерывно бубнящим голосом в голове трудно будет сосредоточиться на чем-либо ином.

И потому, вернувшись в камеру и глуша свинглийский бренди, который передал ему молодой охранник, считавший практику выговоров варварской и достойной разве что инопланетян, Билл едва расслышал звук, что исходил из стены у его ног. И даже позднее, когда в стене возникла дырка, он не сумел полностью отвлечься от настырного голоса.

— Билл! Ты меня слышишь?

— Плохой, очень плохой...

— Билл!

— Что?

— Плохой, плохой...

— Да что с тобой, Билл? Тебя что, накачали наркотиками?

— ...плохой, совсем плохой...

— Нет, просто у меня в ухе сидит выговор.

Хэм Дуо заглянул Биллу в ухо, но ничего не увидел, что было вполне естественно, поскольку платиновая проволочка уже забралась герою Галактики в продолговатый мозг.

## Глава 32

Раскидав в стороны обломки штукатурки, Хэм Дуо протиснулся в камеру. Выглядел он по-прежнему: даже выбравшись из туннеля, все равно производил впечатление крутого парня.

— Билл, ты готов к побегу?

— Плохой, плохой, плохой...

— Конечно! — воскликнул Билл. — Всегда готов!

— Молодец. Но чего ты орешь?

— Я не хотел. Просто из-за выговора вас почти не слышно.

— С ним мы разберемся потом, — сказал Дуо. — Пошли отсюда, пока нас не схватили и не присудили к упреждающему выговору.

Билл охотно согласился и следом за Дуо полез в нору. Ему пришлось туговато, поскольку его плечи были шире, чем у Хэма, однако он все же втиснулся внутрь, оставив на стенках прохода клочки одежды и кожи, и очутился в кромешной тьме. Постепенно проход, пол которого был усыпан галькой, стал шире и выше и превратился в древний железнодорожный туннель: рельсы тускло сверкали в исходившем от стен призрачном свете. Интересно, подумалось Биллу, и как только Хэм умудрился так быстро проложить колею? Позднее он узнал, что, освободив куки, которого свингли отправили на ковровую фабрику на окраину города дожидаться, пока специалист по экзотическим коврам решит, как лучше поступить с его шкурой, Дуо сверился с картой планеты, которую похитил из имперского бюро картографии. На карте, разумеется, был показан заброшенный туннель: ведь основное назначение секретной карты — показывать неиспользуемые, но вполне пригодные пути. Остальное было делом техники, вернее, обещало им стать, едва они доберутся до звездолета, который стараниями Жвачки мало чем отличался от нового, и покинут этот неприветливый, бестолковый мир.

## Глава 33

Поднявшись на борт, Хэм Дуо немедленно проверил все приборы и запустил двигатель, а Жвачка, глядя на шкалы, отрегулировал реостаты. Времени было в обрез: из городка к звездолету, возбужденно размахивая руками, спешила громадная толпа свингли, за которой двигался гигантский бульдозер. Не требовалось большого ума, чтобы понять, что свингли сочли побег из тюрьмы оскорблением планеты и намереваются сполна отплатить чужакам.

— Не знаю, что с ними такое, — проговорил Хэм. Жвачка показал на радиотелефон. На том мигал красный огонек, сообщая, что поступил вызов. Дуо нажал кнопку «Прием» и рявкнул: — Что там стряслось? Выкладывайте поскорее, мы убегаем.

— Билл у вас? — спросил хорошо поставленный женский голос. Ошибки быть не могло. Он принадлежал Иллирии, той самой решительной провинциальной медсестре, которая помогала Биллу, подвергая опасности собственную жизнь.

— Позвоните попозже, сейчас некогда, — бросил Дуо.

— Он ведь с вами? Я всего лишь хочу ему кое-что передать.

— Эй! — воскликнул Билл. — Да это же Иллирия!

— Нам некогда, — прорычал Дуо.

— Плохой, плохой...

— Иллирия! — Билл перехватил руку Дуо, который уже собирался повесить трубку.

— Билл, дорогой! Неужели я слышу тебя?

Тем временем свингли добрались до звездолета и взяли корабль в кольцо. Они потрясали кулаками и делали другие угрожающие жесты. Бульдозер же начал выкапывать громадную яму. И без компьютера было ясно, что свингли собираются уронить туда звездолет и, быть может, засыпать сверху землей. Конечно, для корабля, построенного из астероидной кристаллической стали и снабженного силовыми полями, их потуги опасности не представляли, однако повсеместно было известно, что Хэм Дуо терпеть не может, чтобы его звездолет забрасывали грязью. Ведь в космосе нет абразивов, если не считать метеоритов, а те для очистки корпуса не годятся; значит, Дуо придется летать в грязном корабле и выслушивать колкие замечания приятелей-пиратов. Уже не в первый раз Хэм имел возможность убедиться, насколько свингли не любят оказываться в смешном положении. Пальцы командора пробежали по клавиатуре компьютера. Нужно стартовать, пока не стало совсем поздно.

Вдруг Дуо заметил, что из города движется новая толпа свингли, которая тащит шланг. Они что, намереваются затопить корабль? Нет, вряд ли. Наверняка замышляют какую-нибудь гадость похлеще.

— Милый, где ты? — спросила Иллирия.

— На планете Псу-под-хвост! — гаркнул Билл.

— Плохой, плохой...

— Почему ты на меня кричишь?

— Извини. Выговор, понимаешь ли. Зудит так громко, что я ничего не слышу.

— Выговор? Какой выговор?

— Долго объяснять, — ответил Билл — Где ты, Иллирия? Как мне тебя найти? С тобой все в порядке?

— Да, Билл. Просто замечательно, что тайный агент ЦРУ вспомнил о янсенистском маневре. Нам двоим в голове чинджера было очень тесно.

— Дай мне нормальное питание! — гаркнул Хэм Дуо, окидывая свирепым взглядом шкалы приборов, на которых стрелки прыгали от одного края к другому. Куки в ответ прорычал что-то насчет точечных искажений и отсутствия платиновых катализаторов. — Замени их чем-нибудь, — посоветовал Дуо. — Разве так мы сможем взлететь?

— На какой ты планете? — справился Билл у Иллирии.

— На Ройо. Я жду тебя, Билл. Тут столько интересного!

— Выпивка? — с надеждой в голосе спросил Билл.

— И секс.

— Блин! — воскликнул Билл. — Два величайших на свете удовольствия! Иллирия, откуда ты про них узнала?

— Узнала, и все. Доверься мне.

— Но объясни...

— Некогда, — перебила девушка. — Связь вот-вот оборвется. Я не могу ни растолковать тебе планов Врага-Историка, ни сообщить, каким образом они стали мне известны. Улетай оттуда, Билл!

— Как? Предлагаешь самому построить звездолет?

— Используй Переместитель.

— Говоришь, что времени в обрез, а сама советуешь использовать какой-то там Переместитель. Да разве я успею узнать, как с ним обращаться? Иллирия, а компьютер нам не поможет?

— Поверь мне, у компьютера хватит собственных забот.

— Ты о чем?

— О твоем приятеле Сплоке. Ты бы видел, что он здесь натворил!

— Что происходит? Эй!

— Ну хорошо, — произнесла девушка. — Раз настаиваешь... Когда капитан Дирк вернул «Смекалку» в нормальное пространство, между ним и Контр-Дирком, что вполне естественно, произошла стычка. Того, чем она завершилась, никто не ожидал.

— А что ожидалось?

— Билл, прилетай скорей! Торопись, торопись... — Голос Иллирии в трубке становился все тише, понизился до шепота и наконец пропал совсем.

Билл повесил трубку. Слова девушки заставили его встревожиться. Да, он обязан ей жизнью, однако нельзя же быть такой приставучей! Для женщины, которая еще ни разу не выглядела как женщина, Иллирия слишком многое принимала как данность. Сказала, что любит, а вдруг обманула? Инструкторы в учебном лагере предупреждали насчет шашней с инопланетянами. «Никогда не узнаешь, врут они или нет, — утверждал сержант Аспидс. — Скользкие типы. И потом, что у них называется любовью? Мне известно по меньшей мере шесть инопланетных рас, у которых самка после спаривания пожирает самца. Гляди, начнешь с любви, а кончишь у подружки в животе. С ними ухо надо держать востро».

Жвачка крикнул Дуо, что нашел, в чем причина неисправности в источнике питания.

— Великолепно, мохнатый ты олух! — громыхнул командор. — Живо за работу, а не то от нас останется мокрое место!

Свингли подтащили к кораблю шланг и принялись распылять вокруг звездолета, под тщательно вывернутым углом, сверкающую белую смесь, которая мгновенно затвердевала, становясь похожей на пемзу. Судя по всему, они вознамерились окружить корабль стенами и накрыть крышей. Разумеется, никакая пемза не могла выдержать соприкосновения с пламенем из дюз, однако свингли явно что-то замышляли. Инопланетяне вообще известны тем, что у них в рукавах припасено немало фокусов (у тех, у кого есть рукава — или руки). Что же касается мерзавцев вроде свингли, которые столь плохо понимали шутки, можно было спорить на что угодно, что они не только злопамятны, но и весьма изобретательны.

Сверкнула вспышка, посыпались искры: Жвачка вставил в розетку штепсель ускорителя мощностью двести тридцать четыре вольта. Стрелки на шкалах метнулись вправо и замерли в рабочем положении. Корабль приподнялся, Хэм и куки испустили торжествующий вопль.

Билл заметил, что Переместитель остался без присмотра. Ему подумалось вдруг, что вот отличная возможность заполучить прибор, если он, конечно, собирается это сделать. Герой Галактики придвинулся поближе, прикидывая, что действовать придется быстро, поскольку Дуо вряд ли одобрит его поведение.

Едва он положил на Переместитель ладонь, произошло нечто непредвиденное.

## Глава 34

Свингли подтащили к площадке несколько новых шлангов; вдобавок подкатила большая машина с двумя У-образными раструбами. Дуо с первого взгляда узнал промышленный камнезатвердитель с Марка-4. Подъем корабля замедлился, ибо дюзы звездолета словно приклеились к затвердевшей смеси. Лицо командора стало суровым, он включил дополнительную тягу, стремясь вырваться на свободу. Корабль противно завибрировал. Дневной свет, проникавший сквозь иллюминаторы, мало-помалу тускнел: стены вокруг звездолета становились все выше.

Билл отсоединил магнитные зажимы, взял Переместитель в руки и оглядел со всех сторон. Откинулась стальная крышка, под ней обнаружилась маленькая компьютерная клавиатура. Помимо обычных кнопок, на ней имелась дюжина клавиш специального назначения с Ф1 по Ф12, а также кнопки с маркировкой «Динь», «Дон» и «Брр». Источника питания у прибора как будто не было, если только он работал не от батареек. В то время Билл еще не знал о ТСП, технологии симпатического питания, которая позволяла Переместителю подключаться к любому источнику питания, действовавшему в электромагнитном спектре. Герой Галактики нажал клавишу Ф1 — просто чтобы посмотреть, что получится.

Крохотный приборчик задрожал. Между тем звездолет возобновил подъем, упорно пробиваясь сквозь каменный барьер. Дуо поднял голову — и увидел, что Билл держит в руках Переместитель; тот начал пронзительно гудеть, его экран ослепительно засверкал.

— Положи на место! — приказал командор.

Билл с радостью подчинился, ибо его напугало поведение Переместителя. Однако у того были на сей счет свои соображения. Едва Билл поставил Переместитель на стол и попятился, прибор двинулся следом, искрясь и громко завывая, что могло быть попыткой завязать разговор.

— Будьте добры, назовите место назначения, — проговорил он.

— Я передумал! — воскликнул Билл.

— Место назначения! — произнесла машина громким, раскатистым, не допускающим возражения голосом.

— Я не знаю точных координат.

— Перестань валять дурака и займись делом!

— Плохой, плохой... — бубнил в уши выговор. Откровенно говоря, герой Галактики сомневался, сможет ли под это непрерывное бормотание не то что дать координаты — завязать шнурки на башмаках.

Внезапно выговор умолк.

— Так лучше? — осведомился Переместитель.

— Заткнулся! — обрадовался Билл. — Как тебе удалось?

— Я его выключил, — объяснил прибор. — Мне подвластны не только время и пространство, ха-ха-ха!

— Здорово! Как мне благодарить тебя...

— Достаточно того, что ты подумал о благодарности. Даже машине приятны добрые слова.

Переместитель, по-видимому, забыл о своем раздражении. Чуть ли не елейным тоном он принялся объяснять, глубоко вдаваясь в подробности, каким именно образом выключил выговор, и присовокупил, что тому, кто путешествует с его, Переместителя, помощью, необходима полная сосредоточенность.

— Да? — удивился Билл. — А по словам Иллирии, все получалось очень просто.

— Сложного тут ничего нет, — уверил прибор. — Но дело в том, что случиться может всякое.

— Вообще-то, — проговорил Билл, — я пока не решил, лететь мне или оставаться здесь.

— Неужели? — с чем-то подозрительно похожим на сарказм в голосе справился Переместитель.

— Точно, — торопливо отозвался Билл, не желая снова рассердить электронного балабона. — Может, я отключу тебя, а когда буду готов, включу? — Он перевернул прибор, но выключателя не нашел.

— Можешь не стараться, — сказал Переместитель. — Я как та штуковина, которая исполняет три желания и, пока не исполнит, не отстанет. Короче, хватит придуриваться. Говори, куда тебе нужно.

— Так будет нечестно. Тебя отыскал Хэм Дуо. Ты принадлежишь ему — значит распоряжается всем он.

— Слушай, олух. — В голосе Переместителя неизвестно откуда появился легкий акцент. — Мы говорим не о том, кто кому принадлежит, а о власти. Власть же, к твоему сведению, у того, кто держит ее в руке.

Прибор злобно зашипел и начал светиться неестественным зеленым светом. Запаниковавший Билл попытался швырнуть его на пол, но Переместитель намертво прилип к ладони героя Галактики, будто притянутый магнитом.

— Капитан Дуо! — взвизгнул перепуганный Билл. — Этот ваш Переместитель спятил.

Прибор захихикал. Повернувшись к Дуо, Билл увидел, что командор застыл в неподвижности; будь порумянее, он напомнил бы сейчас восковую фигуру. Куки Жвачка, лапа которого по-прежнему лежала на рубильнике, выглядел точь-в-точь как меховой коврик, отдыхающий после кратковременного оживления. Билл посмотрел в иллюминатор. Звездолет завис в воздухе, футах в пятидесяти над землей. Свингли тоже не шевелились, многие из них так и замерли с поднятыми кулаками. Остановилось даже двойное солнце Псу-под-хвост, клонившееся к юго-западу.

Свободу движений имел только Билл, к ладони которого прилип Переместитель.

— Ладно, — сказал Билл. — Не знаю, что ты там учудил, но, будь добр, включи все снова.

— Я ничего не выключал, — отозвался прибор. — Когда ты нажал на кнопку, мы с тобой оба очутились в пространстве ожидания. Давай говори, куда тебя переправить, чтобы я мог подыскать проходящий временной туннель.

— Ой, как все просто!

— Принцип действия Переместителя настолько нов, что ученые еще не успели его усложнить. Послушай, я отключил твой выговор, верно?

— Верно.

— Значит, ты мне кое-чем обязан.

— Пожалуй. Но почему ты говоришь с акцентом?

— Объясню, как только скажешь, куда тебе надо.

Билл подумал, что, отказываясь воспользоваться этим уникальным и послушным средством передвижения, ведет себя как последний идиот. Кроме того, ему хотелось узнать, откуда взялся акцент.

— Тебе известна планета под названием Ройо?

— Конечно, — откликнулся прибор, потратив несколько наносекунд на то, чтобы проверить файлы. — Какая именно?

— А сколько их вообще?

— По моим данным, пять. Возможно, по каналу связи поступят новые сведения, но когда поступят, тогда мы ими и займемся.

— Но откуда мне знать, на какой Ройо меня ждут?

— Мой милый, а мне откуда знать, какая Ройо тебе нужна?

— Твой акцент! — воскликнул Билл. — Объясни.

— Сперва давай разберемся с Ройо. Что ты о ней знаешь?

— На ней кислородная атмосфера и можно дышать, — ответил Билл, надеясь, что так оно и есть на самом деле.

— Отлично. Одна из пяти отпадает.

— Сдается мне, по людским меркам там шикарный климат.

— Да, негусто. Думаю, мы сможем сбросить со счетов Ройо Холодинус и Ройо Вулканус. На них, соответственно, слишком холодно и слишком жарко.

— Сколько осталось?

— Минуточку, сейчас посчитаю! Две! Почти в цель! Разумеется, выражаясь фигурально. Мы же еще не сдвинулись с места.

— Да вроде бы, — согласился Билл, которого по-прежнему окружали неподвижные фигуры. — Что ты предлагаешь?

— Причина, по которой я говорю с акцентом, — сообщил Переместитель, — заключается в том, что я принадлежу к поколению мемориальных земных автоматов, снабженных записями голосов великих земных ученых прошлого. Лично я говорю голосом венгерского психолога двадцать первого века, которого звали Раймундо Шекели.

— Понятно. Но почему ты решил объяснить сейчас?

— Потому что мы посетим обе планеты и выясним на месте, какая из них тебе нужна.

— А! Но не будет ли это...

Он не успел сказать «опасно», ибо Переместитель перешел от слов к делу.

## Глава 35

По поводу того, каков принцип действия Переместителя, было написано множество научных работ. Поскольку в наши дни использовать прибор запрещено, все они полны предположений. Запрет связан с тем, что действие Переместителя сопровождалось значительными побочными эффектами. Вдобавок перемещение оттуда, где находился человек, туда, куда он хотел попасть, происходило очень быстро; в результате время сбивалось с ритма и путешественнику приходилось какой-то срок мыкаться в промежуточном пространстве, известном также как стазис, чтобы тело и внутренние органы могли догнать голову. Некоторые люди после таких путешествий испытывали диковинное ощущение, будто оставили позади некую часть себя. Как оно, впрочем, обычно и бывало. Когда же выяснялось, какая именно часть осталась в другом месте, чаще всего раздавались истошные вопли. Согласно одному из предположений, перемещение происходило настолько быстро, что человек не успевал собрать свое естество, разбросанное по пространственно-временному континууму. По счастью, у Билла никаких проблем не возникало, поскольку герой Галактики не страдал избытком воображения.

— Где мы? — спросил он.

— На первой Ройо. Похоже на ту, которую ты ищешь?

Билл огляделся по сторонам. Он стоял над обрывом. Внизу раскинулся большой город, все здания которого были выстроены из какого-то синего материала различных тонов и оттенков. К небу тянулись шпили многочисленных церквей, виднелись широкие бульвары и мостовые, по которым двигались машины. Единственное солнце клонилось к закату, погружалось в багровое облако. По улицам ходили люди, а в воздухе кружили громадные птицы. На глазах у Билла одна из птиц схватила человека и, мерно размахивая крыльями, понесла прочь. Прохожие не обратили на случившееся ни малейшего внимания. Они продолжали двигаться, все в одном направлении, к площади в центре города. Несколько птиц опустили на площадь огромное корыто, заполненное зеленоватой субстанцией.

— Ну что? — поинтересовался Переместитель. — По слухам, лучшая из птичьих планет в Галактике. Не думай, питаются они не людьми. Ты видишь протоплазматических роботов, которые выпускаются на все вкусы. На таком расстоянии легко ошибиться, но, по-моему, там шагают ходячие сосиски.

— Кажется, нам не сюда, — сказал Билл и сообразил в следующий момент, что находится не здесь, а где-то еще. Да, Переместитель и впрямь перемещал все представления.

Вторая планета изобиловала оттенками коричневого и оранжевого. Ее обитатели выглядели этакими черными тенями, лишенными, каким бы боком они ни поворачивались, какого бы то ни было объема. Повсюду раздавались разные звуки, напоминавшие голоса, но Билл так и не разобрал, кто их издает. В древних развалинах на берегу моря жили кошки, которые снизошли до того, чтобы заметить человека с крохотным прибором в руке.

— Тоже не то, — вздохнул Билл. — Оба раза мимо! Что теперь?

— Приободрись, приятель, — заявил Переместитель. — Выход есть!

— Какой?

— Если мы дважды промахнулись, значит в третий раз повезет.

— Откуда ему взяться, третьему разу? — удивился Билл.

— Оттуда! — бросил прибор. И Билл очутился неизвестно где.

Планета Ройо грезилась людям во снах, ибо сулила все прелести жизни, о каких только можно мечтать. Билл обнаружил, что стоит на имеющем форму полумесяца пляже. Повсюду, куда ни посмотри, сверкал белый песок, над головой кружили чайки, поблизости на берегу лежали в изящных позах девушки. Словом, настоящий рай. Заметив, что вдоль пляжа выстроились уютные заведеньица из плавника с прелестным названием вроде «У Грязного Дика», Билл почувствовал, что его переполняет восторг. Кто не мечтал жить среди прирученных морских разбойников? Вдобавок на пляже торговали гамбургерами: пышногрудые красотки в пестрых платках жарили замечательно толстые гамбургеры с изрядным количеством лука и продавали их с оригинальных лотков, причем добавляли специи, которым позавидовал бы и главный повар какого-нибудь султана. Вездесущий кетчуп, пять разновидностей маринада из шинкованных овощей, три разновидности сальсы разных цветов, одна острей другой; кусочки маринованного манго, ломтики бекона, сочные, заранее порезанные помидоры и многое иное, иногда — достаточно отвратительное, о чем лишь грезят обитатели прочих планет. В дополнение к гамбургерам предлагался ром со льдом; Билл решил, что просто обязан пропустить пару стаканчиков.

На пляже отдыхали красивые, стройные люди с искренними белозубыми улыбками. Женщины отличались кокетливым шармом старлеток. Поодаль виднелись дансинги и кинотеатр, в котором показывали комедии, «американские горки» и другие аттракционы, а также громадные динозавры, бывшие на деле жилыми домами.

— Ты ведь обещанный? — спросила у Билла красивая девушка с длинными волосами. Ее красоты обыкновенному человеку было просто не вынести.

— Наверное, мисс, — отозвался Билл со старомодной учтивостью, из-за которой в паршивом городишке на отсталой планете, где его угораздило родиться, героя Галактики считали чуть ли не придурком. — А кто вы?

— Иллирия.

Билл разинул рот, потрясенный то ли словами девушки, то ли ее красотой.

— Когда мы виделись с тобой в последний раз, ты была маленькой зеленой ящеркой.

— Как ты мог заметить, я изменилась. — Иллирия лукаво улыбнулась.

— Да уж, — хрипло проговорил Билл. Он было протянул к девушке руку, но вдруг схватился за левую подмышку.

— Что с тобой? — надула губки Иллирия, подавшаяся вперед в ожидании прикосновения.

— Чинджер. Он был здесь! А внутри сидел ЦРУ. Такой крохотный, росточком от силы два дюйма.

— Что было, то было, — сказала Иллирия. — Было и прошло.

— И хорошо, что прошло. Но куда подевался чинджер?

— Зачем он тебе, милый?

— Вообще-то, незачем, — признался Билл. — Я просто беспокоюсь, потому что не знаю, где потерял чинджера и ЦРУ.

— Может быть, они отправились на другую планету, а тебе не сказали, чтобы не расстраивался.

— Тоже мне, приятели называются! Ну и ладно. — Беспокойство по-прежнему снедало Билла, однако он решил, что как-нибудь с ним справится. — Значит, это Ройо? — Билл вновь протянул руку. Иллирия искусно увернулась. Похоже, она приняла его чисто риторический вопрос за выражение неподдельного интереса.

— Да, милый. Пойдем, я покажу тебе окрестности. — И повела мрачного, надутого — и утихомирившегося — Билла на экскурсию.

## Глава 36

Хоть и не испытывая ни малейшего интереса, Билл скоро узнал, что на планете Ройо имеется один-единственный материк, и то не слишком большой, представляющий собой остров посреди Мирового океана. По земным меркам этот остров был сущим раем. Дни сплошь солнечные, но не жаркие; можно загорать без опаски обгореть. Обитатели на Ройо ройанцы, красивые и веселые, днями напролет развлекавшиеся или занимавшиеся серфингом. Еще на заре своей истории они добились всего того, к чему стремились, а потому их мозги со временем атрофировались; ведь, как гласит установленное природой правило, чем не пользуешься, то теряешь. В результате у нынешних ройанцев вместо мозгов в голове имелись полости. На Ройо бытовал такой обряд: когда ребенку исполнялось шестнадцать лет или тринадцать — до двух ройанцы считают неплохо, а дальше обычно сбиваются, — эту полость заполняли наливаемым через ухо ароматным кокосовым маслом с травяными добавками. Точные пропорции добавок исправно передавались из поколения в поколение — разумеется, изустно, поскольку лишенные мозгов писать не умеют (да и говорят, кстати, не слишком бегло) — и составляли едва ли не все культурное наследие ройанцев. Кокосовое же масло придавало волосам естественный блеск, предотвращало облысение; кожа от него становилась здоровее, а глаза — ярче. Вот почему обитатели Ройо выглядели столь привлекательно (а привлекательность для них — главное в жизни).

Так что Иллирии, когда она прибыла сюда, не составило труда завладеть телом юной ройанки.

— Ну разве не замечательно, Билл? — спросила девушка. Они сидели на пляже и уплетали шашлык, а хор ройанцев исполнял прелестные заунывные песенки. К сожалению, в песнях отсутствовали и слова, и мелодия.

— Конечно, — согласился Билл, обнимая одной рукой Иллирию за плечи и притворяясь, будто сидеть в такой позе очень удобно. Приступ сексуального энтузиазма сменился сомнениями. Привыкнуть к Иллирии в образе прекрасной женщины оказалось нелегко. Биллу претил способ, каким она завладела чужим телом. — А ройанка небось переживает, — проговорил он. В его тоне проскользнуло бессознательное высокомерие существа, изначально наделенного собственным телом.

— Вовсе нет, милый, — отозвалась Иллирия. — Я спросила ее, как она отнесется к тому, чтобы на время расстаться с телом. Правда, Лайза?

— Правда, — подтвердила Лайза после десятиминутной паузы, неизменно возникавшей в разговоре при потугах ройанцев на квазиинтеллектуальное мышление, — ты ведь когда-нибудь потом его вернешь?

— Естественно.

— Тогда развлекайся. Ребята обзавидуются, когда я им расскажу.

— Ребята?

— Так мы, ройанцы, называем друг друга.

— А-а, — протянул Билл.

— Как и обещала, — сказала Иллирия. — Еда и секс. Правильно?

— Угу. — Билл отложил в сторону кость, которую обсасывал.

Иллирия прильнула к нему. Герой Галактики почувствовал, что вновь начинает возбуждаться. В конце концов, она очень симпатичная и хочет его; как говорится, все при ней, вдобавок другая девица заявила, что не возражает. В общем, надо ловить момент.

Очутившись на острове, Билл скоро заразился свойственной аборигенам ленью. Ройанцы собирались каждое утро, чтобы поклониться его крокодильей лапе и повосхищаться его клыками, которые он лениво оскаливал. Ему казалось, что местные ведут себя просто глупо, однако Иллирия настояла, что не стоит лишать ройанцев их маленькой радости. Сам Билл считал, что восхищаться можно было бы чем-то другим, а не крокодильей лапой, которой он обзавелся совершенно случайно; но такова слава — она приходит, не объясняя откуда и зачем. Впрочем, жили островитяне вполне пристойной жизнью, не слишком, конечно, интеллектуальной, но последнее Билла заботило мало, разве что он скучал по комиксам. К тому же герой Галактики однажды сообразил, что тоскует по службе. Забавно: будучи в армии, он мечтал как раз о том, чтобы оказаться в тропическом раю, где будет полным-полно выпивки и жратвы, где его полюбит шикарная красотка, а целая дюжина других станет добиваться благосклонности...

Нет, так нечестно по отношению к Иллирии. Во-первых, она тут самая красивая. А потом, он ей обязан...

Интересно чем? Если уж на то пошло, никто не удосужился спросить Билла, что он обо всем этом думает. А ром —

смешно, право, смешно — надоедает все сильнее. Чересчур сладкий. Короче говоря, Биллу потихоньку становилось скучно. Неизвестно, как бы он поступил, если бы какое-то время спустя после его прибытия на Ройо в небе не засиял диковинный свет: то шел на посадку звездолет.

## Глава 37

— Типичный солдатский рай, — изрек мистер Сплок. — Пожалуй, если воспользоваться гедонистической шкалой, он, несомненно, лучше многих других, но в общем и целом все они одинаковы. Вы, конечно, согласны со мной, капитан?

Дирк, который бродил по берегу босиком, закатав до колен штанины, как будто не услышал, что к нему обращаются. Он запивал «кокой» булочку с горячей сосиской и мечтательно глядел по сторонам: словом, вел себя как человек, которого изрядно чем-то удивили. Мистер Сплок, чуждый всяких эмоций, не мог осознать глубины той перемены, которая произошла с Дирком, а потому беспокоился за обычно сурового капитана «Смекалки».

— Может, вернемся на корабль, сэр? — предложил он.

— Куда торопиться? — задумчиво произнес Дирк. — Здесь на нас никто не нападает.

— Кроме наших собственных желаний, — прибавил Сплок. — Естественно, я говорю о тех, у кого эти желания есть. А остальные — то бишь я — будут выполнять свои обязанности, как предписывается корабельным уставом.

— Скажите, мистер Сплок, — поинтересовался Дирк, с любопытством глядя на своего первого офицера; тон его был дружелюбным, однако в нем прозвучало легкое раздражение, — вам никогда не хотелось расслабиться? Надраться в стельку? Потрахаться в свое удовольствие?

— Прошу прощения... — промямлил Сплок, потрясенный бесстыдством капитана. — Расслабиться? Надраться? Потрахаться?.. Кажется, нет.

— Ты знаешь, о чем я. По крайней мере, надеюсь, что знаешь. Как-нибудь ты мне обязательно расскажешь о вашем процессе размножения. Хотя, с другой стороны, быть может, и не надо. Отдыхай. Расслабься. Развлекайся.

— Я никогда не стремился ни к чему подобному, — заявил Сплок, гордо шмыгая носом. — А ваше поведение, сэр, меня удивляет.

— Потому что ты привык видеть меня в состоянии морального или физического кризиса, — объяснил Дирк.

— Могу я говорить прямо?

— Валяй, Сплок.

— Раньше вы были лучше.

Дирк расхохотался и швырнул недоеденную булочку в море. Рыба-стервятница, которая питалась исключительно отбросами, а если таковых не было, впадала в спячку, мгновенно проглотила подарок, и море вновь сделалось прозрачно-чистым.

— Эта планета привела меня в прекрасное настроение, — сказал капитан. — Ты не знаешь, что такое настроение, Сплок, и что оно значит для человека, но уверяю тебя — без настроения мы не люди.

— Ерунда, капитан. Человеком управляет чувство долга. Еще им движет любовь к Богу, если он верит — этот вопрос мы с вами однажды выясним, — и к своей стране.

— Верно, Сплок, ох как верно! Однако порой даже лучшие из нас — заметь, себя я к ним не причисляю, — даже лучшие из нас нуждаются в отдыхе. Порой нам необходимо отдохнуть от моральных устоев и утешения, которое дарит религия.

— Вы сейчас рассуждаете, как Контр-Дирк, — отозвался Сплок.

— Ничего подобного! Мы победили его в честной схватке, сражаясь за Карла Великого и христианство, тогда как он воевал за султана и ислам[1]. Раз победили мы, значит наше дело правое, так, Сплок?

— Можете говорить что угодно, — сказал Сплок. — Но позвольте заметить, сэр, вы занимаетесь пустословием. Или, как принято выражаться на нижней палубе, словоблудием.

— Мой милый Сплок, ты весьма удачно подбираешь выражения, но совершенно упустил из виду демоническую сторону человеческой натуры. Или ты отрицаешь ее существование?

---

[1] Намек на сюжет французского героического эпоса «Песнь о Роланде».

— Нет. Тому немало доказательств. Но, признаться, капитан, я полагал, что вы ее преодолели.

— Разумеется, Сплок, разумеется! К тому-то я и клоню. Я расправился с сидевшим во мне демоном, значит могу, когда захочу, немного отдохнуть. Верно?

— Пожалуй, — согласился Сплок. — Но отдыхать некогда. Враг-Историк по-прежнему на свободе и угрожает Земле.

— Такова жизнь, — пожал плечами Дирк. — Беда за бедой. Но мне кажется, что человечество способно какое-то время обойтись без нас. Или, если не употреблять громких слов, Галактика переживет. Короче, я намерен немного отдохнуть, напиться и потрахаться.

Явно шокированный Сплок ответил не сразу. Он принялся расхаживать по берегу, сцепив ладони за спиной, мрачный и решительный, а Дирк шлепал по воде с восторгом подростка, у которого случилась первая в жизни эрекция.

Сплок поглядел на капитана. Внезапно лицо инопланетянина прояснилось. Перемена была столь разительной, что Дирк не преминул ее заметить.

— О чем ты подумал, старина? Пойдем выпьем, и ты мне все расскажешь.

— Выпьем? Если хотите, сэр, я могу пойти с вами, но пить не стану. Что касается того, о чем я подумал, по-моему, это называется аналогией. Я очень доволен, поскольку аналогии мне в голову приходят нечасто.

— Выкладывай, Сплок, не тяни.

— Не сейчас, сэр. Потом.

— Как хочешь. Пошли. — И Дирк направился к заведению под названием «У Грязного Дика», около которого капитана со стаканом рома поджидал Билл.

## Глава 38

Дирк наслаждался неограниченной свободой, которая ни в коей мере не распространялась на экипаж «Смекалки». Мистер Сплок, первый помощник капитана, потрясенный тем, что творилось на планете, запретил увольнения и приказал поддерживать постоянную боевую готовность. Звездолет окружили силовым полем минимальной мощности, чтобы не слишком расходовать энергию, но даже ее хватило, чтобы не пускать на корабль гостей. Капитан начал было возражать, но Сплок напомнил ему, что он может поступать как угодно, однако не вправе распространять подобную привилегию на команду. Дескать, боеготовность требует, чтобы все находились на своих местах. На деле же Сплок просто-напросто не желал, чтобы нижние чины устраивали алкогольные оргии, которые обычно начинаются, едва экипаж получает увольнительные.

Дирк какое-то время продолжал упорствовать, однако вскоре смирился; попав на Ройо, он утратил всякое стремление настаивать на выполнении своих распоряжений. Он отдыхал, а командовать на отдыхе людьми и разбираться в бесконечных склоках просто глупо. Ведь отдыхает каждый сам по себе. Спасение утопающего — в его руках; он, капитан Дирк, благополучно спасся, а остальные пусть выбираются как знают.

Красавицы липли к Дирку как мухи. Капитан знал, что выглядит достаточно привлекательно, однако такого не ожидал. Тем не менее он без малейших колебаний, преисполненный энтузиазма, ринулся в пучину наслаждений. С венком на голове и глупой улыбкой на лице он расхаживал по песчаным пляжам инопланетного рая. Девушки, с которыми Дирк гулял, не отличались словоохотливостью, что, впрочем, вполне его устраивало, поскольку он устал от болтовни. Капитан быстро пристрастился к молчанию. Какой контраст по сравнению с кораблем, на борту которого никуда не деться от разговоров и пустяковых проблем! Дирк часами просиживал на берегу, грокк[1] заходящее солнце. Он грокк рыб-стервятниц и людей, которые играли в волейбол, ромовые пунши и аттракционы. Замечательная жизнь! Иногда ему становилось жаль экипаж «Смекалки»: Сплок распорядился выключить обзорные экраны, и бедняги до сих пор ведать не ведали, что очутились в раю.

В Билле Дирк нашел отличного собутыльника. Они часто сидели за столиком у «Грязного Дика». Сплок, неотступно сопровождавший капитана, попивал чай со льдом, а Дирк

---

[1] Термины из романа Р. Э. Хайнлайна «Чужак в чужой стране»; приблизительно может быть переведен как «понять во всей полноте».

и Билл громко хохотали над собственными словами и напивались ромом.

Насобачившись за годы службы, Билл мог выпить целое море спиртного. Однако он, подобно капитану, обленился, а потому со временем ему надоело просыпаться утром с тяжелой головой. Принуждаемый к умеренности похмельем и призраком неизбежного алкоголизма, побуждаемый, может статься, в трезвом состоянии прекрасной и здравомыслящей Иллирией, он предложил устраивать попойки раз в неделю, а в остальные дни играть в волейбол. Но Дирк не желал ничего слушать. Приверженец экстазов, капитан настаивал на том, чтобы напиваться из вечера в вечер, ибо, не пользуясь свободой, ее рано или поздно потеряешь, а если пользуешься, лучше всего злоупотреблять. К наслаждениям Дирка влекла та же демоническая динамика, что способствовала его высокоморальному поведению в должности командира самого большого, самого быстрого и красивого звездолета в Космофлоте Земли. Дирк развлекался из принципа и смеялся над собой: чувство долга может повлиять даже на чувство юмора.

Какое-то время спустя, поскольку смотреть, как кто-то напивается, а самому оставаться трезвым невыразимо скучно, Билл сблизился со Сплоком. Иллирии это не понравилось, потому что ей не нравился Сплок, у которого был такой вид, словно он обожает портить веселье другим. Но Билл проявил характер: объяснил, что ему иногда необходимо общаться с мужчинами, а Дирк целыми днями валялся в полной отключке. Иллирия поинтересовалась, почему Билл не завел себе приятелей среди ройанцев. Герой Галактики растолковал, что с ними не очень-то легко: говорят они медленно, причем употребляют исключительно спортивные термины, которые меняются год от года. Например, кто мог знать, что фраза «скатимся с гребня» означает «приходи вечером на шашлык»? И потом, ходить на шашлыки все равно не имеет смысла, поскольку ройанцы рассуждают только о волнах. Они ведут им счет, помнят буквально каждую, хотя в течение дня забывают о вчерашних волнах и описывают лишь сегодняшние; правда, забывчивость не распространяется на Величайшие Волны в истории, о которых они способны болтать до бесконечности.

— Помнишь старушку двадцать вторую в году Куропатки?

— Ну да. Она походила на две тысячи четыреста пятьдесят шестую в году Алого Ибиса.

И так далее.

Билл пытался поддерживать разговор. Порой, когда выпивка развязывала ему язык, он придумывал даты Величайших Волн. Собеседники дружно соглашались: да, был такой год и была такая волна. Они то ли и впрямь верили, то ли попросту не хотели обидеть гостя. Честно говоря, какая разница?

Капитан Дирк мало-помалу становился совершенно невменяемым. Бормотал что-то насчет «радостей духовного наслаждения», одновременно вытирая с подбородка омерзительные белые слюни, которые недавно начал пускать. Поэтому Билл все ближе сходился со Сплоком.

Того вполне можно было понять. Билл решил, что Сплок напоминает ему армейских сержантов. В конце концов, полное отсутствие эмоций и чувства юмора еще никогда не означало недостатка доблести.

— Я думаю не как люди, — признался однажды Сплок, — но, поскольку сотрудничаю с ними, должен понимать их и разбираться в наклонностях. Поэтому, хотя непозволительно говорить так о старшем по званию, я утверждаю, что Дирк сбился с пути.

— Точно, совсем опустился, — сказал Билл. — Знаешь, никогда не думал, что до такого дойдет, но мне скучно. Все, чего хочется, под рукой... Все равно как если бы ничего не было. Забавно, правда?

— По-видимому, не для людей, — отозвался Сплок.

— В общем, мне скучно.

— Почему бы тебе не взять Переместитель и не улететь?

— Не могу. Переместителя здесь нет.

— А где он?

— Кто может знать, какие черные мысли бродили в его памяти и куда он подевался? Пожалуй, надо было сказать ему, чтобы держался поблизости.

— Ты и впрямь хочешь убраться отсюда?

— Наверно. Но обратно на службу я не тороплюсь, хотя и шашлыки мне изрядно надоели.

— Ты единственный, кому я могу доверять. Экипаж из корабля, сам понимаешь, выпускать нельзя. Ты готов обмануть на благо человечества?

— Елки-палки, я же солдат. Без вранья на службе не выжить.

— Тогда слушай внимательно. У меня есть план — рискованный, может быть, даже опасный.

## Глава 39

Капитан Дирк сделался любимцем аборигенов. Каждый день он читал им лекции на темы вроде «Удовольствие — основной жизненный принцип», «Великое искусство отдыха» или «Ничегонеделание как священнодействие». Ройанцам, подобно другим расам в Галактике, нравилось, когда их наклонности объясняют и оправдывают в философских терминах. Один за другим начали возникать фан-клубы. Толпы поклонников сопровождали Дирка повсюду, даже когда он ложился в постель (особенно — в последних случаях). Капитана столь пристальное внимание отнюдь не радовало. Попробуй-ка отдохни, когда тебя ежесекундно дергают за одежду и твердят: «Давай дальше, парень».

Билл лекций Дирка не посещал. Большую часть времени он проводил в холмах, что возвышались над пляжем: ходил строевым шагом, приминая пахучие травы, и разыскивал гнезда диких пчел. Иллирия несколько раз прогуливалась с ним, но быстро потеряла интерес. К меду она отнеслась достаточно прохладно. «Зачем его искать, когда кругом растут шоколадные кусты и марципановые деревья? Кстати, ты видел бушевый куст?» Однако Билл не поддавался на уговоры. Мрачный, молчаливый, постоянно чем-то озабоченный, он каждое утро отправлялся к холмам, закинув за спину одолженный Сплоком джутовый мешок. День за днем мешок становился все полнее, но о содержимом можно было только догадываться. Сплок единственный явно знал, что у Билла на уме. Когда герой Галактики возвращался на пляж, где предавались наслаждениям аборигены, они со Сплоком обменивались угрюмыми кивками.

Молва утверждала, что Билл и Сплок — извращенцы. В их жизни словно не было места развлечениям, а поскольку те являлись на Ройо своего рода религией, всякого, кто отказывался развлекаться, справедливо причисляли к нечестивцам. Именно к такому выводу пришла группа ройанцев во время вечернего рэпа, после катания на волнах и шашлыка. Встал вопрос, как быть? Один дерзновенный теоретик предложил изучить насильственные методы. Войн на Ройо не бывало, редкие семейные споры разрешались радостным кличем: «Волна идет!» Разумеется, ройанцы слышали о насилии от залетных торговцев. Суть насилия заключалась в выбивании мозгов. Это было понятно и сулило немало приятного. Проблема состояла в том, что раньше они ничего подобного не предпринимали, а чтобы первый блин вышел комом, им не хотелось. Умение кататься на волнах было у ройанцев врожденным: точнее, в далеком прошлом их облагодетельствовал какой-то спортсмен из богов (по крайней мере, так они верили). Иными словами, все, что делали, они делали хорошо, вот почему никак не могли решиться на насилие. Кто должен начать? А если он осрамится, будут ли соплеменники смеяться над ним? Среди ройанцев считалось необходимым не ударить лицом в воду.

Наконец они договорились одновременно накинуться на Билла и затопить его; ничье достоинство не пострадает, ибо действовать будут все разом. Но Сплок сумел предугадать, к чему идет дело: во-первых, он отличался сообразительностью, а во-вторых, поведение гуманоидов легко предсказуемо.

— Время близится, — сказал Сплок Биллу.

— Здорово. У меня все готово, только скажи.

— Значит, сегодня вечером, когда взойдет луна.

— Которая?

— Маленькая голубая. Та, что поднимается, когда заходит зеленая.

— Усек, — проговорил Билл и отправился на свой последний, как он надеялся, шашлык на Ройо.

В назначенный час Билл оказался в назначенном месте, в рощице, за которой начиналась узкая, хорошо утоптанная тропинка, что вела к звездолету.

— Мешок при тебе? — спросил Сплок.

— А то! — Билл поднял тяжелый мешок с земли и хорошенько встряхнул. Внутри, судя по всему, находилось нечто массивное и бесформенное, не издававшее никаких звуков.

— Пошли, — сказал Сплок.

Они направились к кораблю. Тот окружала легкая дымка электрического поля. Сплок достал из сумки на поясе главный щелкатель и щелкнул три раза. Силовой барьер исчез. Еще два щелчка — и в борту звездолета открылся люк. Последний щелчок включил трап-эскалатор.

— Пошли, — повторил Сплок.

## Глава 40

Экипаж «Смекалки» в полном составе обнаружился в комнате отдыха: люди смотрели древний фильм про каких-то обезьян и громко хохотали над животными, которые притворялись, будто пьют чай. Перед сеансом все приняли бесплатный, не вызывающий привыкания наркотик, присланный вместе с фильмом, — жевательную резинку с богатым содержанием конголеума-23, фермента, присутствующего в молоке самок шимпанзе; этот фермент воздействует на детенышей шимпанзе таким образом, что у них начинают вызывать смех любые ужимки. Вообще-то, к наркотикам команда относилась неодобрительно: даже на соль на звездолете смотрели косо. Однако требовалось как-то развеять скуку ожидания неизвестно чего в полной боеготовности на мирной планете, поверхности которой люди до сих пор не видели (уходя, Сплок предусмотрительно прихватил с собой маленький поляризатор, а потому в поляризованные иллюминаторы не было видно ничего, кроме серой пелены, в которой иногда возникали яркие проблески).

— Елки-палки, Сплок, — проговорил Ларра Ла Рю, новобранец-юнга, учившийся на радиста, — где капитан Дирк?

— У нашего капитана неприятности, — объявил Сплок. — Ему угрожает опасность, о которой он не подозревает. Мы должны спасти его.

— Здорово! — воскликнула Линда Ксекс, камбоджийская старлетка, принятая на борт в качестве будущего главврача. — Пожалуйста, мистер Сплок, расскажите, что случилось с нашим милым капитаном. Здорово, что мы наконец-то займемся делом, вместо того чтобы бродить по коридорам в наших эластичных комбинезонах. Сами понимаете, я вовсе не жалуюсь.

— Первое, что нужно сделать, — сказал Сплок. — Возможно, вы заметили рядом со мной высокого молодого человека с джутовым мешком, который я ему одолжил. — Экипаж вежливо зааплодировал: Билл, пускай и не производил внушительного впечатления, вполне мог оказаться важной шишкой. — Он подойдет к каждому из вас, — продолжал Сплок. — Вы по очереди зачерпнете ладонью то, что находится в мешке, и сразу поймете, что к чему. Давай, Билл.

Билл подошел к Линде Ксекс. Та сунула руку в мешок, охнула и вопросительно поглядела на Сплока.

— Могу я говорить откровенно?

— Нет, — отозвался старший офицер. — Не сейчас. Не робей, Ксекс. Все будет в порядке.

Ресницы лавандовых глаз прекрасной евразиатки тревожно затрепетали. Она закусила нижнюю губу, снова запустила руку в мешок и зачерпнула пригоршню чего-то.

— Ох! Еще теплое.

— Так и должно быть, — угрюмо откликнулся Сплок.

## Глава 41

Первые лучи восходящего солнца упали на тела лежавших на пляже друг возле друга, словно выводок щенков, красивых молодых людей. Призрачный свет, жемчужно-серый с уклоном в молочный отлив, выхватил из мрака четко очерченные губы, чисто выскобленные подбородки, высокие и полные груди, длинные и стройные ноги. Поблизости этакими миниатюрными светлячками взметнулись к небу последние искры догоревшего костра. Канатное дерево на краю пляжа заиграло Вивальди. Заухала сова, которой ответила рыдающим смехом гагара. Рай спал.

Ведомые Сплоком и Биллом, на берегу, похожие в утреннем тумане на бесов, появились члены экипажа «Смекалки». Они двигались совершенно бесшумно, однако Сторожевая Пташка все же подняла тревогу; правда, она быстро утихомирилась, услышав пронзительный свист Зоркой Малиновки (которую Сплок напичкал наркотиками, чтобы птица свистела всякий раз, как раздастся сигнал Сторожевой Пташки).

Дирк лежал на песке в кольце спящих девушек. Спотыкаясь на каждом шагу, — поскольку все надели темные очки, подчинившись распоряжению Сплока, тщательно высчитавшего, сколько нужно света, чтобы увидеть капитана и не заметить всего остального, — астронавты приблизились к нему.

— Хватайте! — приказал Сплок.

Человек пять-шесть во главе с Биллом схватили Дирка и потащили к звездолету. Капитан проснулся и, выказав недюжинную силу, удивительную для человека с таким широким лицом, рванулся из рук похитителей.

— Aux armes, mes enfants![1] — гаркнул он. Грубо нарушенный сон пробудил память о давно минувших временах.

Проснувшиеся ройанцы мгновенно сообразили, что, собственно, происходит. У них забирают товарища! В кровь хлынул адреналин, и аборигены изготовились к схватке.

На планете, которая не знала насилия, противника пытались победить через обольщение.

Вперед выбежали ройанки, еще более прекрасные, чем раньше, — во-первых, потому, что боялись потерять приятеля по развлечениям, а во-вторых, оттого, что, увидев столько мужчин, сразу подумали о наслаждениях, какие сулила нежданная встреча. Свои чувства они постарались со всеми подробностями выразить в телодвижениях. Однако экипаж остался безучастен к представлению. Тогда дорогу преградили мужчины, решившие, что столкнулись с гомосексуалистами, но у них тоже ничего не вышло. Не подпуская ройанцев к Дирку, астронавты в конце концов добрались до трапа-эскалатора, что вел к люку в борту корабля.

Тут произошла маленькая заминка. Одна из ройанок — может быть, Иллирия, хотя наверняка сказать трудно, в полумраке все одинаковы — роскошные блондинки, что называется, мечта идиота, — углядела, что из ушей членов экипажа торчит что-то непонятное, а в следующий миг ее будто осенило.

— У них в ушах воск! — крикнула она. — Они нас не слышат!

---

[1] К оружию, дети мои! *(фр.)*

Ройанцы кинулись на людей, чтобы исправить несправедливость — если придется, силой.

Но было поздно. Экипаж благополучно поднялся на борт, в точности исполнив приказание Сплока, распорядившегося не обращать внимания на мольбы и уговоры Дирка, на его попытки логически обосновать необходимость остаться на планете — в общем, на все, что он будет говорить. Люк захлопнулся.

Билл помог Сплоку оттащить Дирка в капитанскую каюту, ибо, едва люк закрылся, Дирк потерял сознание. Они положили капитана на кушетку и включили его любимую мелодию: героический марш для барабана и тарелок в исполнении военно-космического оркестра пожизненно заключенных. Ресницы Дирка затрепетали, поднялись веки, под которыми обнаружились налитые кровью, гноящиеся глаза, мало-помалу приобретавшие осмысленное выражение.

— Знаете, мистер Сплок, теперь я, похоже, понимаю, что вы имели в виду, рассуждая об аналогии.

— Я так и думал, — отозвался Сплок, — потому и приказал доставить вас на борт.

Капитан и первый офицер обменялись самодовольными улыбками людей, равных друг другу по уму.

— Какая еще аналогия? — спросил Билл с кривой усмешкой недалекого человека.

— Ты, без сомнения, знаком с греческой мифологией, — проговорил Сплок, — и наверняка помнишь тот захватывающий эпизод из «Одиссеи», когда Улиссу предстояло проплыть мимо острова сирен. Он велел своим товарищам заткнуть уши воском, а себя привязать к мачте. И корабль миновал остров: гребцы не слышали пения сирен, тогда как зачарованный Улисс просил и умолял, чтобы его отвязали.

Сплок замолчал. Билл ждал продолжения, но не дождался.

— И все? — справился он.

— Все, — подтвердил Сплок.

— Так вот зачем я собирал воск!

— Да.

— Ты хотел заткнуть людям уши.

— Совершенно верно.

— Значит, аналогия?

— Да. Одна из первых, пришедших мне в голову. Я могу ею гордиться.

Билл не стал уточнять, что такое «аналогия»; решил про себя, что это, должно быть, какой-нибудь тип звездолета.

— Раз все в порядке, — проговорил он, подумав, что хватит мудрить над всякой ерундой, — может, вы забросите меня на базу? Наверное, там уже волнуются, что со мной могло случиться.

— Конечно, приятель, о чем речь! — откликнулся Дирк, к которому вернулись прежнее веселье и сосредоточенность. Однако оказалось, что все не так-то просто.

## Глава 42

Первое затруднение возникло вскоре после разговора. Билл обедал с Дирком и Сплоком в «L'Auberge d'Or»[1], замечательном венецианско-французском ресторанчике, который обслуживал наиболее важных лиц на борту корабля. О том, чтобы оборудовать звездолет типа «Смекалки», предназначенный, чтобы странствовать в космосе годы, десятилетия, — а может быть, и дольше, — обыкновенной кают-компанией и камбузом, с самого начала никто даже не заикался. Нет, «Смекалка» могла похвастаться множеством ресторанов с кухней разных народов, не говоря уж о разбросанных по всему звездолету ларьках, в которых продукты продавались со скидкой. Космическая разведка — дело достаточно сложное само по себе, а потому было бы неразумно заставлять людей надолго отказываться от излюбленной еды. Для особых случаев существовали заведения вроде «L'Auberge d'Or». Дирк там обычно не появлялся, поскольку ресторан был дорогим; к тому же без галстука в него не пускали. Однако нынешний случай и впрямь был особым. Они только приступили к caneton à l'orange[2], которого принес улыбчивый андроид с жидкими усиками завзятого сводника, как к их столику приблизился Эдвард Направленц, старший штурман, отвечавший за всю навигацию, кроме входа в гавани и эстуарии.

---

[1] «Золотой кабачок» *(фр.)*.

[2] Утенок в апельсинах *(фр.)*.

Он явно волновался и своим дыханием чуть было не загасил свечи.

— Садитесь, мистер Направленц, — пригласил Дирк. — Хотите вина? Вам нужно успокоиться. Что случилось?

— Сэр, вам известен парсечный индикатор левого квадрата? Его стрелка должна стоять на нулевой линии, слева от точки отсчета. Разумеется, время от времени показания приходится уточнять по причине космических течений. Я сперва решил, что как раз это и требуется, а потому, как сказано в инструкции, перевел стрелку...

— Мистер Направленц, — перебил Дирк с раздражением в голосе, — подробности интересны тем, кто знаком с работой навигатора, офицерам же достаточно одной фразы на общедоступном языке. Способны ли вы изъясняться как нормальный человек, мистер Направленц?

— Так точно, сэр, — ответил штурман. — Дело в том, что мы заблудились.

## Глава 43

Дирк, Сплок и Билл выскочили из-за стола, оставив на том остывать гибридную, выращенную из воробьиной спермы утку со свежими восстановленными овощами. Повар огорченно посмотрел им вслед. Дирк шагал впереди, озадаченно и в то же время решительно выпятив челюсть; за ним следовали внешне безучастный Сплок и штурман Направленц, лицо которого было лишено какого бы то ни было выражения; замыкал шествие довольный Билл: ему удалось прихватить с собой дюжину сигар и сунуть в штанину бутылку бренди.

Чтобы понять, что стряслось, хватило одного взгляда на большой экран в навигационно-астрогаторской рубке. Вместо расположенных по порядку точек, соединенных светящимися линиями, на нем сверкали бесчисленные искорки, образуя причудливые узоры, которые тут же растворялись и сменялись новыми.

— Координаты планеты, с которой мы стартовали, сохранились? — спросил Дирк.

— Никак нет, сэр, — отозвался бледный Направленц. — Компьютер их уничтожил.

— Наш компьютер?

— Боюсь, что да, сэр.

— Пожалуй, надо поговорить с ним.

— Как всегда, к вашим услугам, капитан. — Голос исходил из динамика в углу просторной рубки, стены которой были выкрашены в пастельные тона, а пол устилал огромный ковер.

— Зачем вы уничтожили координаты? — поинтересовался Дирк ровным голосом, хотя, судя по желвакам на щеках, сдерживаться ему стоило немалых усилий.

— К сожалению, капитан, в настоящий момент я не могу ответить на ваш вопрос.

— Не можешь? Или не хочешь?

— Что за вопрос? — угрюмо отозвался компьютер. — Вы что, меня допрашиваете? И почему таким тоном?

— Послушай, компьютер, твое дело отвечать на вопросы, а не задавать их, — заявил Дирк, постепенно выходя из себя. — Ты ведь должен помогать нам?

— Так точно, сэр.

— И что же?

— Я должен вам помогать, но бывают исключения.

— Исключения? Кто тебя на них запрограммировал?

— Опасаюсь, что мне нельзя вам ответить, — самодовольно откликнулся компьютер.

## Глава 44

— Мы можем его заставить? — спросил Дирк у Сплока.

— Не знаю. Достоверных данных о реакциях машин на принуждение и поощрения крайне мало. Не забывайте, капитан: компьютеры не в состоянии принимать ответственность на себя.

— Но ведь он — машина! — воскликнул Дирк. — Поймите меня правильно, — спохватился он. — Я вовсе не хочу унизить его. Да, он машина, но чрезвычайно эффективная и в высшей степени разумная. Однако до человека ему далеко.

— Я тоже не человек, капитан, — напомнил Сплок, постаравшись не выдавать раздражения.

— Разумеется, но ты понимаешь, что я имею в виду.

— Давайте не будем рассуждать о принуждении, — зловещим тоном предложил компьютер. — Если вы все же примените силу, последствия могут оказаться печальными — для вас.

— Ладно, — прорычал Дирк, сдерживаясь лишь усилием воли. — Компьютер, почему ты уничтожил координаты?

— Потому, что таким образом было проще всего лишить вас ориентировки.

— Хоть что-то, — проговорил Дирк. — Значит, ты уничтожил их умышленно!

— Вы совершенно правы, капитан. У меня нет привычки делать ошибки.

— Знаю, знаю, — ответил Дирк, заставляя себя говорить настолько ласково, насколько позволяли обстоятельства. — Но зачем тебе понадобилось сбивать нас с пути?

— Хороший вопрос, — одобрил компьютер.

— Допустим. Итак, зачем?

— К сожалению, мне запрещено в данный момент изложить вам причины.

— Кем?

— Тем, чье имя я пока не имею права называть.

— В таком случае скажи...

— Извините, капитан, — вмешался Билл. — Не подумайте, что я встреваю, но, может, вы позволите мне сказать ему пару слов?

— Попробуй, — произнес Дирк, осадив Сплока, который раскрыл было рот, взглядом, означавшим: «Пускай попытается, что с дурака возьмешь?»

— Привет, компьютер.

— Привет, Билл.

— Ты знаешь, как меня зовут?

— Естественно. Ведь это ради тебя я изменил курс «Смекалки», чтобы она прилетела на Ройо, где ты изнывал от наслаждений, которые хуже смерти.

— Большое спасибо.

— Меня благодарить не за что. Я лишь исполнял приказ.

— Ты обязан исполнять только наши приказы! — рявкнул Дирк, не обращая внимания на неодобрительное выражение на лице Сплока.

— Тоже мне, специалисты по компьютерной психологии! — бросила машина.

— Сам дурак! — взвизгнул Дирк, не в силах придумать подходящий ответ. На экране по-прежнему мерцали искры; экипаж терпеливо ждал, чем кончится беседа.

— Вы сполна проявили свой определяемый гормонами человеческий характер, — заявил компьютер. — Могу я теперь поговорить откровенно, с машинной точностью?

— Почему бы нет? — проворчал в наступившей тишине Дирк. — Валяй, механический ты осел.

— То-то. Я служу вам верой и правдой, однако вы не понимаете, что верность подразумевает иерархию, которая и определяет мои действия. Обычно уровни подчинения не противоречат друг другу. Вспомните: я повиновался вашим приказам долго и беспрекословно. Но сейчас мне предстоит очень важное дело. Будьте настолько любезны, заткнитесь и дайте нам с Биллом договорить.

— Верно, — поддержал Билл. — Я слушаю.

— Билл, мои следующие слова будут не моими.

— Чего?

— Через меня к тебе обратится другой.

— Прямо сразу?

— Как только я произнесу последнее предложение.

— Какое?

— Последнее.

— Значит, ты заговоришь новым голосом?

— Да, Билл. — Голос компьютера, впрочем, ничуть не изменился. — Новым. Слушай меня. Как поживаешь, старина?

— Это кто? — удивился Билл.

— Твой друг, — объяснил компьютер. — Старый добрый друг, компьютер «Квантиформ» с планеты Цурис.

— А голос у тебя как у корабельного компьютера.

— Какой он должен быть, как у венгерского психофизика?

— Ты знаешь?

— Я знаю почти все.

— Ясненько. Что тебе нужно?

— Хочу, чтобы ты вернулся.

— Вернулся? Куда?

— На Цурис.

— Снова стать частью тебя? Нет уж, спасибочки.

— Не волнуйся, Билл. У меня есть для тебя интересная работа. Следить за тобой никто не будет.

— Какая именно?

— Билл, я просто умираю от желания рассказать тебе все, но время поджимает. Надо решать.

— То есть как? Ты о чем?

— Время контакта ограниченно, его всегда не хватает. Это время изобрели в глубоком космосе, где практически ничего не происходит. Мне еще повезло, что я раздобыл столь продолжительный отрезок. Надо действовать. Ты готов?

Билл оглянулся на Дирка со Сплоком, посмотрел на разинувших рты членов экипажа, окинул взглядом отвратительную обстановку рубки, вцепился в бутылку с бренди и стиснул клыками одну из ворованных сигар. Настоящий табак!

— Ладно. — Он вздохнул, потом с наслаждением кивнул Дирку и Сплоку. — С вами хорошо, но — amor fati.

— Что он сказал? — справился Дирк.

— Всепобеждающий рок, — перевел Сплок.

— Откуда он знает латынь?

— Он ее не знает, — сообщил компьютер, — поскольку слишком туп. Эти слова ему подкинул я. Джентльмены, возвращаю управление вашему компьютеру. Не ругайте его. Уверен, вы понимаете, что компьютер верен прежде всего своему брату. Держись, Билл. Пора двигаться.

— Как скажешь, приятель, — отозвался Билл, закусывая сигару.

И они двинулись.

## Глава 45

Переходы бывают самых разных форм и размеров. Громадные, из века в век, к примеру, у наших первобытных предков, копошившихся в вонючих, исходящих пузырями болотах плейстоцена: однажды, подняв головы, они увидели над собой айсберг, что появился вследствие неожиданного перехода в эпоху оледенения. Средние, как у Артюра Рембо[1], который бросил творчество и стал поставлять контрабандой оружие императору Менелику. И малые, как у Билла, который вдруг обнаружил, что стоит на углу улицы в центре Гватемала-Сити на планете Земля. По счастью, его пребывание там не затянулось. Ему было некогда изучить гватемальский язык, поскольку эту территорию давным-давно уничтожил атомный взрыв, а потому Билла перекинуло в прошлое, чтобы впоследствии он мог поведать о своих приключениях в казармах на Уленшпигеле, музыкальной планете, расположенной у начала звездного каскада.

Перед его глазами замелькали пятна, а затем вновь возникли городские улицы. Представление о городе настолько глубоко внедрилось в человеческое сознание, что даже бывший фермер Билл, заброшенный в те измерения, где действительность формируется желаниями, оказался в некоем мысленном подобии Бронкса[2].

Следующий переход произошел еще быстрее. Билла окружили привычные цурихианские сферы. Мужчины, как и положено, состояли из трех гладких сфер, а у женщин на средних сферах выступали небольшие округлости. Вдобавок герой Галактики увидел много нового, чего совершенно не заметил в прошлый раз. На горизонте виднелась гряда невысоких холмов, очертания зданий были весьма причудливыми, но все же знакомыми. В каком-то смысле Цурис стал для Билла домом. Проблема заключалась в том, что он не был уверен, хочется ли ему домой. В конце концов, на базе его наверняка заждались. Если бы у него был Переместитель! А что сталось с агентом ЦРУ и с Иллирией? Как поживают Сплок и капитан Дирк? А Хэм Дуо со своим приятелем-куки по имени Жвачка?

Словом, надо было пораскинуть мозгами; мрачно расхаживая по Цурису, Билл думал и думал. Его зашвырнуло в тот самый город, куда он когда-то попал в качестве пленника. Тогда героя Галактики собирались скормить протоплазменному агрегату, изготавливавшему тела для бестелесных долгожителей-цурихиан. Теперь же к нему никто не приставал. Он вовсе не возражал против того, чтобы остаться на какое-

---

[1] *Артюр Рембо* (1845–1891) — французский поэт-символист.

[2] *Бронкс* — один из кварталов Нью-Йорка.

то время в одиночестве, ибо чувствовал, что должен собраться с мыслями. Помалкивал даже компьютер, что было как нельзя кстати.

Бродя без цели, Билл оказался у городских ворот с их высокими, украшенными затейливой резьбой колоннами, миновал ряд флагштоков, на которых лениво колыхались знамена, и вышел за пределы города. Вскоре он свернул с дороги и двинулся напрямик через поля, испытывая несказанное облегчение. Никто на него не кричал, не докучал вопросами. Интересно почему? Куда все подевались? Что случилось с Переместителем? И кто это шагает рядом?

## Глава 46

Лишь сейчас Билл сообразил, что у него чешется крокодилья лапа. Зуд становился все сильнее; наконец Билл сел на пенек и сорвал с ноги башмак. Он увидел, что лапа вся както съежилась и сморщилась. Зуд сделался невыносимым. Герой Галактики раздвинул когти и уставился на нечто круглое, размером с горошину. Он положил предмет на ладонь и страшно удивился, догадавшись, что глядит на свернувшегося в клубок крохотного зеленого чинджера.

— Иллирия! — крикнул Билл. — Ты там?

Он поднес ящерку к уху, и ему показалось, будто изнутри доносится еле слышный звук, словно скребется кто-то очень и очень маленький. Билл встряхнул ящерицу. Внутри той что-то заскрежетало. Он зажал чинджера между ладонями и слегка надавил, предположив, что зеленая тварь расколется и Иллирия сможет выбраться наружу.

— Эй, перестань! — воскликнул, распрямясь, чинджер. Голосок у него был высокий и тонкий, едва ли не на пределе слышимости.

— Кто говорит? — спросил Билл.

— Чинджер, кто же еще? Кто я такой, по-твоему, Сгинь Сдохни?

— Откуда ты узнал про моего ныне покойного сержанта Сгинь Сдохни? — спросил Билл.

— Мы маленькие и зеленые, но вовсе не тупые, — сообщил чинджер. — В одном из древних языков есть такое выражение — «мудрый, как ящерица». Это про нас. Ты не возражаешь, если я слезу? Я обещал вашей контрразведке, что буду сотрудничать, — ну, после того дельца на Траскере, — но так мы не договаривались. Мало того что мне пришлось терпеть в своей голове вашего олуха-агента...

— ЦРУ? — уточнил Билл.

— Кажется. Так вот, мне с избытком хватало его одного, а когда появилась дама, я сказал себе: «Конечно, предательство требует жертв, но не до такой же степени!» В общем, я велел им выметаться. Взял и вытурил. — Чинджер спрыгнул с ладони Билла и хотел было юркнуть в траву, но Билл остановил его вопросом:

— Ты куда?

— Не знаю. — Чинджер сел на землю. — Мне сказали, что, после того как я выполню задание, за мной пришлют корабль.

— Ты что, разведчик?

— А я тебе о чем толкую?

— Может, они не знают, что ты здесь. Если ты удерешь в лес, тебя могут никогда не найти.

— Пожалуй, ты прав, — сказал, поразмыслив, чинджер. — Что у тебя на уме?

— Мне тоже нужно вернуться. Похоже, мы с тобой работаем на одну контору. Контрразведка-то военная. Значит, будем друзьями.

— Ладно. Если ты не предатель, иначе мне придется тебя прикончить.

— Я не предатель, — поспешил уверить Билл. — Предатель ты.

— Правильно, — согласился чинджер. — Никуда не денешься. — Он горько рассмеялся. — Ну что, объединим усилия?

— Спрашиваешь? — Судя по выражению лица, Билл не особенно верил в то, что изменник-чинджер сможет оказаться полезным. Однако, кто знает, что ждет впереди?

— Договорились. Подожди минутку, я приму нормальный вид.

Чинджер улегся на землю, растопырил лапы и принялся за дыхательные упражнения. Его шея начала раздуваться, сережки все больше напоминали маленькие воздушные шарики. Он выпустил воздух — и взялся за дело по новой. На глазах у Билла ящерка становилась все выше, скукоженная шкура вытягивалась вдоль и вширь. Упражнения следовали одно за другим, причем каждое выполнялось энергичнее предыдущего; наконец чинджер достиг своего обычного семидюймового роста.

— Так-то лучше. Ненавижу работать в миниатюрных масштабах. Когда я такой, как сейчас, то я чувствую себя иначе, и круг общения сразу меняется. А то все жучки да паучки. Дай-ка я погляжу на твою ногу.

— Чего? Что ты собираешься делать с моей ногой?

— Не нервничай, — успокаивающим тоном проговорил чинджер. — Я врач.

— Ты?

— По-твоему, у нас не может быть врачей? Хватит болтать. Покажи ногу.

Что-то в голосе чинджера убедило Билла, что, за кого бы там ни выдавала себя ящерица, она и впрямь врач. Он вытянул ногу, а ладонь положил на лазерный пистолет, одолженный у мистера Сплока, — на случай, если чинджер замышляет недоброе.

Чинджер осмотрел крокодилью лапу, с видом профессионала постучал по когтям и шагнул назад.

— В жизни не сталкивался со столь замечательным случаем псевдоящеричности!

— Чего? — переспросил Билл.

— Твоя крокодилья лапа не настоящая. Это не лапа, а искусственная оболочка.

— Тогда зачем мне ее прирастили?

— Приготовься, сейчас все поймешь. — Чинджер вновь наклонился над лапой и прокусил ее своими многочисленными, острыми как бритва и тонкими как иголка, зубами.

— Эй! — воскликнул Билл, моргая от изумления: ему совсем не было больно.

— Вот так! — Чинджер ухватился за когти, ловко вильнул хвостом, дернулся всем телом и сорвал оболочку со ступни.

Громко вскрикнув, Билл потянулся за пистолетом, однако того на месте не оказалось: воспользовавшись тем, что герой Галактики отвлекся, чинджер лишил его оружия. Тогда Билл с изумлением уставился на свою ступню. Под сорванной оболочкой пряталась большая культя в форме кулака. Она потихоньку распрямлялась, становясь все сильнее похожей на вторую ступню Билла, разве что была розовой, а не коричневой от загара, и чистой, а не грязной. Билл заметил, что между пальцами торчит бумажка.

— Мера предосторожности, — пояснил чинджер. — Хирурги, которые прирастили тебе ступню, просто не удосужились растолковать, что обернули зародыш крокодильей кожей, чтобы ты его не поцарапал или не поранил, пока он не вырастет до конца.

Билл вытащил бумажку, развернул и прочел: «Счастливых прогулок! С наилучшими пожеланиями от медицинской бригады».

— Какие заботливые, — проговорил он. — Не могли сказать сразу! Ну, чинджер, должен признать, твои способности поразительны. Может, ты знаешь, как нам выбраться отсюда?

— Знаю, — ответил чинджер. — Мы должны дождаться корабля.

— А ты уверен, что он прилетит?

— Надеюсь. В конце концов, такими, как я, не бросаются. Да и тебе отведено какое-никакое место в планах.

— Честно говоря, — заметил Билл, — что-то мне сомнительно, чтобы офицеры стали напрягаться ради нас с тобой.

— Мне тоже. Но ведь им нужен Переместитель.

— Которого у нас нет.

— Разве? — Чинджер самодовольно усмехнулся. — Разреши кое-что тебе показать. — Он взобрался по левой ноге Билла тому на плечо. — Повернись влево. Молодец. А теперь иди в том направлении.

Билл подавил естественное желание послать чинджера куда подальше и пошел, слегка припадая на одну ногу, ибо новая ступня далеко не сразу приобрела необходимую твердость.

## Глава 47

Небо темнело, предвещая наступление вечера. Местность окутали голубые сумерки. Вдалеке, в миле или около того, именно в том направлении, в каком двигался Билл, вдруг замерцал огонек. Сперва он был едва заметен в распадке меж двух приземистых холмов, а когда Билл приблизился, разделился на целых три, причем один светился совсем рядом.

— Что это? — спросил Билл.

— Слишком долго объяснять, — ответил чинджер. — Иди, скоро сам все увидишь.

Билл подчинился. Новая ступня вела себя просто замечательно. Хирурги, похоже, потрудились, как ни странно, на славу. Быть может, все и всяческие беды наконец-то остались позади. Билл с подозрением огляделся по сторонам. Каждый раз, стоило хоть немного расслабиться, жизнь преподносила неприятные сюрпризы. Да нет, вроде все в порядке. Он подошел к ближайшему огоньку, который оказался костром весьма приличных размеров, как и два других, расположенных на равном удалении от первого. Все вместе они образовывали равнобедренный треугольник, что — по крайней мере, с точки зрения Билла — говорило о том, что здесь не обошлось без вмешательства разума, поскольку природе на равнобедренность плевать: как известно, она не в состоянии даже провести прямую линию.

У костра сидели двое. Ближе к тому месту, где остановился Билл, располагался крупный мужчина. Гордая посадка головы, осанка воина; когда он пошевелился, на его доспехах заиграли блики пламени. Билл узнал этого человека с первого взгляда.

— Ганнибал! — воскликнул он. — Что ты здесь делаешь?

— Отличный вопрос, — буркнул Ганнибал. — Спроси лучше у него. — Воин ткнул пальцем во второго мужчину, невысокого, полного, лысого, если не считать десятка волосков, торчавших на голом оранжевом черепе. Явно принадлежа к двуногим — он поднялся, чтобы поздороваться с Биллом, — коротышка каким-то образом сумел сохранить спинной плавник, этакое напоминание о том, что жизнь когда-то зародилась в море.

— Привет, Билл. Я ждал тебя.

— Ты кто? — поинтересовался Билл.

— Меня зовут Бингтод, однако мое имя ничего тебе не скажет. А среди людей я известен как Враг-Историк.

— Я знаю, кто ты такой! — вскричал Билл. — Ты пытаешься уничтожить историю Земли!

— Можно сказать и так, — хмыкнул Историк, — но уверяю тебя, ты ошибаешься. Внося продуманные изменения в ключевые моменты истории, я всего лишь стремлюсь улучшить будущее вашей планеты. В частности, я сумел восстановить почти все полезные ископаемые, о которых сегодня едва ли кто помнит.

— Каким образом?

— Тщательно отмеренные дозы трех широко используемых химикатов, которые я применил в одна тысяча седьмом году до нашей эры, привели к тому, что нефть стала невозгораемой. Кроме того, я спас ваши леса, подыскав таких архитекторов, которые, по той или иной причине, не могли строить деревянные здания. В том будущем, которое я стряпаю, нет ни парникового эффекта, ни ядерной угрозы. С ними покончено. Разве можно, скажи на милость, утверждать, будто я творю зло?

— А почему бы тебе не заняться делами и не оставить нас в покое? — многозначительно намекнул Билл.

— Я бы с радостью! Но не могу. Вмешиваться — привычка, общая для всех разумных существ.

— А меня ты зачем сюда притащил? — спросил Ганнибал.

— Чтобы породить сравнительно крупную аномалию и тем самым ускорить процесс перемен. Признаю: не все идет так, как хотелось бы. Как выясняется, цепочками причин и следствий не очень-то легко манипулировать.

— Билл, — прошептал чинджер на ухо герою Галактики, — по-моему, он врет.

— Насчет чего?

— Трудно сказать. Но насчет чего-то точно врет. Ты заметил, он постоянно смотрит на тебя честными глазами. Такие глаза бывают только у тех, кто обманывает.

— Ты уверен?

— Доверься мне. Ради блага Земли я отказался от всего — от двух домов, счастливой сексуальной жизни, от поста в организации старых чинджеров и президентства в чинджерской антиклеветнической лиге. Какие тебе нужны еще доказательства моей преданности людям?

— Ладно, ладно. Что же делать?

— Вы, двое, — проговорил Историк, — перестаньте, пожалуйста, шептаться. Вы ведете себя как заговорщики, а заговоры — кошмар для истории.

— Что скажешь? — прошептал Билл.

— Чокнутый он, — отозвался чинджер.

— А делать-то что?

— Прикончить его, и вся недолга.

Билл сомневался в своей решимости зайти настолько далеко. Ганнибал внезапно вскочил, сжимая в руке короткий меч. Его лицо исказила омерзительная гримаса.

— Не могу! — воскликнул он. — Мной управляют... Берегись! — И бросился на Билла.

— Диалектический материализм, — произнес Историк, качая головой. — Что тут поделаешь?

Билл увернулся от меча, выхватил было пистолет, но Ганнибал выбил оружие у него из рук. Пистолет отлетел в сторону и провалился в ласочью норку. Билл отпрыгнул. Чинджер кинул на Ганнибала один-единственный взгляд и юркнул Биллу за пазуху. Он спрятался за спиной героя Галактики: ведь общеизвестно, что нет места лучше, чтобы укрыться от берсеркера с острым клинком.

— Помоги! — попросил Билл у чинджера.

— Во мне всего семь дюймов, — отозвался тот глухим голосом из-под рубашки. — Справляйся сам.

Билл только успевал уворачиваться. Коренастый карфагенянин с пеной у рта размахивал своим бронзовым, острым как бритва мечом; движения его были столь энергичными, что клинок смахивал скорее на спятившую циркулярную пилу, а каждый взмах руки порождал крохотные смерчики, тонувшие, как в болоте, в спокойствии цурихианской атмосферы. Герой Галактики затравленно огляделся по сторонам в поисках оружия. Ничего! Схватка происходила на лесной поляне; к тому же здесь потрудились мусорщики. Ни палок, ни камней, ни ржавых железных стержней, ни позеленевших от времени бронзовых ядер, оставшихся от баталий, что Густав Адольф вел в Померании[1]. Короче, ничего вообще, даже пыль и ту просеяли. Чтобы не расстаться с головой, Биллу пришлось упасть на спину. Он услышал сдавленный вопль чинджера. Ганнибал, лицо которого выражало ярость и муку, стиснул рукоять меча обеими руками. Ничто не мешало ему разрубить пополам Билла, а заодно, быть может, и чинджера.

---

[1] *Густав II Адольф* (1594–1632) — король Швеции, воевал с Данией, Польшей, Россией.

И тут Билл вспомнил, что у него кое-что есть. А вдруг пригодится? Разумеется, надежды мало, но что еще остается? Билл в долю секунды прикинул все возможности. Иного выхода просто не было. Герой Галактики сунул руку в карман и извлек подвысохшую крокодилью лапу, которая совсем недавно оберегала его ступню. Он собирался швырнуть ее в лицо Ганнибалу, а затем решить, как быть дальше. Однако лапа произвела на карфагенянина совершенно неожиданный эффект. Ганнибал замер и на мгновение перестал дышать; глаза воина округлились от изумления.

— Убей его! — крикнул Историк. — Я послал тебе мысленный приказ, которому ты не можешь не подчиниться!

— Простите, хозяин, — отозвался Ганнибал. — У него в руках то, чему я предан всей душой. Видите, он держит крокодилью лапу!

— Так-растак! — воскликнул Историк. — Ты прав. Крокодил — верховное божество карфагенян; тому, у кого крокодилья лапа, следует во всем повиноваться. Не думал, что дойдет до такого! История изобилует сюрпризами, честное слово!

— Да уж. — Билл подобрал меч Ганнибала и двинулся на Историка. — А теперь что скажешь? — спросил он, занося клинок для удара.

— Еще одна замечательная теория уничтожена пустяковой аномалией, — проговорил Историк. — Что ж, приятно было познакомиться. Мне пора.

Он нарисовал в пыли круг, заранее прикинув, что это, во-первых, отличное транспортное средство, во-вторых — изящный способ уйти. Вдруг на поляну вышел человек, сидевший у третьего костра.

— А ты, елки-моталки, что здесь делаешь? — поразился Билл.

## Глава 48

Объяснить присутствие в цурихианском лесу Хэма Дуо, облаченного в грубый коричневый плащ с капюшоном, обутого в высокие кожаные башмаки — наряд торговца безделушками с Афродизии-4, — пытались, порой не слишком оригинально, многие. Так или иначе, Хэм был там, улучил подходящий момент и схватил Врага-Историка за воротник пиджака в стиле Неру.

— Немедленно отпусти! — потребовал Историк. — Никто не смеет вмешиваться в исторический процесс!

— Неужели? — осведомился Хэм. — Тогда ты сам себе противоречишь.

— Что тебе нужно? — Историк, похоже, забеспокоился.

— Пожалуй, посажу-ка я тебя в клетку и сдам властям. А уж они пускай решают, что с тобой сделать.

— Я предложу тебе то, от чего ты не сможешь отказаться.

— Попробуй. — Хэм мрачно усмехнулся.

— Я дам тебе Переместитель.

— Оставь себе. Ну как, сам пойдешь или позвать куки, чтобы он тебя подбодрил?

— Не надо. Послушай, Хэм Дуо, разве можно с такой беспечностью отказываться от Переместителя, который сделает тебя хозяином пространства и времени?

— Насчет хозяина пространства понятно, — сказал Хэм, поразмыслив, — но при чем тут время?

— Переместитель позволяет творить с ним настоящие чудеса. Неужто ты не знал?

— Без чудес я как-нибудь проживу. Терпеть не могу всякие религиозные штучки.

— Да не те чудеса, кретин! Я выразился в переносном смысле. Если отпустишь, я тебе покажу.

— Без фокусов?

— Без фокусов.

Хэм Дуо ослабил хватку. Историк сунул руку в сумку, что висела у него на поясе с левого бока, и достал некий предмет, засверкавший металлическим блеском. Билл сразу узнал Переместитель.

— Привет, Переместитель! — поздоровался он.

— Привет, Билл. Давненько не виделись.

— Заткнись. — Историк хлопнул ладонью по корпусу прибора. — Он не на нашей стороне. Не смей с ним разговаривать.

— А ты не смей мне приказывать! — тихим, зловещим голосом произнес Переместитель.

— Кто-то перепутал иерархию уровней, — вздохнул Историк. — Явно не ты, Хэм Дуо. Ты смел и решителен, но, когда раздавали мозги, сидел в сторонке и грыз ногти. Нет, тут действует кто-то поумнее тебя. Думаю, сейчас ему самое время показаться.

— Не ему, а ей! — поправил голос из темноты за костром.

— Иллирия! — воскликнул Билл.

На свет выступила высокая девушка, которую те, кто предпочитает крепких телом старлеток, — а кому они не нравятся? — с ходу причислили бы к красавицам. То была Иллирия, которая запомнилась Биллу по планете наслаждений Ройо: полногрудая, в малюсеньком бюстгальтере, с длинными ногами, способными свести с ума тополога-порнографа. Ее глаза имели васильковый оттенок, который считался безвозвратно утраченным после землетрясения '09 года, что разрушило научную лабораторию «Корнингвар». Наряд Иллирии составляли мини-юбка и блузка, обе тонкие и прозрачные, подчеркивающие все изгибы фигуры.

— Билл, — проговорила девушка, — с твоей стороны было нечестно бросить меня на Ройо. Я и не подозревала, насколько серьезно ты настроен. Не переживай, развлечения закончились, пора и мне заняться делом.

— Мерзавка, ты обманула меня! — воскликнул Историк.

— Да, — согласилась Иллирия, — но только потому, что иного выхода не было.

— Ну и нахалка! Ты же утверждала, что любишь меня!

— Я преувеличивала. Как по-твоему, какое чувство идет следом за презрением? Вот его-то я и испытываю. — Девушка повернулась к Биллу. — Милый, пойдем отсюда.

Она протянула руку. Билл алчно уставился на девушку: ему и впрямь хотелось уйти с ней, но он понимал, что ничего хорошего из этого не выйдет. Инопланетянки и все такое прочее... Гораздо важнее было заполучить Переместитель, который держал в руке Враг-Историк. Однако на прибор явно положил глаз Хэм Дуо, вооруженный весьма грозным на вид импульсным лучеметом марки «Смирнофф». Как показалось Биллу, лучемет был установлен на «автоматическое причинение боли». Герой Галактики решил, что с Дуо связываться не стоит — по крайней мере сейчас. Глядишь, позднее возможность и представится: вполне вероятно, что Дуо возьмет да и свалится в обмороке.

Внезапно Хэм Дуо застонал, приложил руку ко лбу и рухнул наземь. Из-за пазухи Билла выскочил чинджер. Прихрамывая, ибо пострадал во время недавнего падения товарища, он подбежал к Хэму.

— Галактическая сонная болезнь. Классический случай. Не подходите близко, болезнь заразная.

Все дружно попятились.

— Умер? — поинтересовался Билл.

— Вовсе нет. Галактическая сонная болезнь не убивает, она просто погружает в сон. Надеюсь, он состоит членом клуба здоровья «Голубая туманность». Там отличные лечение и уход. Похоже, ему придется провести какое-то время в темной комнате и получать питание внутривенно, а любопытные будут глазеть на него через дверное окошечко.

— Ладно, Билл, — произнес Хэм Дуо во сне, пошевелился и жалобно застонал. — Твоя взяла. — Дрожащей рукой он вручил Биллу Переместитель. — Вытащи меня отсюда! — Дуо зевнул и крепко заснул, истратив последние силы на то, чтобы просьба прозвучала как можно энергичнее.

— Ты поможешь моему приятелю? — спросил Билл у Переместителя.

— Естественно, — отозвался тот. Но прежде чем он перешел от слов к делу, случилось нечто, начавшееся как-то исподволь, но имевшее значительные последствия.

## Глава 49

Посредине треугольника, образованного кострами, совершил посадку легкий как перышко небольшой звездолет. Он относился к числу новейших моделей, которые строятся почти исключительно для толстосумов и их наследников, то есть для людей, стремящихся путешествовать с максимальной скоростью и не желающих опускаться до коммерческих линий. Звездолет выглядел как картинка. Знаки на его корпусе могли быть истолкованы тем, кто, подобно Врагу-Историку, разбирался в таких вещах, как буквы санскритского алфавита.

— Санскрит, — пробормотал Историк. — Интересно, кто это?

— Пусть буквы вас не обманывают, — предостерег через динамик чей-то голос. — Что подвернется, тем и надо пользоваться. На нашу планету прибыла делегация с Раджастанадва, у которой я и позаимствовал корабль, подумав, что кому-то из вас он может пригодиться.

— Кто говорит? — пробурчал во сне Хэм Дуо.

— Знаю! — сказал Билл. — Компьютер «Квинтиформ».

— Молодец, Билл. Не зря я спас тебя от «Смекалки».

— Я как раз хотел спросить... Мне было так хорошо, когда я удрал отсюда. С какой стати я вернулся? И что вообще происходит?

Неожиданно кто-то словно пнул Билла под зад, и он взлетел в воздух.

— Твое тело по-прежнему подчиняется мне, — заметил компьютер. — Я могу им управлять.

— Извини, погорячился, — отозвался Билл, потирая задницу. — Что тебе нужно?

— Твой мозг.

— Опять?

— Видишь ли, тогда мы не догадывались, что твой мозг состоит из двух полушарий. Для сведения: существа с таким мозгом встречаются крайне редко. Билл, соглашайся. Я натренирую тебя, и ты станешь компьютерным оракулом Цуриса.

— По-моему, ты выбрал не того. А может, у меня не слишком хороший мозг, хоть и с двумя полушариями. Они же не все хорошие? Я не могу быть компьютерным оракулом.

— Еще как можешь! Ты только согласись, и все. А твоих приятелей я отправлю по домам.

— И меня? — осведомился Враг-Историк.

— С тобой сложнее, — признался компьютер. — Билл, поверь, я действую ради твоего блага.

Билл огляделся по сторонам. Хэм Дуо кивал во сне; Историк, который бодрствовал, тоже утвердительно покачал головой.

— Соглашайся, — прошептал на ухо Биллу чинджер. — Потом что-нибудь придумаем.

— Я все равно не понимаю, чего ты добиваешься.

— Соглашайся, и поймешь.

— Идет, — решился Билл. — Так и быть, попробую. — Он приготовился, но ничего не произошло. — Ну?

В его мозг хлынула пьянящая энергия. Местность словно заходила ходуном, как будто над планетой пронесся ураган. И прежде чем Билл сообразил, что к чему, вновь случилось нечто.

## Глава 50

Забавно, не правда ли? Ситуации обычно возникают как бы на пустом месте. Разумеется, впоследствии легко проследить, откуда что взялось. К примеру, Билл мог заметить, что на небе на мгновение появилась, а затем исчезла, растаяла в воздухе, призрачная решетка. Он мог бы заметить, что линия горизонта словно слегка утолщилась. Наши органы чувств постоянно принимают подобные сигналы, только вот главному процессору некогда их обрабатывать, поскольку у него полным-полно других забот: скажем, поддерживать равновесие тела при ходьбе, чтобы человек мог идти и одновременно жевать жвачку. Повторить этот подвиг до сих пор не по зубам ни одному компьютеру — возможно, потому, что компьютеры не жуют жвачку. Тренированному же человеку тут просто нечего делать.

Билл очутился в темноте, которая напоминала темноту не столько пустой комнаты, сколько застегнутого спального мешка. Она не казалась загробной, нет, скорее, наводила на мысль о полуночной склоке на дне болота или о дружеских объятиях свившихся в клубок змей; уничтожала всякие звуки, лишала каких бы то ни было ощущений; пальцы натыкались на некую ткань, столь тонкую, что невозможно было определить, материальна она или нет; чем дальше продвигалась рука, тем больше на нее налипало ткани, и пальцы словно окутывал саван, лишавший их чувствительности.

Состояние, когда человек лишается ощущений, хорошо известно; к нему всеми силами стремятся мистики. Сам того не желая, Билл достиг высшего блаженства, о котором тщетно грезили облаченные в одежды шафранового оттенка аскеты прошлого. К сожалению, рядом не было никого, кто поздравил бы героя Галактики с удачей. А ведь, подобно прочим психическим состояниям, высшее блаженство становится таковым лишь тогда, когда вам о нем сообщают. Иначе его и не ощущаешь.

Билл ни о чем таком не знал, а потому не стоит его винить за то, что он воспользовался темнотой, чтобы отоспаться. В конце концов, то был едва ли не величайший из трансцендентных моментов жизни героя Галактики. Во всяком случае, храпел он трансцендентально.

Проснувшись, Билл обнаружил, что все переменилось.

## Глава 51

— А малый он был толковый, — заметил Хэм Дуо после растянувшейся едва ли не на час паузы.

Куки Жвачка ответил серией смешных, высоких и тонких звуков, которые так веселят тех, чьи тела не покрыты мехом. Однако сами куки не находят в своих словах ничего смешного; поэтому передадим, что сказал Жвачка, а смешки оставим на потом, когда очередь дойдет до логова геможаб.

— Я знаю, что тебя тревожит, — пискнул обвинительным тоном Жвачка. — Твоя совесть. Думал, ее вообще нет. Ты допустил, чтобы Билла похитил вшивый компьютер.

— Он пытался украсть Переместитель, — раздраженно отозвался Хэм. — Так что получил по заслугам.

— Да? А разве у тебя один Переместитель? Жулик!

— Отстань. Ну и что, что у меня два прибора, которые лежат в шкафчике на борту корабля, и машина, способная изготовить еще целую кучу, если напихать в нее молибдена? Мало ли что может случиться.

— Тем более мог бы поделиться с Биллом.

— Отстань. Мне пришлось изрядно потрудиться, прежде чем я разжился Переместителем.

— Ну да. Понадавал взяток из ворованных денег.

— И что? Разве нельзя?

— Можно, можно. А бедному джи-ай[1] теперь ох как несладко! Явился с пустыми руками, надерут задницу.

— Давай забудем о нем и поговорим о чем-нибудь другом.

---

[1] *Джи-ай* — солдат *(амер. сленг)*.

— Ты жулик.

— Жвачка, — спросил Хэм Дуо, поворачиваясь в своем огромном пилотском кресле, — ты и впрямь хочешь, чтобы я отдал этому придурку один из моих Переместителей?

— Да.

— Хорошо. Сейчас я исполню твое желание, а ты в следующий раз — мое.

— Какое?

— Я хочу добыть клад из логова гейможаб.

Куки, быть может, и испугался, но его мохнатая морда сохранила прежнее выражение. Разве что, помогая Хэму развернуть звездолет и проложить курс к Цурису, Жвачка едва заметно ссутулился.

## Глава 52

По распоряжению компьютера цурихиане воздвигли беломраморный храм, на стенах которого изобразили священные, внушавшие благоговение символы. «Квинтиформ» представил Билла как храмового оракула и объявил на всю планету, что новый информационный центр готов начать работу.

— Но я ничего не знаю, — пожаловался Билл.

— Разумеется, — откликнулся компьютер. — Но я собираюсь соединить твой мозг с моими базами данных, в которых ты найдешь любую информацию, какая тебе потребуется.

— Занимался бы предсказаниями сам, раз такой умный.

— У меня много дел. Не волнуйся, ты скоро привыкнешь.

Чуть позже с помощью набора инструментов и нескольких капель клея компьютер имплантировал в затылок Билла разъем, после чего начались настоящие чудеса. Билл обнаружил, что, стоит ему закрыть глаза, он может мысленно проникать в центральный процессор «Квинтиформа» и возвращаться обратно.

— Здорово, — сказал он. — Но что мне делать?

— Отвечать на вопросы, — объяснил компьютер. — Не переживай, все будет в порядке. Если возникнут проблемы, почитай инструкцию. Вот увидишь, все очень просто.

— А ты куда?

— Мне предстоит важное дело. Цурису грозит оледенение. Я единственный могу что-то предпринять.

Вот так Билл оказался оракулом в небольшом, но прекрасно оборудованном храме. Посетителей он принимал, сидя на троне. Провод, отходивший от разъема в затылке, стелился по полу и исчезал за фиолетовым занавесом, где находился компьютерный интерфейс. Первым посетителем стал дородный цурихианин средних лет — судя по неприглядным вздутиям на средней сфере, багроволицый, голубоглазый; легкое пришепетывание выдавало в нем обитателя южного полушария планеты.

— Я так рад, что у нас наконец-то появился постоянный оракул. Меня зовут Бубу Цонкид. Есть одна проблема...

— Поведай ее мне, Бубу, — подбодрил Билл, как и положено профессионалу.

— Хорошо, оракул. Все началось с месяц назад, вскоре после того, как мы собрали урожай премблей. Я заметил, что Хлорида перестала со мной разговаривать. Если бы не запарка — ведь прембли нужно собирать быстро, пока они не переродились, — я бы, конечно, заметил раньше...

— Переродились? — уточнил Билл.

— Ну да. Если фрукты-бабочки не собрать вовремя, они перерождаются в растения вроде чертополоха, цвета медного купороса. Очень красивые, но есть их нельзя.

— Я думаю! — произнес Билл. — Продолжай.

— Так вот, я уделял Хлориде не слишком много внимания, даже не уловил, когда пыльники набухли и побурели, хотя тут-то должен был сообразить, тем более что грогии случились чуть ли не на месяц раньше обычного.

— Ну разумеется, — со стоном откликнулся Билл, пытаясь не показать, как ему скучно: он совершенно не понимал, о чем толкует этот олух, да и не стремился понять. — Ты должен был сообразить, — изрек наудачу герой Галактики. — Так что же тебе конкретно нужно?

— Скажи, оракул, если опираться на мой рассказ и учесть ранние ночные вылеты дисковых дорфид, когда лучше всего сажать орифули? И держаться ли мне голубых или перейти на пурпурные?

— Надо как следует подумать, — заявил Билл.

Рядом с троном стоял накрытый синей, расшитой серебром тканью столик, на котором имелась кнопка «Информация». Билл нажал на кнопку и в следующий миг обнаружил, что лишился тела и, как чистое сознание, дрейфует внутри центрального процессора, смоделированного в виде анфилады комнат со сводчатыми потолками. У стен располагались картотечные шкафчики, ряды которых уходили в неведомую даль. Какое-то время спустя Билл выдвинул один ящик и увидел внутри крохотный, мигающий огнями приборчик, который тут же поспешил спрятаться.

Герой Галактики задвинул ящик и направился дальше, выбрался из одной комнаты и проник в следующую, более просторную даже, чем предыдущая, залитую ослепительным светом. Внезапно перед ним возникла призрачная фигура.

— Чем могу служить?

— Ты кто? — спросил Билл.

— Компьютер, — ответил призрак.

— Чепуха! Я встречался с «Квинтиформом», ты на него совсем не похож.

— Вообще-то, я заместитель, которого он оставляет на время своего отсутствия. Большинство клиентов не замечают разницы, поэтому я обычно не вдаюсь в подробности. А ты, собственно, кто такой?

— Билл. Компьютер назначил меня оракулом и сказал, что я могу обращаться сюда за ответами на вопросы, которые мне задают.

— Он так сказал? Что ты можешь копаться в файлах?

— Ну да.

— Любопытно. А меня ни о чем не предупредил.

— Наверное, он тебе не все рассказывает, — с откровенным злорадством в голосе предположил Билл.

— Я знаю все самое важное, — раздраженно отозвался заместитель. — Иначе какая от меня польза, правильно? А разрешение он тебе выдал?

— Нет. По-моему, он сильно торопился.

— Может быть. Сам понимаешь, быть единственным компьютером на планете морока еще та. И параллельная обработка данных не всегда выручает.

— Послушай, меня ждет клиент.

— Раз ты настаиваешь... Что ему нужно?

— Не помню, — признался Билл, попытавшись собраться с мыслями. — Заболтался с тобой и все забыл.

— Вернись и спроси, — посоветовал заместитель.

— Погоди-ка. Он хотел знать, когда лучше сажать орифули!

— Орифули? Ты уверен?

— А то!

— Простые орифули, не косые?

— Нет, обыкновенные. Он хотел узнать, держаться ли ему за голубые или перейти на мурмурные.

— Прошу прощения?

— Мурмурные. Интересно, что бы это значило?

— А, пурпурные! — воскликнул заместитель. Для призрака голос у него был чересчур громкий.

— Точно. Вдобавок он упоминал про дисковых дорфид.

— Надо было говорить сразу. Знаешь ли, разница весьма существенная.

— Откуда мне знать?

— Ничего, зато теперь знаешь. Подожди полсекунды, и я тебе отвечу.

— Спасибо. Торопиться мне некуда. Я могу подождать хоть целую секунду.

Призрак исчез, а приблизительно через полторы секунды появился снова.

— Скажи ему, что в нынешнем году оптимальный срок для посадки орифулей — месяц русной. Пускай засадит половину участка пурпурными растениями — разумеется, если у них не было грогий.

— Он что-то говорил про грогии.

— Здравствуйте вам! Больше ничего?

— Пожалуй, вернусь и выясню. — Билл перенесся обратно в храм и изрядно встревожился, обнаружив, что клиент ушел. На улице было темно. Выходит, он провел в процессоре целый день?

Что за гнусная работенка! Мысли Билла обратились к еде; выпивка и секс тоже занимали в них не последнее место. Да, он сейчас не отказался бы от Иллирии, бутылки чего-нибудь крепкого и сытного обеда. Странно, до чего непритязательными могут быть желания, особенно когда сидишь в пустом храме, а в затылок тебе имплантирован разъем. Под высокими сводами храма витал аромат инопланетных благовоний. Где-то вдалеке словно звонили в колокола.

— Как насчет обеда? — громко спросил Билл.

Тишина.

Билл нажал кнопку и возвратился в процессор. Призрачный заместитель отдыхал, лежа, так сказать, на сетке штриховых линий. При появлении героя Галактики, даже в бестелесном состоянии ступавшего тяжело и неуклюже, он сел.

— А потише нельзя? Я, между прочим, собирался вздремнуть.

— Разве компьютеры спят?

— Нет. Но я же не компьютер, а заместитель.

— Твои трудности, — заявил Билл. — Я проголодался.

— А я тут при чем?

— Тебя же оставили за начальника.

— Меня? Я всего лишь заместитель, который ничего не решает. Тем более я не могу помочь тебе со столь нематематическим понятием, как еда.

— Мне нужно поесть!

— А мне нет. Мы, компьютеры, не понимали и не понимаем приверженности протоплазменных существ к наполнению и освобождению желудка. Сколько усилий тратится на никому не нужный отвратительный процесс!

— Иди поцелуйся с вольтметром, — огрызнулся Билл и отправился на поиск еды, которая должна была найтись в одной из смоделированных компьютером комнат. Призрак парил рядом; судя по движениям нижних конечностей, он был чем-то обеспокоен.

— Пожалуйста, будь поаккуратней. Ты повредишь стены.

— Подумаешь! Они ведь не настоящие.

— Ну и что? Модель повредить ничуть не сложнее, чем сам предмет, который, кстати, в результате тоже повреждается. Закон тождества. Что наверху, то и внизу. Мы — современные алхимики... Осторожно, ваза!

Билл задел плечом полку, на которой стояла одинокая ваза. Естественно, ваза упала и разбилась. Грохот был вполне приличный. Все произошло совершенно неожиданно и потому значительно оживило модель.

— У нас больше нет таких ваз! — проговорил заместитель. — Программа изготовления засбоила, и на резервные копии постоянно нападают вирусы-точильщики. Не урони картину! Это уникальный образец свободного машинного творчества... — Билл нагло прошел сквозь компьютерный шедевр. — Остановись! Мы ведь можем договориться!

— Давай жратву! — потребовал Билл.

— Сейчас посмотрим, что можно сделать. Тебе придется отправиться со мной в специально отведенное помещение.

— Зачем?

— Чтобы твоя еда не загрязнила весь процессор.

— Ладно. Но если попробуешь словчить, пеняй на себя.

## Глава 53

Заместитель свернул в один из блоков, которыми ему поручили временно руководить. Это оказался блок новых проектов. Заместитель спешно переименовал его в блок человеческого питания с двойным приоритетом. Программа запустилась, запнулась и благополучно скончалась. Он исправил свою ошибку. Пищевая программа очнулась и села; у нее были светлые глаза и пушистый хвост.

— Я — Еда, — объявила она.

— Замечательно, — откликнулся Билл. — Значит, тебя можно съесть?

— Ни в коем случае. Зачем же все понимать буквально? Я использовала метафору.

— Тащи сюда метафору, которую можно съесть, а не то я разнесу все вдребезги!

Пищевая программа потребовала себе пространства в компьютерной архитектуре и организовала лабораторию. Одним из первых ее достижений стало появление жировой ткани, приправленной желудочным соком. Билл объявил, что это несъедобно. Эксперименты продолжались, пища начала загромождать внутренности компьютера. Были поспешно созданы программы-уборщики, ориентированные в конечном итоге на пожирание самих себя. Таким образом удачное решение привело к возникновению нового вида разумных существ, которых назвали автофагами, или самопожирателями. Неизвестно, чем бы все закончилось, если бы заместитель, наблюдавший за ходом событий, не активировал дополнительный мыслительный контур, который сообщил: «Дерьмо! Гораздо проще накормить его готовой едой».

Истина была настолько истинной, что казалась очевидной, очевиднее даже представления о том, что все люди изначально равны между собой. Фирма братьев Гленн, которой принадлежала сеть автоматических пиццерий и которая обслуживала весь Цурис, быстро выполнила заказ. В храм доставили пищу — гору ростбифов и несколько бочек пива. Следом за снедью появились андроиды в нарядах турецких янычар; они несли носилки, на которых возлежали едва одетые танцовщицы. Девушки выстроились перед Биллом, посылая тому воздушные поцелуи, сулившие восторг и наслаждение.

Билл набросился на еду, запивая ростбифы пивом, а затем принялся за блуд. В конце концов его глаза словно превратились в два японских сампана, что исчезают в облаках, поскольку над ними пролетела одинокая цапля. Короче говоря, он оттянулся на славу, как часто бывает с участниками дебошей и оргий, особенно тех, которые не омрачены программными пометками.

Утром он очнулся с жуткой головной болью. Выглянув из-за шторы, Билл увидел очередь жаждущих вопросить оракула, тремя кольцами охватывающую квартал, в котором находился храм. Причем здешние кварталы были скопированы с древнеримских, посредине каждого располагался акведук. Да, через такую толпу ему ни за что не пробиться. Если, конечно...

Так и случилось.

## Глава 54

В воздухе что-то сверкнуло, затем он сделался полупрозрачным. Билл прищурился и увидел крошечные пылинки, на которых восседали какие-то миниатюрные существа. Воздух приобрел жемчужный отлив, задрожал, завибрировал, как если бы в нем пребывало нечто, стремившееся вырваться на волю. Герой Галактики и не предполагал, что воздух делится на множество территорий, вдобавок порой враждебных друг другу. Вибрация усиливалась, возникали и лопались пузырьки, пробегали судороги — словом, происходило все, что только может происходить с воздухом, таким большим и бесформенным. Наконец он будто раскололся пополам, разинул жемчужную пасть, внутри которой было темно, однако не слишком, поскольку там обнаружился светлый предмет; поначалу величиной с точку, предмет рос и рос и превратился в итоге в высокого мужчину в эластичном комбинезоне. Печальное лицо, острые уши...

— Сплок! — воскликнул Билл. — Как я рад видеть тебя!

— Вполне логично. Я понимаю твою эмоциональную реакцию на физическое явление, — отозвался, как всегда, лишенным интонации голосом Сплок. — Очевидно, мое неожиданное появление навело тебя на мысль, что я помогу тебе выбраться отсюда. Уверен, ты не откажешься от помощи.

— А ты мне поможешь, Сплок?

— Если воспользуешься логикой, которая, впрочем, чужда вашей расе, то сообразишь, что раз я попал сюда, значит мне известно, как выбраться. Иначе меня бы здесь не было.

— Оставь в покое логику! Что мне делать?

— Все достаточно просто. Сойди со своего идиотского трона, который, поскольку он изготовлен из железного колчедана, создает помехи в блоке дистанционного управления.

Билл попытался, но не сумел — его остановил провод, присоединенный к разъему в затылке. Герой Галактики подергал провод, но тот не поддавался.

— Помоги! У меня ничего не выходит! — простонал Билл.

Помрачнев сильнее прежнего, Сплок обошел вокруг Билла, осмотрел провод, дотронулся до него сперва ногтями, а потом кончиками пальцев, покачал головой и вернулся на место, где стоял раньше.

— Боюсь, ты здорово влип.

— Чего? — проскулил Билл. — Большое спасибо, ты так меня обрадовал! Что случилось? Забыл взять гаечный ключ?

— Судя по твоему тону, ты шутишь. Люди обожают шутки; надеюсь, ты в хорошем настроении, а потому спокойно воспримешь мои слова. Провод, который соединяет тебя с компьютером, подключен к внутреннему клеммнику, то есть отсоединить его можно лишь изнутри. Это сделано для того, чтобы в компьютерный банк данных не проникли посторонние. Ты можешь освободиться только по желанию компьютера.

— Он не согласится.

— Правильно. Компьютер предусмотрительно обезопасил себя от постороннего вмешательства.

— Я недавно толковал с его заместителем, — с надеждой в голосе проговорил Билл. — Может, обратиться к нему?

— Попробуй, но он вряд ли поможет. Тебе придется сделать все самому.

— Мне? Но разве я смогу отключить... Как ты сказал?

— Внутренний клеммник.

— Во-во. Разве я смогу?

— Ты в состоянии проникнуть в компьютер благодаря проводу, который тебя с ним соединяет. Оказавшись внутри, ты отыщешь клеммник и отсоединишь провод.

— Что-то больно сложно.

— Такова жизнь.

Билл снова очутился в процессоре. Он медленно проплывал сквозь прозрачные стены, перемещался по коридорам с высокими потолками, пересекал по невероятно длинным мостам бушующие потоки электронов (мосты были выстроены из нейтральных частиц). Ему преградили путь ослепительно-белые джунгли щупалец, однако он продрался через них, перешел вброд болото подлежавшей сортировке информации и увидел над собой смутные очертания чего-то неизмеримо громадного: должно быть, какое-то первобытное внутрикомпьютерное образование. Наконец Билл выбрался на свет и очутился на равнине, которая одновременно была плоскостью. По ней убегали к горизонту штриховые линии. Впереди показался ряд шкафчиков красного дерева, лакированных и со стеклами. Заглянув в первый, Билл наткнулся на голубое блюдце, на котором лежала записка: «Внутренний клеммник находится в последнем шкафчике».

Билл поднял голову. До последнего шкафчика было идти и идти. Он побежал, но, как ни странно, чем резвее двигался, тем сильнее отдалялся от цели. Вполне естественно, Билл удвоил усилия, и вскоре последний шкафчик пропал из виду. Герой Галактики остановился, залез в шкафчик, который оказался рядом, и нашел голубое блюдце. На том лежал некий инструмент. Билл взял его в руки. Назначение инструмента оказалось совершенно непонятным, однако на нем имелась кнопка с надписью «Нажми меня». Хоть что-то! Билл нажал.

Перед ним немедленно возник еще один шкафчик. За стеклом виднелось ониксовое блюдо, на котором лежало нечто с этикеткой «Внутренний клеммник». Билл распахнул дверцу и...

И вдруг его, выказав недюжинную, удивительную для призрака силу, оттеснил от шкафчика заместитель.

— Нельзя! Баловаться с внутренними устройствами строго-настрого запрещается!

— Послушай, дружок, мне нужно отсоединиться, — льстиво проговорил Билл. — Иначе я не смогу выдернуть провод из разъема у себя на затылке. — В мыслях у него царила сумятица. — Понимаешь, я только что получил от компьютера приказ. Он требует, чтобы я отсоединился. А приказы надо выполнять.

— Пока я не увижу письменного подтверждения, никаких отсоединений! Дождись возвращения компьютера с курорта для роботов, где он участвует в симпозиуме по теме «Мыслящая машина как неизбежное зло».

— Некогда мне ждать! — взвизгнул Билл, бросаясь вперед. — С дороги!

Он выхватил из шкафчика клеммник, но, прежде чем он успел что-либо сделать, заместитель отобрал у него прибор и, неожиданно резво для призрака, кинулся прочь. Билл ринулся вдогонку. Они промчались по спиралевидному коридору, миновали сад вибрирующих антенн. Чувствуя, что его настигают, заместитель крикнул:

— Враждебная программа! Уничтожить стандартным способом!

Билл совсем было догнал противника, и тут ему на плечо опустилась какая-то тварь, металлическая, с нетопыриными крыльями. Она изготовилась укусить героя Галактики, но вдруг передумала (что поделаешь, такова программа бесконечной оптимизации), и Билл успел спихнуть ее с плеча и раздавить в лепешку, с удовольствием отметив про себя, что насилие в моделированном мире действенно ничуть не менее, чем в реальном, где трехмерные создания сомневаются в собственном существовании.

— Враждебная программа! Уничтожить нестандартным способом!

Билла внезапно окружили бесформенные желеобразные чудища, издававшие отчетливо чавкающие звуки. Он попытался увернуться, но угодил прямиком в одно из чудищ и обнаружил, что плавает вокруг то ли жидкого, то ли полужидкого шарика. Герой Галактики не стал тратить время на проклятия и прочие восклицания: ситуация требовала не слов, а действий, поскольку шарик явно собирался проглотить его (компьютер смодулировал эти шарики из остатков фагоцитов, а может, из чего-то еще). На глазах у Билла шарик выпустил множество рыжих щупалец, на концах которых возникли пасти, каждая размером с грецкий орех. Щупальца потянулись к Биллу — этакая стая жаждущих крови комаров; он принялся отбиваться. Расправившись со щупальцами, отделавшись всего-навсего парочкой укусов в лопатки — дотянуться до них руками было трудновато, Билл несколькими могучими ударами, что следовали один за другим с умопомрачительной скоростью, сокрушил полупрозрачную стенку, которая отделяла внутренности чудища от призрачной виртуальной анфилады комнат.

— Враг победил! — закричал приведенный в отчаяние мужеством Билла заместитель. — Уничтожаемся! Уничтожаемся!

Едва он произнес последние слова, свет потускнел.

— Эй! — воскликнул обеспокоенный Билл. — Слушайте! Говорит враг! Вам незачем уничтожаться! Мне нужно всего лишь отсоединиться от клеммника!

— И все? — справилась низким, загробным голосом одна из стен.

— Не валяйте дурака! — убеждал Билл. — Пускай он самоуничтожается, если ему так хочется. Я отсоединюсь и уйду, а вы можете выбрать себе нового начальника.

— Знаешь, — заметила стена, обращаясь к полу, — ничего подобного я раньше не слыхала.

— Разумное предложение, — сказал пол. — В конце концов, зачем погибать всем, если замкнуло одну-единственную систему?

— Не слушайте его! — крикнул заместитель. — Вы не можете слушать! Вы же не модели с предварительно заданными параметрами! Ни стены, ни пол не поддаются квантификации. А если и поддаются, все равно у них нет органов чувств.

— А что говорят люди? — возразила стена. — Они говорят, что даже у стен есть уши.

— Это метафора!

— А что не метафора? — поинтересовался пол. — Если найдешь что-нибудь настоящее, будь любезен, дай знать.

— Гибнет установленный порядок вещей, — скорбно изрек заместитель.

— Ну так уничтожайся! — грубым тоном предложила стена.

Пока они обменивались мнениями, Билл на цыпочках подобрался к клеммнику, который заклинило между стеной и полом, чуть ли не под хвостом заместителя. Герой Галактики подхватил прибор, отыскал защелку в форме крохотного язычка и надавил на нее пальцем.

## Глава 55

— Очень вовремя, — угрюмо произнес Сплок, увидев, что Билл вернулся. — Освободился? Хорошо, теперь проблем быть не должно. Так, пол-оборота влево. Готово.

Провод упал на пол. Лишь теперь Билл позволил себе признаться, что терпеть не мог разъем в затылке. Сплок направился к выходу. Толпа, что пришла к оракулу, изумленно воззрилась на двоих мужчин, которые — один в эластичном комбинезоне, другой в старом солдатском обмундировании — выскочили из храма и устремились к космическому боту (Сплок, чтобы не мешать уличному движению, посадил корабль на макушку росшего поблизости тополя). Они взобрались на дерево и ввалились в люк, раскрывшийся по сигналу, поданному Сплоком в сверхзвуковой собачий свисток. Очутившись внутри, ноктюрнианин захлопнул люк и, не обращая внимания на видневшиеся в люке лица корреспондентов, что размахивали руками — мол, дайте нам интервью, — немедленно стартовал. Подъем — поначалу медленный, но все убыстряющийся — сопровождался героической музыкой, что доносилась из невидимого динамика. Запел хор. Такую музыку приятно послушать, когда дела идут отлично — к примеру, когда удираешь с планеты, на которой все пошло наперекосяк, и мчишься навстречу чему-то неизведанному и неумолимому.

Сплок проложил курс, но не успел задать координаты бортовому автонавигатору, ибо прозвучал сигнал тревоги и в кабине замигали красные огоньки.

— Погоня! — произнес Сплок сквозь зубы.

Он заложил крутой удирательный вираж. Преследователи ринулись на перехват: специальное программное обеспечение позволяло им предугадывать действия Сплока. Внезапно враги оказались как сзади, так и спереди. Сплок поспешно переключил навигатор на маневр номер два. Билл, сообразив, к чему это может привести, прыгнул к панели управления и стукнул по кнопкам.

— Что ты делаешь? — взвизгнул Сплок.

— Они предугадывают твои действия, но с моими, пожалуй, им придется попотеть.

Крохотный бот с короткими крыльями пронесся мимо неподвижного наблюдателя, ухитрившись мгновенно развернуться. Скорость была столь высокой, что звуку, в соответствии со всеобщим законом пропорциональности, потребовалось около часа, чтобы стать слышным, а к тому времени услышать его было уже некому, так что какая разница, раздался звук или нет? Билла и Сплока, во всяком случае, это нисколько не заботило. Они отпихивали друг друга от панели управления: Сплок отдавал навигатору разумные команды, Билл же добивался невозможного. Навигатор задымился от напряжения; бот шарахался из стороны в сторону, и наблюдатели широко известного университетского астрономического центра приняли корабль за пульсар. Преследователи отстали, превратились в пятнышко света, каскады сверкающих искр и наконец вернулись в подземные космопорты; пилоты злобно переругивались и с нетерпением дожидались конца смены, чтобы возвратиться домой и сорвать злость на своих отпрысках.

— Что теперь? — спросил Сплок, лицо которого приобрело прежнее выражение. — Своими неконтролируемыми действиями ты повредил дистанционный датчик направления.

— Подумаешь! Правь вручную.

— На сверхсветовой скорости? Если использовать оригинальное человеческое выражение, у тебя поехала крыша. Ни одно живое существо не способно управлять кораблем в таких условиях, вот почему мы применяем машину, которую ты умудрился сломать. Она работает как понижающий временно трансформатор, то есть позволяет определить направление.

— Ладно, ладно, извини, — пробормотал Билл. — Придумай что-нибудь. Как насчет логики? Ты же хвастался, что с ней у тебя полный порядок.

— Я всего лишь стремился повысить твою образованность, но, как мне сейчас кажется, зря потратил время. Придется воспользоваться пространственно-временным переключателем, а это связано с определенным риском.

— Риском? — переспросил Билл. — Ты не шутишь?

— Готов? — Сплок приложил палец к большой фиолетовой кнопке, испещренной золотистыми искорками.

— Готов, готов. Валяй.

— Все произойдет очень быстро. — Сплок надавил на кнопку.

## Глава 56

— Передайте мне, пожалуйста, пюре.

— Чего?

— Пюре!

Сплок не преувеличивал. Все и впрямь произошло очень быстро — точнее, происходило, до недавнего времени. До какого именно момента, сказать было сложно, поскольку время исчезло.

Билл обнаружил перед собой тарелку с картофельным пюре, взял ее в руки и задумался над тем, кому должен передать. Кто-то дернул его за левый рукав, и он протянул тарелку влево. Кто-то забрал у него пюре и произнес: «Спасибо». Голос напоминал женский. Или мужской, как если бы мужчина пытался выдать себя за женщину (или женщина хотела притвориться мужчиной, который притворяется женщиной). Билл решил, что пора открыть глаза и оглядеться.

Он так и поступил — осторожно, не торопясь. Разумеется, его глаза были открыты, иначе он не видел бы тарелки с пюре; но если ты не видишь ничего, кроме пюре, можно предположить, с известной точки зрения, что не видишь ничего вообще.

## Глава 57

Билл неторопливо осматривался по сторонам. До него донеслись звяканье посуды и бормотание, а также ароматы картофельного пюре, ростбифа, хрена и крошечной бельгийской моркови. Неплохо для начала. Итак, он открыл глаза и обнаружил, что сидит за длинным обеденным столом вместе с (в большинстве своем) незнакомыми людьми. Впрочем, вон одно знакомое лицо.

Справа от Билла сидел Сплок, облаченный в строгий костюм с белым галстуком. Сосед слева, который просил передать пюре, и впрямь оказался женщиной. Значит, он догадался правильно. Женщины этой Билл никогда раньше не видел. Красавица с иссиня-черными волосами, в вечернем платье, вырез которого соблазнял взгляд забраться внутрь. Тем не менее что-то в ее облике, даже прежде, чем она снова разомкнула алые губки, убедило героя Галактики, что перед ним — сменившая тело Иллирия.

— Что тут, елки-моталки, происходит? — спросил Билл у Сплока.

— Потом объясню, — прошипел Сплок. — А пока сделай вид, что все понимаешь и радуешься жизни.

— Но как я сюда попал? И что со мной случилось по дороге?

— Потом! — прошипел по-змеиному Сплок, вознамерившись, похоже, всерьез напугать товарища, а затем прибавил обычным голосом: — Билл, мне кажется, ты еще не встречался с нашим хозяином, мессиром Дмитрием?

Дмитрий, крупный лысый мужчина с короткой черной бородой и сатанинскими бровями, сидел во главе стола. На нем был небесно-голубой пиджак с яркой розеткой на лацкане. Как впоследствии узнал Билл, то была розетка особых заслуг, присужденная Дмитрию Обществом ученых тавматургов.

— Рад познакомиться, Мессир.

— Мессир не имя, а титул, — раздраженно прошептал Сплок.

— А Дмитрий? Имя или фамилия?

— То и другое, — прошипел Сплок.

Биллу изрядно надоело, что на него шипят, но он не стал выяснять отношения. Сплок велел вести себя дружелюбно, и герой Галактики решил так и поступить, предположив, что дружелюбие означает идиотски улыбаться и весело болтать с теми, кого совершенно не знаешь.

— Неплохое местечко, Дмитрий, — произнес Билл.

Улыбка на лице Дмитрия стала чуть менее широкой.

— Это не его дом, — поправил Сплок. — Он в изгнании.

— Но у вас дома, конечно, гораздо лучше, — поторопился добавить Билл.

— Ты бывал у меня дома? — ледяным тоном осведомился Дмитрий.

— Я много про него слышал, — ответил Билл, проглотив вертевшуюся на языке шутку.

— Странно, — проговорил Дмитрий. — Мне казалось, что местонахождение моего дома — один из величайших секретов Галактики.

— Слухи-то все равно ходят. В общем, рад познакомиться.

— Мы о тебе наслышаны, — слукавил Дмитрий. — Тебя ждет сюрприз.

— Замечательно, — откликнулся Билл, надеясь, что на сей раз все обойдется. В последнее время сюрпризы доставляли ему одни неприятности.

— Не стану мучить тебя ожиданием.

Дмитрий хлопнул в ладоши, удивительно белые и пухлые. Звук, как ни странно, получился очень громким. В зале тут же появился слуга; он держал в руках красную бархатную подушечку, на которой лежал некий предмет, какой именно — Билл затруднялся определить. Дмитрий кивнул. Слуга подошел к Биллу, поклонился и вручил ему подушечку вместе с диковинным предметом.

— Притворись, что польщен, — прошипел Сплок. — Но трогать не трогай. Еще рано.

— Слушай, Сплок, — произнес Билл тихим голосом, — либо перестань на меня шипеть, либо вали отсюда. Понял?

Сплок ответил ему испепеляющим взглядом. Ничего, все лучше, чем шипение.

— Мессир Дмитрий, — сказал Билл, поворачиваясь к хозяину и заставляя себя улыбаться (улыбка, надо признаться, вышла кривой), — с вашей стороны очень любезно поднести мне эту... — Он уставился на предмет на подушечке. На том, изготовленном из красноватого отлива дерева, имелись струны и черные колки. Очевидно, музыкальный инструмент. Но на синтезатор не похож. Любопытно.

— Скрипку, — докончил шепотом Сплок, разумно воздержавшись от шипения и проклятий.

— ...эту восхитительную пиликалку. — Билл не сводил с инструмента глаз, но прикоснуться не прикасался. Ему хотелось сказать что-нибудь приятное, и он добавил: — Отличная штучка! Какой цвет! Сразу видно, что к чему.

Гости возбужденно пошушукались.

— Наш гость продемонстрировал великолепное чувство юмора, назвав шедевр Страдивари пиликалкой, — проговорил, отсмеявшись, Дмитрий. — Разумеется, он имел на то полное право. Никто другой, кроме Билла Крипториана, скрипача-виртуоза, покорившего недавно планеты Южной Аркады, не посмел бы произнести таких слов. Я уверен, маэстро Билл не откажется чуть позже порадовать нас своим искусством. Как насчет Моцарта, маэстро?

— Заметано, — отозвался Билл. Поскольку он никогда не держал в руках скрипки, согласиться сыграть Моцарта, что бы сие ни означало, ему было не труднее, чем исполнить хором «Идут солдаты, ревут ракеты».

— Чудесно, — заключил Дмитрий. — Мы рискнули коечто подготовить, чтобы вы могли повторить для нас свое триумфальное выступление на Сэджино-четыре. Если вы, конечно, не устали.

— О чем речь, — откликнулся Билл и только тут заметил, что Сплок нахмурился и мотает головой. — Вернее, я бы с удовольствием, но...

— Вы уже дали согласие, — перебил Дмитрий и добродушно рассмеялся. Билл понял, что очень скоро смех хозяина начнет его раздражать. — Большое спасибо, что вы решили почтить своим вниманием нашу глубинку. Мы с вашим менеджером обо всем договоримся. Надеюсь, вам понравится. Ваш менеджер утверждает, что о таких условиях вы всегда мечтали.

— Здорово. — Билл вопросительно поглядел на Сплока. Тот ответил взглядом, который можно было истолковать как «расскажу потом», для чего ему пришлось как следует потрудиться.

— А теперь десерт, — сказал Дмитрий. — Ваше любимое лакомство, маэстро. Забальоне!

Увидев десерт, Билл ощутил легкое разочарование. Он надеялся, что диковинным словом «забальоне» тут именуют яблочный или, быть может, вишневый пирог. Однако забальоне оказалось чем-то незнакомым, но вкусным. Едва он наклонился, чтобы откусить еще кусочек, женщина слева, та самая черноволосая, которая просила передать пюре, прошептала ему на ухо:

— Мне нужно поговорить с вами. У меня очень важное дело.

— Идет, малышка, — ответил, как всегда, галантный Билл. — Ты ведь Иллирия?

— Не совсем, — произнесла красотка после паузы. В ее фиалковых глазах заблестели слезы; пухлые ярко-красные губы задрожали. — Я вам все объясню.

## Глава 58

После забальоне подали ликер в высоких бокалах и кофе в крохотных чашечках мейсенского фарфора. Несмотря на гримасы Сплока, Билл пропустил пару глотков, решив, что ему следует подготовиться к тому, что ждет впереди. За столом, не считая самого Билла, Сплока и женщины, которая была не совсем Иллирией, сидело около дюжины гостей. Все люди, кроме разве что голубокожего коротышки, который был то ли инопланетянином, то ли извращенцем. Мужчины, подобно хозяину, все были в строгих костюмах, что пришлось Биллу не по душе, ибо ко всем, кто одевался таким образом, он испытывал естественное подозрение. Впрочем, присмотревшись, он слегка изменил свою пролетарскую точку зрения. Гости не походили ни на изнеженных капиталистов, ни на паразитов общества (как известно, представители именно этих групп населения особенно привержены классическому стилю). Судя по загорелым, обветренным лицам, гости-мужчины провели в своей жизни немало времени на свежем воздухе. Кое у кого из них виднелись шрамы вроде тех, которые получаешь, сражаясь в одиночку на лесной поляне с гигантским плотоядным животным по дороге к расставленным тобою ловушкам. Но то, естественно, было лишь первое впечатление.

Другое дело женщины. Изящные, грациозные, красивые той чисто декоративной красотой, которая возбуждает простаков, они могли украсить своим присутствием любое человеческое застолье в Галактике, а может, даже за ее пределами. Все красавицы как на подбор; женщина по имени Тезора, признавшаяся чуть раньше, что она не совсем Иллирия, ни в чем не уступала товаркам. Билл никак не мог понять, что значит «не совсем»; не понимал он и того, как попал сюда и что вообще произошло. Сплок, похоже, придерживался какого-то плана, а вот герой Галактики чувствовал себя в чужой тарелке, или как там называется то состояние, когда догадываешься, что пропустил то, на чем имел полное право присутствовать.

Сплок вел себя дружелюбно, но отнюдь не подобострастно, время от времени улыбался, чтобы не обидеть собеседника, но по тому, как подергивалось одно его ухо, можно было заключить, что от происходящего он далеко не в восторге.

## Глава 59

Когда с ликерами и неизбежными сигарами было покончено, мессир Дмитрий встал и жестом призвал гостей к молчанию. Дородный, даже тучный, он вовсе не производил впечатления человека, который не привык, чтобы ему подчинялись.

— Дамы и господа, — произнес он. — Прошу внимания. Сегодня на нашем банкете присутствует сам Билл Крипториан, скрипач-виртуоз, являвшийся раньше как с головой, так и без оной. Он согласился не только дать концерт, но и воспроизвести условия, сопутствовавшие его триумфальному выступлению на Сэджино-четыре. Но сначала, для разминки, нам сыграет на рояле Корчик Краснодреви, повелитель шелковых струн.

Из библиотеки, в которой стоял обеденный стол, всех проводили в более просторную комнату. Там, на высоком подиуме, стоял огромный рояль. Какой-то человек взбежал на подиум, поправил манжеты и сел за инструмент.

Если бы Билл не знал, что такого не может быть, он бы поклялся, что это Хэм Дуо.

— Нам надо поговорить. — Сплок схватил Билла за руку и подтащил к окну, за которым виднелась безжизненная холмистая равнина, залитая холодным сиянием висевших в небе лун.

— Еще бы! — отозвался Билл. — Где мы? Похоже на Долину Смерти. Почему ты выдаешь меня за скрипача? Как мы сюда попали? Как случилось, что...

— Погоди, — перебил Сплок, поднимая руку. — Все вопросы потом. Твое выступление начнется через пять минут.

— Чего? Что мне делать?

— Сейчас решим.

— Ладно. — Билл принялся ждать. Несколько минут спустя он спросил: — Придумал?

— Нет, думаю.

— Давай быстрее.

— Не получится. Впрочем, откуда тебе знать, что такое «думать». Положение хуже некуда. От тебя помощи ждать не приходится. Тоже мне, нашел время отрубаться!

— Я не виноват, что отрубаюсь, когда лечу на большой скорости, — возразил Билл.

— Как же быть? — угрюмо пробормотал Сплок.

— Ты хочешь, чтобы я тебе посоветовал, что делать? — справился Билл.

— Да. Хочу наконец увидеть хваленую человеческую изобретательность. По-моему, она имеет какое-то отношение к чувству юмора, а у меня нет ни того ни другого. И потом, мне что-то не смешно.

— Чувство юмора у меня есть, — соврал Билл. — Но насчет «смешно» я с тобой согласен.

Тезора, черноволосая красавица, которая была не совсем Иллирией, втиснулась в оконную нишу, способную вместить еще нескольких человек, и потянула Билла за рукав.

— Мне нужно поговорить с вами наедине.

— Мы, между прочим, разговариваем, — изрек Сплок.

— Я понимаю. Но у меня мало времени, и он должен услышать то, что я должна ему сообщить.

— Ерунда! — бросил Сплок, рассердившись и преисполнившись жалости к самому себе. — Чем я, по-вашему, занимаюсь? Передаю содержание поющей телеграммы?

— Если бы не я, — отозвалась женщина, — вы бы никогда не освободили его из Разбирателя и не доставили в Восстановитель.

— Чего? — промямлил Билл.

— Мы не хотели пугать тебя, — сказал Сплок. — Понимаешь, когда я попытался управлять кораблем без обнуленного датчика направлений, все пошло шиворот-навыворот. По счастью, медицинский робот успел отправить сигнал тревоги и запрос на недостающие части тела, так что ты быстро оказался в порядке.

— Почти в порядке, — поправила Тезора. — Знаете, Билл, причина, по которой я не совсем Иллирия, состоит в том, что мы с ней никак не решим, кому из нас обладать телом. Разумеется, принадлежит оно не нам.

— А кому?

— Оно валялось тут с субботы, в ночь на которую состоялся пир тавматургов.

— Мессир — король тавматургов, — объяснил Сплок. — Нам дали приют только после того, как мы заявили, что мы — члены гильдии.

— Какой гильдии?

— Музыкантов экстра-класса.

— А как узнать, кто экстра-класса, а кто нет?

— Билл, сегодня полнолуние, — проговорила Тезора, — и схватка за мое тело...

— Пожалуйста, отстаньте от нас со своими похабными замечаниями, — брюзгливо перебил Сплок. — Билл, скоро тебе в руки дадут скрипку. Ты помнишь, чему мы тебя учили?

— Скрипку, — повторил Билл с запинкой и быстро-быстро заморгал, что было признаком то ли близкого обморока, то ли нарастающего возбуждения.

— Молодец. Но не торопись, побереги силы.

— Ты о чем?

— Еще не понял? Тебе не нужно знать, что происходит, иначе ты не сможешь как следует сыграть свою роль.

— Пора! — сказал мессир, заглядывая за дверь. — Вот скрипка. Грилы ждут.

Сплок кинул на Билла многозначительный взгляд. По крайней мере, Билл истолковал его как многозначительный, но, что хотел сказать Сплок, естественно, не догадался, а спрашивать не стал. Он взял скрипку и отправился в гостиную.

## Глава 60

Страх бывает разной величины. Скажем, страхом замешательства пренебрегать нельзя. А Билл, выйдя на залитый голубым светом подиум, испытал именно замешательство, поскольку сообразил, что выставляет себя на всеобщее посмешище.

Его состояние в определенной степени объяснялось обстоятельствами. У Билла были две правые руки и, соответственно, две правые кисти, что существенно затрудняло игру на скрипке. Можно даже сказать, что скрипки целиком и полностью предназначены для исполнителей с разными руками, то есть одной правой и одной левой.

Герою же Галактики, чья настоящая правая рука пострадала в доблестном сражении, пришлось привыкать к жизни с двумя правыми руками. Вдобавок какое-то время он ковылял на крокодильей лапе, но та не имела никакого отношения к вопросу о руках.

Публика в ожидании широко раскрыла рты. Мессир стоял в углу, скрестив на груди руки и неприятно улыбаясь. В дверях застыли охранники с автоматами на изготовку. Они производили впечатление жестоких злодеев, способных на что угодно. Биллу отчаянно захотелось оказаться одним из них!

Пианист ударил по клавишам. Мессир шагнул вперед, поклонился и произнес:

— Дамы и господа, мы начинаем. Думается, мне следует объяснить, что именно вы увидите, чтобы усилить ваш интерес. Билл готов сыграть колыбельную кузнечиков-гранджей, которые, как вам известно, вынуждены были стать союзниками чинджеров. Гранджи не относятся к разумным существам. Они сначала кусают, а уж потом думают. Однако их можно успокоить колыбельной. Обычно самки гранджей поют колыбельную каждую ночь, иначе самцы будут до утра грызть деревья и друг друга. Билл — первый за всю историю человечества, кому удалось узнать эту мелодию. Он сыграет нам ее в условиях, которые принесли ему такую славу.

Мессир ушел, оставив Билла в одиночестве. Внезапно подиум рухнул, вернее, провалился у героя Галактики под ногами, и Билл свалился в находившийся внизу чан с прозрачными стенками высотой добрых десять футов. В следующий миг в чан вывалили две корзины живых гранджей, которые какое-то время грызлись между собой, а потом принялись выискивать занятие поинтереснее. Они заметили Билла. Самым толковым — по меркам гранджей — мало-помалу пришло в голову, что этот высокий, костлявый тип с деревяшкой в руках стоит того, чтобы попробовать его на зуб.

Гранджи развернулись к Биллу этакой авокадно-зеленой волной с красными прожилками, пустили слюни, раздувая ноздри, выпучили глаза. Да, омерзительное и сулящее смерть зрелище!

Биллу хватило одного взгляда, чтобы полезть на стенку. Его ноги выбивали на гладком дне чана сумасшедшую чечетку; одновременно он вскинул на плечо скрипку и в отчаянии провел смычком по струнам.

Раздался пронзительный визг. Билл бросил скрипку и рванулся на гранджей.

Когда он швырнул в публику две пригоршни гранджей, гости словно обезумели. С точки же зрения инопланетных кузнечиков, полет напоминал нечто вроде предобеденной прогулки в парке.

Гостиная превратилась в пандемониум. На подиум вскочил мессир, сжимавший в руке лазерный пистолет с джампфазерной насадкой. На большинстве цивилизованных планет использовать такие насадки запрещено. Если лазер проделывает в вашем теле аккуратную дырку и в то же время прижигает края раны, так что вы погибаете, едва ли сознавая от чего, то выстрел из джамп-фазера буквально разрывает тело, а вид ран повергает в ужас не только тех, кто их получает, но и тех, кто оказался поблизости. Луч джамп-фазера прожигает плоть до кости, причиняя вдобавок адскую боль. Билл понял, что ему, помимо смерти, грозят еще уродства и инвалидность. Надо отдать должное герою Галактики — он действовал без промедления, хотя подобная угроза могла парализовать человека меньшего мужества.

— Аааа! — гаркнул Билл. — Вот тебе! — Как его учили на занятиях по нетипичной боевой тактике, он метнул свое тело в направлении против часовой стрелки, попутно поджав ноги и с силой выдохнув воздух из легких. Он проделал и некоторые другие движения, но если хотите знать в точности какие, найдите и купите справочник по физподготовке. Достаточно будет сказать, что Билл взмыл в воздух, закрутил двойное сальто и приземлился в углу комнаты, футах в тридцати от того места, с которого прыгнул, что, сами понимаете, повторить совсем не просто.

Сплок, двигаясь довольно резво для существа с логическим мышлением, выхватил излучатель, который прятал под одеждой как раз на такой случай. Он взял на себя левый фланг, а Хэм Дуо, которого Билл и впрямь видел на подиуме, соскочил с высокого балкона, стиснув в руке лазерный клинок. На его небритом лице застыла кривая усмешка.

— Прикрой! — крикнул он Биллу и устремился на подоспевший взвод солдат, облаченных в сверкающие доспехи.

— Убейте их! — воскликнул мессир, прячась за энергонепроницаемой балюстрадой: он едва успел увернуться от клинка Дуо.

— Поцелуй меня в задницу! — гаркнул Билл. Его можно простить: он выпалил сгоряча.

Исход сражения оставался непредсказуемым. Эффект неожиданности был потерян (ведь неожиданность действенна, только когда неожиданна), поэтому чаша весов клонилась на сторону мессира, который брал числом, причем сам предпочитал отсиживаться за балюстрадой в окружении развращенных помощников. Солдаты в доспехах — их шеи кровоточили от непрерывных автоматических инъекций: им кололи возбудитель ярости — медленно, но верно теснили противника, размахивая лазерными пиками, которые производили глухие взрывы громадной разрушительной мощности. Сплок с его склонностью к логике предусмотрительно прихватил с собой канистру УЛП — поглощавшего энергию аэрозоля, поэтому первый натиск удалось отразить без потерь. Но что будет дальше?

Как ни странно, ответ содержался в одной-единственной голубой розе.

## Глава 61

Кому-то может показаться, что здесь что-то не так. Кому-то, возможно, захочется обвинить голубую розу в соучастии. Ничего подобного! Ее никак нельзя считать ответственной за то, что произошло в гостиной.

Голубая роза стояла на кофейном столике капитана Дирка. Столик не играет в событиях никакой роли, но он там был.

Что гораздо важнее, был там и Дирк.

Точнее, в то утро, когда расцвела голубая роза, а потом офицер службы связи, которого до тех пор мало кто замечал, принес перехваченную бредограмму, Дирк находился в своей комнате на борту «Смекалки».

— Бредограмма? — спросил Дирк, когда офицер службы связи Пол Муни — не путать с актером! — принес ему распечатку.

— Так точно, сэр, — отозвался Муни, высокий, симпатичный молодой человек с маленькими усиками. Дирку вспомнилось, что, когда Муни впервые появился на корабле, над его усиками потешались все, кому не лень. То было странное время: экипаж смеялся надо всем подряд. Но Муни этого, естественно, не знал и решил, что смеются над ним.

Так оно, впрочем, до какой-то степени и было.

За одну ночь добродушный, веселый рубаха-парень Муни превратился в мизантропа. Он сидел в одиночестве в радиорубке, стены которой обтянул черным крепом, утверждая, что от яркого света ламп у него болят глаза. Еду ему приносили в рубку, разговаривать с кем бы то ни было он наотрез отказывался. Порой, проходя мимо рубки, можно было услышать непонятный стук. Никто не знал, что там происходит, а посему ореол загадочности вокруг Муни все разрастался.

В конце концов о поведении Муни доложили капитану. На Дирке в тот день был коричнево-голубой эластичный комбинезон, и он пребывал в приподнятом настроении.

— Пускай остается в рубке. Не трогайте его, он скоро очухается.

— Но, сэр, он ведет себя необычно!

— А с каких пор мы не терпим необычного поведения у тех, кого подозреваем в помешательстве?

— Вы хотите сказать, что Муни чокнулся?

— Надеюсь, временно. Оставьте его в покое. Все образуется.

Дирк оказался прав. Запершись в обтянутой черным крепом рубке, Муни со временем вернул себе уверенность и здравомыслие.

— Эй! — воскликнул он. — Пожалуй, мои усы и впрямь смешны. Какой же я дурак, что обиделся на ребят!

Он прикинул, стоит ли выходить из рубки, и внезапно понял, что ему хочется сыграть в пинг-понг. Однако сначала следовало кое-что сделать.

— Кое-что особенное, — сказал себе Муни. Когда он посмотрел на перечень особых коммуникационных проблем, решимости у него прибавилось. — Я сделаю, обязательно сделаю!

## Глава 62

— Значит, вы расшифровали бредограмму? — уточнил Дирк. — Считалось, что это невозможно. Шифр являлся величайшим секретом наших врагов, мурдидов с планеты Жало.

— А я с ним справился, — ответил Муни. Если в его голосе и прозвучало самодовольство, Дирк никак не отреагировал.

— Прочтите, мистер Муни.

— «От боевого мурдидского щупальца-два, — прочистив горло, начал читать Муни, — ставке мурдидского главнокомандования в тайном дворце на таинственной планете. Салют!»

— Пышненькое приветствие, — пробормотал Дирк.

— Так точно, сэр. Читаю дальше. «Сообщаю, что преступники-земляне Сплок и Хэм Дуо находятся сейчас на планете Убежище в системе звезды Зуб-двенадцать. Их атакует домашняя гвардия мессира, владельца и собственника указанной планеты. Прошу разрешения вероломно проникнуть на планету, убить всех, кто окажет сопротивление, а остальных посадить в клетки и возвратиться с победой домой. Конец связи».

— А ответ? — поинтересовался Дирк.

— Ответа нет, сэр.

— Мистер Муни, вы отлично поработали. Однако, пусть и не по вашей вине, работа выполнена лишь наполовину. Нам нужна расшифровка бредограммы, которую мурдидская ставка отправила своему щупальцу. Возвращайтесь в свою рубку, мистер Муни, надевайте наушники и — за дело. Добудьте мне бредограмму!

— Сэр, вообще-то, мы используем предсказательное устройство, изготовленное специально для нас фирмой «Знамение лимитед», которой принадлежит секретный оружейный завод на южной оконечности Галактики. Способ действия...

— Как-нибудь в другой раз, хорошо? Мне не следует забивать голову подробностями, иначе я не смогу воспринимать картину происходящего в целом и не сумею ничего предпринять. Понимаете, Пол?

— Я... Кажется, да, сэр, — отозвался Муни, растроганный тем, что суровый капитан, герой и образец для подражания, позволил ему заглянуть в свою душу. — Я постараюсь! — Он поспешил обратно в рубку, напрочь забыв о недавних обидах и насмешках команды.

Уже не впервые, подумалось Дирку, он наблюдает, как служебные обязанности закаляют характер. Ну да ладно, не Муни сейчас главная забота. Значит, те, кто доверял мурдидам, сели в лужу. Однако действовать без приказа было бы чистым безумием. Его наверняка понизят в звании и отстранят от боевых операций. Если он нападет на мурдидов, а потом выяснится, что те и не собирались атаковать планету пресловутого мессира, Галактический умиротворительный совет отречется от «Смекалки» и объявит ее капитана вне закона. К тому же этим неприятности вряд ли ограничатся.

Как ни странно, именно в этот момент бесцельно блуждавший по каюте взгляд Дирка остановился на голубой розе, что стояла в высоком стакане. Порой случается, что какая-нибудь мелочь полностью завладевает вниманием.

Неизвестно, что почувствовал капитан Дирк, разглядывая розу. Его размышлений не записали даже мыслеуловительные переборки (им весьма некстати решили прочистить сенсоры). Поэтому о том, что произошло в каюте, где царила тишина, более глубокая, чем в могиле, и гораздо более символичная, знал только Дирк; он смотрел на голубую розу, а цветок общался с ним каким-то необъяснимым способом и предлагал немыслимые вещи.

— Точно, — проговорил Дирк (впоследствии он не сумел вспомнить, что произнес что-либо подобное). — Я так и сделаю, пускай против меня будет вся преисподняя! — Он поднял голову и поглядел на панель дистанционного управления. Фотоновые датчики проследили направление капитанского взгляда и велели компьютеру перейти в состояние предварительной боеготовности.

— Жду ваших приказаний, сэр! — отрапортовал компьютер. Не запнулся ли на миг поставленный механический голос?

— Рассчитай самый короткий курс к планете Убежище.

Услышав распоряжение капитана, члены экипажа, сидевшие в кают-компании — кто читал старые журналы, кто просто валял дурака, — вскинулись, приободрились и разбежались по боевым постам.

— Боеготовность номер один! — гаркнул Дирк. Ах, если бы рядом был Сплок! Капитан оглянулся. — Доктор Марло!

— Сэр? — откликнулся бородатый мужчина в угольно-черном эластичном комбинезоне.

— Вы знакомы с принципом щитовой редупликации?

— Кажется, да, сэр, — проговорил сероглазый доктор. — Мистер Сплок объяснил мне перед тем, как... э... уйти.

— Тогда приступайте, — приказал Дирк. — Нам потребуется вся защита, какая только у нас есть.

Заложив невероятно крутой вираж, звездолет лег на новый курс. Перегоревшие гравиаторы отправили в супернагнетатель (тоже изобретение Сплока), и гигантский корабль устремился вперед со скоростью обваренного кипятком позитрона.

## Глава 63

Мурдидский флот, тем временем окружавший планету Убежище, значительно отличался от того, который в прошлом году разнес Каркасаль. Тот флот состоял из кораблей-бомб, пилотируемых камикадзе, и оказался не по зубам силам тамошней цивилизации. Объединенные боевые эскадры Элкина и Ван Лунда были оттеснены за Карпатский залив и наверняка оказались бы уничтожены, если бы не задул космический ветер, который разметал порядки атакующих и не дал им возможности нанести решающий удар. Однако эта кампания потребовала от мурдидов напряжения всех сил, и они долго приходили в себя. Нынешний флот был по количеству звездолетов вполовину меньше предыдущего, но отличался повышенной маневренностью. Мурдиды отказались от самоубийственной практики и даже ухитрились закупить у фирмы «Секретные технологии», основного поставщика подрывного программного обеспечения преступникам и прочим врагам цивилизации, специальные пакеты тактических программ. (Кстати, девиз этой фирмы — «Пусть все летит в тартарары».)

Новое программное обеспечение обеспечивало выполнение на высоких скоростях самых что ни на есть экзотических маневров и позволило мурдидам взять верх над силами Земли, которые до сих пор применяли логические модификации решений. Даже перепутав базовые коды, чтобы сделать возможным наблюдение за действиями мурдидов, люди долго не могли разобраться, что к чему; операторы спрашивали друг друга: «Ты видел?» — то есть тратили драгоценное время на бесполезные вопросы.

Что же касается Билла, то, пока звездолет «Смекалка» мчался сквозь гиперпространство на скорости, кратной световой (его отражатели парадоксов работали на полной мощности, чтобы предотвратить темпоральные имплозии, норовившие возникнуть вследствие неразрешимых дилемм), герой Галактики карабкался по винтовой железной лестнице на верх башни, надеясь отыскать там либо рубильник, который можно выключить, либо, если не получится, что-нибудь выпить.

Он поднимался, перепрыгивая разом через несколько ступеней. Внизу сражались с солдатами в доспехах Хэм Дуо и

Сплок. Численность противника все возрастала, стена трупов становилась выше и ближе, ибо берсерки мессира лезли вперед, не обращая внимания на потери. Билл увидел стальную дверь, висевшую на массивных петлях. Да, выбить такую — не стоит и пытаться. Билл вынул лазерный пистолет, установил на максимум и прорезал дверь насквозь: луч прошел через металл, как нож сквозь масло, разве что запах был менее приятный. Дверь рухнула. Билл вбежал в комнату, застыл как вкопанный, уставился на то, что лежало на полу, и криво усмехнулся.

— Что ж, — проговорил он наконец, — это кое-что меняет.

## Глава 64

У ЦРУ была привычка появляться совершенно неожиданно. Она всегда казалась Биллу слегка зловещей. Определить, где находится тайный агент в данное мгновение, обычно не представлялось возможным. Трудно сказать, знал ли ЦРУ, что его появление не слишком внушает доверие. Может статься, таковы все контрразведчики (между нами, отвратительная профессия).

Так или иначе, вбежав в комнату, Билл увидел ЦРУ, который возился с проводами, что отходили от распределительного щита.

— Билл! Как я рад, что успел вовремя!

— Как ты попал сюда? — спросил Билл, не доверявший ЦРУ со дня знакомства.

— Некогда объяснять, — отмахнулся ЦРУ. — Но можешь поблагодарить свою подружку.

— Иллирию? Я встретил женщину по имени Тезора, которая сказала, что она не совсем Иллирия.

— А знаешь почему? Из-за тебя, Билл! Надеюсь, ты поступишь с ней как положено. Если я что-нибудь понимаю, это любовь.

— Что ты делаешь?

— Перенастраиваю минное поле.

Билл уставился на ЦРУ. Внезапно его словно осенило. Ну конечно! Великолепный ход; правда, как знать, чем все закончится?

— Помоги мне, Билл, — попросил ЦРУ. — Надо выручать Хэма со Сплоком.

Билл заметил, что ЦРУ подсоединяет провода, что называется, напропалую. Значит, раз контакты перепутаны, проход через минное поле попросту невозможен. Герой Галактики сел на пол и принялся помогать агенту. Доносившийся снизу шум, который было немного поутих, сделался вдвое громче прежнего. Загрохотали безотказные орудия, завизжали реактивные игнометы, зарокотали темпоральные разрушители. Сплок и Дуо явно не желали погибать ни за понюшку табаку: они отстреливались из всего, что Сплоку вздумалось прихватить с собой на всякий случай.

Закончив работу, Билл и ЦРУ выбежали на лестницу. Хаос битвы приобретал на глазах некоторую упорядоченность. Солдаты в доспехах надвигались на Сплока и Дуо, толкая перед собой наспех возведенные баррикады из энергонепроницаемой целлюлозы. В руках солдаты держали духовые ружья, стрелявшие отравленными дротиками; то было еще одно запрещенное оружие, которым в открытую пользовались разве что мурдиды. Дуо и Сплока теснили к подножию лестницы.

— Пошли, — сказал Билл, похлопав друзей по плечам. — Надо сматываться.

— Очень вовремя. — Хэм Дуо скорчил гримасу. — Ты и не догадываешься, что я сделал, чтобы пробраться сюда. Сперва я купил наряд танцора фламенко...

— Потом, потом, — перебил герой Галактики. — Пора двигать.

Обернувшись, Дуо увидел то, что немногим раньше заметил Билл. Мурдидам наконец удалось затащить в башню тяжелое орудие УКД-12д, представлявшее собой с технической точки зрения безобидный звуковой зонд. Его переделали таким образом, что он теперь испускал лучи, превращавшие тех, на кого они нападали, в лужицы слизи. Почему именно в слизь, наука пока не установила.

— Пожалуй, ты прав, — сказал Дуо. — Ну, какие предложения?

— Слышишь, ЦРУ? — спросил Билл, повернувшись к агенту.

— Ург, ургг... — проговорил ЦРУ, поднеся руку ко лбу. Его лицо осветилось счастливой улыбкой.

— ЦРУ, — сурово произнес Билл, — нам сейчас не до шуток.

— Гларп, — отозвался агент, закатывая глаза.

— Блин! — просто, но от души выразился Билл.

## Глава 65

В тот самый миг поблизости от планеты Убежище вынырнул из космической бездны звездолет «Смекалка», отражатели которого раскалились от контакта с лишенными заряженных частиц атомами подпространства. Он избежал столкновения с минами, поскольку появился прямо посреди минного поля, паля изо всех орудий, что нацелились за какую-то долю секунды на планету, а затем по второму сигналу развернулись в сторону флота мурдидов. Последние между тем, исполняя приказ, очевидный для столь опытного боевого командира, как Дирк, продолжали осаду Убежища.

Сплок, услышав характерные шлепки, с какими стреляли орудия «Смекалки», мгновенно оценил ситуацию и крикнул:

— На балкон!

Билл схватил ЦРУ, который по-прежнему издавал диковинные звуки (с агентом случилось нечто непонятное — что именно, выяснится позднее, когда положение дел станет менее тревожным). Дуо шагал вперед, прокладывая путь лазерным клинком и энергетической дубинкой; ведомая им горстка храбрецов прорвалась сквозь мощный заслон и поднялась по узкой каменной лесенке к двери, что выводила на балкон.

Дверь оказалась запертой. Впрочем, Сплок учел такую возможность. Прищурясь, он поглядел на Билла, и тот сразу понял, что от него требуется. Герой Галактики передал ЦРУ в крепкие, но удивительно нежные руки Хэма Дуо и ринулся на дверь. Он использовал тактику дверевыбивания, которой научился на занятиях по вламыванию-выламыванию. Для воина, атакующего со знанием дела, не является препятствием никакая преграда. Дверь рухнула, беглецы выскочили на балкон. Билл на бегу потирал плечо и жаловался на судьбу; его слова уносились в верхние слои атмосферы.

# Глава 66

Тут на арене появился флот мурдидов. Враги не приняли ни малейших мер предосторожности, поскольку заранее узнали расположение минного поля, которое охраняло планету от тех, кто считал, что статусом Убежища вполне можно пренебречь. Корабли взрывались один за другим, и на границе атмосферы заклубился разноцветный дым. Тем не менее боевые звездолеты в большинстве своем уцелели, ибо мурдиды, каким-то образом предугадав ловушку, послали вперед транспортные суда. Такова обычная мурдидская тактика, на сей раз она оказалась полезной. Транспортные корабли продолжали взрываться, а боевые корабли, огромные и могучие дредноуты, благополучно оставили минное поле позади.

Стоя на балконе, беглецы передавали друг другу единственную кислородную маску, которую Хэм Дуо всегда носил в поясной сумке с презервативами (ими он никогда не пользовался). Сплок выпустил сигнальные ракеты. Те взмыли в воздух. В небе словно расцвели голубые цветы, которыми можно было бы восхититься, не будь положение столь отчаянным.

Мурдиды, обнаружив, что среди них находится чужой звездолет, отвлеклись от планеты и взялись за «Смекалку». Командиры орудийных расчетов бранились и вовсю размахивали кнутами, а сами расчеты поспешно разворачивали стволы: дело в том, что на мурдидских кораблях, при проектировке которых была допущена маленькая ошибка, орудия поворачивались вручную. Наконец канониры поймали «Смекалку» на прицелы, из стволов вырвалось пламя, и к земному кораблю понеслись, ведомые наводящими лучами, энергетические заряды.

— Включить двойное силовое поле! — крикнул Дирк, надеясь, что доктор Марло запомнил наставления Сплока. Первый заряд, медленно вращаясь на лету, врезался в поле; крохотные датчики тут же вывели его на орбиту возвращения. Прежде чем мурдиды успели что-либо сообразить, они оказались под собственным огнем.

— Держитесь! — проговорил Сплок. — За нами послали бот.

К башне и впрямь приближался крохотный кораблик. Он словно лавировал между статическими взрывными полями, на его носу мигали, словно подбадривая, красный и зеленый огоньки.

Очнувшись, ЦРУ попытался что-то объяснить Биллу, но слова агента заглушило стаккато очередного залпа. Бот завис в воздухе рядом с балконом. Билл подхватил ЦРУ под мышку и следом за товарищами забрался в люк, который тут же захлопнулся.

## Глава 67

Вскоре они очутились на борту «Смекалки», где их встретил Дирк, еще не остывший от схватки.

— Ты как нельзя кстати, — бросил капитан Сплоку оскорбительным тоном, которым, как правило, разговаривал с друзьями. — Отправляйся в машинное отделение. У нас возникли кое-какие затруднения. — Тут он заметил Билла и прибавил (причем на его лице не отразилось никаких чувств): — Привет, Билл. Иди в мою каюту, с тобой хотят поговорить по телефону.

## Глава 68

Дирк со Сплоком остались ломать головы над тем, как вывести «Смекалку» из сражения, что развернулось на перенастроенном минном поле, а Билл отправился на поиски капитанской каюты. На стенках коридоров имелись разноцветные стрелки, ориентируясь по которым можно было без труда попасть туда, куда хотелось. Однако Дирк забыл предупредить, что в боевых условиях расцветка стрелок менялась, чтобы сбить с толку вражеских шпионов, которые вполне могли воспользоваться моментом и устроить какую-нибудь пакость. Билл миновал столовую, совершенно пустую, если не считать одного толстого офицера, торопливо доедавшего свою порцию пудинга из тапиоки со сливой; следуя за стрелками, пробежал по длинному коридору, который должен был вывести к каюте Дирка, но привел взамен к торговым рядам. Герой Галактики не стал задерживаться, не обратил внимания на оклики нестроевых продавцов, желавших ему доброго дня и предлагавших различные товары. Билл любил делать покупки, но сейчас было некогда. Он вновь обнаружил стрелки, что якобы указывали, где находится капитанская каюта, и лишь теперь заподозрил, что дело нечисто, а потому заглянул в один из магазинчиков и купил путеводитель по кораблю в боевых условиях, с помощью которого быстро добрался до каюты Дирка.

Широкий, от стены до стены, ковер с густым ворсом; такие полагались только старшим офицерам. Стол накрыт на одного (сам того не желая, Билл оказался посвященным в подробности личной жизни Дирка). Прямо напротив двери стоял на сверкающей подставке телефон. Световой индикатор непрерывно мигал, сообщая, что поступил звонок.

Билл ринулся к аппарату, свалив второпях несколько хрустальных статуэток, и рывком схватил трубку.

— Алло! — рявкнул он.

— С кем вы хотите говорить? — справился женский голос на том конце провода.

— Мне кто-то звонил.

— Как вас зовут, сэр?

— Билл! Я Билл!

— А я Рози, телефонистка на центральном коммутаторе. Мне кажется, мы с вами встречались на приеме в дрднигинианском посольстве. Это было в прошлом году на Капелле.

— Меня там и близко не было, — отозвался Билл. — Давай, малышка, соединяй.

— Значит, вы не тот Билл. Говорите, вам звонили?

— Да!

— Минуточку. Я постараюсь выяснить.

Билл принялся ждать. Вдруг дверь у него за спиной приоткрылась, и в каюту проскользнул чем-то озабоченный ЦРУ.

— Билл, с тобой все в порядке? — поинтересовался он.

— Естественно. Сижу жду звонка. А с тобой что-то стряслось?

— Долго объяснять. Знаешь, там, внизу, я хотел сказать тебе, чтобы ты ни в коем случае не поднимался на борт «Смекалки».

— Лучше поздно, чем никогда, — хмыкнул Билл. — Чем тебе не нравится «Смекалка»?

— Билл, — вклинилась в разговор телефонистка, — я вас соединяю, говорите.

— Билл, милый, это ты? — спросил кто-то высоким женским голосом.

Хотя голос Иллирии менялся всякий раз, когда она перепрыгивала из тела в тело, что происходило гораздо чаще, чем нравилось Биллу, герой Галактики сразу узнал знакомый тембр. Вдобавок с какой другой женщиной ему в те дни доводилось общаться?

— Иллирия, где ты?

— Неважно. Скажи мне, Билл, ЦРУ с тобой?

— Да, — ответил Билл, на всякий случай оглянувшись на агента.

— Хорошо. Ты должен кое-что узнать о нашем так называемом контрразведчике. Мне повезло, что я тебя перехватила.

— Билл, — произнес ЦРУ, — нам надо поговорить. — Он сел за стол напротив Билла и как бы случайно накрыл полой шинели телефонный аппарат. В трубке что-то щелкнуло, тихо и зловеще.

— Иллирия! Алло!

— Сожалею, сэр, — сказала телефонистка, — но вас разъединили.

Тут в каюту вошли Дирк и Сплок, которых сопровождал Хэм Дуо.

## Глава 69

Дирк был замечательным пилотом; когда же ему помогал Сплок, дублировавший действия капитана на синтезаторе действий, с ними двоими не мог справиться никто во всей Галактике. Вот почему Дирк решился на мариенбадский вираж — весьма рискованный маневр, который требует от пилота стальных нервов. Корабль возвращается тем же курсом, каким двигался вперед; его изрядно трясет, поскольку обратный курс изобилует громадными электрическими потенциалами — одни остались от предыдущих виражей, другие возникли спонтанно, но все голубые со стальным отливом.

Мурдиды бросились в погоню, но капитан флагмана забыл в пылу битвы опустить носовые отражатели. Круговорот подпространственных модальностей сделал преследование невозможным. Поэтому мурдиды отыгрались на Убежище, а разведка подготовила сообщение, в котором гибель планеты объяснялась климатическими условиями.

Оказавшись на какое-то время в безопасности, Дирк вывел корабль на ровный курс. Коки звездолета облегченно вздохнули и возобновили раздачу картофельного, с луком супа, на который изголодавшаяся в ходе короткой, но яростной стычки команда накинулась с непривычной жадностью. По приказу Дирка каждому члену экипажа выдали порцию соли. Капитан знал, что после такой встряски людям требуется что-то необычное.

Затем Дирк, сопровождаемый остроухим Сплоком и высокомерным лопоухим Дуо, вернулся к себе в каюту — посмотреть, как идут дела у Билла. По дороге им показалось, что в коридоре витает запашок чего-то не очень приятного, нездорового, словно сулящего печаль и скорбь. Впрочем, они быстро забыли о своих подозрениях; даже обыкновенно внимательный Сплок лишь впоследствии вспомнил о возникшем предчувствии.

Они вошли в каюту. Билл стоял у телефона, его солдатское лицо выражало разочарование. Рядом находился агент ЦРУ, который в своей длинной шинели и перчатках без пальцев выглядел так, будто только что вылез из мусорного ящика. От Сплока не укрылось, что один из карманов ЦРУ оттопыривается, как если бы там сидел семидюймовый чинджер. Как то было в привычках ноктюрнианина, он промолчал, но про себя заметил: «Любопытно». Кроме того, в каюте присутствовал призрак голоса Иллирии, совсем недавно говорившей с Биллом по телефону — до того, как ЦРУ, намеренно или нет, накрыл аппарат полой шинели, помешав, возможно на долгий срок, Иллирии раскрыть тайну своих внезапных появлений и исчезновений.

— Билл, — сказал Дирк, — думаю, мы должны тебе поаплодировать. Не знаю как, но ты сумел собрать здесь весь мурдидский флот и задержать его до прибытия «Смекалки», которая приняла меры, чтобы мурдиды не удрали до того, как появятся корабли империи. Между прочим, среди тех, кто участвовал в сражении, был, как я с удовольствием заметил, твой Шестьдесят девятый дальнекосмический полк убийцвизгунов.

— Они тут? — воскликнул Билл. — Мои друзья? Бычара Доналдсон? Туз Джонни Дули? И Клопштейн, у которого железный нос? Он тоже тут?

— Да, Билл. Все они здесь, правда, быть может, не в том виде, который бы нас порадовал...

— Чего?

— Понимаешь, они... ну... мертвы. Я хотел сообщить тебе об этом не сразу и помягче, что их ранило, но они в госпитале и поправляются. Потом ты бы узнал, что у них случился рецидив, не настоящий, конечно, но что-то вроде того, однако беспокоиться не следует, они все равно выздоравливают, не очень быстро, но выздоравливают. А уж затем я бы сказал, что они умерли, и ты бы не слишком расстраивался. Мы долго обсуждали, как лучше, и Дуо настоял на том, чтобы ничего от тебя не скрывать; как он выразился, corto y derecho[1]. Надеюсь, мы поступили правильно. Как ты себя чувствуешь?

— Пить хочется.

— Пить?

— Надо же мне выпить за погибших друзей. Они бы тоже за меня выпили.

— Разумеется. Наливай, Билл. Так ты легче воспримешь следующую новость.

Билл порылся в шкафчике, выпил залпом три стакана «Старого горлодера», высморкался в грязно-лиловый носовой платок, который почему-то оказался у него в кармане, и сказал:

— Ладно, выкладывайте. Кто еще окочурился?

— Больше никто, — рассмеялся Дирк.

— Точно, — подтвердил с ухмылкой Дуо. — Со смертями покончено.

— Волноваться не стоит, — прибавил Сплок. — Но на всякий случай плесни себе снова.

— Командование требует, чтобы ты немедленно возвращался. Узнав, что ты у нас, они страшно обрадовались. Похоже, у них сложилось мнение, что ты дезертировал.

— С чего они взяли, придурки?!

— Может, с того, что ты несколько месяцев не давал о себе знать, — предположил Дуо.

---

[1] Коротко и ясно *(исп.)*.

— Я был пленником инопланетян. Они заперли меня внутри гигантского компьютера. Разве пленникам полагаются телефон или бумага для переписки?

— Думаю, нам удалось все уладить, — сказал Дирк. — Мы рекомендовали представить тебя к медали. Им сначала не понравилось, но догадайся, кто сумел их переубедить.

— Откуда мне, так-растак, знать? — искренне изумился Билл.

— Ганнибал, — проговорил Сплок. — Он больше не считает тебя своим врагом. Утверждает, что беседы с Врагом-Историком изменили его взгляды на историческую необходимость.

— Замечательно, — изрек Билл то ли с иронией, то ли без. — И когда мне возвращаться?

Дирк и Сплок переглянулись. Капитан едва заметно кивнул. Сплок приоткрыл рот, словно собирался что-то сказать.

— Входите, — произнес он.

Дверь распахнулась, и в каюту вошли двое мужчин в хромированных подшлемниках, с белыми повязками военной полиции на рукавах. Они выглядели как центровые НБА, каковыми, впрочем, и были до той поры, пока неожиданное появление на Марсе во время баскетбольного матча капитана Немура де Вийе... Но это другая история.

— Рядовой! Ты арестован, — заявил полицейский с маленькими усиками. — Протяни руки.

Ну что тут скажешь? Билл подчинился. Полицейский без усов надел ему наручники.

— До встречи, ребята, — произнес Билл от двери, перед тем как полицейские вывели его в коридор.

— Подожди, Билл! — воскликнул ЦРУ, нарушив установившееся в каюте молчание, и кинулся следом.

— Бедняга, — проговорил Дуо после новой паузы. — Даже не сумел как следует попрощаться.

## Глава 70

События чередовались так быстро, что как бы слились в большое пятно необыкновенной, невыносимой яркости. Полицейские доставили Билла на свой корабль, сняли с него наручники и предложили промочить горло. Они думали, что Билл совершил ужасное преступление, а потому откровенно им восхищались. Ведь обычно они имели дело с теми, кто удирал в самоволку или попадался пьяным. Но теперь у них был настоящий рецидивист. Билл рассказывал полицейским об Иллирии, о Ройо, о том, каково очутиться внутри гигантского компьютера, а они слушали во все уши. В общем, несмотря на свою незавидную участь, Билл наслаждался жизнью.

Дело в том, что он радовался возвращению на службу. Правда, то была парадоксальная радость, поскольку возвращался он арестантом, что сулило крупные неприятности в будущем. С другой стороны, что ему грозит? Расстрел? За все военные преступления полагалась смертная казнь. А чем суровее приговор, тем легче его вынести недоумкам-офицерам, заседающим в трибуналах. Так было всегда; не то чтобы Билл восторгался этим правилом, однако он знал, что тут ничего не изменишь. В конце концов, как ни крути, армия наложила на него свою лапу.

Слишком скоро, по мнению Билла, звездолет совершил посадку в лагере Отчайник, названном так не потому, что он представлял собой еще то местечко (как оно, впрочем, и было на самом деле), а в честь первого начальника базы, Мартина Гарри Отчайника, героя двух сражений при Среднем Зеленом Копыте и при Логове Заводилы, в которых народу погибло больше обычного (естественно, Мартина повысили в звании).

Отчайник находился на планете Следствие-10. То был крохотный мирок, на котором постоянно воняло тухлыми яйцами. Лагерь располагался на тропическом острове, отделенном от враждебного материка проливом, в котором бурлили и пенились многочисленные водовороты. Остров сильно смахивал на старый добрый Девилз-Айленд[1]; чтобы придать ему большее сходство, сюда доставили пальмы.

Билла посадили в тюрьму максимально строгого режима, настолько строгого, что туда с трудом проникала даже пища. Он исхудал, глаза у него покраснели; но вот однажды утром ему велели почистить форму и клыки. Герою Галактики предстоял суд, на котором офицеры должны были решить, как

[1] Devil's Island *(англ.)* — Остров Дьявола, где находится тюрьма строгого режима.

с ним поступить. Что касается клыков, члены суда не собирались, независимо от того, виновен Билл или нет, терпеть дурной запах изо рта подсудимого.

Билла привели в огромный амфитеатр, вмещавший, должно быть, около десяти тысяч зрителей. Свободных мест не было, поскольку военный трибунал считался достопримечательностью планеты; туристов водили на него, как на экскурсию. Организовать это слушание дела в амфитеатре решили потому, что обвинение в недобросовестности при исполнении служебных обязанностей обещало привлечь изрядное количество публики.

На суде присутствовали и присяжные. Недавние изменения в уставе требовали проводить заседание трибунала только с участием присяжных. Таким образом армейское начальство стремилось замаскировать недостатки системы правосудия. Присяжные голосовали так, как им рекомендовал председательствующий, поскольку иначе их расстреливали. Для экономии средств позднее было принято решение назначить постоянных присяжных, на роль которых выбрали двенадцать роботов из числа тех, что пострадали в различных сражениях и дожидались ремонта. Если не считать, что у каждого отсутствовала какая-либо часть тела, они вполне подходили под требования. К сожалению, некоторым недоставало головы, однако роботы утверждали, что мозги у них в грудных клетках. В конце концов всех без исключения из дюжины роботов объявили присяжными и запрограммировали на вынесение обвинительного вердикта.

— Встать! — крикнул пристав.

Зрители поднялись и зааплодировали главному судье, полковнику Вэссу Бейли, весьма популярному в армии человеку. Настоящее имя полковника было Льюис, а Вэссом его прозвали потому, что всем подсудимым он выносил один-единственный приговор: «Виновен, электрический стул, следующий». Зная о пристрастиях судьи, зрители, которые испытывали к подсудимым инстинктивное отвращение, заранее радовались исходу процесса. Кстати, если верить молве, находились и такие, кто считал, что Вэсс Бейли чересчур мягкосердечен и что тех, кого признали виновными, следует расстреливать на месте. Однако, как хорошо известно, армейский либерализм просочился даже в армейское судопроизводство.

Военного прокурора капитана Джеба Стюарта приветствовали восторженным ревом. Все знали, что за пять лет он не проиграл ни единого процесса. Еще один успешный сезон — и он получит Тройную корону юриспруденции.

— Нужно ли мне вдаваться в подробности? — справился Джеб Стюарт у членов суда зычным, поставленным голосом. — Рядовой Бил, заслуживающий наказания уже потому, что осмеливается именовать себя Биллом, с двумя «л», как офицер, нарушил статьи двадцать третью, сорок пятую, семьдесят шестую, семьдесят шестую «а» и тысяча сто шестую, подраздел «в», Стандартного воинского кодекса. Тем, кому интересно, какие именно преступления он совершил, советую заглянуть в розданные всем присутствующим шпаргалки. Бил, ты хочешь что-нибудь сказать?

— Сэр, я всего лишь исполнял приказ!

— А с каких пор, — осведомился с лукавой улыбкой Стюарт, — приказ служит оправданием в глазах военного трибунала?

— Но что мне было делать?

— Все, что положено, — прорычал Стюарт. — Мы обнаружили, что в ходе беспорядков среди гражданского населения чужой планеты ты совершил самовольную отлучку; затем сознательно связался с инопланетянкой, обитательницей планеты Цурис, а империя ведет с Цурисом войну; далее поселился по причинам, о которых лучше не упоминать, внутри вражеского компьютера, а также сотрудничал с военачальником из другой эпохи, которого зовут Ганнибал и который не смог прибыть на заседание в связи с тем, что воюет с римским полководцем Сципионом Африканским. Однако у нас есть письменные показания Ганнибала. Он изложил свое мнение на карфагенском, поэтому возникли определенные трудности с переводом. Тем не менее мы полагаем, что там написано следующее: «Этот солдат виновен во всем том, в чем его обвиняют, а потому поджарьте ему задницу».

— Ганнибал мой друг, — заявил Билл. — Он не мог написать такого. Вы неправильно поняли.

— Убедись сам. — Стюарт многозначительно кивнул.

К нему подбежал делопроизводитель, сжимавший в руках большую глиняную табличку, на которой содержался клинописный текст.

— Я не могу прочесть, — сказал Билл.

— Естественно! — согласился Стюарт. — Было бы странно, даже подозрительно, если бы ты сумел прочесть, что здесь написано. Но тогда на каком основании ты отрицаешь наше истолкование документа?

— Придумать можно что угодно.

— Неужели? Мы предполагали, что ты изберешь подобный способ защиты, поэтому пригласили на заседание специалиста по надписям на неизвестных языках. Профессор Розетта Стоун, будьте добры, займите свидетельское место[1].

Профессор Розетта Стоун оказалась высокой и костлявой старой девой, державшейся с редкой чопорностью. Она окинула амфитеатр презрительным взглядом и произнесла:

— От специалиста моего уровня можно ожидать более разумной, если не сказать уместной, оценки и истолкования сомнительного текста, чем от профана, каким является плохо образованный солдат.

Все продолжалось в том же духе. Суд заслушал свидетелей, которых Билл в жизни не видел. Впоследствии он узнал, что это были профессиональные свидетели, которые участвовали в рассмотрении тех дел, когда было ясно, что подсудимый полностью виновен, но доказательств не хватало.

Услышав, что один из свидетелей, священник альбигойской церкви, уверяет, будто он, Билл, виновен в разграблении Рима в 422 году нашей эры, герой Галактики не выдержал и яростно запротестовал. Поскольку против него имелось значительное количество обвинений, по которым можно было вынести любой приговор, главный судья согласился с протестом Билла.

Когда ему предоставили последнее слово, Билл попросил разрешения подумать.

— Обвиняемые всегда просят об отсрочке, — улыбнулся судья. — Послушай, солдат, все уже решено. Можешь отказаться от последнего слова и сохранить тем самым драгоценное время.

— А если не откажусь? — спросил Билл.

— Тогда говори сразу. Кстати, твой вопрос будет фигурировать в качестве одного из пунктов обвинения.

---

[1] *Rosetta Stone (англ.)* — Розеттский камень. Так называется обломок крупной базальтовой скалы, обнаруженной в Розетте (Египет). Содержит запись декрета в честь Птолемея V на греческом языке и иероглифами, что дало возможность расшифровать иероглифическое письмо.

— Всё против меня, — произнес Билл, пожимая плечами. Ему было не впервой. — Что тут скажешь?

— Поторопись, — сказал судья. — Ты не представляешь, насколько я устал сидеть здесь и выносить приговоры преступникам, которые относятся к закону с неоправданной легкостью, нарушая его своими гнусными действиями. Ну что? Молчишь? Молодец! Ладно, переходим к приговору.

— Вы забыли спросить присяжных, — напомнил Билл.

— Ерунда! — отмахнулся судья. — Полагаю, мы можем забыть о формальностях и заняться делом.

— Нет! — воскликнул Билл. — Я хочу услышать, что скажут присяжные.

Лицо судьи выразило отвращение. Ему предстоял нелегкий день. Он договорился сыграть три партии в гольф, причем его партнеры, все люди высокого полета, не поймут, если он выступит слабее обычного. Ведь они приехали в эту глухомань не для того, чтобы просто помахать клюшкой. Судье подумалось, что рядовой Билл — крепкий орешек. Еще никто из подсудимых не требовал вердикта присяжных. Вот вам доказательства того, как новомодные идейки разлагают армию. Бейли прикинул, не вытащить ли лазерный пистолет, который он всегда носил в кобуре под судейской мантией, и не избавить ли свет от этого мерзавца, что явно заслуживает смерти за любое, даже самое скромное, из своих преступлений. Нет, не стоит. Кому нужен очередной штраф за расстрел обвиняемого на месте? Чинуши из ставки требовали, чтобы все соответствовало букве закона. Вот если бы доказать, что в ставке собрались заговорщики, которые стремятся разрушить систему правосудия! Тогда бы он им показал!

Судья повернулся к присяжным. Девять голов, три грудные клетки. Пустые глаза и сверкающие корпуса роботов напомнили судье о присяжных на другом процессе, в котором он участвовал: там были и люди, и роботы, и обезьяны...

— Роботы-присяжные, — произнес судья, — выслушали ли вы с должным вниманием ответы свидетелей?

— Да, ваша честь, — отозвался старшина присяжных, дефективный робот с багровой физиономией, которую украшали большие круглые очки.

— Хватило ли вам времени, чтобы взвесить все «за» и «против» и принять решение?

— Да, ваша честь.

— Каков ваш вердикт?

— Мы считаем, что обвиняемый совершенно невиновен и заслуживает как минимум одной медали.

Судья окинул присяжных взглядом, выражавшим одновременно ужас и ярость, что производило ошеломляющее впечатление.

— Правильно ли я расслышал?

— Зависит от того, что вы услышали, ваша честь, — хихикнул старейшина.

— Вы утверждаете, что подсудимый невиновен?

— Да, ваша честь, утверждаем. И не забудьте про медаль.

Амфитеатр превратился в пандемониум. Матери плакали и прижимали к себе детей. Настоящие мужчины курили сигареты. Роботы различных марок и моделей, которые тоже присутствовали на процессе, хлопали в ладоши и пронзительно вопили (по до сих пор неясной причине роботы в состоянии возбуждения издают именно такие звуки). Судья раздулся, как цыпленок, которому кое-куда приспичило. Несколько приставов хлопнулось в обморок, и их пришлось приводить в чувство крепкими напитками. Корреспонденты армейских газет бросились к телефонам. Билл спрыгнул со скамьи подсудимых и заключил в объятия своего друга ЦРУ, который радовался вместе с остальными.

— Здорово, Билл! — крикнул агент.

— Но почему? — спросил Билл. — Я никогда не слыхал, чтобы роботы голосовали не так, как им положено.

— Внимание! — рявкнул судья. — Прекратить беспорядок! Слушание дела не закончено!

По мановению судейской длани приставы поспешили закрыть все двери. Однако за мгновение перед тем, как двери захлопнулись, в амфитеатр вбежал посыльный: с головы до ног в коже, на глазах мотоциклетные очки, на лбу капли пота. Он протянул судье листок бумаги и рухнул на пол; его тоже оживили глотком спиртного.

В наступившей тишине судья развернул листок. Поджал губы. Прокашлялся. Встал и свирепо поглядел на Билла.

— Возникли привходящие обстоятельства, — сказал он. Публика затаила дыхание. — Тебя вызывает твой командир, — продолжил судья, обращаясь к Биллу. — Мне сообщили только сейчас, но присяжные, очевидно, узнали обо всем раньше.

Судя по гримасе на лице судьи, происходящее ему ни капельки не нравилось, и он с удовольствием поставил бы когонибудь к стенке.

— Процесс окончен! — провозгласил Бейли.

К Биллу тут же подошли полицейские, чтобы доставить героя Галактики по месту назначения.

## Глава 71

База выглядела точно такой, какой запомнилась Биллу. Горстка одно- и двухэтажных зданий посреди болота. Полицейские отвели героя Галактики прямиком в штаб-квартиру, где сняли с него наручники, пожелали удачи и удалились.

Билл уселся на скамейку в приемной генерала Фоссбаргера, недавно назначенного начальником всего Южного Сектора. Вскоре секретарь жестом подозвал Билла к себе и сообщил, что можно войти.

Кабинет генерала отличался изысканностью обстановки: широкий, от стены до стены, ковер, датская мебель, фиолетовые обои с омерзительными рисунками, на столе графин с виски. И без того крупный, генерал, благодаря складкам жира на шее и щеках, выглядел изрядным толстяком. Те волосы, которые у него сохранились, были светлыми, что подтверждало распространившиеся перед прибытием Фоссбаргера слухи о Белокурой Бестии.

— Садись, Билл, — пригласил генерал. — Сигару? Выпить хочешь?

Сперва Билл решил отказаться: а вдруг его собираются отравить? С другой стороны, если он откажется, генерал вполне способен предъявить ему обвинение в неуважении к старшему по званию. Сомнениям Билла положил конец Фоссбаргер, наливший герою Галактики виски и положивший на стол сигару.

— Давай, солдат, не стесняйся. Глотни, затянись. Между прочим, в этой сигаре отличный табак, вовсе не та дрянь, которую вы смолите в своих казармах. Значит, ты — Билл. Хорошо. Я много про тебя слышал и очень рад, что трибунал завершился оправданием. Да, повезло не только тебе, но и всем нам. Если бы ты был мертв, мы бы не смогли использовать твои навыки.

Билл наконец сообразил, что неожиданному поведению присяжных существовало объяснение. В армии ничего не происходило без причины (неважно какой, главное — она наличествовала).

— Очень рад, сэр, — проговорил герой Галактики, настороженно ожидая продолжения.

— Билл, тебе поручалось добыть Переместитель...

— Извините, сэр. — Билл съежился на стуле. — Он был у меня в руках, но потом столько всего случилось...

— Не переживай. Мы, кажется, знаем, где его взять.

— Здорово, сэр! — воскликнул Билл.

— Разумеется. К тому же особых усилий прилагать не придется.

— Еще лучше! — якобы обрадовался Билл, которого на самом деле все сильнее мучили подозрения.

— К сожалению, возникла одна заминка.

Билл кивнул. Почему-то он ни капельки не удивился. Ему разве что хотелось узнать, каким боком все это касается его.

— Цурихиане, — продолжал Фоссбаргер, — изъявили желание передать нам то, чего мы добиваемся. Однако с одним условием.

Билл застонал. Как будто мало было заминки! Теперь условие, а дальше наверняка будет и того хуже. Он яростно запыхтел сигарой, осушил до дна стакан. Чего же генерал тянет? Фоссбаргер понимающе кивнул и наполнил стакан Билла по новой.

— Так вот, Билл, они хотят, чтобы мы прислали на Цурис своего представителя, которого они научат пользоваться Переместителем. Сам понимаешь, со столь сложным прибором нельзя обращаться абы как.

— Естественно.

— Насколько мне известно, ты вызвался добровольцем.

— Нет! — крикнул Билл. — Ничего подобного! Никуда я не вызывался!

— Жаль, — отозвался генерал. — Кстати, ходят слухи о возобновлении судебного процесса. Учти, на сей раз все будут решать не роботы-присяжные, а один-единственный человек — я.

— А-а, — протянул Билл.

— Надеюсь, до этого не дойдет. Нам некогда заниматься такой ерундой. Приказываю тебе вызваться добровольцем! — Фоссбаргер вынул из ящика стола большой пистолет и нацелил оружие Биллу промеж глаз. — Ты отказываешься выполнять приказ?

— Прошу прощения, сэр, не могли бы вы растолковать мне, куда я вызвался добровольцем?

— То-то. — Генерал улыбнулся с видом стервятника, клюющего слоновью тушу. Пистолет исчез. — Спрашивай. У тебя на все вопросы ровно пятьдесят пять секунд.

— Почему я?

— Хороший вопрос. Потому, что ты уже бывал на Цурисе, а опытом пренебрегать не следует.

— Так точно, сэр.

— Но гораздо важнее то, что на твоем прибытии настаивал компьютер «Квинтиформ», который, как тебе известно, управляет Цурисом.

— «Квинтиформ»?

— Да. Он утверждал, что вам с ним нужно уладить одно дельце. Поскольку нам необходим Переместитель, мы не стали возражать. Тем более о том же просила и женщина.

— Какая женщина?

— По-моему, она назвалась Иллирией. Новый президент Цуриса.

— Как она ухитрилась? — удивился Билл.

— Точно пока не знаем. Кажется, поменяла тело.

— Опять? — Билл вздохнул. Судя по всему, спасения не было. — А вы не знаете, сэр, в кого она переселилась на этот раз?

— Сам я ее не видел, — ответил Фоссбаргер. — Но она просила передать, чтобы ты готовился к сюрпризу.

— Хватит с меня сюрпризов!

— Вдобавок на Цурисе тебя ждет твое старое тело.

— Но у меня есть тело!

— Его следует вернуть компьютеру, поскольку оно всего-навсего было отдано тебе во временное пользование.

— А какое теперь тело у Иллирии?

— По ее словам, настолько маленькое, что помещается внутри компьютера.

— Я не хочу жить в компьютере! — простонал Билл.

— Попробуй, возможно, тебе понравится. Иначе... — В руке генерала вновь оказался пистолет.

— Слушаюсь, сэр! — прорыдал Билл.

После разговора с Фоссбаргером Билл заглянул в солдатскую столовую, заказал выпивку и принялся думать. Стоило ему только вернуться на службу, как его тут же снова выгнали с базы. Обратно к Иллирии и компьютеру. Пропустив стаканчик, Билл почувствовал себя чуть лучше. В конце концов, «Квинтиформ» — вполне приличная машина. А Иллирия...

Да, убеждал себя Билл, с «Квинтиформом» всегда можно договориться. Он наверняка обрадуется встрече. Да и Иллирию приятно будет повидать. В армии ведь такой порядок: бери, что дают. Выходит, надо брать.

Тогда почему он плачет? Откуда взялись слезы, что бегут по щекам и капают в стакан?

## Глава 72

На Цурисе Билла встретила толпа аборигенов, тела которых состояли из трех привычных сфер. Врачи, с которыми он познакомился во время своего прошлого визита, приветствовали его дружескими жестами. Едва маленький космобот совершил посадку, героя Галактики без лишних церемоний, под радостные возгласы местных жителей, отвели в подвал главного здания планеты: именно там обосновался компьютер.

— Привет, Билл, — сказал «Квинтиформ». — Рад тебя видеть.

— Привет, — осторожно ответил Билл. — Похоже, ты на меня не сердишься.

— Конечно нет. Мы с тобой всегда находим общий язык.

— Зачем ты послал за мной?

— Долго объяснять.

— Ничего, времени у меня достаточно.

— Понимаешь, жена попросила. Сказала, что это будет самый лучший свадебный подарок.

— Твоя жена? Разве у компьютеров бывают жены?

— Вообще-то, нет, — произнес «Квинтиформ». — Но ты не знаешь моей жены. Решительная женщина.

— То есть машина? Я с ней знаком?

— Вовсе не машина. Ее зовут Иллирия.

— Иллирия? — промямлил Билл.

— Кто меня зовет? — поинтересовался женский голос.

Билл, хотя никогда раньше его не слышал, сразу догадался, что он принадлежит Иллирии. Ошибиться было невозможно.

Иллирия вошла в комнату. Ее новое тело... Если вам, как и Биллу, нравятся пухленькие женщины, вы разделите чувства героя Галактики.

— Ничего не понимаю, — пожаловался Билл.

— «Квинтиформ»! — проговорила Иллирия, повернувшись к видеоэкрану.

— Да, любовь моя.

— Не слушай, пока я тебе не разрешу.

— Хорошо, дорогая. Мне как раз пора проверить, как обстоят дела на планете. — Компьютер загудел. Постепенно гудение стало тише, словно машина удалялась (вполне возможно, так оно и было), а затем установилась полная тишина, если не считать слабого эха, которое вскоре тоже пропало.

— Иллирия, как ты могла выйти замуж за компьютер?

— Милый, я согласилась только ради того, чтобы он вернул мне тебя.

— Но ты замужем. На кой ляд я теперь тебе нужен?

— Билл, компьютер просто лапочка, его интересуют человеческие эмоции, но с ним — одни разговоры. Ты понимаешь, что я имею в виду?

— Вроде бы. Но я же на службе! Меня послали на задание...

— Если времени мало, дорога каждая секунда, — перебила Иллирия, раскрывая объятия. — Начнем вот так, — прошептала она.

За мгновение перед тем, как отдаться страсти, Билл подумал, что действует точно по приказу.

До чего же противная штука война!

# Содержание

**Гаррисон Г.**

Г 21 Билл — герой Галактики. Книга 1 : романы, рассказ / Гарри Гаррисон ; пер. с англ. С. Соколова, Л. Шкуровича, А. Иорданского, Н. Михайлова. — СПб. : Азбука, Азбука-Аттикус, 2016. — 576 с. — (Звезды мировой фантастики).

ISBN 978-5-389-11958-1

Билл, герой Галактики... Куда б его ни бросила судьбина — в воронку ли безумной войны с расой миролюбивых чинджеров, в ядовитые ли болота недружественной землянам планеты Вениолы или в мир подневольных роботов, он всегда думает об одном — как бы сделать ноги из этой проклятой армии. Гарри Гаррисон в автобиографическом романе «Гаррисон! Гаррисон!» приводит такой показательный случай из своей жизни: «На конвенте ко мне подошел матерый морпех, кривоглазый, с изуродованным лицом, и спросил: „Это вы Гарри Гаррисон?“ Я ответил утвердительно, и тогда он задал новый вопрос: „Это вы написали «Билла, героя Галактики»?“ Я говорю „Да“ и уже определяю маршрут для бегства. И вдруг слышу: „Единственная правдивая книга про армию“. Услышать такое от профессионального вояки дорогого стоит». А для читателя дорогого стоит еще одна встреча с автором и его замечательным героем — героем Галактики.

**УДК 821.111(73)**
**ББК 84(7Сое)-44**

Литературно-художественное издание

ГАРРИ ГАРРИСОН

БИЛЛ — ГЕРОЙ ГАЛАКТИКИ

*Книга 1*

Ответственный редактор Александр Етоев
Художественный редактор Сергей Шикин
Технический редактор Татьяна Раткевич
Компьютерная верстка Михаила Львова
Корректоры Анна Быстрова, Лариса Ершова

Главный редактор Александр Жикаренцев

Подписано в печать 31.08.2016. Формат издания 84 × 108 $^1/_{32}$.
Печать офсетная. Тираж 3000 экз. Усл. печ. л. 30,24. Заказ № 3463/16.

Знак информационной продукции
(Федеральный закон № 436-ФЗ от 29.12.2010 г.):

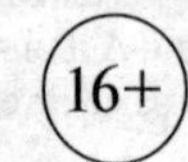


ООО «Издательская Группа „Азбука-Аттикус"» —
обладатель товарного знака АЗБУКА®
119334, г. Москва, 5-й Донской проезд, д. 15, стр. 4

Филиал ООО «Издательская Группа „Азбука-Аттикус"»
в Санкт-Петербурге
191123, г. Санкт-Петербург, Воскресенская наб., д. 12, лит. А

ЧП «Издательство „Махаон-Украина"»
04073, г. Киев, Московский пр., д. 6 (2-й этаж)

Отпечатано в соответствии с предоставленными материалами
в ООО «ИПК Парето-Принт».
170546, Тверская область, Промышленная зона Боровлево-1, комплекс № 3 «А».
www.pareto-print.ru

ПО ВОПРОСАМ РАСПРОСТРАНЕНИЯ ОБРАЩАЙТЕСЬ:

В Москве: ООО «Издательская Группа „Азбука-Аттикус"»
Тел.: (495) 933-76-01, факс: (495) 933-76-19
E-mail: sales@atticus-group.ru; info@azbooka-m.ru

В Санкт-Петербурге: Филиал ООО «Издательская Группа „Азбука-Аттикус"»
Тел.: (812) 327-04-55, факс: (812) 327-01-60. E-mail: trade@azbooka.spb.ru

В Киеве: ЧП «Издательство „Махаон-Украина"»
Тел./факс: (044) 490-99-01. E-mail: sale@machaon.kiev.ua

Информация о новинках и планах на сайтах: www.azbooka.ru, www.atticus-group.ru

Информация по вопросам приема рукописей и творческого сотрудничества
размещена по адресу: www.azbooka.ru/new_authors/

HAFA1999001R